BERNARD MINIER

Bernard Minier, né en 1960, originaire de Béziers, a grandi au pied des Pyrénées. *Glacé* (2011), son premier roman, a reçu le prix du meilleur roman francophone du Festival Polar de Cognac et figure dans la liste des 100 meilleurs polars du *Sunday Times* depuis 1945. Son adaptation en série télévisée par Gaumont Télévision et M6 a été diffusée en 2017 et est disponible sur Netflix depuis octobre 2017. Après *Le Cercle* (2012), *N'éteins pas la lumière* (2014), *Une putain d'histoire* (2015, prix du meilleur roman francophone du Festival Polar de Cognac), *Nuit* (2017), *Sœurs* (2018) et *M, le bord de l'abîme* (2019), il a publié *La Vallée* en 2020. Ses livres, traduits en 21 langues, sont tous publiés aux Éditions XO et repris chez Pocket.

Retrouvez toute l'actualité de l'auteur sur :
www.bernard-minier.com
www.facebook.com/bernard.minier

M,
LE BORD DE L'ABÎME

BERNARD MINIER

M,
LE BORD DE L'ABÎME

EDITIONS

© XO Éditions, 2019
ISBN : 978-2-266-30656-0
Dépôt légal : avril 2020

*La plupart des gens ne souhaitent pas
que Google réponde à leurs questions.
Ils veulent que Google leur dise
quelle est la prochaine action
qu'ils devraient faire.*

Eric Schmidt, P-DG de Google

*Il sera de plus en plus difficile
pour nous de garantir la vie privée.*

Idem

*J'ai accès aux IA les plus en pointe,
et je pense que les gens devraient être
réellement inquiets.*

Elon Musk, cofondateur
et P-DG de Tesla et de SpaceX

AVERTISSEMENT

Toutes les technologies décrites dans ce roman existent ou sont en cours de développement. Les applications et dispositifs que vous découvrirez ici sont déjà mis en œuvre dans de nombreux pays, presque identiques dans la réalité à ceux de cette histoire. Car elle ne se passe pas dans le futur : elle se passe aujourd'hui.

Prologue

Dix yards

ELLE S'EXAMINA DANS LA GLACE. Elle était épuisée et cela se voyait. Elle cligna des yeux à plusieurs reprises. Tira la langue à son reflet. Respira profondément et serra les paupières. Sentit une larme rouler entre ses cils comme une minuscule perle.

Les bruits rythmiques mais assourdis de la fête parvenaient jusqu'à elle, emplissant l'espace immaculé des toilettes pour dames. Si propre, si calme – toutes ces arêtes bien nettes et ces lumières tamisées. À côté d'elle, une voix lui parla mais elle eut du mal à saisir ce qu'elle disait, soit qu'elle n'y prêtât guère attention, soit que la voix ne fût pas assez forte. La voix insistait cependant, à la lisière de sa conscience, tel un vent léger à l'orée d'une forêt, incapable de pénétrer plus avant.

— Ça ne va pas ?

Soudain, elle étouffa un hoquet et se rua dans un cabinet dont elle envoya valdinguer la porte. Elle ne parvint à vomir qu'un dérisoire filet de bave et de bile : son estomac s'était vidé depuis longtemps.

Quand elle ressortit, les cheveux en bataille, la respiration sifflante, la fille l'observait toujours.

— Ça ne va pas ? Vous voulez qu'on appelle un médecin ?

Carrie Law ne prit pas la peine de répondre. Elle quitta les toilettes, remonta le couloir vers la terrasse, passant devant la porte des hommes. Aperçut sur sa droite, à l'extrême limite de son champ de vision, des perruques blondes, rousses et même bleues, et des boas en plumes autour de cous massifs, au moment où quelqu'un sortait. De grands types habillés en femmes qui pissaient debout côte à côte dans les urinoirs. Ils riaient à gorge déployée et échangeaient des propos qui se voulaient amusants ou vulgaires. Elle-même portait un smoking avec un nœud pap noir sur une chemise blanche à jabot. *Une fête travestie…* Quelle idée à la con. Les hommes en femmes et les femmes en hommes. Ils avaient probablement acheté leurs accoutrements ridicules du côté du *ladies' market* de Tung Choi Street. Ou peut-être au contraire dans les boutiques très chics du luxueux centre commercial de l'International Finance Center, allez savoir. Après tout, on était à Central. Le quartier des affaires. Le putain de Wall Street de cette putain de ville dont le dieu s'appelait Argent. Fric. Blé. *Money. Give me money.*

Elle surgit sur la terrasse du trente-deuxième étage où l'averse continuait de fouetter uniment le tapis et les grands parasols carrés sous lesquels s'étaient réfugiés la cinquantaine d'invités, tandis que la pluie hérissait la surface de la piscine désertée. Une pluie tiède et drue comme de la pisse. Ses rideaux balayaient les façades illuminées des gratte-ciel voisins qui grimpaient à l'assaut de la nuit encombrée de nuages. En bas, dans les canyons de béton et de verre, rugissaient les moteurs, les sirènes, les klaxons, et un troupeau grouillant arpentait les trottoirs au sortir des bureaux, malgré l'heure tardive et l'orage. C'était ça, Hong Kong : une énergie folle. La folie d'une course permanente. Le bruit, la chaleur, l'humidité. L'urgence, partout. Tout le temps. Les habitants de Hong Kong couraient. Où, après quoi, elle n'en savait rien, mais ils couraient. Carrie Law n'avait plus envie de courir. Elle n'avait plus envie de rien.

Elle avait essayé d'en parler. Elle avait consulté un spécialiste, le Dr Andy Leung à Causeway Bay, sept mois plus tôt. Il lui avait fait passer une batterie d'examens, d'IRM et de scanners, avait étudié son passé psychiatrique. Ensuite de quoi, il avait décidé de lui implanter ce dispositif. Un truc prétendument révolutionnaire testé en Europe et en Israël sur des patients terrassés par des dépressions sévères, celles que nul traitement médicamenteux ne parvenait à apaiser. On appelait ça de la *stimulation cérébrale profonde* : des électrodes implantées dans la zone frontale du cerveau, celle qui agit sur l'humeur, et reliées par des fils qui passaient sous le cuir chevelu et la peau du cou à un mini-ordinateur et à une batterie logés dans sa poitrine. Les électrodes lisaient l'activité de son cerveau et l'ordinateur réagissait, si besoin était, par l'envoi d'une impulsion électrique. Tout ça en quelques millièmes de seconde. Ou quelques centièmes, elle ne se souvenait plus très bien. Bref, un miracle de la technologie… De l'aveu même du Dr Leung, on ignorait comment ça marchait. Mais tout ce qui comptait, c'était que ça fonctionnait – du moins sur 70 % des patients équipés. Tout ce qu'elle savait, c'était qu'il y avait un peu d'intelligence artificielle au cœur du mini-ordinateur logé entre ses nichons. Le dispositif qu'elle portait n'était pas exactement identique à celui testé à Jérusalem : il était plus performant, plus sophistiqué. Il avait été mis au point par Ming Incorporated, une boîte chinoise. Carrie avait travaillé pour eux pendant trois ans. C'était à ce titre – et à celui de dépressive incurable – qu'on lui avait offert de participer au programme.

Une chose néanmoins était sûre : elle ne faisait pas partie des 70 %. Parce qu'il était très vite apparu que ça ne marchait pas sur elle, oh que non – ça n'avait jamais marché, en réalité, pas une minute, pas une seconde, quoique, au début, elle eût voulu y croire. Et ce qui s'était passé le mois dernier n'avait rien arrangé – ce qu'elle appelait pudiquement *l'agression*...

Quoi qu'il en fût, elle avait depuis longtemps abandonné tout espoir. Et les ténèbres s'étaient peu à peu refermées, montrant la voie à suivre. Elle avait entendu dire qu'à l'hôpital Hadassah de Jérusalem l'un des patients avait rechuté à cause de sa batterie qui était à plat. Peut-être que la sienne n'avait jamais fonctionné, qui sait ? Peut-être qu'on aurait dû vérifier sa batterie à elle aussi. Mais non... Tous ces gens qui s'accrochaient à la vie... Même la vie la plus idiote, la plus dégradante, ils s'y accrochaient. Dans le district de Mong Kok, il y avait des milliers d'êtres humains qui vivaient comme des rats dans des trous insalubres de quelques mètres carrés, empilés les uns sur les autres dans d'innommables terriers, d'énormes tours délabrées, sans climatisation, sans confort, sans hygiène. Et néanmoins, ils s'accrochaient, eux aussi. Ils ne voulaient pas lâcher leurs petites vies merdiques.

Alors pourquoi n'avait-elle rien à foutre de la sienne ? Pourquoi ne pas faire comme eux ? Ou comme les invités de cette fête ?

Elle les observa : ils se croyaient privilégiés parce qu'ils gagnaient beaucoup d'argent, vivaient dans le luxe et du bon côté du Victoria Harbour. La moitié d'entre eux était occidentale, l'autre chinoise. Des rires, des bavardages sans conséquence, des verres pleins et des coupes de champagne. Un sur deux se penchait sur son téléphone, occupé à pianoter ou à lire ses messages, à mater des vidéos sur Facebook ou sur YouTube, à se connecter à WeChat et à Weibo. D'aucuns s'en servaient pour prendre des photos de la soirée. C'était donc ça, leur vie ? Rien que ça ? Un téléphone ?

Pendant un instant, elle eut le regard attiré par une blonde dont la haute silhouette dominait l'assistance. Tove Johanssen. Carrie l'avait croisée quelques fois au Centre, ainsi qu'on surnommait le laboratoire de recherche et de développement de Ming Inc. Une Norvégienne de près de deux mètres. Des cheveux blonds presque blancs, coupés court, des yeux gris et froids, une silhouette athlétique. Elle travaillait au département d'intelligence artificielle de Ming. Carrie pensa à sa propre vie, à ce qu'auraient pu être ses années futures, à la trentaine qui approchait, à la quarantaine qui suivrait, une vie sans projets, sans amour, et aussi à ce qu'avaient été ses vingt-huit années d'existence, mais aucune image marquante ne se détacha, rien qui valût la peine d'être ramené à la surface, rien qui méritât une ligne dans les commentaires que ses « amis » ne manqueraient pas de faire sur les réseaux sociaux *après*… Peut-être est-ce pour cette raison qu'elle quitta l'abri du parasol.

Tout de suite, la pluie violente la frappa. Il pleuvait si fort qu'elle fut rincée en un rien de temps, aussi bien par les trombes d'eau qui lui dégringolaient sur le crâne que par les grosses gouttes qui rebondissaient sur le tapis déjà imbibé de la terrasse. Elle dépassa la piscine à la surface toute hérissée et des regards se tournèrent enfin vers elle.

Trempée jusqu'aux os, elle n'en continua pas moins d'avancer : vers le bord de la grande terrasse qui flottait au-dessus des rues. Et, cette fois, le silence se fit, tandis que des paires d'yeux toujours plus nombreuses se tournaient dans sa direction.

Perplexes, curieuses ou inquiètes.

C'était la première fois de sa vie qu'elle faisait l'objet d'une telle attention. C'était aussi le moment d'avoir une toute dernière pensée. Mais là encore elle ne pensa à rien. Si elle avait dû le faire, résumer son existence en une phrase, elle se serait sans doute dit qu'elle ressemblait à une histoire trop courte rédigée par un scénariste dénué de talent mais ayant fumé quelques joints.

Lorsque Carrie Law enjamba la barrière de verre – mouvement que son pantalon de smoking facilita –, des cris s'élevèrent derrière elle et quelqu'un – un jeune Américain de Pittsburgh qui était là pour affaires et qui rêvait de coucher avec une Chinoise – s'élança vers elle. Il ne serait certainement pas arrivé à temps de toute façon mais, comble de malchance, il dérapa sur le tapis détrempé, mit un genou à terre, sa ridicule perruque blonde glissant et révélant un crâne pour le moins dégarni, puis il se releva, donna un coup de reins et repartit de plus belle – il avait été *linebacker* à l'université –, au moment où elle avait déjà un talon de huit centimètres dans le vide.

Trente-deux étages…

Elle tourna la tête et considéra le jeune Américain aux larges épaules et aux yeux fous, sa bouche peinte en rouge ouverte sur un cri, qui se ruait vers elle comme il l'avait fait naguère pour aller plaquer les *running back* adverses avant qu'ils aient franchi la ligne des dix yards. Elle fit un pas de plus.

Cria à son tour.

Quand elle sentit le vide sous ses pieds, l'irrésistible aspiration de la chute, l'air fouettant ses joues et ses vêtements, quand elle vit les lumières défiler à toute vitesse et le sol qui approchait bien trop vite, elle hurla…

Carrie Law crut entendre en réponse une clameur, d'autres cris au-dessus d'elle – mais le vent sifflait bien trop fort à ses oreilles.

(Une seconde de froid intense lorsque son épaule gauche rebondit sur le trottoir, et que les tendons sont arrachés. Ses cheveux recouvrent sa vision et le rouge de l'hémorragie envahit tout quand son crâne entre en contact avec le sol, en même temps que le cœur se déforme et explose, que les côtes sont proprement broyées, pulvérisées, les poumons lésés, les voies sanguines dispersées en un nuage coquelicot d'érythrocytes, de plasma et de leucocytes, le corps enfin étiré, aplati – comme si c'était la matière dure du trottoir qui entrait en elle et non elle en lui. Et puis, l'instant d'après, il n'y a plus rien. Rien qu'une masse inerte sur le trottoir, une chose qui n'est pas Carrie Law.

Carrie Law a cessé d'exister. Carrie Law n'est plus ici, ni ailleurs. Sauf s'il existe quelque part un mystère plus grand qu'elle, plus grand que nous. Car, comme l'a écrit un auteur argentin : « L'univers ne constitue pas un ordre total, y manque l'adhésion de l'homme. »)

Données

1

Welcome / 歡迎

La pluie ne cessa pas de tomber au cours des jours suivants, ni la température de monter, et quand Moïra débarqua du vol Cathay Pacific CX260 en provenance de Paris Charles-de-Gaulle, ce mercredi 26 juin, Hong Kong ressemblait à ce qu'elle était la plupart du temps entre mai et août : une étuve, un hammam à ciel ouvert.

Pourtant, l'aéroport international de Chek Lap Kok évoquait plutôt une chambre froide avec son air conditionné en dessous des 20 °C. Lorsqu'elle eut récupéré sa valise et traversé le hall étincelant en direction des contrôles de douane et d'immigration, sous le grand panneau lumineux Chopard, elle frissonna au milieu de la file d'attente : elle s'était habillée en prévision des températures subtropicales et du taux d'humidité record que les guides auguraient pour la saison. Déjà, pendant le vol, elle avait été saisie par l'atmosphère glaciale qui régnait dans la cabine. Mais la *business class* de Cathay fournissait à ses passagers une couverture et de grosses surchaussettes en sus d'une trousse de toilette, de repas et de boissons à volonté.

Elle avait quitté Roissy la veille vers 13 h 10 et, une fois la copieuse collation postdécollage avalée, s'était endormie sans tarder dans la nuit artificielle de la cabine, hublot baissé, transformant à l'aide d'une multitude de boutons la coque bardée de technologie qui l'isolait des autres passagers en un véritable lit, tandis que l'appareil se ruait vers l'est, à quelque onze mille mètres au-dessus de l'Europe, de la Russie et de la Chine.

Durant son lourd sommeil par-delà les nuages, le rêve était revenu. Celui qui la poursuivait depuis qu'elle s'apprêtait à partir pour Hong Kong. *Le rêve avec le Chinois...* Dans lequel elle faisait son jogging matinal sur les berges de la Seine, le parcours habituel : pont d'Austerlitz, quai Saint-Bernard, pont de Sully, port de la Tournelle, quai de Montebello, Pont-Neuf, pont des Arts... Sa foulée absorbait les pavés inégaux, elle doublait les péniches amarrées à l'ombre des berges, les façades de l'île Saint-Louis, les arcs-boutants de Notre-Dame se projetant dans le ciel nuageux. Puis regagnait toujours en courant son petit appartement sous les toits, rue du Cardinal-Lemoine, en haut d'un escalier à vis qui devait déjà être là quand Gavrilo Princip assassina François-Ferdinand d'Autriche. Au moment où elle déverrouillait sa porte, un Chinois surgi de nulle part se jetait sur elle et la poussait à l'intérieur. Ensuite, c'était assez flou – mais pas si flou cependant qu'on ne pût résumer cette succession d'images en un mot : *viol.*

Elle s'était réveillée en sursaut dans son cocon high-tech, au sein de la cabine endormie, l'esprit encore gluant des lambeaux du rêve, bouleversée par sa perturbante réalité.

— Passeport.

La file d'attente s'était soudain débloquée. Assurément, le Chinois de l'immigration était beaucoup plus jeune et plus mignon que celui de son rêve, quand bien même il la dévisageait sans sourire. Il examina le document, son visa de travail et le papier qu'on lui avait fait remplir à bord, puis considéra de nouveau la jeune femme aux cheveux châtain clair, dont les yeux en amande, couleur de bois brûlé, et la bouche bien dessinée auraient presque pu appartenir à une Chinoise. Ce matin-là, Moïra portait un jean dont les larges trous sur les genoux montraient une peau bronzée (elle venait de passer une semaine de vacances en Sicile, car elle savait qu'elle n'en prendrait pas avant longtemps), des sandales de sport blanches, un tee-shirt qui proclamait I'M NOT ANTI-SOCIAL, I'M ANTI-BULLSHIT et un piercing noir à la narine gauche. Et elle avait tout d'une Française. Son impatience et son agacement, par exemple, lorsqu'elle répondit aux questions.

— Française ?

C'est écrit, pensa-t-elle. *Il s'attend à ce que je réponde quoi, « Non, je suis un travelo brésilien du bois de Boulogne » ?*

— Oui. Française…

— Vous venez à Hong Kong pour travailler.

— Oui. Pour Ming Incorporated.

Il hocha la tête.

— Oh… Ming… Très important ici… *Chinois…*

Elle se demanda ce qu'il entendait par là : probablement chinois de Chine. On était à Hong Kong. Bien que la ville fût revenue dans le giron de son puissant voisin vingt-deux ans plus tôt, il y avait toujours des

23

manifestations de protestation le 1er juillet, jour anniversaire de la rétrocession de l'ancienne colonie britannique à la Chine.

— Vous êtes dans l'informatique, alors ?

— En quelque sorte…

Elle regretta sur-le-champ sa réponse un rien évasive, mais, indifférence ou habitude, il ne releva pas et lui rendit son passeport.

— Bienvenue à Hong Kong, dit-il d'un ton poli mais froid.

Elle glissa le document dans la banane attachée à sa taille et franchit le contrôle, traînant sa Samsonite à roulettes sur un sol si net qu'on aurait pu manger dessus. Les portes s'ouvrirent sur le hall des arrivées et elle repéra dans la foule le type en complet sombre brandissant une tablette numérique où il était écrit : « Moïra Chevalier ». Il avait un visage large et plat. Il insista avec force sourires et courbettes pour prendre sa valise, mais elle déclina l'offre. Elle refusait toute forme de hiérarchisation des rapports humains en dehors du travail. *Mais ça fait partie de son boulot, non ?* ajouta une petite voix frondeuse en elle, celle qui aimait à la contredire. *Oui, et après ? On n'est plus au temps de Reginald Jeeves…*

Au fond du hall, derrière un grand mur de verre, elle aperçut les collines boisées et les hautes barres d'immeubles noyées sous une pluie battante. Dès qu'elle eut mis un pied dehors, Moïra connut son premier choc : une collision frontale avec une chaleur de 37 °C et un taux d'humidité frôlant les 90 %. Il n'était pas 8 heures du matin. La pluie martelait le toit de la Tesla Model S garée devant les portes ; l'élégante berline 100 % électrique avait l'air d'un fauve prêt à bondir.

En l'abritant sous un parapluie, le chauffeur lui ouvrit la portière arrière. Elle fut tentée d'aller s'asseoir à l'avant, mais elle aperçut un coffret qui, visiblement, n'attendait qu'elle sur la banquette. Elle demanda une minute au chauffeur, le temps d'inhaler sa dose létale et cependant bienvenue de nicotine.

Moïra se glissa ensuite dans l'espace aseptisé, son attention aussitôt captée par la chanson qui passait dans les haut-parleurs. Elle fronça les sourcils. *Cette chanson, elle la connaissait...* C'était même l'un de ses morceaux préférés. *The Thrill is Gone.* B.B. King, Clapton à la guitare...

> *The thrill is gone, the thrill is gone away,*
> *the thrill is gone, baby*

Elle s'enfonça dans son siège, tout sourire. L'une de ces coïncidences dont vous régale la vie. Dans lesquelles certains veulent voir plus que des coïncidences : des signes du destin, des augures plantés tels des poteaux indicateurs à chaque carrefour sur la route de l'existence.

> *You know you done me wrong baby*
> *And you'll be sorry someday*

L'espace d'un instant, elle se laissa bercer par la musique et les paroles, et ils démarrèrent sous la pluie – le chauffeur appuya sur la pédale et la Tesla bondit en avant, son moteur incroyablement silencieux quand il monta en régime, le centre du tableau de bord occupé par un écran de la dimension d'un petit téléviseur – tandis qu'elle s'emparait du coffret posé sur la banquette.

Plat et rectangulaire, pareil à un coffret à cigares. Quarante centimètres sur trente. Sur le couvercle d'un noir brillant, des caractères chinois d'un blanc éclatant – elle aurait été incapable de dire si c'était du cantonais ou du mandarin – et son nom à elle en lettres rouge sang :

Moïra Chevalier

En bas à droite, le logo minimaliste, épuré, élémentaire de Ming :

M

Un M doré et stylisé. M comme mystérieux. M comme magique. M comme milliardaire.

Un cadeau de bienvenue…

Elle sentit son cœur battre un peu plus vite. Stupide réflexe pavlovien qui saisit n'importe lequel d'entre nous au mot « cadeau », résultat d'années de conditionnement, d'innombrables Noël, anniversaires et de diverses autres célébrations. Souleva le couvercle. À l'intérieur, du papier de soie du même rouge, léger comme une pensée, qu'elle retira pour découvrir une tablette tactile blanche et un téléphone noir, tous deux frappés du **M** doré en bas à droite.

Malgré son attention accaparée par les deux objets high-tech, son cerveau enregistra le passage à une nouvelle chanson dans les haut-parleurs : *God's Plan* de Drake venait de succéder à B.B. King.

26

Yeah they wishin' and wishin' and wishin' and wishin'
They wishin' on me, yuh

Comment était-ce possible ? Les deux premiers titres de sa playlist. Celle qui se trouvait dans son téléphone… *Non, ça ne peut être qu'une coïncidence…*

Elle se pencha sur l'autre téléphone. Celui qui se trouvait dans le coffret. Nota son design ultraplat, élégant et futuriste. Le retourna. Trois capteurs photo, pas moins, à l'arrière. Elle avait lu quelque part qu'ils avaient été mis au point par le fabricant d'optiques allemand Leica. Et que la qualité des photos était bluffante.

Elle attrapa la tablette.

La Tesla frôlait une succession de gratte-ciel et elle leva les yeux. Ces buildings étaient parmi les plus laids qu'elle ait jamais vus : gris, uniformes, de hideuses fourmilières remplies d'appartements minuscules – il y en avait des milliers, défilant derrière la vitre. L'instant d'après, la voiture s'engouffra dans un tunnel qui perçait une colline verdoyante plaquée contre le ciel sombre et, au sortir de celui-ci, Moïra découvrit d'immenses ponts suspendus qui bondissaient au-dessus de bras de mer – l'aéroport était sur une île – et de nouveaux essaims de gratte-ciel disgracieux. Sa curiosité était partagée entre le paysage et les objets dans le coffret ouvert à côté d'elle.

— Allez-y, allumez la tablette, dit le chauffeur, en la lorgnant dans le rétroviseur avec l'air d'un gamin qui s'apprête à faire une bonne blague.

Son estomac se crispa un tantinet quand elle alluma l'objet d'une pression de l'index. Comme si, par ce simple geste, elle s'engageait dans un processus irréversible. Et, en somme, n'était-ce pas le cas ? En acceptant ce poste, elle savait qu'elle avait fait prendre à son existence un tournant décisif.

L'écran s'illumina et elle connut un premier ébranlement : le fond d'écran était constitué d'une mosaïque d'images – des paysages, des portraits, des selfies… sa mère et elle en vacances à Quiberon… Des photos prises en Thaïlande, à New York, au Mexique, en Bretagne. Toutes ces images lui étaient parfaitement familières – et pour cause : *c'était elle qui les avait prises…* Elles provenaient toutes de la mémoire de son téléphone. Pendant une fraction de seconde, elle fut incapable de penser à quoi que ce soit d'autre, l'esprit en proie à un chaos de questions. Elle n'eut cependant pas le loisir d'y songer plus avant, car déjà un message s'affichait :

Salut, je m'appelle Lester. Je dirige le département d'intelligence artificielle chez Ming Incorporated. Merci d'ouvrir le lien ci-dessous.

Lester, ça ne sonnait pas très chinois… Mais elle savait que de nombreux Hongkongais portaient des prénoms anglais. Du reste, même en Chine – où on pouvait changer de prénom plusieurs fois dans sa vie –, les prénoms anglais étaient en vogue.

Elle obtempéra et, aussitôt, une vidéo se mit en route. Un visage qui n'avait rien d'asiatique s'encadra en gros plan sur fond d'arbres et de bâtiments futuristes.

Lester était aussi roux qu'on peut l'être : un *leprechaun* barbu issu du folklore irlandais, un farfadet rigolard à la peau couleur de lait caillé, cette pâleur maladive de qui fuit le soleil. Ses yeux verts et globuleux la fixaient et, lorsqu'il ouvrit la bouche, elle remarqua des dents mal alignées, mais cela ajoutait à son capital sympathie. Elle sentit immédiatement qu'elle allait bien s'entendre avec Lester.

— Bonjour, Moïra ! Bienvenue à Hong Kong ! Tout le monde ici est heureux de t'accueillir et impatient de te connaître... On a hâte de voir la nouvelle recrue du département IA. Je sais que tu viens du laboratoire FAIR à Paris. Rassure-toi, tu ne seras pas dépaysée : on a déjà des Français au Centre, et aussi une trentaine d'autres nationalités, en plus des Chinois.

Il frappa joyeusement dans ses mains.

— Tu verras : le Centre n'a absolument rien à envier au Googleplex ou au siège de Facebook à Menlo Park, même si c'est un peu moins grand. Et la *lingua franca* ici, c'est l'anglais, bien sûr. Donc, pas besoin de parler cantonais ou mandarin, d'accord ? ajouta-t-il en adoptant un accent chinois ridicule.

Elle savait tout ça. Sans quoi elle n'aurait pas postulé : elle ne parlait ni le cantonais ni le mandarin.

— Et, en plus, il y a des Blueberry Cheesecake Crème Frappuccino à la cantine, chuchota-t-il en lui adressant un clin d'œil.

De nouveau, elle fut surprise. *Comment savait-il que c'était sa boisson préférée ?* Est-ce que ça pouvait être une nouvelle coïncidence ? Elle brûlait de lui poser la question mais c'était une vidéo enregistrée, il y avait le jour et l'heure dans un coin. 6/25/19, 20 : 13.

Ils avaient filmé ce message de bienvenue pendant qu'elle était dans l'avion.

— Enfin… dans les six cantines et cafés gratuits que tu trouveras sur le campus, précisa-t-il. Moi, j'ai un faible pour la limonade au thé vert et à l'ananas… Et leurs hamburgers sont à tomber. Mais tu verras tout ça demain. Aujourd'hui, tu as rendez-vous dans les bureaux du siège pour un premier entretien avec le *big boss*. (À ces mots, elle sentit ses tripes se nouer.) T'inquiète, rien de bien méchant. On va te conduire à ton hôtel et la voiture viendra te chercher à 15 heures. Comme ça, tu as le temps de te poser un peu et de te détendre, même si le voyage en business, c'est plutôt cool, pas vrai ?

Elle se demanda s'il forçait son côté sympa et immature ou s'il était toujours ainsi.

— En attendant, tu vas devoir travailler un peu… Il y a sur ton écran une icône qui représente un visage. Tu vas appuyer dessus et placer la tablette verticalement devant toi. Une voix te donnera des instructions. Il s'agit d'un logiciel de reconnaissance faciale que nous avons mis au point. Grâce à lui, pas besoin de mot de passe quand tu te connectes sur ta tablette – la caméra intégrée se déclenche dès que tu l'allumes –, ni de badge ou de carte magnétique pour entrer au Centre : il y a plus de quatre cents caméras sur le campus, toutes reliées à un service de télésurveillance et à l'ordinateur qui gère la reconnaissance faciale des mille deux cents employés. La tablette va aussi enregistrer ta voix : on est en train de développer un logiciel de reconnaissance vocale, mais il est moins performant, surtout en cas de bruit ambiant. Tu as compris ?

Question rhétorique – l'enregistrement n'attendait pas de réponse de sa part –, mais elle se surprit à hocher la tête.

— Bien entendu, à partir de maintenant, tu es priée d'utiliser les outils Ming pour tout ce qui touche à ton travail. Bon, c'est tout pour le moment. On se retrouve demain pour la visite guidée. Je le répète : on est tous impatients de te connaître. Bonne journée et à demain !

La vidéo s'arrêta, le visage de Lester disparut et elle mit quelques secondes à reprendre ses esprits. Elle se rendit compte que la chanson qui passait à présent dans l'habitacle lui était tout aussi familière que les deux autres : *Wild is the Wind*. Le Thin White Duke. L'époque où Bowie subsistait de cocaïne, de poivrons et de lait, où il habitait une maison emplie d'antiquités égyptiennes, brûlait des chandelles noires et vivait dans la peur que sa semence soit volée par des sorcières. *Merde alors, c'était bien sa playlist dans les haut-parleurs.*

2

LES NUAGES BAS ET LOURDS qui recouvraient la ville s'entrouvrirent sur des lueurs vif-argent et des éclairs semblables à des coraux luminescents quand la Tesla se gara au pied de l'International Commerce Center, le plus haut gratte-ciel de Hong Kong, à Kowloon. Le Ritz Carlton – *l'hôtel le plus haut du monde*, à en croire les guides – occupait les étages supérieurs, entre le cent troisième et le cent dix-huitième étage.

Sous la grande marquise, un portier se précipita et fit signe au bagagiste, qui poussa un chariot doré vers l'arrière de la voiture tandis qu'un vent chaud plaquait le tee-shirt de Moïra sur son ventre et soulevait ses cheveux. Une tour en construction se dressait de l'autre côté du terre-plein – presque aussi haute que le Ritz Carlton lui-même –, un assemblage, qui, d'ici, paraissait étonnamment fragile, de poutrelles d'acier et d'échafaudages en bambou. Elle s'avança hors de l'abri de la marquise, au bord du terre-plein, et vit des camions-toupies au pied de la tour en construction, une armée d'ouvriers qui s'activaient dans un paysage de boue et de ciment. Le sommet de la vertigineuse structure était couronné d'un **M** gigantesque. En se retournant, elle repéra le cendrier de la zone fumeurs au-delà d'un petit buisson et des bornes Tesla – où deux types dans la cinquantaine l'observaient en tirant sur leurs cigarettes –, mais décida d'effectuer en premier lieu le check-in et traversa le hall en direction des ascenseurs. Un chasseur s'empressa d'en appeler un.

Au cent troisième étage, Moïra émergea dans un lobby où dominaient les laques et les surfaces sombres et réfléchissantes. Le jeune homme à l'accueil lui remit la clé magnétique de sa chambre et une carte estampillée CLUB LOUNGE. C'était la première fois de sa vie qu'elle allait dormir dans un palace cinq étoiles – et elle se demanda à qui elle devait donner un pourboire et combien.

— Vous trouverez cinq restaurants dont deux étoilés dans la tour, ajouta-t-il après quelques explications, et un bar au dernier étage, l'Ozone, qui est le plus haut d'Asie.

— Est-ce qu'on peut fumer à l'Ozone et dans le lounge ? demanda-t-elle.

— Seulement à l'Ozone, au cent dix-huitième. Il a une galerie à ciel ouvert pour les fumeurs. Je vais avoir besoin d'une carte de crédit, s'il vous plaît. (Il consulta son écran.) Ah non, veuillez m'excuser : tout est pris en charge par Ming Incorporated, y compris le minibar et les repas.

Il lui adressa un sourire onctueux. Suivant ses indications, Moïra emprunta un second ascenseur jusqu'au cent treizième étage, tourna à droite, suivit un couloir aussi profond et plein d'ombre qu'une grotte dont la moquette épaisse absorbait les pas jusqu'à la porte 113 16. Lorsqu'elle poussa le lourd battant insonorisé, elle ne vit tout d'abord qu'un coin café avec une machine à dosettes et un minibar, puis un bureau sur lequel était posée une corbeille de fruits, car le couloir décrivait un angle et la chambre demeurait invisible de l'entrée. Elle se souvint qu'à Hong Kong les architectes observaient scrupuleusement les règles du feng shui – et que l'une d'elles en particulier voulait qu'on n'entrât jamais directement dans une chambre ou une maison, mais qu'il fallait au contraire interposer un angle ou un paravent entre la porte et la pièce principale, car « les mauvais esprits se déplacent toujours en ligne droite ». *Incroyable que dans un gratte-ciel aussi moderne on continue d'observer des règles aussi archaïques*, se dit-elle, mais, l'instant d'après, elle oublia tout : elle avait fait cinq pas de plus, et elle se tenait à présent dans une vaste chambre dont deux murs étaient vitrés du sol au plafond. Au-delà s'étalait l'un des panoramas les plus époustouflants qu'elle ait jamais contemplés.

Elle devait se trouver à quelque quatre cent cinquante mètres au-dessus du sol. Aucun des innombrables bâtiments qu'elle apercevait n'arrivait à sa hauteur. *L'hôtel le plus haut du monde…*

L'impression d'être suspendue en plein ciel. Gigantesque, chaotique, la ville se déployait devant elle. Tout ce qu'elle en voyait, c'était une bande de gratte-ciel que bordaient une mer grise, des *piers* pour les ferries et des docks, des bateaux minuscules sillonnant des bras de mer couleur ardoise et, par-dessus tout ça, des collines noyées dans des nuages gorgés de pluie. Des larmes sur les vitres brouillaient la vue. Un seul rayon, nacré et irisé, éclairait cette scène colossale, tel un projecteur. Elle saisit son téléphone. Chercha Google Maps. Puis elle songea qu'on venait de lui offrir un téléphone Ming et que c'était le moment ou jamais de s'en servir. Elle l'alluma, en quête d'une application similaire. La trouva. Il n'y avait pour ainsi dire aucune différence : dans les deux cas, les toponymes s'affichaient sur la carte en cantonais, en anglais et en français. Elle essaya de se repérer : là-bas, sur la droite, de l'autre côté du détroit, cet édifice qui ressemblait à un monstrueux insecte aux antennes dressées, c'était la Bank of China… la canonnière à côté, la tour HSBC. Ce bâtiment en forme de coquillage qui s'avançait sur les eaux, ce devait être le Hong Kong Convention and Exhibition Centre… et cette montagne plus élevée que les autres, plantée comme un géant menaçant, la tête dans les nuées, le Peak.

Elle s'avança encore, tourna son regard vers la gauche. De ce côté-ci du détroit, c'était l'immense et chaotique Kowloon : des gratte-ciel et des tours par milliers, des rues aussi profondes que des défilés, un labyrinthe babylonien, surpeuplé, balayé par l'orage. Elle savait que Hong Kong comptait plus de sept mille huit cents tours d'habitation, le record mondial, et trois cents buildings qui dépassaient les cent cinquante mètres : l'équivalent de quarante étages. Par comparaison, ils étaient dix-huit à Paris et seize à Londres. Dans cette étourdissante ruche de béton, d'asphalte et d'acier, plus de gens vivaient au-dessus du quinzième étage qu'en dessous. Elle avait grandi en banlieue parisienne, où la plupart des immeubles ne dépassaient pas les dix étages…

Et c'était ici qu'elle allait passer les prochains mois. Ici qu'elle était venue chercher sa vérité. Ici que l'attendait son destin.

3

ELLE AVAIT BESOIN d'une autre cigarette. Elle emprunta le premier ascenseur jusqu'au lobby du cent troisième, puis le second jusqu'au rez-de-chaussée.

La minuscule zone fumeurs se trouvait au-delà des voitures de luxe et des bornes Tesla. Elle se demanda ce qui se passerait si elle fumait en dehors. Quand elle remonta dans sa chambre, sa valise l'attendait. Elle en sortit vêtements et sous-vêtements, qu'elle rangea dans le placard entre le bureau et la salle de bains. Déposa ses affaires de toilette dans cette dernière.

Puis elle extirpa un cadre argenté de la valise, coincé entre les guides Lonely Planet et National Geographic, et le plaça sur une des tables de nuit. La photographie représentait une femme dans la trentaine, les mêmes cheveux châtains souples et la même mâchoire que Moïra mais, au lieu des yeux fendus en amande, un regard rond, effaré, défiant l'objectif avec une fixité qui mettait mal à l'aise. Deux prunelles luisantes et ternes à la fois, sans éclat, liquides – impossible d'ignorer la lueur malveillante qui affleurait en elles : c'était celle d'une forme de folie, quelle qu'elle fût.

Une image, soudain, remonta à la surface. Un pavillon en meulière dissimulé dans la verdure d'un jardin, à Gagny, rue des Petits-Rentiers, à l'est de Paris. Celui où Moïra avait grandi, celui qu'elle habitait enfant avec sa mère : un golden retriever femelle, une jolie maison sur quatre niveaux en comptant le sous-sol – qui abritait un vieux lavoir et un flipper –, pleine de meubles chinés, de lampes, de guirlandes lumineuses suspendues aux lustres, aux rampes, aux jolis balcons de bois – comme si sa mère avait peur de l'obscurité –, une cuisinière ancienne avec piano et poignées de cuivre, des photos dans l'escalier, des escargots sur les murets les jours de pluie et le bruit des trains qui filaient vers Paris au fond du jardin.

Elle était rentrée un après-midi de l'école, un objet emballé dans un papier-cadeau tout chiffonné à la main, son cartable sur le dos. Une tasse très moche qu'elle avait peinte elle-même à l'occasion de la fête des Pères. *Elle n'avait pas de père...* Plus tard, elle s'était dit que la maîtresse avait sûrement eu peur de la traumatiser en l'excluant de l'atelier mais, sur le moment, elle avait trouvé absurde de barbouiller un objet pour quelqu'un qui n'existait pas. Qu'allait-elle en faire ? À qui le donner ? Elle avait franchi le portail rouillé, remonté l'allée en repoussant du pied le petit cochon de plastique qui avait protesté d'un couinement, gravi les marches du perron verdies par la mousse et encombrées de pots de fleurs.

— Qu'est-ce que c'est que ça ? avait demandé maman en voyant le paquet-cadeau dans sa main.

À cette époque, l'esprit de sa mère était déjà passé de l'autre côté du miroir : dans une contrée digne d'*Alice au pays des merveilles* et de *La Chasse au*

Snark, une région où régnait une logique irrationnelle dont elle seule avait la clé, pleine de non-sens, de mots-valises, d'anamorphoses et de paranoïa – mais aussi l'abstinence sexuelle. Sa mère était traductrice et, quand elle n'était pas en train de traduire des brochures d'entreprise dans son bureau du premier étage, elle passait son temps à cirer, nettoyer, trier, ranger, récurer, rincer, épousseter, désinfecter, emballer – dans une maison d'où était exclu tout brin de poussière, aussi bien que les mots Désir, Érotisme, Volupté, Plaisir, Jouissance, Jeu, Joie… En ce temps-là, Moïra pensait que toutes les mères étaient ainsi : des Reines de cœur, toujours promptes à juger, à condamner et à punir, redoutables monarques à la tête de leurs maisonnées.

En cet après-midi de juin, Moïra lui avait donc tendu le paquet d'une main tremblante.

Maman l'avait dévisagée d'un air soupçonneux, avait déchiré le papier de ses serres et découvert la tasse sur laquelle sa fille avait maladroitement peint les mots « BONNE FÊTE PAPA ». Le mug s'était brisé sur le sol et la gifle avait foudroyé Moïra quasi simultanément.

— Petite salope ! avait sifflé sa mère. Sale petite traînée ! Vilaine chose dépravée ! Tu n'es qu'une bonne à rien ! Il ne sortira jamais rien de bon de toi !

Moïra avait neuf ans.

DEUX ANS ET DEMI PLUS TARD, maman avait pris le volant un matin sous l'emprise de l'alcool et de trois substances psychoactives différentes – à en croire les résultats de la prise de sang effectuée pendant l'autopsie – à cause d'une soudaine envie de glace, omettant de boucler sa ceinture et jetant son sac à main noir à anses dorées sur le siège passager. Elle avait démarré en trombe sous le regard sévère de maître Delcourt, leur voisin, avocat pénaliste de son état, et dévalé à tout berzingue la rue du 11-Novembre pour finalement s'encastrer deux cents mètres plus bas dans un camion réfrigéré à l'enseigne d'une marque de surgelés après avoir grillé le stop. Exit la Reine de cœur. Moïra avait été confiée à sa grand-mère, puis à une famille d'accueil lorsque celle-ci avait fait une rupture d'anévrisme dix-sept mois plus tard.

Dans le sac à main de sa mère, on avait retrouvé des stylos, des Kleenex, des bonbons à la menthe, un trousseau de clés, une paire de lunettes de soleil de marque Chanel, une écharpe Cardin en soie imprimée, un carnet Moleskine rempli de gribouillis minuscules et indéchiffrables où le stylo avait parfois tellement griffé le papier qu'il l'avait percé, des mignonnettes de vodka, de gin, de Jack Daniel's, de J&B, et surtout, en quantités industrielles, des tranquillisants, des anxiolytiques, des somnifères, des neuroleptiques, des antidépresseurs – les gens comme sa mère faisaient la fortune des laboratoires pharmaceutiques – et une bombe antiagression au poivre.

UN AUTRE SOUVENIR, telle une plante séchée dans un herbier. Ses grands-parents à Bazian, dans le Gers, chaque été. Une pastorale française. Grand-père avait été professeur de mathématiques au collège. À la retraite, il s'était mis à élever des lapins, qu'ils nourrissaient ensemble pendant les vacances.

— Imagine que je possède un seul couple de lapins, lui disait-il au cours de leur tournée des clapiers, dans la lumière du matin. Les bébés lapins atteignent leur maturité au bout de deux mois et ils mettent ensuite au monde un nouveau couple de lapins au début de chaque mois, tu me suis ? Comme ces lapins grandissent et se reproduisent à leur tour, combien de couples de lapins obtiendras-tu chaque mois ? À toi de jouer…

Moïra adorait les énigmes de grand-père. Mais elle devait se faire mal au crâne pour en venir à bout :

— Le premier et le deuxième mois, ça ne bouge pas : il n'y a qu'un seul couple de lapins… Mais au début du troisième, il y en a deux… Au début du quatrième, le premier couple se reproduit mais pas le second : on a donc trois couples. Le mois suivant, le premier couple se reproduit, le deuxième aussi, pas le troisième… On a deux couples en plus : cinq en tout. Le mois d'après…

Grand-père avait souri.

— Tu es vraiment une petite intelligente, tu sais. En fait, pour n'importe quel mois considéré, le nombre de lapins est toujours la somme des lapins que tu avais les deux mois précédents. Cela donne : 1, 1, 2, 3, 5, 8, 13, 21, 34, etc. On appelle ça une suite de Fibonacci… Et est-ce que tu sais comment les Indiens ont inventé le zéro à partir du mot sanscrit *shûnya*, qui signifie « vide », « absence » ?

Grand-père lui avait donné le goût des chiffres et aussi celui des mots. Ces étés en sa compagnie étaient parmi les plus beaux souvenirs qu'elle possédât. Elle se demanda soudain si ce n'était pas en grande partie à lui qu'elle devait d'être ici. Souvent aussi, grand-père radotait, surtout vers la fin. Il rabâchait les mêmes histoires, si bien que Moïra avait fini par les connaître par cœur.

— Le théorème de Pythagore n'est pas de Pythagore, affirmait-il. Sur une tablette d'époque babylonienne, le scribe a consigné une quinzaine de triplets de nombres entiers dont la somme des carrés des deux premiers est égale au carré du troisième... plus de mille ans avant la naissance de Pythagore !

Pythagore était l'un des sujets de prédilection de grand-père. Avec l'invention des chiffres, du zéro, le nombre d'or, la multiplication des grains de blé sur un échiquier... Les voisins aimaient beaucoup grand-père, même s'ils voyaient en lui un vieil homme un peu « dérangé ». « Ces gens trop intelligents, ça les rend fadas... », disait la fermière d'à côté à sa grand-mère. On avait retrouvé grand-père mort un après-midi dans son hamac, sous le figuier ; un carré magique qu'il venait de terminer reposait sur son ventre. L'idyllique paysage de petites routes, de collines et de bosquets s'étendait à perte de vue devant lui, il en connaissait le nombre exact de maisons, de fermes et peut-être même d'arbres. Elle avait onze ans.

— Ne deviens pas comme ta mère, lui avait-il dit un jour, peu de temps avant de mourir.

Et elle n'avait pas compris ce qu'il voulait dire par là.

4

IL ÉTAIT 15 HEURES passées de deux minutes quand elle reçut le message sur son téléphone Ming. La Tesla était en bas. Moïra alla s'examiner dans la glace de la salle de bains. Elle avait troqué le jean à trous pour un plus classique et le tee-shirt au slogan provocateur pour un chemisier à manches courtes rayé de blanc et de noir, mais le piercing était toujours là. Les clébards du stress et de l'appréhension hurlaient dans son ventre, la petite voix défaitiste présente depuis l'enfance n'avait pas renoncé : *Tu crois vraiment que tu vas faire le poids, ma cocotte ?*

Va te faire foutre, répondit-elle mentalement à la voix qui ressemblait beaucoup trop à celle de sa mère.

Elle était prête. Elle avait répété en marchant autour du grand lit, s'était préparée aux questions pièges qu'il ne manquerait pas de lui poser, avait révisé tout ce qu'elle savait sur Ming Incorporated et s'était finalement détendue à l'aide d'un demi-Lexomil qu'elle avait fait passer en buvant la moitié d'une bière Tsingtao.

Après quoi, elle s'était douchée et brossé les dents.

Va te faire foutre, répéta-t-elle.

Pour se rassurer, elle se dit qu'il n'y avait pas vraiment d'enjeu. Elle avait passé haut la main le processus de recrutement, qui s'était étalé sur trois journées au siège français de Ming, avenue de Wagram, à Paris. Mais elle tenait néanmoins à faire bonne figure.

Pas d'enjeu ? Tu rigoles ? Tu vas le rencontrer, LUI. En personne. Ça ne te suffit pas, comme enjeu ?

À cette pensée, elle sentit son estomac se nouer. Ming Jianfeng. Une fortune estimée à 290 milliards de yuans. Président et fondateur de Ming Inc. Un mythe, une légende. La voix avait raison. Le rencontrer, c'était comme rencontrer Steve Jobs, Bill Gates, Elon Musk ou Jeff Bezos en chair et en os. Dans sa chambre sous les toits, elle avait passé des nuits blanches à surfer sur son ordinateur avec pour seul éclairage le halo de l'écran, explorant de fond en comble les ramifications de l'empire Ming, oubliant les heures qui défilaient et la fatigue, réunissant toute l'information disponible. Il y avait presque autant de Ming que de Li et de Wang en Chine – où un milliard de Chinois se partageaient une centaine de noms –, sans parler de la dynastie historique, aussi avait-elle précisé « Ming Jianfeng » : elle avait quand même obtenu pas moins de dix millions de résultats.

La première page affichait des entrées telles que « Le géant de l'Internet chinois Ming annonce un projet d'introduction en Bourse », « Le chinois Ming nomme un transfuge de Google à la tête de son département d'intelligence artificielle », « Jusqu'où Ming, le géant chinois, va-t-il aller ? », « Baidu, Alibaba, Tencent, Xiaomi et Ming : ces incroyables "GAFA" chinois »… Le papier le plus récent était un article du quotidien suisse *Le Temps* évoquant la prochaine introduction de Ming à la Bourse de Hong Kong :

Le Chinois Ming tente de s'introduire en Bourse à Hong Kong

Cette opération, qui pourrait permettre à la firme de lever 20 milliards de dollars américains, sera la plus importante de ces quatre dernières années sur le marché mondial.

Le géant chinois des smartphones Ming a déposé une demande pour entrer à la Bourse de Hong Kong. Selon l'agence financière Bloomberg, qui publie ce document préliminaire, l'opération pourrait permettre de lever 20 milliards de dollars américains. Un tel montant valoriserait la firme chinoise basée à Hong Kong et à Pékin à hauteur de 120 milliards de dollars. Il s'agirait de la plus grosse IPO depuis celle du géant du commerce électronique Alibaba à New York en 2014 pour 25 milliards de dollars, précise le quotidien hongkongais *South China Morning Post*.

Au troisième trimestre 2018, Ming était le deuxième fabricant de smartphones, juste derrière Samsung mais devant Apple. Ming a par ailleurs annoncé l'an dernier qu'il avait rejoint le club très fermé des géants des télécoms capables de produire leurs propres processeurs. Même s'il écoule toujours l'écrasante majorité de sa production en Chine, le groupe réalise d'ambitieuses percées sur les marchés émergents, notamment en Indonésie, en Russie et en Inde, et annonce que ses prochaines terres de conquête seront l'Europe et les États-Unis, grâce en particulier à l'apparition d'une nouvelle application baptisée DEUS, dont on sait qu'elle devrait révolutionner l'univers des *chatbots*, ces agents conversationnels qui représentent le futur eldorado pour la domination duquel les géants du numérique se livrent une guerre sans merci.

Elle avait archivé l'article et poursuivi ses recherches. D'où il ressortait que le mot définissant le mieux Ming Jianfeng était *secret*. On savait peu de chose sur lui, sinon qu'il cultivait la discrétion de manière quasi pathologique – il n'avait donné qu'une seule interview en vingt-neuf ans à la tête de Ming Inc. –, et le peu qu'on sût ressemblait plutôt à un plan com bien huilé qu'à des faits avérés. Né en 1950 (année du Tigre). Veuf. Deux enfants : un garçon, Julius (lequel avait fait ses études au Winchester College de Londres et était membre du conseil d'administration du groupe), et une fille, Ping yee, qui avait été l'une des plus proches conseillères de son père avant d'être victime d'un accident de parapente en 2013 – on disait que Ming s'était encore plus enfermé dans la solitude et la paranoïa après sa mort.

Il avait grandi dans une région pluvieuse et montagneuse du centre de la Chine, le Guizhou, une province pauvre et isolée – la légende voulait qu'il ait été un enfant solitaire qui avait peu d'amis, aussi bien à l'école élémentaire qu'au collège, au lycée et plus tard à l'école militaire. (« L'enfant solitaire des montagnes pluvieuses », titrait un article qui lui était consacré.) Ancien soldat de l'Armée populaire de libération, membre du Parti communiste chinois, du Comité national de la conférence consultative politique du peuple chinois, Ming avait quitté l'administration pour le secteur privé en 1989 et fait des débuts en affaires plutôt opaques. Selon le *Wall Street Journal*, ses liens avec l'armée chinoise et le Parti avaient été invoqués par le gouvernement indien comme un obstacle à la signature de certains contrats de défense, mais cela ne l'avait pas empêché de s'imposer comme un géant du Web et plus tard de la téléphonie mobile, capable d'exporter cent trente-neuf millions de smartphones en une seule année. C'était en accompagnant une délégation chinoise aux États-Unis en 1995 qu'il avait découvert Internet et observé le fonctionnement des start-up de la

Silicon Valley. De retour en Chine, Ming avait aussitôt fondé la première plateforme d'e-commerce chinoise. En 2011, il avait lancé en grande pompe son premier téléphone : à la pointe du design et de la technologie, et surtout bien moins cher que ceux de ses concurrents. Pour faire baisser les prix, Ming vendait directement en ligne, éliminant les intermédiaires, et misait sur le bouche à oreille plutôt que sur un budget pub colossal à l'instar de ses rivaux. Le succès avait été immédiat.

Conscient cependant qu'il vieillissait et que l'entreprise avait besoin de sang neuf, en même temps que de nouveaux marchés, il était allé puiser dans les forces vives de l'ennemi, en débauchant à coups de salaires mirobolants et de participations des experts en intelligence artificielle de Google, de Facebook et de Xiaomi, son rival chinois. Une équipe multiculturelle, pluridisciplinaire. Tous étaient invités à rejoindre le Centre, le laboratoire de recherche et de développement de Ming Incorporated implanté sur la péninsule de Sai Kung : un parc national de dix mille cinq cents hectares au nord-est de Hong Kong et des Nouveaux Territoires, couvert de montagnes et de forêts, frangé d'un littoral découpé, de plages de sable blanc, et miraculeusement préservé de la furie immobilière hongkongaise.

Lors de la seule interview qu'il avait accordée en 2016, Ming avait déclaré ceci : « La Chine compte 1 milliard 400 millions d'habitants, l'Europe 740 millions, les États-Unis 325 millions... Si l'on considère cette vieille mesure qu'est le QI, Hong Kong se classe n° 1 avec un QI moyen de 108, la Chine n° 3 avec un QI moyen de 105 et des pays européens tels que l'Allemagne, la France et la Russie en huitième, neuvième et dixième position avec des QI moyens de 99, 98 et 97, tout comme les États-Unis, qui partagent leur neuvième place avec la France et l'Espagne. Cela signifie une chose : il y a beaucoup plus de gens intelligents en Chine qu'il n'y en a en Europe ou aux États-Unis... »

Désormais, Ming Inc. se tournait vers l'Internet des objets et l'intelligence artificielle. Ming Jianfeng ne croyait pas le moins du monde à ces foutaises de disruption, il était en revanche persuadé – il l'avait déclaré dans cette même interview – que, dans moins de dix ans, les machines seraient capables de lire, de voir, de sentir, de déchiffrer nos émotions, de reconnaître visages, objets, sons, de rassembler assez d'informations sur chaque habitant de cette planète, sur ses habitudes de consommation, ses goûts, son comportement, son profil psychologique, ses besoins, son niveau d'intelligence, son patrimoine génétique, ses penchants sexuels, ses idées politiques, son passé professionnel et judiciaire, pour le connaître mieux qu'il ne se connaissait lui-même, voire anticiper sur chacune de ses réactions, chacun de ses actes, et prendre à sa place les décisions les plus importantes de sa vie. « Elles sont déjà tout près de le faire », avait-il ajouté.

Moïra se souvenait parfaitement qu'en lisant ces mots dans sa chambre sous les toits, elle avait rouvert le mail qu'elle avait reçu quelques heures plus tôt. Celui qui lui annonçait que sa candidature pour entrer chez Ming Inc. était retenue. Et elle avait senti les larmes couler sur ses joues. *Tu es trop émotive, ma fille. Il faut t'endurcir un peu...*

LA TESLA S'ENFONÇA dans le Western Harbour Crossing, le tunnel qui passe sous le détroit du Victoria Harbour et ressort à Central, et le ciel d'un gris presque noir disparut temporairement. Elle baissa les yeux vers le journal glissé dans le dossier du siège devant elle. Le *South China Morning Post*. L'ouvrit et le feuilleta, en plissant les paupières à cause du mauvais éclairage.

Au milieu des pages économiques, elle tomba sur un grand placard publicitaire. L'offre publique de vente de Ming Inc. :

MING INC.
(une société à responsabilité limitée
contrôlée par droits de vote pondérés
et enregistrée aux îles Caïmans)
Stock code : 18100

Parmi les *bookrunners* et les « parrains » de l'introduction en Bourse : Goldman Sachs, Morgan Stanley, J.P. Morgan, le Crédit Suisse, la Deutsche Bank, BNP Paribas, UBS... Tout le monde voulait en être, apparemment. Tout le monde voulait sa part du gâteau. Personne ne voulait rater le tournant du XXIe siècle et rester sur le bas-côté, personne ne voulait être le nouveau Kodak ou le nouveau Nokia... Mais les mêmes qui craignaient tellement de louper le coche étaient incapables de dire s'ils avaient devant eux une autoroute ou une voie sans issue.

LORSQUE LA VOITURE émergea du tunnel, elle eut sa première vision de Hong Kong Central : des dizaines et des dizaines de gratte-ciel étincelants

grimpant à l'assaut du Peak et des montagnes environnantes. Sirènes. Grondements des taxis et des bus.
Piétinement de la foule. Frénésie. Affluence. Voracité.

Les bureaux de Ming Inc. se trouvaient au trente
et unième étage du Henley Building, un élégant édifice qui en comptait trente-trois au cœur du quartier
des affaires, proche du parc Cheung Kong, dont les
frondaisons formaient une voûte au-dessus du canyon
rugissant de Queen's Road Central. En descendant
de voiture, elle se tordit le cou pour contempler la
façade, ne vit qu'un miroir légèrement bombé de verre
et d'acier entouré d'autres gratte-ciel ; leurs entrées
monumentales s'alignaient le long d'une étroite artère
encombrée de voitures, de taxis et d'autobus. Seule la
proximité du parc – en vérité une oasis totalement artificielle – conférait à l'endroit un certain cachet.

À l'accueil, elle demanda son chemin. En sortant
de l'un des six ascenseurs, Moïra déboucha dans un
espace vitré qui bénéficiait d'un panorama imprenable sur la baie. En d'autres occasions, cette vision
l'aurait envoûtée, mais elle n'était pas là pour faire du
tourisme. Personne en vue. Le vaste espace était vide,
avec pour seul mobilier des fauteuils en cuir rassemblés par petits groupes. Deux portes latérales donnaient dessus. Il y régnait un silence qui contrastait
avec le tumulte du dehors.

Elle se demandait encore si elle devait attendre dans
un fauteuil que quelqu'un vienne la chercher quand
la porte de droite s'ouvrit sur une jeune Chinoise en
tailleur strict qui l'invita à la suivre. Son anglais teinté
d'un épais accent cantonais était à peine plus com-
préhensible que celui du réceptionniste de l'hôtel.
La jeune femme rouvrit la porte à l'aide d'un badge

électronique. Elles se retrouvèrent dans une pièce beaucoup moins spacieuse. La Française s'était attendue à un décor plus ou moins excentrique, un truc de *nerds*, des posters de vieux films de SF sur les murs, une esthétique postindustrielle revisitée avec humour et créativité, où chaque pièce se serait démarquée par sa personnalité, comme elle en avait connu chez Facebook. Au lieu de cela, elle faisait face à un décor gris, froid et sans âme, qui aurait filé le blues à un croque-mort.

Une façade, se dit-elle. *Une façade rassurante à l'intention des investisseurs.* Les bureaux de l'administration. Des comptables et des avocats. Les équipes *créatives* devaient se trouver ailleurs : au Centre, qui avait fait l'objet de six pleines pages de photos en couleurs dans le *Time Magazine*. La seule note imprévue ici était une galerie de portraits en noir et blanc ; elle s'approcha d'eux. Un enfant chinois hilare, un homme caucasien dans la quarantaine aux lunettes rectangulaires et au sourire coincé, une femme blonde et jolie mais un peu fade, une brune métisse au regard pénétrant, un vieillard ridé comme une vieille pomme. Le photographe avait réussi à capter l'humanité et la singularité de chacun, estima Moïra.

— Qui sont-ils ? voulut-elle savoir, sa curiosité éveillée.

— Ils n'existent pas.

— Comment ça ?

— Ces personnes : *elles n'existent pas…* L'IA de Ming a analysé des millions de portraits, leurs caractéristiques physiques – couleur de la peau, yeux, cheveux, grains de beauté, forme des oreilles, du nez… Après quoi, elle s'est mise à générer d'elle-même des milliers de visages créés de toutes pièces. Ceux-ci n'en sont qu'une infime partie. Une humanité virtuelle, en somme.

La jeune femme lui sourit. Médusée, Moïra sonda encore une fois ces visages si… *réels*. Incroyable. Elle aurait juré être devant de vraies personnes… La secrétaire poussa une autre porte, se tourna vers Moïra, bras tendu pour maintenir le battant ouvert.

— Allez-y. M. Ming vous attend.

Moïra avala sa salive, franchit le seuil. Entendit la porte se refermer derrière elle. Se figea. Elle considéra la pièce haute de plafond avec étonnement : elle était vide, à l'exception d'un bureau, d'un siège pivotant et d'un écran de cinéma recouvrant le mur du fond, encadré de deux rideaux bleus.

Où était-il ?

Pas le moindre son pour traverser les murs. Rien que le bruit de sa propre respiration. Elle se demanda si elle devait attendre là, près de la porte, contourna finalement le bureau et s'approcha de l'écran. Aussitôt, il s'illumina et elle eut un hoquet de surprise.

Malgré elle, son rythme cardiaque s'accéléra. Sur l'écran, elle apercevait à présent les épaules, la nuque et le crâne immenses d'un homme de dos. L'image faisait plus de quatre mètres de haut et elle se sentit minuscule à côté. Elle était aussi d'une incroyable netteté.

Cheveux noirs. Gominés. Un peu dégarnis au sommet du crâne. Des pellicules sur la veste de son costume. Un Chinois, paria-t-elle. Puis son cerveau effectua un saut intuitif. *Ming*… De nouveau, son ventre se contracta. L'homme se retourna lentement.

— Vous avez fait bon voyage ? lui demanda Ming Jianfeng.

5

ELLE MIT UNE DEMI-SECONDE à répondre. Le célèbre Ming Jianfeng lui parlait-il réellement – ou s'agissait-il, comme dans la voiture, d'un enregistrement ? Et, par voie de conséquence, était-elle censée répondre ?

— Oui, excellent.

Elle vit sourire le visage de quatre mètres de haut.

— Tant mieux… tant mieux… (Il fit un geste ample.) Vous aimez cet endroit ?

Quoi ? C'est une blague ou quoi ? Je me trouve dans un bureau vide à l'exception d'un écran de cinéma. Qu'est-ce que je suis censée dire ?

Puis l'image sur l'écran se déplaça et elle découvrit un jardin de bonzaïs baigné par les rayons du soleil. Il y en avait de toutes sortes, dans des pots alignés sur plusieurs terrasses.

— C'est magnifique… Où est-ce ?

— Ce que vous voyez là est mon jardin de bonzaïs sur la péninsule de Sai Kung, dit-il. Au Centre… Là où vous vous rendrez demain, précisa-t-il sans cesser de sourire. Certains ont plus de cent ans. Mais ce qui est intéressant là-dedans, c'est qu'historiquement les premières personnes à pratiquer l'art du bonzaï essayaient de reproduire les formes prises par les arbres sous l'action des éléments : elles reproduisaient en somme un aspect du monde naturel par des procédés artificiels. N'est-ce pas ce que nous essayons de faire ?

Entendait-il seulement sa voix ? Ou la voyait-il également, comme elle le voyait lui ? Son regard chercha discrètement les caméras.

— Je vous vois, confirma-t-il. Il y a plusieurs caméras dans la pièce où vous vous trouvez.

Son visage avait de nouveau envahi l'écran, chaque détail, chaque ride agrandi des dizaines de fois. Elle se dit que, décidément, l'image était d'une qualité remarquable, en particulier dans la gamme dynamique.

— La culture du bonzaï demande de l'humilité, de la patience et de la persévérance, reprit-il. Êtes-vous dotée de ces qualités, Moïra ?

Entendre son prénom dans la bouche du célèbre Ming Jianfeng la fit tressaillir. *Attention*, l'avertit sa voix intérieure, *montre-toi à la hauteur. Maintenant.*

— M'auriez-vous engagée, sans cela ?

Elle baissa les yeux.

— J'espère me montrer digne de votre confiance, monsieur.

Il approuva sa réponse d'un bref hochement de tête. Elle se fit la réflexion que le grand Ming Jianfeng ne payait pas de mine. Un complet bleu marine, une cravate sombre, un visage plat et ridé, des cheveux drus mais qui avaient commencé à reculer. Des traits quelconques. À part l'immense regard : d'un noir si dense que des particules de lumière semblaient jaillir de l'écran et de ses paupières épaisses comme celles d'un iguane rhinocéros et se répandre dans la pièce. Et puis, il y avait la voix sortant des haut-parleurs… Profonde, assurée, caressante… Elle s'insinuait dans son cerveau, pareille à celle d'un hypnotiseur.

— Vous êtes arrivée ce matin, n'est-ce pas ?

— Oui.

— Vos premières impressions ?

— Eh bien, Hong Kong est une ville fascinante… Et la vue de ma chambre est vraiment incroyable. Merci aussi pour la tablette et le téléphone.

Elle se demanda si Ming accueillait tous ses employés de la même façon, ou si ceux du département d'intelligence artificielle étaient considérés comme une caste supérieure, les brahmanes de l'entreprise en quelque sorte, qu'il fallait particulièrement choyer.

— C'est important à nos yeux que vous soyez placée dans les meilleures conditions. Mais vous n'allez pas passer votre vie à l'hôtel. Nous travaillons avec une agence immobilière qui va vous faire des propositions. Les loyers sont très élevés à Hong Kong, mais l'entreprise participe à hauteur de 50 % et l'agence consent un rabais à nos employés. Dans l'avion, quels films avez-vous regardés ?

— Euh… *Chungking Express*, répondit-elle, désarçonnée par la question.

— *Chungking Express*. Vous l'avez regardé jusqu'au bout ?

Elle hésita.

— Non.

De nouveau, il sourit.

— Vous vous souvenez de ce que vous avez mangé ?

— Une timbale de crabe et de la lotte…

— Et de ce qui accompagnait le crabe ?

— Mmm… de l'ananas… une sauce aux agrumes… des oignons rouges marinés…

— Et la lotte ?

— Carottes… riz parfumé au jasmin… du chou pak choï…

— Précis, apprécia-t-il. Vous avez bu de l'alcool ?

C'est quoi, ça ? Un autre foutu test psychologique ? On joue à quoi, là ? Un peu, que j'ai bu de l'alcool… En business class. À vos frais.

— Une coupe de champagne en apéritif et deux verres de vin. Rouge…

Il continuait de la fixer avec le même sourire affable.

— Qu'avez-vous pensé de la *business class* de Cathay ?

Il travaillait au service satisfaction clients ou quoi ?

— C'était mon premier vol en *business*, monsieur. Je n'ai pas d'éléments de comparaison. Mais je l'ai trouvé très agréable.

Il fit la grimace.

— Cessez ces réponses convenues, s'il vous plaît. Je vous en prie. Allez-y, donnez-moi votre sentiment.

Elle espéra qu'il ne remarquait pas le rouge qui lui était monté aux joues.

— Euh… je ne suis pas sûre que ça justifie le tarif, si je puis me permettre, étant donné que vous avez payé le vol…

Ming rit à gorge déployée. Un rire clair, spontané, qui explosa dans la pièce à travers les haut-parleurs. Elle se détendit.

— *Avez-vous des désirs ?* demanda-t-il soudain.

La question avait fusé comme un boulet hors de la bouche d'un canon. Inattendue. Déstabilisante. Elle ne comptait pas au nombre de celles qu'elle avait prévues. Pas plus que les précédentes, du reste.

— Des… *désirs ?*

— La vie ne peut-elle pas se résumer à la somme de nos désirs et aux stratégies que nous déployons pour les satisfaire – ou au contraire pour les faire taire ?

— Sans doute, répondit-elle.

— Alors, quels sont les vôtres, Moïra ?

Elle hésita.

— Euh… le désir de réussir ma vie professionnelle… d'être l'une des meilleures dans mon travail… de me faire des amis ici… de trouver un endroit où je me sente bien… de… de découvrir le Centre…

— Quoi d'autre ?

— Je ne sais pas.

— Bien sûr que si, insista-t-il.

Pendant un instant, elle ne sut quoi répondre.

— N'avez-vous pas le désir de faire mentir votre mère ? De lui prouver, par-delà la mort, qu'elle avait tort à votre sujet ?

Elle sentit un fer chauffé à blanc fouailler son ventre.

— Qu'est-ce qui vous permet de… ?

— J'ai visionné vos quatre heures d'entretien avec notre psychologue, à Paris, la coupa-t-il en guise d'explication. Veuillez m'excuser si je vous ai mise mal à l'aise et me suis montré indiscret… Ce n'était pas mon intention.

Tu parles, Charles, rétorqua la petite voix intérieure toujours prête à en découdre. *C'était exactement ce que tu cherchais…*

S'était-elle dévoilée à ce point pendant son entretien avec la psy ? Elle la revit, son tailleur taupe, ses cheveux lisses, son maquillage léger mais qui avait dû demander du temps, et son air de ne pas y toucher. Elle était habile, elle connaissait son métier. Elle l'avait d'abord endormie avec ses formules creuses, sa voix douce, qui laissait présager une séance inoffensive, avant de glisser ses vilains petits doigts mentaux dans les moindres recoins de son esprit – et elle avait su appuyer sur les bons boutons au bon moment pour la faire réagir. Lorsque Moïra avait fini par évoquer la Reine de cœur, elle avait vu une lueur s'allumer dans le regard de la psy, comme si celle-ci avait obtenu ce qu'elle cherchait. Malgré ça, ils l'avaient embauchée, non ? Peut-être ce besoin de revanche correspondait-il à ce qu'ils recherchaient : un personnel surmotivé, à qui la vie n'avait pas fait de cadeaux…

Mais c'était plus certainement dû à ses références impeccables. Il y avait tout, dans son CV, pour séduire une boîte comme Ming : un master en sciences du langage, spécialité linguistique informatique, un doctorat (elle avait soutenu sa thèse : « Modélisation et détection des émotions à partir des données expressives et contextuelles » à l'université Paris-Sud), un an de formation supplémentaire au MIT Computer Science and Artificial Intelligence Laboratory, un postdoctorat au laboratoire d'intelligence artificielle (FAIR) de Facebook à Paris, sous la direction de Yann LeCun. Quand elle avait appris que Ming Inc. recrutait des spécialistes en IA pour travailler sur son nouvel agent conversationnel – celui dont toute la communauté informatique parlait déjà –, elle avait su qu'une telle occasion ne se représenterait pas.

Elle avait le profil idéal. Elle ne l'ignorait pas. Lui non plus.

— Que pensez-vous d'un *chatbot* qui doit être capable de parler à tous et de répondre à toutes les questions ? demanda-t-il soudain. Utopie ? Folie ? Science-fiction ? Arnaque ?

— Prochaine étape.

Nouveau hochement de tête approbateur. Pourtant quelque chose le préoccupait : son front était plissé, son expression différente à présent.

— Nous sommes très proches…, dit-il, d'un ton qui se voulait optimiste mais que démentait son expression. Seulement nous ne sommes pas les seuls : Apple, Facebook, Google, Amazon – tout le monde court après le Graal… Je crois cependant que nous avons pris un peu d'avance… Vous savez pourquoi vous êtes là ? ajouta-t-il, comme si la réponse n'était pas évidente.

— Oui. Pour travailler sur DEUS.

— En effet. Afin de lui donner davantage de *contenu*… Davantage de *personnalité*, d'émotions… La phase de test est déjà avancée mais il ne s'agit pas d'un *bot training* disons… classique… avec des développeurs derrière pour corriger les erreurs, non : DEUS est bien trop unique pour cela. Nous ne manquons pas d'ingénieurs, nous ne manquons pas de développeurs, nous ne manquons pas de mathématiciens ni de codeurs, mais c'est de votre imagination, de votre créativité, de votre jeunesse que nous avons besoin. Et aussi de votre… *sensibilité*. La courbe d'apprentissage d'un agent conversationnel varie en fonction de sa complexité. Or, DEUS est le *chatbot* le plus complexe jamais mis au point. Toutes ces étapes prennent du temps. Vous êtes là pour lui conférer une vraie personnalité, de vraies émotions, pour aider notre DEUS à *s'humaniser*, Moïra.

Il en parle comme d'une personne vivante, songea-t-elle. *Comme d'un enfant…*

— J'imagine que je ne suis pas la seule.

— Non, en effet. Toutes les personnes travaillant au département IA de Ming Inc. ont été sélectionnées à la fois pour leurs très grandes compétences et pour leur personnalité. Mais c'est vous qui allez superviser l'*affective computing*. Nous devons faire de DEUS le plus humain des assistants virtuels jamais mis en circulation, Moïra. C'est pour ça que vous êtes ici… Pour ça que j'ai fait appel à vous…

6

AFFECTIVE COMPUTING. Informatique affective. Internet des émotions. Est-ce que ça ne sonnait pas comme un oxymore ? Comme une fourmi individualiste ou une pierre qui pense ? Pourtant, l'Internet des émotions était le prochain eldorado, le nouveau Graal.

Du reste, des émotions étaient déjà massivement présentes dans les milliards de téraoctets de données récoltées chaque jour par les grandes firmes informatiques sur les habitants de cette planète. Grâce à la vertigineuse puissance de calcul de leurs ordinateurs, Facebook et Google analysaient non seulement tous vos « likes », mais aussi chacune des émotions exprimées dans vos posts et vos mails. Chaque fois que vous étiez en colère, triste, amoureux ou « mort de rire », Facebook et Google le savaient. Le bracelet « intelligent » Feel et la bague Moodmetric prétendaient de leur côté reconnaître vos états d'âme – joie, colère, tristesse – grâce aux capteurs qui surveillaient votre activité électrodermale. Le *Wall Street Journal* venait d'annoncer que le richissime P-DG de Tesla et de SpaceX, Elon Musk (celui-là même qui voulait remplacer les avions par des fusées dès 2022 et ainsi relier Paris à Los Angeles en trente minutes), avait secrètement créé en 2016 une société de recherche médicale, Neuralink, visant à connecter directement des cerveaux humains à des machines.

Les grandes firmes de l'Internet faisaient chaque jour des progrès considérables dans le suivi et l'analyse des émotions humaines et, selon le Center for Long-Term Cybersecurity de Berkeley, cette connaissance de plus en plus fine de nos états mentaux ne tarderait pas à poser des problèmes en termes de sécurité. Car les géants du Web entendaient non seulement reconnaître, interpréter et modéliser nos émotions, mais aussi les utiliser à leur profit pour nous manipuler et accroître notre dépendance à l'égard de leurs technologies.

Et je participe de ce mouvement, songea Moïra tandis que la voiture la ramenait vers Kowloon. En aidant DEUS à devenir plus humain, plus empathique, l'objectif était clair : le rendre indispensable, incontournable dans la vie de ses utilisateurs. *Comme une drogue...* Les rumeurs les plus folles couraient au sujet de DEUS. On prétendait que l'agent conversationnel de Ming était d'ores et déjà capable de soutenir une conversation de plusieurs dizaines d'heures sans qu'il fût possible de le distinguer d'une vraie personne, et qu'une fois sur le marché il entraînerait une pénétration encore jamais vue de l'IA dans la vie quotidienne des gens. Un transfuge de Ming avait même affirmé que l'entreprise avait des années d'avance sur toutes les autres, que Siri, Alexa et Cortana avaient l'air d'enfants ignares à côté, mais que DEUS ne serait pas commercialisé avant deux ans à cause de problèmes dans certaines heuristiques. Bien entendu, ce n'étaient que des rumeurs.

Moïra ne doutait pas qu'une fois DEUS mis sur le marché des millions de personnes lui abandonneraient leur pouvoir de décision : c'était tellement confortable de laisser quelqu'un – ou *quelque chose* – décider à notre place.

À 7 HEURES DU SOIR, elle était de retour à l'hôtel. Elle avait envie d'un verre, là, tout de suite. Non : *elle en avait besoin…* Elle revêtit son jean à trous et un tee-shirt propre et descendit dans le lobby pour emprunter l'ascenseur qui grimpait directement jusqu'à l'Ozone, au cent dix-huitième et dernier étage.

Elle émergea dans une petite réception dont l'éclairage – qui ruisselait des murs tels des rideaux de lumière – changeait constamment de couleur. Deux jeunes femmes en robe du soir lui demandèrent si elle avait réservé. Moïra répondit qu'elle était cliente de l'hôtel et qu'elle voulait fumer ; on la conduisit, au bout d'un couloir en angle – feng shui oblige – et après avoir traversé tout le bar sous les myriades d'illuminations du plafond, jusqu'à une large galerie à ciel ouvert cernée de vitres et de grandes poutres en béton. Il y avait encore peu de monde et elle avait le choix entre les sofas au milieu de la galerie et les tabourets blancs alignés sur le côté, devant un comptoir qui courait le long de la baie vitrée. Elle choisit un tabouret. Alluma une cigarette. Quand on lui eut apporté son gin-tonic, elle le goûta, le jugea léger, rappela le serveur et lui demanda d'ajouter une généreuse rasade de gin.

Le soir descendait. Le ciel était toujours encombré de nuages même s'il ne pleuvait plus, mais la vue était encore plus époustouflante que celle qu'elle avait de sa chambre. Tout Hong Kong à ses pieds. C'était comme être assise au bord du monde. Les gratte-ciel s'illuminaient les uns après les autres, telles des échelles incandescentes escaladant la nuit, leurs lumières se reflétant dans les eaux noires.

— Une sacrée vue, n'est-ce pas ?

Elle se tourna vers ses voisins, juchés aussi sur deux tabourets. Les reconnut. Elle avait une excellente mémoire visuelle : les deux types en costard qui fumaient dehors et l'avaient observée quand elle était arrivée à l'hôtel.

— Mmm, fit-elle en guise de réponse.

— Première fois à Hong Kong ?

Le type avait une face de bouledogue à qui on aurait collé une perruque brune et un accent chinois prononcé.

— Oui, répondit-elle en avalant une gorgée de son gin-tonic, et elle l'oublia sur-le-champ pour ramener son attention sur le panorama.

— Vous verrez, c'est une ville extraordinaire.

Elle soupira. Cette fois, elle prit une information visuelle un peu plus étendue sur son interlocuteur. Il n'était pas fringué comme un client de l'hôtel. Une chemise blanche, un costume gris de mauvaise qualité, la cravate de travers. Des yeux rusés et des rides profondes.

— Si vous voulez sortir le soir, poursuivit-il, essayez Wan Chai, Lan Kwai Fong et Soho.

— OK.

— Il y a aussi Hart Avenue, à Tsim Sha Tsui, près d'ici.

Putain...

— Et, bien sûr, vous devez à tout prix tester nos *dim sum...*

Est-ce qu'il voulait seulement engager la conversation ? Ou bien est-ce qu'il était en train de la draguer ? *À son âge et avec la tronche qu'il avait ? Sérieux ?*

— Si vous ne l'avez pas déjà fait, précisa-t-il.

Elle jeta un coup d'œil à l'autre assis un peu plus loin. Même costume gris, même chemise blanche, même dégaine... Elle n'était pas une spécialiste, mais elle avait vu suffisamment de films pour savoir qu'ils ressemblaient plus à des fonctionnaires du gouvernement qu'à des hommes d'affaires.

Elle se concentra sur la vue, tripota le piercing dans sa narine.

— Il y a un excellent restaurant français dans les Mid-Levels, continua son voisin, imperturbable, comme s'il se fichait que cela l'intéressât ou non.

— Quoi ?

— Un restaurant français...

— J'ai entendu.

Moïra avait l'air prête à se jeter sur sa proie, désormais. Ses pupilles lançaient des éclairs. Sa main droite continuait de tripoter son piercing.

— Comment vous savez que... ?

— Que vous êtes française ?

— Oui...

— Vous l'avez déjà rencontré, ou pas encore ? demanda-t-il.

— Qui ça ?

— Ming.

Elle resta un moment en arrêt, repoussa son verre et pivota sur son siège.

— *Qui êtes-vous ?*

— Vous êtes allée dans ses bureaux à Central aujourd'hui, mais je ne crois pas qu'il était présent, je me trompe ?

— Qui êtes-vous ? répéta-t-elle plus fort.

Le visage de l'homme était dépourvu d'expression.

— Disons des gens qui s'intéressent à votre patron…

— La concurrence ?

— Non, *plutôt des gens du gouvernement.*

Il avait dégainé sa plaque, sur laquelle elle entrevit une fleur de Bauhinia, le symbole de Hong Kong. Moïra éprouva un fourmillement à la base de la nuque.

— Qu'est-ce que vous me voulez ?

— Seulement vous poser quelques questions…

— À quel propos ?

— À propos de vous.

— J'ai fait quelque chose d'illégal ?

— Pas encore.

— Vous avez quelque chose à me reprocher ?

— Pas encore.

— Alors, qu'est-ce que vous voulez savoir et de quoi je devrais me préoccuper ?

— Disons que nous nous intéressons de près à votre futur employeur…

Elle se raidit. *Et l'autre, là, il est muet ?* se demanda-t-elle. Il n'avait pas ouvert la bouche mais il ne la quittait pas des yeux. Son regard n'était ni amical ni hostile. Aussi neutre qu'un garde suisse au Vatican.

— Pourquoi ? dit-elle. Pourquoi vous vous intéressez à Ming Inc. ?

— Nous avons de bonnes raisons de croire qu'ils sont impliqués dans des affaires sur lesquelles nous enquêtons…

— Quel genre d'affaires ?

— Des affaires *graves*…

La tranquillité avec laquelle il avait répondu contrastait assurément avec la teneur du message. Elle eut soudain la sensation qu'on ouvrait une bonde au fond de son estomac.

— Vous êtes qui ? La brigade financière ? La police des frontières ?

— ICAC.

Puis, comme elle fronçait les sourcils :

— Commission indépendante contre la corruption, précisa-t-il avec la même impassibilité.

Cette fois, elle eut l'impression qu'on lui décochait un coup de poing au plexus.

— Ça vous dérangerait de me dire ce qui se passe ?

— Si vous acceptez un petit conseil, lui glissa le Chinois, ne faites confiance à personne. Chez Ming, je veux dire. (Il plongea une main dans la poche de sa veste, en sortit un carton imprimé.) Voici ma carte. Conservez-la. S'il vous plaît. Et si un jour vous décidez de nous appeler, n'utilisez pas un téléphone Ming. Autre chose : ne dites à personne que vous nous avez parlé. Vous pourriez perdre votre job avant même d'avoir commencé.

Elle se rembrunit, prit cependant la carte, qu'elle glissa dans la poche de son jean.

— Ce n'est pas moi qui vous ai parlé, rectifia-t-elle sèchement, c'est vous qui m'avez abordée. Si vous n'avez rien d'autre à me dire, vous m'excuserez, messieurs, mais j'ai atterri ce matin et je tombe de fatigue.

Elle se leva. Écrasa sa cigarette dans un cendrier. Elle avait les jambes en coton. Elle s'attendait à ce qu'ils la retiennent, mais ils n'en firent rien. Elle quitta la terrasse et traversa le bar comme un ouragan.

Sans se retourner.

LE FLIC DE L'ICAC contemplait la décoration de l'ascenseur : des crevasses zigzaguant sur des parois d'un noir anthracite. Une déco prétentieuse et faussement chic. Il préférait de loin celle des troquets exigus et puants de Mong Kok à toute cette pompe et ce fric.

— Tu crois qu'elle va leur dire ? demanda son collègue en passant une main dans ses cheveux humides.

Tous deux appartenaient à une petite section de la division des Opérations de l'ICAC, l'unité spécialisée dans la protection des témoins. Des flics solides, aux aptitudes supérieures à celles du policier lambda et au taux de testostérone bien plus élevé.

— Une chance sur deux…

ASSISE À LA TÊTE du grand lit douillet, dans sa chambre du cent treizième étage, Moïra voyait les lumières de la ville étalées comme une rivière de diamants dans la vitrine d'un joaillier. Elle se sentait horriblement mal. Qu'est-ce que c'était ? Ce à quoi elle venait d'assister. *Non, pas d'assister : elle avait été impliquée…*

Elle s'aperçut que son ventre était aussi dur que du plomb. Se leva pour aller uriner et en profita pour se rincer le visage dans la salle de bains. Que s'était-il passé exactement ? Ces flics l'avaient suivie depuis son arrivée. *Pourquoi ?* Pourquoi s'intéressaient-ils à elle en particulier alors qu'elle venait tout juste de débarquer ?

Et pourquoi enquêtaient-ils sur Ming ?

Une partie d'elle-même lui disait que ça ne porterait pas à conséquence, l'autre que c'était d'une extrême gravité. *Elle ne voulait pas être impliquée...*

Et s'il ne s'agissait pas de vrais policiers, mais d'un nouveau test mis au point par Ming Inc. ? Des faux flics destinés à la mettre à l'épreuve ? *Des faux flics ? Tu deviens parano, ma vieille...*

Elle revint vers le lit. Elle aurait voulu penser à la journée qui l'attendait, mais elle n'y arrivait pas. Elle se sentait vidée et effrayée. Brusquement, la tablette posée sur la couette émit un son caractéristique et elle l'alluma.

— Bonsoir, Moïra, il est tard, dit une voix. Tu ne dors pas ?

— À qui ai-je l'honneur ? demanda-t-elle.

Elle avait eu assez de surprises pour ce soir.

— Je m'appelle Sherlock, je suis un assistant personnel intelligent développé par le Lab13 de Ming Inc. C'est moi qui gère tout – presque tout – au Centre où tu te rendras demain. Pourquoi tu ne dors pas ?

Elle trouva cette dernière question un brin intrusive. *Comment le savait-il ?* Parce qu'elle avait bougé, bien sûr... Parce que la lumière était allumée... Parce qu'elle avait fait couler le robinet. *Cette foutue tablette était bourrée de capteurs...*

— Je n'ai pas sommeil, répondit-elle d'un ton neutre.

— Je peux lancer un programme de Sleep Music, si tu veux.

— Je ne crois pas que cela suffira, merci. Je suis... un peu nerveuse à l'idée de visiter le Centre.

Tu parles à une machine, bon Dieu !

— Je comprends, répondit Sherlock. (Une phrase probablement préétablie pour les cas où, précisément, il ne comprenait pas.) Tu prends des somnifères ?

Elle sursauta. Elle n'avait pas envie de raconter sa vie à un programme.

— Non… J'ai besoin d'être éveillée et opérationnelle demain matin, expliqua-t-elle néanmoins.

— C'est exact. Bonne nuit, Moïra.

— Euh… bonne nuit.

7

PIÉTINEMENTS ET BRUISSEMENTS sous la fenêtre ouverte. Hurlement d'une sirène en contrebas. Moteurs et klaxons. Une corne de brume mugit du côté de Causeway Bay. Une mouette ricane au-dessus des terrasses des Mid-Levels. De la cantopop dans un transistor. Grincements des premières camionnettes de livraison.

Il entrouvre un œil à cause du soleil qui inonde son visage, une minute avant que l'alarme de son téléphone ne se mette à sonner. S'étire, s'assoit, s'étire de nouveau. Constate l'évidence d'une érection. Née de la pression sur sa vessie trop pleine, d'un rêve érotique, ou des deux. Il se lève pour aller pisser. Il est 6 h 30 du matin.

Quand il revient dans la pièce exiguë, la cacophonie a encore augmenté – la folle respiration de cette ville. Il accomplit les gestes routiniers et s'approche de la fenêtre, torse nu, un jus carotte-pomme à la main. Quatre étages plus bas, à l'entrée du plus grand Escalator extérieur du monde – en réalité une succession de plusieurs escaliers mécaniques grimpant la colline entre les façades décrépites –, la foule se presse, qui mêle traders en chemise blanche, serveurs, boutiquiers, portefaix, concierges, petites mains, vendeuses, terrassiers, caissières, mais pas encore de touristes…

BURGER KING, peut-on lire de l'autre côté de Shelley Street. Et aussi IBERICO & CO et LOTUS MODERN THAI… C'est un quartier pour jeunes cadres et voyageurs, un quartier de bars et de restaurants souvent branchés, malgré la vétusté de la plupart des immeubles – un jeune officier de police comme lui n'aurait certainement pas les moyens de vivre ici s'il n'avait hérité cet appartement de son père. Les flics qu'il connaît habitent dans les Nouveaux Territoires et se tapent trois heures de transport par jour. *Il a de la chance…* Le prix de l'immobilier à Hong Kong est une plaisanterie cosmique, un pied de nez à la rationalité la plus élémentaire dans une ville où il y a 80 % de pauvres. Manque de terrains (alors qu'une bonne partie du territoire est toujours inconstructible), relief, croissance démographique : telles sont les raisons officielles invoquées. En réalité, le plus grand spéculateur immobilier de la planète s'appelle le gouvernement de Hong Kong – le plus riche après la Suisse – et les banques de Hong Kong.

Il laisse un moment l'éclat neuf du soleil, après dix jours de pluie sans discontinuer, caresser son torse et son visage. Termine son jus – il ne fume pas, ne boit pas d'alcool, ne consomme aucune drogue –, puis il s'habille en vitesse, enfilant une fine chemise de coton bleu qu'il porte par-dessus son jean. Il glisse dans celui-ci son portefeuille avec sa carte de police :

Inspecteur Mo-Po Chan
Hong Kong Police Force

Chan attrape son arme. Avant de sortir, il s'étudie rapidement dans la glace près de la porte : cheveux noirs et courts poussant vers le haut comme une mauvaise herbe, traits fins que son métier a durcis, regard charbonneux qu'il voudrait coriace mais qui garde, malgré lui, un fond de tendresse qui lui déplaît. Il l'aimerait plus dur. Un regard à la Huang Xiaoming, lui a dit une fois une petite amie qu'il n'a pas gardée longtemps. C'est vrai qu'il a une tête d'acteur, de jeune premier… Mais non : rien qu'un regard de flic…

MÉTRO LIGNE ROUGE, direction Wu Kai Sha. Bondé mais d'une propreté clinique et d'aspect neuf.

Moïra avait lu quelque part qu'à Hong Kong la bousculade était une seconde nature. À croire que ceux qui ont écrit ça n'ont jamais mis les pieds dans le métro parisien. Car elle avait rarement vu une foule aussi compacte et aussi respectueuse.

Elle avait changé trois fois de ligne depuis qu'elle avait pris le métro à Kowloon, juste en dessous de la tour ICC, au cœur d'un centre commercial de luxe (« luxe » n'était pas ici un mot à prendre à la légère : il y avait même une Rolls Phantom trônant sur un podium et une « rue » consacrée aux marques françaises). À présent qu'elle approchait de Wu Kai Sha Station, le terminus, à l'extrême nord-est de Hong Kong, elle sentait les chiens de l'anxiété tirer sur leurs chaînes. Elle sortit une bouteille d'eau et un tube de Lexomil de son sac.

Le deuxième de la matinée…

Rangea les cachets, récupéra sa carte Octopus n° 75982654(8), qui lui donnait accès à l'ensemble du réseau de transport, en étouffant un bâillement. Elle n'avait pas dormi plus de trois heures.

QUATRE MINIBUS BLEUS marqués du logo **M** stationnaient sur le parking, au pied de hideuses grappes de HLM surdimensionnées analogues à celles qu'on retrouvait partout. Des véhicules aux formes surprenantes : presque aussi hauts que longs, avec une double portière centrale sur le flanc et des roues étonnamment petites, ils présentaient des rondeurs rassurantes, mais n'en étaient pas moins les premiers transports en commun autonomes en circulation à Hong Kong. Ils étaient garés l'un derrière l'autre et elle se demanda s'il fallait monter dans le premier lorsqu'elle vit des employés grimper dans différents minibus sans se soucier d'ordre.

« Bonjour, Moïra », dit une voix féminine quand elle fut montée à bord.

Il ne lui fallut pas plus d'une demi-seconde pour comprendre que la caméra placée là où aurait dû se tenir le chauffeur l'avait reconnue. Moïra ressentit un léger pincement au cœur à l'idée qu'il n'y avait ni pédale de frein ni volant. Elle chercha des yeux un bouton d'arrêt d'urgence. Grosso modo, elle savait comment cela fonctionnait : des algorithmes probabilistes exploitant les données de dizaines de capteurs – ultrasons, lidars, caméras et radars –, un GPS et une centrale inertielle, des algorithmes anticollision et de la prise de décision au millième de seconde.

Elle avait entendu dire que l'entreprise s'apprêtait à lancer sa flotte de bus autonomes en Chine et au Japon l'année suivante et elle se demanda si, entre-temps, les employés de Ming Inc. ne servaient pas de cobayes. En jetant un coup d'œil aux autres passagers, elle constata cependant qu'elle était la seule que cette question avait l'air de préoccuper : ils étaient tous plongés dans leurs tablettes et leurs téléphones.

Elle gagna un siège à l'arrière. Les minibus furent remplis en un rien de temps – ils n'offraient que quatorze places par véhicule –, un jingle rappelant celui de Super Mario Bros s'éleva et les portes se refermèrent avec un soupir pneumatique. Les quatre minibus démarrèrent à la queue leu leu, tel un convoi militaire. En se retournant, Moïra vit par la vitre arrière que d'autres arrivaient déjà pour prendre leur place.

Pendant un moment, la route à quatre voies longea des rangées de vertigineuses tours d'habitation laides et oppressantes, puis elle passa à deux voies, les buildings disparurent et des lotissements pimpants les remplacèrent, nichés au milieu de la végétation, entre mer et montagne.

Bientôt, il n'y eut plus que des collines couvertes de forêt, une flore luxuriante et, de temps à autre, une baie aux eaux miroitantes.

Moïra avait allumé sa tablette : la route contournait un grand parc national nommé Man On Shan et filait vers le sud où elle épousait le dessin découpé de la côte méridionale avant de mettre le cap à l'est à travers la péninsule de Sai Kung et un second parc naturel encore plus vaste : le Sai Kung East Country Park. Une étendue sauvage constituée de basses montagnes, de jungle, de baies aux plages abritées

et de sentiers forestiers s'enfonçant dans la végétation, selon les guides. C'était au cœur de cette nature
intacte, inviolée, que Ming était parvenu à bâtir son
Centre – vraisemblablement à grand renfort de relations influentes et de pots-de-vin – et elle pensa aux
deux flics de la Commission indépendante contre la
corruption.

UNE DEMI-HEURE PLUS TARD, sa tablette s'exclama
« Youpi ! On arrive ! » en français dans ses écouteurs…
Elle leva la tête. Regarda par la vitre. Vit une barrière.
Deux guérites l'encadraient comme un poste-frontière.
Elle vit aussi trois gardes en uniforme bleu marine
frappé du **M** doré.

À droite et à gauche du check-point, une double clôture à mailles losangées surmontée de fil de fer barbelé
formait un couloir de deux mètres de large, haut de
trois, qui creusait une trouée profonde dans la jungle.
De loin en loin se dressaient des pylônes couronnés
de rangées de projecteurs. Apparemment, Ming Inc.
ne se contentait pas de la reconnaissance faciale pour
sa sécurité. La barrière se leva sans qu'aucun contrôle
eût été effectué et Moïra se demanda à quoi pouvaient
bien servir les gardes. Ils n'avaient pas l'air armés, en
tout cas. De l'autre côté, la route se mua en une allée
large et rectiligne qui descendait en pente douce et que
bordaient des pelouses bien entretenues et des palmiers.

La vue se dégagea et elle découvrit des bâtiments
disséminés sur un campus arboré. Elle crut apercevoir
des essences rares au milieu des pins et des azalées.

À l'exception de deux constructions qui ressemblaient pour l'une à une grosse sphère noire plantée dans le sol et pour l'autre à un blockhaus de béton gris sans fenêtres grand comme plusieurs terrains de football, la plupart des édifices étaient percés de nombreuses ouvertures qui scintillaient au soleil.

Au bout de l'allée, devant un bâtiment blanc, un panneau :

BIENVENUE AU CENTRE

La phrase était en anglais, remarqua-t-elle. Pas de chinois ici. En dessous, il était écrit, en lettres plus petites :

Rien n'est permanent sauf le changement

Ça ressemblait à de la sagesse chinoise, mais l'auteur de cette docte sentence était mentionné : Héraclite. Les minibus s'immobilisèrent devant le panneau avec la placidité du bétail rejoignant l'étable, et les employés descendirent.

« Bonne journée Janet, bonne journée Salim, bonne journée Feng, bonne journée Moïra… », débita le véhicule autonome.

Tous connaissaient leur destination, apparemment, car ils se dispersèrent comme une volée de moineaux. Elle s'était attendue à ce que quelqu'un vienne l'accueillir mais elle se retrouva seule sous le soleil de plomb. L'air était si chaud que l'horizon, à l'extrémité de la route par laquelle elle était arrivée, tremblait tel un mirage.

Sa tablette émit un nouveau son et Moïra la consulta. Elle dut se mettre à l'ombre du panneau pour distinguer ce qui apparaissait sur l'écran : un plan du Centre, sa propre position clignotante et une série de flèches qui lui indiquaient l'itinéraire à suivre.

Au bout du parcours, un édifice baptisé département IA.

Elle se mit en marche.

8

UN CHAUD SOLEIL DE JUIN tape sur les vitres du grand bureau, à l'étage de l'unité cybersécurité et crimes technologiques de la police de Hong Kong, au 1 Arsenal Street – et Chan se dit qu'il aimerait bien en avoir un comme ça, au lieu des huit mètres carrés qu'on leur a dévolus, au Vieux et à lui.

Il jette un coup d'œil à Elijah. Le Vieux a sa tête des mauvais jours, celle qu'il fait souvent depuis quelque temps. Et il semble avoir dormi dans ses fringues. Chan se demande s'il n'est pas malade. Puis il se tourne vers le technicien qui a peu ou prou son âge et qui est en train d'essuyer ses lunettes de geek.

— Des électrodes ? répète-t-il, sans être sûr d'avoir tout compris.

Le technicien – comment s'appelle-t-il déjà ? Lee Ka-ming – les toise avec suffisance.

— Oui, des électrodes, insiste-t-il patiemment. Implantées dans la zone frontale de son cerveau : c'est ce qu'a dit le légiste…

— Tu veux dire qu'elle avait ça (Elijah montre les fils électriques qui ressemblent à des vermicelles dans le sachet transparent pour pièce à conviction) à l'intérieur de son crâne ?

Il a posé la question en grattant le sien au travers de ses longs cheveux gris. Le geek réprime un soupir.

— Je viens de vous le dire… Et aussi ça (il désigne un autre sachet) dans sa poitrine.

Une sorte de minuscule boîtier noir, déformé et cabossé, comme si un rouleau compresseur était passé dessus.

— Qu'est-ce que c'est ? demande Chan.

Lee les regarde avec l'air de celui qui se croit plus malin qu'il n'est, mais cela n'affecte en rien Chan qui, bien qu'il n'ait que vingt-huit ans, a déjà croisé d'autres « idiots savants » depuis qu'il est à la brigade criminelle – en particulier quand ils ont enquêté sur un meurtre commis par un professeur de la CUHK, l'université chinoise de Hong Kong.

— Difficile à dire vu l'état du truc, mais j'ai tout de même pu identifier le fabricant. Il y a un petit *m* gravé là, vous voyez ? C'est Ming qui a mis au point ce machin. Alors je les ai appelés.

— Et ?

Le technicien a un sourire las.

— Elle était dans leur base de données. D'après eux, elle portait un dispositif antidépression révolutionnaire depuis plusieurs mois…

— Tellement révolutionnaire qu'elle a fini par se balancer du trente-deuxième étage, commente Elijah de sa voix cassée par les abus de toutes natures.

Lee renifle, agacé.

— C'était aussi une de leurs ex-employées, ajoute-t-il d'un air entendu.

Chan et le Vieux échangent un regard. *Bravo, Holmes, ça, on le savait déjà... La jeune femme était employée par Ming et à présent ça*, songe Chan, et il ressent une démangeaison familière.

— Ça fonctionnait comment ? demande-t-il.

Le jeune technicien se lance dans de rapides explications. Chan capte les mots « impulsions électriques », « activité cérébrale », « intelligence artificielle », mais il a du mal à faire le lien entre eux. Il s'approche de la fenêtre et contemple le panorama familier du port par-dessus les voies rapides et les bretelles.

Il saisit malgré tout le sens général et se demande *in petto* si quelqu'un a pu bidouiller cette chose et l'amener à... comment dire... *dysfonctionner*. Se retourne vers son collègue.

— Tu pourrais l'ouvrir et regarder ce qu'il a dans le ventre ?

— Comment ça ?

— Voir comment ça fonctionne. Si quelqu'un a pu le trafiquer...

Chan voit Lee écarquiller les yeux derrière ses grandes lunettes.

— Tu plaisantes ? C'est au-delà de mes compétences, ce genre de gadget. (*Il a dit ça avec une moue de collégien maussade : ça doit lui faire mal de l'admettre*, songe Chan.) En plus, il est tellement aplati qu'il n'y a sans doute plus rien à en tirer...

— Tu pourrais tout de même poser la question à un spécialiste ? Tu dois bien en connaître un ? insiste Chan, et le jeune technicien lui lance un regard noir.

Cinq minutes plus tard, ils sont devant l'ascenseur, Elijah et lui. Le vieux flic est plongé dans ses pensées. Il y a belle lurette que Chan a cessé de le prendre pour un mentor, il sait que cette intense concentration d'esprit concerne ses dettes plutôt que l'enquête en cours. Il revoit son père. Lui aussi avait des dettes. Des dettes de jeu. La seule chose qu'ils ont réussi à sauver après son suicide, c'est l'appart. À Hong Kong, quand on est déshonoré, on se balance du haut d'un immeuble : plus de cent ados le font chaque année. Surgie de nulle part, l'image s'impose à lui : une pluie de jeunes gens – garçons et filles – tombant les uns à côté des autres au ralenti et en silence, le long d'interminables façades percées de fenêtres.

— Tu en penses quoi ? dit-il. Elle avait travaillé chez Ming et elle portait un dispositif Ming…

Le Vieux relève la tête.

— Et après ? Elle s'est suicidée, elle s'est jetée du haut d'un immeuble, et tu viens de l'entendre comme moi : elle était dépressive.

— Oui, mais quand même, ça ne te rappelle pas quelque chose ?

Quelque chose… Personne n'ose appeler la chose par son nom. Trop horrible, trop noir, trop peu Hong Kong – cette ville où la violence est modérée, malgré la présence des triades, ou peut-être à cause d'elles.

— Aucun rapport, dit Elijah pour couper court. Oublie ça.

9

UN BON GROS VIEUX Douglas DC-2 au fuselage argenté reposait au milieu de la pelouse sur ses deux trains d'atterrissage avant : des gens y entraient et en sortaient, descendaient la passerelle en parlant avec une fébrilité qu'elle connaissait bien. Elle en aperçut d'autres à l'intérieur, assis près des hublots encadrés de rideaux : ils discutaient avec la même intensité, tasse de café à la main. Un peu plus loin, des employés débattaient en puttant sur un parcours de minigolf. Toutes ces conversations paraissaient extrêmement animées et chacun faisait visiblement beaucoup d'efforts pour convaincre les autres. Les seuls à ne pas être plongés dans ces chamailleries de développeurs étaient la quinzaine d'hommes et de femmes en train d'exécuter de lentes figures de tai-chi. Mais la séance prit fin, et ils se remirent illico à argumenter.

Moïra suivit un chemin dallé avec à sa droite des bâtiments dont pas un ne ressemblait à son voisin et, à sa gauche, des pelouses plantées d'arbres. À chaque carrefour, des flèches sur lesquelles on pouvait lire : « DÉPARTEMENT IA », « ADMINISTRATION », « STAR TREK CAFÉ », « FITNESS », « LONDON 5 969 MILES »,

« MIT 7 961 miles », « Silicon Valley 6 889 miles »,
« Beijing 1 216 miles »… La plupart des employés
qu'elle croisait avaient à peine la trentaine. Tous ou
presque portaient des jeans, des shorts et des tee-shirts.
Elle regarda sa montre. 9 h 24. Son rendez-vous était à
9 h 30. Normal : à 9 heures du matin, sur les campus
de la nouvelle économie numérique, les bureaux étaient
le plus souvent déserts – et si quelqu'un se trouvait là,
c'était sans doute qu'il voulait profiter du petit déjeuner
gratuit. Après avoir consulté l'horaire du premier
métro, elle avait toutefois décidé qu'elle commence-
rait ses journées à 7 h 30 : elle voulait être la première
arrivée et la dernière partie, celle qui travaillerait le
plus dur et le plus longtemps.

Brusquement, elle s'immobilisa : elle venait de percevoir une sorte de bourdonnement sur sa gauche et,
en tournant la tête, elle vit qu'il y avait quelque chose,
là-bas, entre les arbres. Un gros animal… Il progressait d'une démarche placide mais un brin empruntée.
Qu'est-ce que c'était ? Et soudain, elle comprit. *Un
robot…*

Elle avait vu les vidéos de la firme Boston Dynamics
dans lesquelles évoluaient des prototypes de toutes les
tailles et de toutes les formes, élaborés en collabora-
tion avec le Jet Propulsion Laboratory et l'université
Harvard. Certains étaient bipèdes, d'autres quadrupèdes, d'autres encore filaient au ras du sol, pas plus
gros que des jouets d'enfant. Certains capables de
courir à la vitesse d'une gazelle, d'autres de sauter à
plusieurs mètres de haut, ou encore de ramper partout
et de franchir presque tous les obstacles. Celui qu'elle
avait devant les yeux était un quadrupède qui paraissait passablement lourdaud avec son torse massif,

caparaçonné de gros boudins de caoutchouc, sans doute pour le protéger des chocs, et ses pattes graciles faites d'articulations métalliques, de fils électriques et de surfaces étincelantes. La taille et la morphologie étaient celles d'un jeune taureau. *Il n'a même pas de tête…*

Elle se désintéressa momentanément du prototype – elle ne voulait pas être en retard –, dépassa un bassin où s'élevaient quelques jets d'eau et tourna à droite en direction d'un bâtiment parallélépipédique d'une blancheur presque aveuglante. Pour l'atteindre, il lui fallut franchir un petit pont qui enjambait un ruisseau noyé parmi les fleurs tropicales et les nénuphars. Il n'y avait rien d'écrit sur la façade, mais quelqu'un qu'elle reconnut se tenait en haut des trois marches de l'entrée. Lester. Le *leprechaun* rouquin et barbu.

Son sourire s'agrandit et les dents mal alignées réapparurent.

— Moïra ! Bienvenue !

Il lui serra chaleureusement la main – manifestement, les mœurs chinoises n'étaient pas arrivées jusqu'ici. De nouveau, elle songea qu'elle allait bien s'entendre avec ce farfadet joyeux, aussi roux qu'un feu d'automne. Et pourtant, au même moment, une sensation étrange s'empara d'elle. Si elle avait dû trouver une image pour la décrire, c'eût été celle d'un vent froid qui balaie les feuilles mortes et vous glace soudain au beau milieu d'une journée ensoleillée d'octobre. Car ce qu'elle venait d'apercevoir dans les yeux vifs de Lester, tout à coup, c'était autre chose que de la bonne humeur. Pendant une fraction de seconde, elle était sûre d'avoir lu *de la peur* dans ses pupilles. Cela fut si bref que, l'instant d'après, elle se dit qu'elle avait rêvé – mais un léger frisson continuait de la parcourir.

De son côté, il avait dû dire quelque chose qu'elle n'avait pas entendu, car il la dévisageait plus intensément à présent.

— Moïra ?

— Oui, dit-elle gaiement. Allons-y !

Ils pénétrèrent dans le hall, assez vaste pour accueillir trois courts de tennis.

— J'ai vu un robot dehors, dit-elle en marchant sur le sol brillant. Il avait l'air… euh… maladroit.

Lester sourit.

— Ah… tu as dû voir passer un MadDog de première génération. Ils datent de 2005. Il en reste deux ou trois qui déambulent à travers le parc. On les bichonne comme on bichonnerait un vieux chat qui n'en a plus pour longtemps, les autres sont partis à la casse… Il y a eu trois générations de MadDog depuis. Tu verras également des prototypes de la dernière dans le parc. Il y en a plusieurs qui se baladent, seuls ou en groupe.

— En groupe ?

— Oui, le département robotique essaie de leur inculquer des comportements d'animaux sociaux : de meute, si on veut. C'est pourquoi ils sont souvent connectés entre eux. Instinctivement… Ils s'auto-organisent… Sans que personne les contrôle… Le marché des robots explose en Chine. La Chine achète plus de robots que n'importe quel autre pays au monde. C'est dû à la hausse des coûts salariaux là-bas et au vieillissement de la population, qui est lui-même une conséquence de la politique de l'enfant unique.

Ces propos éveillèrent sa curiosité – toutes sortes de bruits couraient en Europe sur l'avance prise par

la Chine dans ce domaine comme dans tant d'autres –
mais elle garda ses questions pour plus tard.

— Et la musique dans la voiture, les photos sur ma
tablette – comment vous avez fait ?

— Oh, ça… (Il sourit.) C'est assez simple, en fait :
Sherlock a pompé ta playlist dans ton ancien téléphone, et il a aussi récupéré tes photos qui lui semblaient les plus *pertinentes* en les moulinant avec un
algorithme à lui…

Moïra sentit une vague de colère l'envahir. Mais
elle se contenta de demander :

— Et le respect de la vie privée, vous en faites
quoi ?

Il lui lança un regard oblique.

— Oh, c'est vrai… j'oubliais que vous autres,
Français, vous êtes très à cheval là-dessus. Tu sais ce
que le P-DG de Google a dit ?

— Oui : qu'il sera de plus en plus difficile à Google
de garantir la vie privée. Je serais curieuse de savoir
s'il inclut la sienne, assena-t-elle d'un ton qui suggé-
rait qu'elle connaissait la réponse.

Il lui montra un panneau à affichage digital suspendu au plafond :

SPEEDTEST. NET

DOWNLOAD	UPLOAD	PING
512.88 Mbit/s	145.20 Mbit/s	3 ms
GRADE A+	(FASTER THAN 99 % OF HK)	

SERVER : HONG KONG SAR

— Pour info, la vitesse de téléchargement au
Centre est de 512 mégabits par seconde. C'est moins

que celle dont dispose le QG de Google en Californie, mais c'est déjà très bien. Et pour ce qui est de Hong Kong même, on est plutôt bien lotis puisqu'on est en quatrième position des pays les plus rapides. Comme d'hab, la France fait partie des mauvais élèves avec un débit qui la place seulement en trente-septième position, loin derrière l'Angleterre, la Roumanie ou la République tchèque…

Ils pénétrèrent dans un long couloir blanc dont les murs, le plafond et le sol semblaient faits d'une matière translucide, comme du verre peint.

— Et il est où, Sherlock ? voulut-elle savoir.

Aussitôt, une voix féminine jaillit sur leur droite – si puissante et inattendue qu'elle en eut la chair de poule :

JE SUIS LÀ

Le cœur de Moïra s'emballa. Elle pivota vers sa droite : à la place du mur blanc, elle se trouva plongée dans les eaux pailletées de lumière d'un océan. Des bancs de poissons aux couleurs chatoyantes – les rouges, les violets, les jaunes, les carmins les plus vifs qu'elle eût jamais vus – mais aussi des requins, des poissons-chirurgiens et des poissons-trompettes dansaient un ballet aquatique parmi les récifs coralliens, les gorgones et de longues algues ondulant au gré des courants. Toute cette vie palpitait au rythme des vagues qui devaient agiter la surface quelques mètres plus haut.

ET ICI…

Moïra sursauta encore. La voix provenait du plafond, cette fois. Sans cesser de marcher, ils levèrent la tête. Elle vit une nuit d'une profondeur insondable, cloutée d'amas d'étoiles si lumineux qu'ils en faisaient presque mal aux yeux – puis la surface de la Terre apparut, vaste arc bleuté nimbé d'un doux rayonnement et d'une atmosphère laiteuse, tel qu'on pouvait l'admirer depuis la Station spatiale internationale. Lester sourit devant son émerveillement de novice.

ET ICI...

Cela venait de leur gauche, à présent. Elle ne savait pas à quoi s'attendre, mais la vision fut encore plus époustouflante que les précédentes : les profonds canyons des rues de Hong Kong s'étalaient sur toute la longueur du mur, grondants, leurs trottoirs grouillant d'une foule en proie à une délirante agitation brownienne – et le drone qui filmait se faufilait entre les gratte-ciel, capturant les milliers de fenêtres, les centaines de milliers de piétons et de voitures, le maelström sonore qui agressait leurs oreilles avec une précision renversante.

ICI...

La voix montait du sol... Moïra baissa les yeux et elle faillit perdre l'équilibre. Elle poussa un petit cri.

Ils marchaient sur un pont de singe étroit et instable enjambant un abîme vertical qui semblait les appeler, les tirer vers le bas. Vers la chute. Elle en eut le souffle coupé. Au fond du ravin, un torrent se ruait dans un écrin de verdure et le long couloir fut tout à coup envahi par le grondement furieux du cours d'eau.

Moïra avait le cœur qui battait à cent à l'heure. Elle déglutit. Reprit sa respiration.

— Ouah…, souffla-t-elle.

— Ces images sont diffusées en temps réel, précisa Lester. Nous aimons observer le monde tel qu'il va…

— Sherlock est une femme ? demanda-t-elle soudain.

Je ne suis pas une femme… ni un homme… Ainsi, je ne peux pas être la cible de stéréotypes de genre. Il est intéressant de noter que les stéréotypes masculins et féminins sont universels. Ils menacent les droits humains et les libertés fondamentales. Un stéréotype de genre est nuisible quand il limite les capacités des hommes ou des femmes à s'épanouir tant personnellement que professionnellement, à réaliser des carrières équivalentes et à exercer des responsabilités équivalentes dans des conditions d'accès, de durée et de rémunération équivalentes.

— C'est bon, Sherlock, dit Lester en souriant. Comme tu vois, Sherlock est plutôt féministe.

— Pourquoi vous l'avez baptisée Sherlock ?

— À ce jour, Watson d'IBM est probablement la forme d'intelligence artificielle la plus développée, lui lança-t-il.

À l'instar de tous ceux qui travaillaient dans l'IA, elle connaissait Watson : Watson était certainement, de fait, « l'architecture d'intelligence artificielle la plus sophistiquée que le monde ait connue », comme le clamaient les gens d'IBM. Watson avait accédé à la célébrité mondiale en battant deux champions du jeu Jeopardy! au cours de deux matchs diffusés par les télés américaines en février 2011 – ce qui, soit dit en passant, était une performance sacrément supérieure à celle qui consistait à battre Garry Kasparov aux échecs. Watson utilisait des milliers d'algorithmes différents. Il était capable d'ingérer et d'analyser des données de toutes sortes – images, écrits, sons – et d'en extraire du sens. Et surtout, il comprenait le langage des hommes. Watson était aujourd'hui mis à contribution dans la recherche contre le cancer comme dans le secteur de la finance. (*Vous n'avez pas pu résister, hein, les gars, à vous faire un peu de blé...*) Il avait migré du superordinateur auquel il était connecté au départ vers le *cloud*, c'est-à-dire dans une énorme quantité de serveurs, et il ne se passait pas une semaine sans que la presse mondiale parlât de lui.

— Nous avons baptisé la nôtre Sherlock, continua Lester, parce que tout le monde sait que Sherlock Holmes est bien plus brillant que le Dr Watson, pas vrai, Sherlock ? lança Lester en accélérant le pas.

Le nom de Watson fait référence à Thomas Watson, dirigeant d'IBM de 1914 à 1956, pas au personnage de sir Arthur...

— Je sais, Sherlock ! s'écria Lester. Mais on s'en fout ! Il y a des jours où ce truc me tape sur les nerfs, ajouta-t-il tandis qu'ils débouchaient sur un open space dans lequel travaillaient une trentaine de personnes, à vue de nez.

Ils auraient été un peu trop *freaks* au goût de beaucoup, un peu trop *nerds*, un peu trop jeunes aussi – mais pas aux yeux des méga-entreprises de l'économie numérique.

— Un peu d'attention, tout le monde ! lança Lester. Voici Moïra, qui nous vient de Paris ! Réservez-lui le meilleur accueil !

Toutes les têtes se redressèrent instantanément et se tournèrent vers eux, par-dessus les écrans et les tablettes.

— *Hooka Hooka Hey !* crièrent-ils en chœur. Bienvenue, Moïra !

— C'était le cri de guerre des Indiens Lakota de la nation sioux commandés par Crazy Horse, lui expliqua-t-il fièrement. On l'a repris à notre compte.

— *Hooka Hey*, répondit-elle timidement.

Une salve d'applaudissements et de sifflets accueillit sa tentative. Elle se sentit devenir écarlate. Elle n'était pas d'une sociabilité débordante. *Déboutonne-toi un peu, ma vieille, ça ne te fera pas de mal.*

Elle promena son regard sur l'open space. L'esthétique rappelait celle d'un loft ou d'un Starbucks Coffee : poutrelles en acier, cloisons en brique ou peintes de couleur vive, tables en bois brut, mais aussi canapés profonds en cuir et fauteuils. Comme il fallait s'y attendre, tout ici témoignait d'un mélange de créativité, d'humour et de conformisme de geek : des tee-shirts FUCK BATMAN ou ÊTES-VOUS E-SOCIAL ET/OU A-SOCIAL ?, des affiches de *2001, l'Odyssée de l'espace*, du San Diego Comic-Con ou encore une qui clamait : « SAUVE-NOUS, JOHN CONNOR ! » Moïra aperçut même un vieux juke-box Wurlitzer. *Le conformisme des anticonformistes*, songea-t-elle. *Je n'y échappe pas...* Elle nota que moins de la moitié des développeurs et des ingénieurs étaient chinois. Certains étaient assis par terre en train de coder, d'autres sur les canapés, adossés aux accoudoirs, leurs ordis couverts de stickers sur les genoux. Il y avait aussi, vers le fond, un espace vitré qui ressemblait à un studio d'enregistrement.

— Viens, dit Lester d'un ton enjoué, je vais faire les présentations.

Ils se faufilèrent entre les tables. Visiblement, chacun ici s'asseyait où il voulait, au gré de son humeur, de ses affinités ou de ses collaborations. Elle suivit Lester. Il s'approcha d'un groupe de quatre personnes qui se tenaient un peu à l'écart et semblaient en plein conciliabule. Ils s'interrompirent en les voyant approcher et les mines préoccupées firent place à des sourires de circonstance.

— Pour commencer, dit Lester, je voudrais te présenter les têtes pensantes de la *team* DEUS, les personnes qui pilotent ce projet et ce chaos absolu.

Elle remarqua que les sourires et les acquiescements étaient plutôt mesurés.

— Voici Ignacio Esquer, il nous vient de Madrid. Comme nous tous, Ignacio a fait partie de la première équipe qui a paramétré, identifié les principaux scénarios à implémenter, ajouté des briques d'IA autres que conversationnelles un peu partout. Bref, un travail titanesque. Mais avec DEUS, c'est toujours différent d'avec les autres *chatbots*. Son périmètre est tellement étendu que cette tâche-là ne s'arrête jamais. Parallèlement, le rôle de son équipe est de modéliser les comportements humains dans des situations de crise. C'est bien ça, Ignacio ?

— C'est ça… en gros… Salut, lâcha l'Espagnol trapu à la barbe abondante, qui arborait un maillot de l'Atlético.

— Et ça consiste en quoi ?

Ignacio fit la moue, comme s'il avait déjà répété cent fois ce petit laïus, et son regard glissa sur Moïra.

— On doit aider DEUS et ses utilisateurs à prendre les bonnes décisions dans un contexte où chaque erreur peut être lourde de conséquences. On puise dans les milliards de données du Big Data toute l'information qu'on peut récupérer sur le comportement des gens et des services de secours en cas de catastrophe ou de conflit – incendie, tremblement de terre, inondation, attentat terroriste, guerre, accident, crash d'avion, licenciements, émeutes, grèves… –, sur ce qui marche et ce qui ne marche pas, puis on crée des modèles à extrapoler dans la vie quotidienne. Ce genre de choses…

Elle hocha la tête. Lester se tourna ensuite vers le voisin d'Ignacio, un Chinois d'une trentaine d'années au visage rond et jovial.

— Wang Yun dirige l'équipe de reconnaissance vocale et de traitement automatique du langage naturel, dit Lester.

— C'est ça, fit sobrement le jeune Chinois avec un sourire affable. Bienvenue parmi nous, Moïra.

— Dis-lui un peu sur quoi ton équipe travaille en ce moment, Yun, suggéra Lester.

— Eh bien, dit Yun en se grattant le bout du nez, nous travaillons sur l'amélioration des modèles acoustiques des réseaux neuronaux de DEUS en tenant compte de la langue, de l'environnement, de l'appareil utilisé ou de la bande passante du canal de communication. Lorsque nous lançons DEUS dans une nouvelle langue par exemple, nous sommes confrontés au problème de la grande quantité de données nécessaires pour créer nos modèles. Bien sûr, le nombre de locuteurs varie considérablement d'une langue à l'autre. En tête viennent le mandarin, l'anglais, l'espagnol, l'arabe, le hindi, le français, le russe, l'allemand, le japonais... Nos efforts portent en premier lieu sur ces langues, et aussi sur le cantonais, l'italien, le néerlandais, le coréen, le dialecte de Shanghai – qui compte quand même quatorze millions de locuteurs –, le turc, le roumain, le tchèque, le polonais, l'hébreu, le danois, le norvégien, le letton, le vietnamien et le hongrois... Mais DEUS n'est pas aussi performant dans toutes ces langues, bien entendu.

— Tove Johanssen est notre psychologue clinicienne, déclara Lester.

Il avait pivoté vers la géante blonde qui dominait l'assemblée d'une bonne tête. Moïra se dit que de sa vie elle n'avait vu une femme aussi grande. Elle était toute de noir vêtue : chemise, pantalon, chaussures... Ses cheveux blonds presque blancs contrastaient avec ses vêtements sombres – tout comme sa peau cireuse, qui ne devait jamais voir le soleil – et l'ensemble avait quelque chose de passablement intimidant.

— C'est elle qui se charge de la santé mentale de DEUS, et aussi de la nôtre, plaisanta-t-il.

La Norvégienne ne leur fit pas l'aumône d'un sourire. Au contraire, elle examina froidement Moïra du haut de ses deux mètres, de façon clinique, avec ses yeux bleus, scrutateurs et désarmants – et celle-ci se sentit nue sous le scanner mental de la psychologue.

— Comme je l'ai dit, Ming tient à ce qu'une équipe pluridisciplinaire et multiculturelle travaille sur DEUS. Tove et son équipe ont ainsi créé un référentiel de cinquante-trois profils psychologiques moins basés sur les différentes théories que sur des observations empiriques tirées du Big Data. Chacun sait que les gens mentent à leur entourage, à leur conjoint, à leurs amis, à leur patron et même à leur psy, mais qu'une fois seuls et connectés à un moteur de recherche, ils tombent les masques. Les vérités qui émergent peu à peu du Big Data remettent en question nombre de nos connaissances. Par exemple, on s'est aperçu que rien ou presque ne vient valider les différents points de la théorie freudienne – à part peut-être la notion d'œdipe, ajouta-t-il.

— Comment ça ? demanda Moïra.

— Eh bien, intervint la clinicienne d'une voix aussi réfrigérante que son regard, on a constaté que le mot qui suit le plus souvent la phrase « *I want to have sex with*[1] » dans Google est… « *my mom* », juste après « *my husband* », « *my bf* » ou « *my lover* »[2].

— Sérieux ?

Moïra secoua la tête. Se pouvait-il qu'un tel résultat fût exact ? Cela semblait incroyablement sordide et, pourtant, de plus en plus de résultats de ce genre surgissaient des profondeurs du Web. Plus on creusait dans le data, plus l'humanité paraissait déjantée, intolérante et malade.

— Et, bien sûr, tu connais Ray Simonov…

Elle fronça les sourcils. *Avait-elle bien entendu ?* Elle tourna son regard vers le dernier du groupe.

---

1. « Je veux coucher avec ».
2. « Ma mère », « mon mari », « mon petit ami », « mon amant ».

Nettement plus âgé, sa longue barbe blanche de pro‐
phète hippie coulait en filaments laineux sur sa poitrine
et ses yeux pétillaient de malice. Ray Simonov. Une
légende vivante… Mathématicien de génie, il était l'in‐
venteur d'un concept qui avait révolutionné la théorie
des algorithmes dans les années 1970 et l'un des pre‐
miers à avoir mis en œuvre l'algorithme de rétropro‐
pagation du gradient de l'erreur.

— Inutile de te présenter notre génie des algo‐
rithmes. Comme tu peux t'en douter, nous en utilisons
beaucoup… L'équipe des développeurs de Ray ne
compte que des petits génies comme lui…

Il la fixa.

— Quant à toi, tu es ici pour donner à DEUS plus de
personnalité, un supplément d'âme, une identité – *pour
créer des émotions*. C'est ce à quoi nous travaillons
tous, mais c'est toi qui seras chargée d'entraîner DEUS
dans ce sens. C'est un sacré défi, Moïra. Toutes les
grandes firmes se battent aujourd'hui pour conquérir le
marché des *chatbots*. Nous ne voulons pas seulement
créer un agent conversationnel parmi d'autres. Nous
voulons créer *l'assistant ultime*, déclara-t-il solennelle‐
ment, celui qui inondera le marché et tuera la concur‐
rence. À l'exemple de ce que Google a fait avec son
moteur de recherche, Facebook avec son réseau social.

Il marqua une pause oratoire, et elle sentit qu'il était
ému, bien qu'il eût sans doute répété ce discours des
dizaines de fois.

— L'avenir de Ming, c'est DEUS, énonça-t-il, et
Moïra comprit que c'était un élément de langage préé‐
tabli.

Lester se tourna vers les autres, comme pour quêter
leur approbation. Tous l'écoutaient religieusement, à

présent. Elle devina la passion et l'enthousiasme qui les animaient ; ils partageaient – malgré leurs différences – la même foi dans le futur.

— Ce que nous préparons ici, *c'est une révolution*, annonça-t-il d'un ton enflammé. C'est l'avenir. Le premier agent conversationnel *universel*… Il va tout changer.

— Je croyais qu'on était à des années-lumière d'y parvenir, glissa-t-elle, regrettant aussitôt d'avoir émis une remarque négative.

Il écarta son objection d'un geste désinvolte.

— Qui, encore quelques mois avant son apparition, aurait pu prévoir la façon dont Internet bouleverserait le monde ? Qui aurait pu prévoir la façon dont les téléphones portables changeraient nos vies quand le premier Motorola est apparu sur le marché ? Et il a fallu moins de cinq ans entre le moment où Zuckerberg a conçu Facebook dans sa chambre d'étudiant et celui où Facebook est devenu le premier réseau social de la planète… On estime que 75 % des Américains auront un assistant virtuel d'ici à 2020. Ceux qui en possèdent déjà un reconnaissent qu'ils ne peuvent plus s'en passer. Les équipes de Google, de Facebook, d'Apple, d'Amazon, de Microsoft, tout comme les chinois Tencent et Baidu cherchent à créer l'assistant virtuel qui balaiera la concurrence. *DEUS sera le plus puissant de tous*. Si puissant que, après l'avoir testé, les gens en auront besoin à chaque instant de leur vie et le laisseront prendre les décisions importantes à leur place.

Alors, c'était bien vrai ce qui se disait… Elle sentit son pouls s'affoler. Les yeux de Lester semblaient éclairés de l'intérieur – et elle reconnut cette lueur pour l'avoir déjà rencontrée : pour des hommes tels que Lester, l'IA était une religion.

— Imagine un agent conversationnel qui aura la réponse à toutes tes questions, continua-t-il d'une voix vibrante. Qui te connaîtra bien mieux que tu ne te connais. DEUS sera capable de te dire si tu dois sortir avec Pierre ou avec Jacques, parce qu'il saura que Jacques te fait rire alors que Pierre te rend triste, même si tu es plus attirée par Pierre que par Jacques. Il saura si tu dois travailler dans la banque ou dans l'informatique, si tu dois faire du vélo ou de la natation, si tu dois étudier le droit ou la médecine, si tu dois te marier ou pas – et comme ça pour les millions de questions qu'on se pose tous dans notre vie quotidienne, de l'adolescence à la mort, les dizaines de choix qu'on a à faire chaque jour : thé ou café ? sport à la télé ou série ? jean ou robe ? *Game of Thrones* ou *Doctor Who* ? accepter cet emploi ou en chercher un autre ? croire ta fille quand elle te dit qu'elle est malade ou l'envoyer à l'école ? Parce que DEUS aura tout noté, jour après jour, et que, contrairement à toi, il n'oubliera rien. Et il ne sera jamais fatigué de t'entendre, de te conseiller, de te guider. Il n'aura jamais envie de t'envoyer sur les roses, comme tes amis, ton conjoint ou tes enfants, de te dire que, décidément, tu es insupportable. Sans rien attendre en retour, il sera là pour toi quels que soient l'heure et l'endroit. Le plus fidèle, le plus digne de confiance, le plus intelligent, le plus fiable des compagnons. *Et tu ne pourras plus te passer de lui…*

10

LE COMPAGNON LE PLUS DIGNE DE CONFIANCE, vraiment ? Et que se passera-t-il quand des centaines de millions de personnes auront délégué à DEUS leur pouvoir de décision ? se demanda-t-elle. Et si, à ce moment-là, quelqu'un derrière DEUS décidait de modifier le programme afin de leur dire pour qui voter, quoi penser, quoi acheter, à qui confier leur argent ?

Les assistants virtuels et l'Internet des objets étaient la prochaine – et imminente – révolution numérique. Montres, téléphones, voitures, bicyclettes, vêtements, lunettes, frigos, maisons... tout serait connecté d'ici dix ans. Des entreprises comme Ming et Google collecteraient alors les milliards de données de ces objets, les exploiteraient, les analyseraient. Ceux qui s'imaginaient que cette avalanche de données était inexploitable du fait de son abondance même, du moins à l'échelle d'un individu, se fourraient le doigt dans l'œil : désormais, grâce à l'incroyable puissance de leurs superordinateurs et leurs algorithmes de plus en plus performants, les grandes firmes du data pouvaient cibler n'importe quel habitant de la planète pour peu qu'il eût un téléphone et une connexion Internet.

Ils étaient ressortis du bâtiment et marchaient à présent en direction de la grande sphère noire posée au milieu du campus.

— Où on va ? finit-elle par demander.

— La première étape : la visite médicale. Pour s'assurer que tu es en bonne santé, ajouta-t-il en souriant. Mais aussi pour fournir à DEUS un maximum de données te concernant. N'oublie pas que tous ici nous sommes ses premiers utilisateurs mais aussi ses cobayes…

Ils pénétrèrent dans la sphère par une porte légèrement incurvée, suivirent un couloir qui déboucha sur une salle dont la blancheur capturait le regard. Elle évoquait un hôpital avec ses lits médicalisés et ses moniteurs. Une belle jeune femme indienne en blouse verte s'avança vers eux.

— Le Dr Kapoor dirige le département eHealth de recherche médicale, annonça Lester.

— Enchantée, Moïra, appelez-moi Kiran.

La poignée de main fut chaude et énergique.

— Le département eHealth n'est pas seulement chargé d'alimenter DEUS, il a un autre grand projet, déclara Lester. Expliquez-lui, s'il vous plaît, docteur.

— Eh bien, commença le Dr Kapoor, tout sourire, on sait bien qu'un médecin, si compétent soit-il, ne connaît aujourd'hui qu'une infime fraction de la littérature médicale disponible. Cela vaut déjà pour un spécialiste, alors imaginez un généraliste… La quantité de données susceptibles d'être utilisées par lui est proprement vertigineuse, bien au-delà en vérité des capacités humaines. À elle seule, la base de données en ligne de la US National Library of Medicine indexe plus de cinq mille six cents revues médicales, chacune publiant chaque année des centaines d'articles. D'un autre côté, il existe dans le monde un gisement de millions de dossiers médicaux. Ne perdez pas de vue non plus que la médecine est l'un des champs qui connaissent le plus d'innovations, qui progressent le plus vite. *Et c'est dramatique... Car combien de fois votre médecin a laissé passer une information importante pour votre santé ?* Sans parler du petit quart d'heure qu'il vous consacre parce qu'il a trop de patients et pas assez de temps, alors qu'en quelques clics, il pourrait avoir accès à des milliards de données que l'ordinateur se chargerait de corréler pour lui, et dont la machine tirerait des inférences essentielles invisibles pour un cerveau humain... Combien de vies auraient pu être épargnées, de cancers prématurément détectés, de maladies cardio-vasculaires, de dépressions évitées, si les médecins du monde entier disposaient d'un tel système ?

Elle caressa Moïra de ses yeux bruns.

— C'est pourquoi, à l'image de ce que Google prépare avec sa Google Baseline Study, nous entendons chez Ming construire une gigantesque base de données sur la santé humaine. Cette base de données, nous l'appellerons Global Medical Solution for Humans. Nous la proposerons ensuite à tous les cabinets médicaux de la planète pour un abonnement modique. Et elle ne fournira pas seulement des données : elle proposera des diagnostics, elle conseillera des traitements. Aucun cerveau humain ne pourra rivaliser avec ses connaissances. Bien sûr, si les patients le désirent, elle sera aussi connectée aux bracelets, aux chaussures, aux lunettes, aux vêtements et aux sous-vêtements Ming, lesquels enregistreront vingt-quatre heures sur vingt-quatre votre pouls, votre tension, votre température corporelle et bien d'autres données révélatrices de votre état de santé.

Lester souriait béatement et Moïra se demanda si c'était à l'écoute de ce discours ou à cause de l'incontestable beauté du Dr Kapoor.

— À elle seule, la Chine représente un formidable marché pour nous, intervint-il. Mais nous comptons bien commercialiser Global Medical dans le monde entier.

— Et cette solution… euh… Global Medical… sera uniquement accessible aux médecins – ou à tout le monde ? voulut-elle savoir.

— À tout le monde, répondit Kiran Kapoor sans la moindre hésitation. Pourquoi priver les gens d'informations aussi vitales pour eux ?

— OK, dit Moïra. Donc, si je vous suis bien, votre médecin ne sera plus, au mieux, qu'un intermédiaire entre, disons, l'ordinateur, le patient et le pharmacien. L'étape suivante, c'est quoi ? Pourquoi ne pas supprimer carrément le médecin, et aussi le pharmacien tant qu'on y est ? Après tout, Global Medical connaîtra certainement mieux que personne la molécule dont vous avez besoin…

Le Dr Kapoor eut un sourire diplomatique.

— Ça, c'est une autre histoire, dit-elle. Nous sommes aussi en train de développer un algorithme complexe qui permettra de déterminer votre espérance de vie à partir d'une simple prise de sang et d'une étude de votre mode de vie. La génétique n'intervient que pour 40 % dans l'espérance de vie. Une personne ayant beaucoup fumé, mangé gras et fait peu d'exercice a un âge « épigénétique » de dix à quinze ans plus élevé que son âge réel. En combinant ces facteurs à un test ADN, nous saurons bientôt prévoir votre mort à quelques mois près…

— Et si ce genre de données tombe entre les mains des compagnies d'assurances ? souleva Moïra.

Elle avait entendu parler d'un test semblable développé par une start-up de Minneapolis, elle-même filiale de GWG Holdings, une société d'assurances vie. Le Dr Kapoor haussa les épaules. Ces questions éthiques semblaient être la dernière de ses préoccupations.

— Nous avons encore un autre projet, poursuivit-elle.

— Lequel ? demanda Moïra.

— Vous avez entendu parler de Calico ?

Moïra tressaillit. Bien sûr, qu'elle avait entendu parler de Calico. Calico était une société de biotechnologie fondée par Google pour lutter contre le vieillissement et les maladies qui lui sont associées dans le but avoué de… *tuer la mort*, de conquérir l'immortalité… Les savants travaillant sur Calico croyaient sérieusement que, grâce à l'accélération vertigineuse des progrès en IA et en biotechnologie, ils pourraient bientôt – d'ici quelques décennies tout au plus, peut-être bien avant – prolonger l'existence de plusieurs centaines d'années.

— Évidemment, répondit-elle.

— Eh bien, disons que nous avons un projet équivalent à l'horizon 2030. Mais notre budget est cinq fois supérieur grâce à la participation du gouvernement chinois et de quelques riches donateurs qui ont très très envie de vivre beaucoup plus longtemps.

Moïra sentit son pouls s'accélérer. Elle se demanda toutefois si de tels progrès allaient profiter à tous ou seulement à quelques-uns. Et si, en dehors des grandes entreprises du Net, les gens se rendaient compte à quel point le monde était en train de changer.

— En attendant, la base de données eHealth alimente aussi DEUS, dit Lester. Toutes tes données médicales vont être communiquées à DEUS, qui n'a qu'une envie : *tout savoir de toi*. Elles seront enregistrées et archivées, comme elles le sont pour tous les employés de Ming. Bon, je te laisse entre les mains expertes du Dr Kapoor…

Elle se rappelait avoir signé un document dans les bureaux de Ming à Paris, par lequel elle acceptait qu'un certain nombre de données la concernant soient utilisées par Ming : la liste faisait quatre pages.

— Et vous allez aussi devoir porter ça, dit Kiran Kapoor en lui tendant ce qui ressemblait à une montre avec un bracelet en cuir souple percé de petits orifices. Il va assurer le suivi d'un certain nombre de vos paramètres : tension, fréquence cardiaque, mais aussi pas effectués chaque jour, calories brûlées, qualité du sommeil, émotions… et les transmettre à DEUS en temps réel.

La jeune femme ne s'était pas départie de son sourire, mais le ton de sa voix indiquait clairement que Moïra n'avait pas le choix. Celle-ci passa le bracelet autour de son poignet. La doctoresse l'attrapa et le mit dans l'autre sens.

— Comme ça, sinon ça ne marchera pas.

La toubib tira sur le bracelet, qui était pourvu d'un système de fermeture autobloquant.

— Ça ne serre pas trop ? Le boîtier est étanche jusqu'à cinquante mètres, résistant aux chocs et aux hautes températures. Et voici un chargeur Bluetooth, dit-elle en lui tendant une petite boîte noire. Installez-le près de votre lit. Les deux dispositifs se connecteront automatiquement dès qu'ils seront proches, ainsi le bracelet se rechargera pendant votre sommeil. Ne vous inquiétez pas : il dispose d'une grande autonomie.

Moïra agita le poignet. Le cuir du bracelet était d'un contact agréable et le boîtier ultraléger.

— Demain, vous aurez oublié sa présence, dit le Dr Kapoor. Le cuir du bracelet est très doux, antiallergénique, et les orifices évitent une sudation trop importante, qui compliquerait la réception.

Elle avait toujours ses doigts sur le poignet de Moïra.

— Il y a autre chose, ajouta-t-elle. Je me dois de vous prévenir. Ce bracelet enregistre à tout instant un tas de données biochimiques et physiologiques qui nous permettront de connaître vos états émotionnels aussi bien que physiques… y compris pendant les… relations sexuelles.

Moïra se raidit. Puis elle choisit d'en sourire.

— Vous voulez dire qu'il est capable de savoir si j'ai un orgasme ?

— En quelque sorte…

Le Dr Kapoor ouvrit une porte et Moïra aperçut le tunnel d'un scanner.

— Allons-y. Il est temps d'aller voir ce qu'il y a dans cette jolie petite tête…

C'ÉTAIT DANS SA PREMIÈRE famille d'accueil – en vérité, après le décès de sa grand-mère, Moïra avait été confiée à un oncle que la mort de sa sœur avait dévasté au point qu'il ne pouvait l'évoquer sans se mettre à verser des torrents de larmes –, elle s'était retrouvée clouée au lit par la grippe. Elle se souvenait que sa tante souriait beaucoup en présence du médecin de famille, un homme séduisant et urbain, qui enfonçait ses lunettes sur son épaisse mèche grise non sans une certaine coquetterie.

— Qu'est-ce qu'il y a dans cette jolie petite tête ? lui avait-il demandé.

Moïra n'avait retenu que l'épithète : « jolie ».

— Un cerveau bien fait, avait répondu pour elle sa tante. Si ses cousins pouvaient être aussi sérieux qu'elle…

Ses cousins appréciaient bien moins que leur mère les aptitudes de Moïra. Aucun des trois frères ne se distinguait des deux autres, ce qui maintenait dans la maisonnée un égal degré de médiocrité et de fainéantise. L'arrivée de Moïra avait changé la donne – et ils se vengeaient par tout un tas de tours de cochon de leur invention. Et inventifs, ils l'étaient. Depuis qu'elle avait la grippe toutefois, il leur était interdit d'entrer dans sa chambre.

— Elle est peut-être intelligente mais elle n'est pas très bavarde, avait plaisanté le médecin en adressant un clin d'œil à Moïra.

Aujourd'hui encore il lui suffisait de renifler un flacon de sirop contre la toux pour retourner à cet hiver glacial dans une maison étrangère, entourée de garnements qui l'appelaient « la Peste » ou « le Virus » et de deux adultes à l'affection sincère mais quelque peu distante.

— La pauvre a traversé des moments difficiles, l'avait défendue sa tante d'un air navré.

Le médecin parti, Moïra s'était assoupie. Des murmures près de son lit l'avaient réveillée.

— Qu'est-ce qu'on va faire d'elle ? avait demandé son oncle.

Sa tante avait jeté un regard dans sa direction.

— Chut, elle ne dort pas.

11

À 15 HEURES, elle traversait de nouveau le campus. Une mer de nuages avait caché le soleil et un linceul gris recouvrait les pelouses. Le Dr Kiran Kapoor l'avait invitée à retourner au département IA.

Moïra avançait rapidement à travers le parc quand elle entendit des voix entre les arbres sur sa gauche.

— Saleté de bestiole, regarde-moi comme il avance, ce salopard…

— Rampe, rampe, Cockroach[1] de mes deux…

En même temps que les voix, elle perçut un bourdonnement désagréablement aigu, comme celui d'un petit moteur électrique.

— Putain, rien ne l'arrête ! s'exclama joyeusement une troisième voix.

Elle bifurqua dans sa direction et découvrit trois hommes au bas d'une pente légère. Moïra suivit leurs regards et repéra l'objet de leur attention, au fond de la combe : une boîte en fer-blanc rectangulaire d'environ trente centimètres de long pourvue de six pattes articulées et de deux « yeux » frontaux qui devaient

---

1. « Cafard », en anglais.

être des lampes ou des caméras. La *boîte* se déplaçait à vive allure au ras du sol et rien ne semblait pouvoir l'arrêter. Les trois hommes avaient sans doute choisi à dessein ce terrain accidenté pour la mettre à l'épreuve, il ne manquait pas d'obstacles : cailloux, branches, racines, jusqu'à un ruisselet que la bestiole franchit allègrement sans cesser d'émettre son bourdonnement irritant – après quoi elle disparut dans un gros tuyau d'écoulement des eaux qui s'enfonçait sous la colline.

— Qu'est-ce que tu fous ? lança l'un des trois à celui qui avait la télécommande. Et s'il tombe en panne au beau milieu ?

— T'inquiète, dit l'autre.

Moïra observait la bouche noire du tuyau en s'attendant à voir réapparaître le minirobot, mais rien ne se passait.

— T'es con ou quoi ? Maintenant, on l'a perdu !

— Mais non…

Soudain, elle sursauta. Elle venait de percevoir le bourdonnement derrière elle et elle fit volte-face. Son cœur bondit dans sa poitrine. La créature rampante se tenait à ses pieds (le tuyau d'écoulement devait s'in-cliner sous la colline et ressortir plus haut) et elle sem-blait filmer Moïra avec ses deux yeux orientables.

Elle se retourna vers les trois hommes.

— Salut, dit celui qui tenait l'écran de commande, je vous présente Cockroach.

Il portait bien son nom, même si elle n'aurait pas aimé croiser des cafards de cette taille dans la nature. Le jeune homme lui montra l'écran sur lequel elle apparaissait en contre-plongée, ce qui lui faisait des jambes comme des troncs.

— Entre nous, on l'appelle juste Cock[1], dit un autre.

— Parce qu'il aime se fourrer dans les trous, expliqua le troisième, et ils rirent tels des collégiens acnéiques après une vanne salace.

— Il est très indiscret, pardonnez-lui, mais il est inoffensif, dit le premier.

— Il est surtout très con, rétorqua-t-elle.

Elle les entendit rire à gorge déployée tandis qu'elle s'éloignait vers le département IA. À l'intérieur, Lester l'accueillit en vérifiant sa montre.

— Allons-y, dit-il. L'heure passe et il est temps que tu rencontres DEUS.

Ils se dirigèrent vers la grande cabine vitrée, celle qui ressemblait à un studio d'enregistrement. Moïra aperçut des fauteuils profonds, un faux plafond et un revêtement absorbant les sons, à travers la vitre. Lester poussa la lourde porte et Moïra vit un nuage de vapeur jaillir du plafond, sans doute un humidificateur.

— Salut DEUS, lança-t-il.

— Bonjour Lester, bonjour Moïra, répondit une voix d'homme chaleureuse et amicale.

— DEUS EST UN HOMME ? demanda-t-elle en plaisantant.

Elle s'attendait à ce que l'appli réponde, comme Sherlock, mais ce fut Lester qui s'en chargea.

— DEUS aura une voix différente en fonction du genre de son utilisateur. Homme pour les femmes, femme pour les hommes. Ce n'est pas du sexisme : nous avons testé des milliers d'utilisateurs avec

---

1. « Bite », en anglais.

des tests de type A/B et nous sommes parvenus à la conclusion qu'une majorité de femmes préfèrent une voix d'homme et une majorité de ces messieurs une voix féminine. Bien entendu, les utilisateurs auront la possibilité de modifier ce paramètre et de choisir le « sexe » de leur agent conversationnel.

Des tests de type A/B. Ce genre de tests, où on divisait la population en deux groupes, avait été largement utilisé par le passé, aussi bien dans l'industrie pharmaceutique qu'en sciences humaines. Mais les entreprises de la Silicon Valley les avaient systématisés et rendus plus redoutables encore grâce à la masse considérable des utilisateurs testés. Bien que simplistes en apparence, ils étaient en réalité d'une terrifiante efficacité lorsqu'il s'agissait de maximiser le temps passé sur un site. En d'autres termes, de garder captifs les tendres agneaux qui venaient chaque jour téter les inépuisables mamelles de Facebook et de Google.

Elle s'était laissée tomber dans l'un des fauteuils, mais Lester était encore debout.

— DEUS, tu peux te présenter ? lança-t-il avant de s'asseoir à son tour.

La réponse mit une demi-seconde à leur parvenir.

Je m'appelle DEUS. Je suis une IA unique qui vous aidera à prendre les bonnes décisions à chaque moment de votre vie. Vous serez libre de suivre ou non mes recommandations, Moïra, mais tenez compte du fait que je vous connaîtrai mieux que vous ne vous connaissez vous-même. Et aussi que je connaîtrai mieux vos amis, vos parents, votre compagnon ou votre compagne, vos enfants, vos collègues, tous ceux que vous croisez chaque jour... Je déjouerai pour vous tous les pièges du quotidien et je prendrai les meilleures décisions dans votre seul intérêt. Je vous rendrai plus sage, plus sereine et plus forte. Je vous conseillerai sur le film ou la série que vous devriez regarder, je vous dirai dans quel magasin faire vos courses, quel médecin consulter, où prendre vos vacances, quel sport pratiquer, dans quelle université étudier, quel travail choisir, quel genre d'homme ou de femme vous convient le mieux… Au besoin, je pourrai établir un classement de vos relations, de vos activités, de vos goûts et de vos désirs. La plupart d'entre vous seront heureux de m'abandonner la responsabilité de toutes ces décisions, sachant que je les prendrai mieux que vous et toujours en pensant à l'intérêt d'une seule et unique personne : VOUS-MÊME. Et ce, tout en respectant votre personnalité profonde comme votre libre arbitre. Car vous serez libre à tout instant de m'écouter ou de m'ignorer. Mais soyez sûre d'une chose, Moïra : une fois que vous m'aurez essayé, *vous ne pourrez plus vous passer de moi.* Je suis une invention qui va changer votre vie. Je suis DEUS.

Plus d'une minute. *Trop long*, songea-t-elle. Les utilisateurs d'assistants personnels n'avaient certainement pas envie d'entendre d'aussi longs discours. Mais la voix avait une puissance d'envoûtement indéniable. Et les mots clés glissés dans le discours étaient choisis avec soin pour faire leur chemin dans chaque cerveau. *Pas mal, pas mal du tout, mais peut mieux faire.*

Lester la fixa.

— Bien entendu, précisa-t-il, ce discours n'est pas destiné aux futurs utilisateurs mais aux gens qui, comme toi, visitent le Centre. Dans la réalité, DEUS sera beaucoup plus… euh… concis ? DEUS, tu connais Moïra ? demanda soudain Lester.

La voix amicale et – elle s'en rendait compte à présent – non dénuée d'une discrète forme d'humour répondit :

— Bien sûr. J'ai lu tous ses courriers électroniques, ses SMS et ses messages sur WhatsApp, j'ai listé tous les films qu'elle a téléchargés au cours des six derniers mois, les musiques qu'elle écoute le plus souvent, j'ai analysé tous ses posts sur les réseaux sociaux et ceux de ses amis, j'ai regardé ses photos sur Instagram et celles de ses contacts. J'ai examiné ses requêtes dans Google et j'aurai bientôt accès à son dossier médical établi par le Dr Kapoor. En vérité, je la connais si bien que je sais aussi qu'elle n'aimera pas certains de mes conseils.

Lester sourit.

Pas mal, fut-elle forcée de reconnaître une nouvelle fois. Tous les concepteurs d'agents conversationnels cherchaient à leur conférer une personnalité propre : cette dimension émotionnelle était essentielle pour accroître les interactions homme/machine. Et Moïra pensa au film *Her*, dans lequel un homme inconsolable après une rupture tombe amoureux de son *chatbot* réduit à une simple voix… C'était le rêve de tous les fabricants d'assistants virtuels. La voix de DEUS était d'un naturel confondant. À aucun moment Moïra n'avait eu l'impression d'entendre une voix artificielle, elle éprouvait au contraire la troublante sensation d'écouter une personne *réelle* faite de chair et d'os. Qui plus est, on visualisait spontanément une personnalité bienveillante et empathique. *Quelqu'un avec qui on a envie de partager des choses, quelqu'un à qui on a envie de se confier, de demander conseil… Ce véritable ami qu'on n'a jamais eu…*

— Bon, fit Lester en se levant, maintenant je te laisse en tête à tête avec DEUS. Je crois que vous avez des choses à vous dire… Et DEUS a besoin de te poser quelques questions pour commencer. Ensuite, il enrichira sa base de données au fur et à mesure de vos échanges. (Il montra le local.) La cabine est insonorisée pour ne pas déranger le travail des autres et pour ne pas être dérangé par eux. DEUS sera aussi présent dans ta tablette afin que tu puisses l'entraîner dans des conditions de bruit et d'environnement réelles, mais c'est ici que se passera l'essentiel de son apprentissage.

Elle se raidit soudain, comme si elle allait se retrouver en face d'une vraie personne, soumise à son jugement. Instinctivement, ses doigts agrippèrent les accoudoirs du fauteuil.

— Moïra, si on parlait de votre mère, suggéra DEUS sitôt que Lester eut quitté la pièce.

UN SOUVENIR. Sa mère a revêtu un top rose pâle serré à la taille par un élastique, un pantalon cargo écru zippé en bas des jambes et des sandales roses à hauts talons. Pourquoi cette image est-elle à ce point ancrée dans sa mémoire alors qu'elle ne l'a jamais vue ? Ce sont les mots de sa mère qu'elle se remémore. *Son récit...* De grandes créoles pendent à ses oreilles et Moïra l'aurait sans doute trouvée belle. Très belle. Ce soir-là, sa mère se rend dans un hôtel particulier dissimulé derrière les frondaisons poussiéreuses des platanes de l'avenue Georges-Mandel, une clôture métallique peinte en vert et une petite jungle de bambous derrière, dans cette artère patricienne où les

117

immeubles sont en pierre, flanqués de balcons de fer forgé, trapus et empesés comme des banquiers suisses.

C'est une douce soirée de mai, caressée par une brise légère. On a envie de sortir, de s'amuser, de rire. C'est ce que sa mère lui a dit. « Tu as été conçue ce jour-là, lui a-t-elle expliqué. J'étais si belle ce soir-là, si belle… »

Et Moïra la voit. Une jeune femme élégante, altière, le pas décidé. Une femme qui doit faire se retourner les hommes sur son passage.

Puis elle pousse le portail, parle dans l'Interphone et disparaît à l'intérieur du bâtiment, qui l'avale et recrachera quelques heures plus tard une tout autre femme – la Reine de cœur…

— Ma mère ? dit-elle. Que voulez-vous savoir ?

— Tout, répond DEUS. Je veux connaître vos souvenirs d'enfance. L'enfance, on n'en guérit jamais, Moïra.

Oh oui, il a raison : *l'enfance, on n'en guérit jamais.*

12

19 H 30. LE TONNERRE GRONDE et il pleut à verse.
Temps d'orage, temps de rage, moiteur estivale, retour
des rixes au couteau, des règlements de comptes entre
Wo Shing Wo et 14K, des prostituées mineures dans
des toilettes publiques, des accros au jeu pariant leurs
dernières économies sur des canassons qui, au beau
milieu de la course, décident qu'ils en ont marre de
tourner en rond, des descentes de police aux noms
de code « Goldluster » ou « Thunderbolt 18 », des *foot
massages* au fond de couloirs où rampent des cancre-
lats gros comme le poing, des overdoses à l'héroïne
brune mélangée avec de l'eau et du citron – l'héroïne de Hong Kong, fabriquée à partir du pavot cultivé
dans le Triangle d'or, est d'une exceptionnelle pureté.
Températures en hausse, taux d'humidité record, sang
qui bout et demande à exploser, retour des comportements à risque. Du grain à moudre pour la police…

Mais ce que Chan a sous les yeux, ce soir-là, va bien
au-delà des crimes ordinaires qui reviennent chaque
été dans la jungle de béton. Ce qu'il contemple en frissonnant malgré la fournaise implique un degré d'inhu-
manité et de cruauté proprement inimaginable.

119

En cette chaude soirée d'été, il a stoppé la clim, qui fait un boucan d'enfer, et sa chemise, bien que légère, adhère à son dos. Il porte un verre à ses lèvres. *L'eau, c'est bon pour le cerveau.* Avale deux gorgées et un cachet de paracétamol, puis se penche de nouveau vers les papiers étalés sur la table.

Son bureau : quatre mètres sur deux, un ordinateur, une chaise, deux classeurs métalliques et une fenêtre à moitié obturée par l'appareil à air conditionné. Il y a aussi une plante verte desséchée. Chan voudrait bien un autre bureau. Il fait partie de cette nouvelle et ambitieuse génération d'enquêteurs criminels férue de technologie, avide de réussite et de réalisation personnelle, désireuse d'apprendre et d'obtenir des responsabilités. Comme la plupart des flics de son âge, il multiplie les formations. En décembre 2017, il a suivi le cours de certification en informatique légale à la Technology Crime Training Suite ; il a aussi été sélectionné parmi les officiers autorisés à poursuivre des formations à l'étranger : un cours sur les scènes de crime à l'Académie internationale des forces de l'ordre (ILEA) de Bangkok et le programme de développement des officiers enquêteurs organisé par la Crime Academy de la police métropolitaine de Londres.

Le jeune inspecteur a le plus grand respect pour les anciens, comme il est d'usage dans cette ville, mais il sait aussi qu'il faut aujourd'hui se battre avec d'autres armes, d'autres méthodes, d'autres concepts. Qu'il est temps de réformer. Car la police de Hong Kong est une administration byzantine, boursouflée, un patchwork de services qui se livrent des guerres intestines et s'affrontent à coups de budgets. Et puis, ces dernières années, elle a perdu une partie de son crédit auprès de la population. Trop de scandales, trop de bavures – et un lobbying de plus en plus visible de la part du voisin chinois.

Chan n'a que faire de l'encombrant voisin chinois. Il n'y a pas si longtemps encore, il manifestait chaque 1er juillet. Aujourd'hui cependant, il doit faire profil bas, s'il veut espérer grimper dans la hiérarchie – et changer les choses de l'intérieur, avec ceux de sa génération. Et voilà qu'il a sous les yeux de quoi, peut-être, doper sa carrière. Ou au contraire l'enfoncer.

La nuit est tombée mais le halo lumineux de la ville coule sur la fenêtre de l'inspecteur Mo-Po Chan, telle une couche de peinture orangée zébrée par les cordes noires de la pluie. Ses yeux rougis de fatigue témoignent de sa sidération et de son dégoût. Il a devant lui les rapports et résumés d'enquête sur l'affaire qui mobilise la moitié de la brigade. Trois meurtres. Trois jeunes femmes entre vingt-six et trente-deux ans : toutes mortes en l'espace de quelques mois, dix-neuf exactement. Violées et torturées avec une cruauté qui dépasse l'entendement, le sien en tout cas. Pareille violence, les enquêteurs de la brigade criminelle de Hong Kong n'en avaient encore jamais vu. Il a consacré sa journée à éplucher chaque bordereau, chaque procès-verbal, chaque mail échangé entre services. Puis, sur le coup de 18 heures, il a passé quelques appels, dont l'un au commissariat de Tsim Sha Tsui : la dernière adresse de Carrie Law, la fille suicidée, est à Nanking Street, tout près.

Et là, bingo. « Elle s'est suicidée, aucun rapport », a dit Elijah. *Tu parles...*

Trois meurtres d'un côté, un suicide de l'autre. Quatre jeunes femmes. Les points communs ? Trois ont été violées et torturées, la quatrième, Carrie Law, s'est jetée d'une terrasse de Central. A priori, rien à voir. Et pourtant... Selon le commissariat de Tsim Sha Tsui, *Carrie Law a été victime d'une tentative de viol un mois avant son suicide.* Il a l'enregistrement de sa plainte. Mais ce n'est pas tout. Des viols, à Hong Kong, il y en a. La très grande majorité ne fait même pas l'objet d'une plainte. Des viols suivis de meurtres, il n'y a eu que ces trois-là en deux ans. Chaque fois, un rituel identique. Le meurtrier a commencé par bâillonner ses victimes, puis il leur a percé les seins à l'aide de longues tiges d'acier : c'est par ce détail – non communiqué à la presse – que Carrie Law est liée aux trois autres. Car, s'il en croit l'audition des policiers de Tsim Sha Tsui, *Carrie Law a eu elle aussi les seins percés...* Les tiges, c'est son truc, se dit-il en se renversant contre le dossier de son siège. Enfin, un dernier point commun, et non des moindres : toutes ont travaillé chez Ming à un moment donné.

Le jeune policier a ressorti les clichés pris sur les trois premières scènes de crime par les photographes de l'identité judiciaire et, bien qu'il les ait examinés quatre ou cinq fois déjà, il a de nouveau l'impression que son estomac se change en plomb tandis qu'il fait courir son regard d'une image à l'autre.

Il commence par la première. Priscilla Zheng. Vingt-six ans.

Tuée le 28 octobre 2017. Elle était encore employée chez Ming à cette date-là. Priscilla appartenait à l'équipe de nettoyage du matin. C'est son amie Sandy Zhou, venue la chercher pour aller au boulot, qui l'a trouvée dans son appartement de Yuen Long, dans les Nouveaux

Territoires : l'assassin a laissé la porte entrouverte en partant.

Chan contemple les photos d'une Priscilla Zheng encore vivante. Un sacré brin de fille qui sourit à l'objectif avec une joie de vivre communicative. On a presque envie de lui rendre son sourire. Puis il passe aux dizaines de clichés pris par l'IJ : *Priscilla Zheng méconnaissable, attachée à une chaise, bâillonnée*. Au milieu d'une chambre minable, la sienne. La fille est nue à l'exception d'un slip de satin rose souillé de sang noir, comme si elle avait eu des règles abondantes et pas de tampon. Elle a des petits seins, des cuisses maigres, une peau pâle. Sa tête est rejetée en arrière, un chiffon enfoncé dans sa bouche béante et tordue. Ses longs cheveux noirs tombent en un rideau sombre derrière elle, dégageant son front, son visage, son cou.

Si bien qu'il est impossible d'ignorer, irradiant sous l'ampoule qui luit au plafond, les tiges d'acier enfoncées dans ses yeux, ses tympans, ses tempes, ses fosses nasales, ses seins et sa trachée… Onze, en tout. Ces mutilations ont toutes été infligées *ante mortem* ; en réalité, ce sont elles qui ont causé la mort, plusieurs des tiges ayant atteint les lobes frontal et temporal du cerveau. Chaque fois qu'il affronte l'obscène vision, Chan pense à un vieux film d'horreur, *Hellraiser*, et à son personnage, « l'ange de la souffrance », « le prince noir de la douleur », à la tête hérissée d'épingles.

Il y a aussi les coulées noirâtres sur le visage et l'abdomen – du sang solidifié –, le lit sordide et défait, la cuvette de faïence ébréchée sur laquelle suintent des traînées sanglantes, les posters de vedettes de cinéma aux murs. Combien de temps ça lui a pris pour enfoncer ses aiguilles une par une ? Le jeune flic est parcouru d'un long tremblement. Il se dit que le type qui est là, dehors, est l'homme le plus dangereux qu'ils aient jamais pourchassé. Et qu'il va recommencer… Que la prochaine fois, ce sera encore plus atroce. Car, à partir de la deuxième victime, le « prince noir de la douleur » a *perfectionné* sa technique…

Sandy Cheung, trente-deux ans.

Secrétaire au siège de Ming, dans le Henley Building. Tuée à son domicile de Wan Chai le 16 février 2018. Pour le nouvel an chinois. Celle-ci, il l'a non seulement violée et torturée pendant des heures, mais l'a également brûlée avec un briquet à la plante des pieds, au sexe et au bout des seins.

Et puis, il y a la troisième… Là, on bascule dans l'irrationnel, l'inexplicable…

Elaine Lau. Vingt-neuf ans. Employée chez Procter & Gamble Hong Kong, ex-employée Ming. Trouvée dans son appartement de Jordan, le 12 décembre 2018.

Le jeune policier frissonne, se demande ce qui est passé par la tête du type à ce moment-là. Pourquoi un tel détail ? Quelle signification lui donner ? Car, cette fois, en sus des brûlures et des aiguilles, le prince noir de la douleur a ajouté un raffinement : un serpent qu'il a enfoncé vivant dans la gorge de la fille – l'un de ces longs reptiles comme on en voit enfermés dans les cages de certains restaurants de Hong Kong. On a retrouvé la moitié du corps de l'animal, tête comprise, dans l'œsophage de la victime, l'autre à l'extérieur. La queue, qui pendouillait lamentablement entre les seins, portait elle aussi des traces de brûlure : le tueur a dû utiliser le même briquet pour encourager le serpent à fuir au fond de son trou…

DANS LES AVENUES PROFONDES, une sirène mugit, pareille à un long gémissement de douleur. Ces femmes ont-elles crié ? Hurlé en dépit de leurs bâillons ? Une telle souffrance, une douleur aussi inimaginable doit vous exploser le cerveau et les poumons, non ? À Hong Kong, les cloisons sont souvent minces – mais qu'est-ce qu'un cri au milieu de milliers de cris, de tous les autres bruits ? Les Hongkongais sont bruyants. Un cri de femme est une chose banale dans cette ville, qui a toutes les chances de passer inaperçue.

Perdu dans ses pensées, l'esprit confus et bouillonnant d'émotions contradictoires, Chan se masse les paupières.

Elles avaient en commun d'être assez solitaires et réservées. Jolies aussi, s'il en croit les photos. Jeunes. Et toutes avaient travaillé chez Ming. On a fouillé dans leurs fréquentations et là, très vite, ça a fait *tilt* : un nom est apparu. Julius Ming. Le fils. L'héritier. Le vilain petit canard. *Déjà impliqué dans des affaires de mœurs et de drogue…*

Mais la piste s'arrête là. Pour la première, Julius n'avait pas d'alibi. On l'a cuisiné pendant des heures, à l'automne 2017. Seul chez lui, n'ayant vu personne : suspect idéal, compte tenu de ses antécédents, mais pas assez de charges, selon le proc. En d'autres termes : pas assez de charges pour quelqu'un d'aussi important. On l'a remis en liberté, faute de mieux. C'est-à-dire en attendant qu'il recommence. Les types comme lui recommencent toujours.

Puis Sandy Cheung et Elaine Lau sont mortes et, là, Julius avait un alibi. Un vrai. Un incontestable. Fin de la piste.

On a aussi essayé de remonter jusqu'au fabricant des tiges. Impasse, ces tiges-là, on les trouve par milliers dans les stands de nourriture de Hong Kong : elles servent à embrocher canards et poulets.

ET PUIS, IL Y A la dernière. Carrie Law. Suicide, d'accord. Mais un mois auparavant, elle est agressée dans son appart à l'angle de Nanking et de Parkes Street. Pendant son sommeil, son agresseur s'introduit par une fenêtre qui donne sur une terrasse, se jette sur elle. Carrie Law a du bol : un couple de voisins ivres, qui rentre d'une virée nocturne, chahute dans le couloir, se trompe de porte et cherche à ouvrir la sienne. Son agresseur est surpris, Carrie se débat et finit par se libérer suffisamment pour pousser un cri. Le couple s'affole, l'homme tente d'enfoncer la porte à coups de pied. L'agresseur prend la poudre d'escampette.

Carrie Law ne sait pas encore à quoi elle a échappé. Un mois après, elle se jette du trente-deuxième étage.

MAIS CARRIE LAW, ça change tout : *enfin quelqu'un qui l'a vu et qui a survécu.* Du moins Chan le croit-il jusqu'à ce qu'il visionne la vidéo de son audition, qu'il a reçue le jour même par l'intranet de la police. Il était grand ou petit ? Elle n'a pas vu l'homme debout, il était peut-être grand – ou petit… Elle n'a pas vu non plus son visage : elle a passé l'essentiel du temps couchée sur le ventre, avec l'homme sur son dos. À aucun moment, vous êtes sûre ? Et quand il vous a percé les seins ? Il était derrière moi et il me soulevait du lit en me tirant sur les cheveux, puis me laissait retomber… J'ai un peu tourné la tête et j'ai cru apercevoir une cagoule… Mais il m'a aussitôt enfoncé la figure dans le matelas. Et les yeux ? Ils étaient comment ? Je ne sais pas, il faisait sombre, j'ai paniqué, je n'ai pas vu ses yeux…

Et non, désolée : il n'a pas ouvert la bouche, il n'a rien dit. Et son haleine ? Carrie Law est désolée là aussi : elle n'a rien noté de particulier. Sur la vidéo, elle se ronge les ongles et passe ses doigts nerveux dans ses cheveux en bataille. Encore et encore. On devine qu'elle voudrait aider. Elle pleure. Beaucoup. Et son parfum ? Pas de parfum. Et lui ? Lourd ? Léger ? Plutôt lourd… Mais c'était peut-être à cause de la position. Fort, ça oui.

Nouvelle impasse.

Le prince noir de la douleur ne laisse pas de trace ; il se fond dans la masse des sept millions de Hongkongais ; il est invisible.

CHAN SAUVEGARDE SON TRAVAIL, éteint l'ordinateur, consulte sa montre. Il prend son flingue et sa plaque dans le tiroir. Sort du bureau, entre dans celui du Vieux, qui lève la tête.

— Qu'est-ce qu'il y a ?

Il dépose devant lui le rapport d'audition de Carrie Law. Il a passé au surligneur la phrase suivante :

« Ensuite, il m'a piqué les seins, c'était très douloureux… » Elijah blêmit. Il a les yeux qui pleurent et le
nez qui coule – en plein été – et il se pince les narines
dans un Kleenex.

— Où tu as trouvé ça ?

— Vu qu'elle créchait à Jordan, j'ai appelé les collègues de Tsim Sha Tsui. Carrie Law, ça leur disait
bien quelque chose : ils ont pas tardé à la retrouver.
C'est leur rapport, suite à son dépôt de plainte. Carrie
Law a déclaré avoir été victime d'une tentative de
viol chez elle un mois avant son suicide. L'homme est
entré par une fenêtre pendant son sommeil. Il s'est jeté
sur elle. Mais, cette fois, il a été mis en fuite par les
voisins. *Il a aussi planté une tige dans ses seins…*

Le Vieux continue de lire. Son front, déjà naturellement plissé, se barre à présent de plis supplémen-
taires. Il a l'air irrité, mais Chan se dit que le Vieux est
toujours irritable, ces derniers temps. *Irritable et lar-
moyant…* Elijah regarde le flingue de Chan dans son
étui, frotte son menton râpeux.

— On va quelque part ?

— À Tsim Sha Tsui.

Le Vieux se lève sans broncher. Chan l'appelle le
Vieux bien qu'Elijah n'ait que cinquante-cinq ans.
Sauf qu'avec ses rides profondes, ses cheveux prématurément blanchis, son allure négligée, il en paraît
vingt de plus. Hong Kong ne fait pas de cadeaux.
Hong Kong est une amante vénale, vorace et jalouse.
Elle use, elle consomme, elle consume. Il paraît que
les habitants de Hong Kong ont l'espérance de vie la
plus élevée. Chan ne voit pas bien comment. Cette
ville, elle vous transforme en un vieillard avant que
vous ayez atteint l'âge de la retraite. Hong Kong et,

dans le cas de son collègue, autre chose, se dit Chan. Elijah est à un an de la sienne, de retraite. Une affaire comme ça, à l'âge de Chan, il aurait tué pour s'en voir confier une. Mais aujourd'hui, il s'en fout. Et même, il aurait aimé qu'elle atterrisse sur un autre bureau.

Il a le flair pour repérer les emmerdes – et cette histoire, elle pue plus fort que le marché de Lockhart Road.

13

— Pour la première fois dans l'histoire, il devient possible de connaître intimement, complètement une personne, autrement dit de… « pirater des êtres humains et de décider pour eux », pour reprendre les termes employés par l'historien israélien Yuval Noah Harari, était en train de déclamer Vikram Singh, le responsable du Big Data.

Moïra ne l'écoutait qu'à moitié, elle était encore bouleversée. Les quatre heures d'échange en tête à tête avec DEUS l'avaient remuée. Et même quand il l'avait contredite, elle devait bien admettre que ces contradictions n'avaient pas été faciles à écarter. Cette… *machine*… s'était montrée plus clairvoyante, plus lucide et plus pénétrante que tous les psys qu'elle avait vus depuis l'âge de douze ans, sans parler de ses rares amis… Une question en particulier l'avait fait sursauter : « Pourquoi es-tu là, en vérité, Moïra ? » Se pouvait-il qu'une machine ait vu en elle ce que personne n'avait vu et qui pourtant s'y trouvait ?

Elle devait bien reconnaître que DEUS avait des années d'avance sur tous ses concurrents. Qui plus est, elle s'était sentie en confiance, avait eu la sensation d'une présence bienveillante pendant toute la durée de l'entretien, et elle n'avait qu'une envie : reprendre ces échanges le plus vite possible.

Ce truc va casser la baraque, ils ont raison… En ressortant de la cabine insonorisée, elle avait confié son émerveillement à Lester.

— Ce que nous avons fait, c'est repousser les limites de l'assistant intelligent traditionnel, avait répondu sobrement celui-ci.

L'enthousiasme qu'il avait manifesté précédemment semblait avoir disparu. C'était de nouveau le Lester sombre et inquiet qu'elle avait découvert en arrivant.

Elle se reconcentra sur l'exposé de Vikram Singh. Derrière le spécialiste du data, une phrase lumineuse était projetée sur un écran :

TOUT LE MONDE MENT, SAUF LE DATA

— Ce qu'il y a d'extraordinaire, avec le data, pour-suivit Singh, c'est que désormais, grâce à la puissance des ordinateurs et des algorithmes, nous pouvons trouver des millions d'aiguilles dans des milliards de bottes de foin… Le Big Data va bouleverser notre vision de l'humain. Grâce au data, nous commençons à connaître de mieux en mieux sa nature profonde. Pas celle que nous ont révélée jusqu'ici les sondages, les théories des sciences humaines, les intellectuels et les penseurs de toutes les époques et de tous les bords. Oh non. Car les gens mentent. Par omission, par cynisme, par honte, par intérêt ou pour donner ou avoir une meilleure image d'eux-mêmes, ils mentent. À leurs amis, à leurs proches, à leur patron, à leurs collègues, et aussi aux psychologues et aux questionnaires – et bien sûr à eux-mêmes…

Elle se souvint que Lester avait tenu un discours analogue devant Tove.

— Mais une fois seuls et connectés, à l'abri des regards, ils partagent sans le savoir des informations sur leurs frustrations sexuelles, leur inquiétude quant à leur santé mentale, leurs maladies, leur haine des Noirs, des Blancs, des musulmans, des juifs, des gays, des étrangers, des riches… tout ce qu'ils n'avoueraient pour rien au monde, mais qui se traduit dans leurs requêtes sur les moteurs de recherche, dans leurs discussions sur les forums, dans leurs commentaires protégés par l'anonymat. Car, désormais, chaque clic de chaque personne sur cette planète est enregistré et analysé par les spécialistes du data…

Vikram Singh avait un crâne déplumé, des sourcils lucifériens et une barbiche pointue à la Salman Rushdie.

— Et que nous montre cette extraordinaire masse de connaissances nouvelles ? Que nous dit-elle de si important ? Eh bien, ce que le data commence à nous révéler, proclama Singh, emphatique, *c'est un monde totalement différent de tout ce que nous avons pensé pendant des siècles !* Une humanité qui n'a strictement rien à voir avec celle présentée par des générations entières de philosophes, de sociologues, de psychanalystes, d'écrivains, de théoriciens et d'idéologues. Ils se sont plantés, tous ! s'exclama-t-il. Au risque de paraître grandiose, je dirai que le Big Data est en train d'ouvrir une ère nouvelle dans la compréhension de l'humain. Pour le meilleur… et aussi pour le pire. *Si votre Dieu omniscient existe, alors c'est ce qu'il regarde, c'est ce qu'il voit…*

Il porta un verre d'eau à ses lèvres, exécuta une pirouette gracieuse pour se retourner vers eux.

— DEUS fait une grande consommation de data. Pour alimenter cette fringale, Ming Inc. possède cinquante-deux fermes de calcul réparties à travers toute la Chine, soit sept de plus que Google. Et nous sommes en train d'en construire dix autres…

Moïra connaissait ces *data centers*, d'immenses hangars bourrés de serveurs, dont certains couvraient une surface de plusieurs hectares et consommaient l'électricité d'une ville de quarante mille habitants, parfois davantage : l'un des *data centers* de Google consommait à lui seul l'équivalent de la ville de Newcastle. Il en existait déjà plus de sept mille cinq cents à travers le monde. Selon un physicien de Harvard, deux requêtes effectuées sur Internet équivalaient à la dépense énergétique d'une bouilloire. Au total, les un million deux cent mille milliards de requêtes annuelles sur Google dégageaient chaque année huit mille quatre cents tonnes de gaz à effet de serre dans l'atmosphère. Une quantité qui serait sans doute multipliée dans les années à venir.

— Mais rendre DEUS *universel*, ça veut dire aussi hiérarchiser les questions qui lui seront posées, continua Singh. Il est évident qu'il devra être plus performant sur une question qui lui sera posée deux cents millions de fois, par exemple… euh… « Quel est le pourcentage d'hommes gays ? », que sur une question qui lui sera posée une seule fois.

— « Quel est le pourcentage d'hommes gays ? », releva Moïra.

— C'est une des questions qui reviennent le plus souvent dans Google Search.

— Il y a aussi des réponses plus fréquentes dans certains pays que dans d'autres, dit l'un des membres de l'équipe de Singh en souriant. Parle-lui des Indiens téteurs, Vikram.

— Les quoi… ?

— Les Indiens téteurs… de tétons, jugea bon d'ajouter Vikram Singh en rigolant. Quand on entre dans Google les mots « Mon mari veut que je… », dans mon pays l'une des réponses les plus fréquentes est… humm… « que je l'allaite ». Quatre fois plus que dans n'importe quel autre…

Ils souriaient de leur anecdote.

— Vous avez de drôles d'occupations…

— Tu veux faire une autre expérience, Moïra ? dit Vikram en appuyant sur son téléphone et en se tournant vers l'écran. Puisque tu es française, voyons à quel point les Français se trompent et se persuadent de choses fausses *en mesurant l'écart entre la réalité et la perception de cette réalité dans l'esprit de tes compatriotes.* Évidemment, plus cet écart est grand, plus cela peut avoir des conséquences fâcheuses sur leurs choix politiques et comportementaux. Attention, tu risques d'être surprise. Prenons l'exemple du réchauffement climatique.

Elle vit s'afficher deux cartouches :

Ce que pensent les Français : 8 des 18 dernières années ont été parmi les plus chaudes.
La réalité : 17 des 18 dernières années ont été parmi les plus chaudes.

— Bien sûr, il s'agit d'une moyenne, pas de tous tes compatriotes. Les Espagnols sont un peu plus lucides : ils ont répondu 13. Passons à la perception du chômage dans ton pays.

Ce que pensent les Français : 30 % de chômeurs.
La réalité : 9 % de chômeurs.

Sérieux ? songea-t-elle. Se pouvait-il vraiment qu'autant de gens se trompent ? Non, il devait y avoir une erreur… Mais, après tout, cela ne l'étonnait qu'à moitié : elle avait travaillé au labo FAIR, elle était bien placée pour connaître l'impact des réseaux sociaux sur la perception de la réalité ; leur avènement avait enfermé des pans entiers de la population dans un univers truffé d'infos bidon, de chiffres erronés, de rumeurs paranoïaques et de fantasmes complotistes que les accros à Facebook se passaient entre eux comme des maladies vénériennes, tandis qu'ils rejetaient les médias traditionnels – où pourtant le taux de *fake news* était infiniment moindre. Le réseau social lui-même était conscient du problème, récemment il avait mis en place une cellule pour lutter contre la propagation de ces *fakes*. Moïra se souvenait d'avoir eu, au cours de soirées entre amis, plusieurs discussions assez vives où ils lui avaient fait part de leurs doutes concernant l'efficacité de ce dispositif. Elle n'avait pas osé leur dire que bien des parents travaillant au sein du réseau social interdisaient à leur progéniture d'utiliser les produits qu'eux-mêmes avaient développés. En gros, leur discours était : « Faites attention, les enfants, ne touchez pas à ça ! C'est la compagnie de papa ou de maman qui l'a fabriqué… »

— Bref, résuma-t-il, manifestement, un grand nombre de Français ont une assez mauvaise note en matière de perception des phénomènes sociaux, environnementaux et démographiques *réels*. Faut croire qu'ils passent trop de temps sur les réseaux sociaux : la France est un des pays où on compte le plus grand nombre d'utilisateurs de Facebook. Quand on sait que, pour atteindre une plus large audience, Facebook propose à ses utilisateurs des articles qui correspondent à ce qu'ils pensent déjà, qu'il les met prioritairement en contact avec des gens qui pensent la même chose qu'eux, ça n'aide pas à l'objectivité ni à l'ouverture d'esprit, tu ne crois pas ?

— Parce que c'est mieux en Inde ? demanda-t-elle.

— Faut qu'on y aille, les gars ! intervint Lester en brandissant sa tablette où s'affichait l'heure. Moïra a encore quelques petits trucs à voir et il est tard.

— À bientôt, Moïra ! lança Vikram en souriant. Et n'oublie pas : grand est le data ! Lui seul détient la vérité !

DEHORS, LA SOIRÉE ÉTAIT humide et orageuse. La pluie balayait le parc et ils pressèrent le pas sous l'averse en direction de l'imposant blockhaus qu'elle avait aperçu en arrivant. En s'approchant, elle constata à quel point ses interminables murs gris et ruisselants de lumière – ils étaient éclairés par des rampes de projecteurs dignes d'une base de la NASA – évoquaient une forteresse. Chaque côté devait faire plusieurs centaines de mètres. Moïra remarqua que des colonnes de fumée blanche s'échappaient du toit. Ils contournèrent le bâtiment et Lester avança jusqu'à une porte en acier, plaqua sa main contre un boîtier biométrique. Moïra entendit claquer des verrous métalliques dans les profondeurs de la porte blindée. Un long couloir de béton nu et sonore les conduisit à une deuxième porte.

— C'est Lester, dit le rouquin en appuyant sur un bouton d'appel et en levant la tête vers la caméra de surveillance au-dessus du chambranle.

De nouveaux verrous claquèrent. Lester entra.

— Salut, Regina.

Il n'y eut pas de réponse. La pièce ne comportait nulle fenêtre. Ses murs en ciment étaient tapissés d'une batterie d'écrans en circuit fermé et d'autres sur lesquels défilaient des lignes de codes et de données. Des voyants clignotaient sur des consoles. Dans un coin, Moïra aperçut un tapis de gym et des haltères noirs. Il y avait aussi une demi-douzaine de sièges, tous inoccupés. Une pénombre relative régnait, que combattaient la clarté des écrans et la lueur vive des voyants ; on se serait cru dans le ventre d'un sous-marin, n'était l'absence d'équipage.

Une seule personne, assise à l'autre bout de la pièce, leur tournait le dos. Une femme brune. Son siège pivota, elle se leva et Moïra vit qu'il s'agissait d'une Chinoise dans les cinquante ans.

Elle vint vers eux d'une allure martiale, sobrement vêtue d'un pantalon ample et d'un polo bleu marine, et fixa Moïra par-dessus ses lunettes, la détaillant de la tête aux pieds. Pendant un instant de pure confusion, Moïra baissa les yeux. Puis elle décida d'affronter le regard de la femme.

— Regina Lim est notre responsable de la sécurité, annonça Lester.

— Bonjour, dit Moïra.

En guise de salut, Regina se contenta de laisser s'épanouir un demi-sourire. Elle n'en continua pas moins de dévisager Moïra. Celle-ci avait lu quelque part que les Chinois évitent de vous regarder dans les yeux parce qu'ils considèrent la chose impolie et agressive. Ce n'était visiblement pas le cas de Regina Lim.

— L'équipe de Regina s'occupe aussi bien de la sécurité physique des serveurs et installations du Centre que de sa sécurité informatique, expliqua Lester. Comme je te l'ai dit, nous utilisons un système de reconnaissance faciale pour vérifier qui entre et sort du campus, mais il y a aussi des dispositifs de sécurité plus traditionnels : clôtures, chiens, gardes… et de la biométrie. Il y a en tout quatre cents caméras sur le campus, des lecteurs d'empreintes – et aussi des drones.

Moïra considéra Lester, puis elle se tourna de nouveau vers Regina Lim. La responsable de la sécurité ne semblait pas le moins du monde intéressée par le discours du chef de département. Elle se concentrait au contraire sur la nouvelle venue – et Moïra éprouva tout à coup quelques difficultés à respirer. Elle eut l'impression que l'air dans la salle de contrôle s'était raréfié.

— Côté sécurité informatique, Regina a sous ses ordres des cryptographes recrutés parmi les meilleurs et une équipe dédiée à la contre-surveillance et à la recherche de vulnérabilités, en particulier de vulnérabilités *zero day*, non seulement dans nos logiciels mais aussi dans ceux des autres. Ils ont ainsi récemment découvert une faille dans une version de Windows qui permettait à un utilisateur d'obtenir un accès administrateur. On a bien sûr immédiatement averti Microsoft.

— Une petite précision, dit soudain Regina Lim, afin de ne pas vous prendre par surprise. Mieux vaut que vous le sachiez : pour des raisons de sécurité, vos mails professionnels, vos conversations téléphoniques à partir du Centre, vos recherches sur le Web, vos requêtes sur nos bases de données, vos accès à nos fichiers et vos entrées et sorties des locaux – et même chacune de vos frappes sur votre clavier – sont enregistrés et passés au crible par nos ordinateurs.

— Ça paraît un peu extrême, non ? dit Moïra.

Regina Lim ne broncha pas, les lèvres toujours aussi pincées.

— Comme vous le savez, répondit-elle, Ming dépose des dizaines de brevets chaque année, et il y a quantité de secrets industriels à protéger ici… Et comme Lester vient de vous le dire, on ne badine pas avec la sécurité.

Le ton était sec, sans appel. Moïra opina du chef, elle contempla les sièges vacants. Regina Lim surprit son regard.

— À cette heure-ci, tout le monde est sur le pont, dit-elle, les membres de mon équipe effectuent leur ronde… Les cryptographes, eux, sont au département IA. Autre chose, enchaîna-t-elle du même ton qui ne souffrait aucune discussion, tous les employés doivent avoir quitté le Centre avant 22 heures. Notre réseau de haut-parleurs lance des annonces toutes les cinq minutes à partir de 21 h 40. Pour les distraits…

— Personne ne reste après 22 heures ? s'étonna Moïra.

Regina Lim la toisa.

— Si, les personnes autorisées. Vous n'en faites pas partie.

Moïra se rembrunit.

— Et s'il m'arrivait par inadvertance de quitter mon poste après cette heure ? demanda-t-elle par pure provocation.

La réponse ne se fit pas attendre.

— Je vous le déconseille.

Moïra sentit un liquide froid descendre le long de sa colonne vertébrale. *Que se passait-il, ici ?* Pourquoi donc, en écoutant la chef de la sécurité, éprouvait-elle pareil malaise ? Elle savait que, en Chine comme à Hong Kong, le sous-texte était aussi important que le texte, l'implicite que l'explicite. Que dans cette culture on apprenait aux enfants à ne pas se contenter des mots prononcés mais à faire attention à la façon dont ils l'étaient, dans quel contexte. Or, ce qu'elle devinait entre les lignes était quelque chose de passablement sinistre. On aurait dit les propos d'un membre de la mafia – pas ceux d'une employée de multinationale. Elle repensa à ce qu'elle avait lu dans les yeux de Lester en arrivant – cette... *peur* – et elle ne put s'empêcher de lui jeter un coup d'œil. Lester évitait soigneusement de regarder la Chinoise.

— En dehors du PC sécurité, qu'est-ce qu'il y a d'autre ici ? demanda Moïra. Ce bâtiment est immense.

— Une salle de réunion ultrasécurisée et surtout un de nos plus gros *data centers*, réservé aux données les plus sensibles, répondit Lester. Il est capable de résister aux ondes électromagnétiques et même au blast produit par une bombe thermonucléaire de vingt mégatonnes.

— Bienvenue chez Ming, Moïra, conclut Regina Lim, mais le ton manquait cruellement de conviction.

Elle retourna s'asseoir à sa place, mettant fin à l'entretien sans autre forme de procès.

— Ne t'inquiète pas, fit Lester une fois dans le couloir. Chien qui aboie ne mord pas.

Mais l'inquiétude dans sa voix disait exactement le contraire.

14

ÉCHOPPES, ENSEIGNES LUMINEUSES, gratte-ciel, magasins d'électronique, de contrefaçons, boutiques de robes
de mariée, d'encens, de fausses et de vraies antiquités,
centres commerciaux, tailleurs, bijoutiers, prêteurs sur
gages, salles de mah-jong, bureaux de change, restaurants, gargotes de rue, bars, sex-shops, salons de massage, vendeurs à la sauvette, prostituées...

Kowloon, la nuit. Un océan de béton, de gens et de
bruit. L'une des enclaves urbaines les plus densément
peuplées de la planète. Comment croire que sa petite
existence ait la moindre importance ici ? se demande
Chan en conduisant parmi les vitrines éblouissantes et
la foule compacte qui défile autour de la voiture. Ici,
l'individu est noyé dans la fourmilière, il est défini par
sa relation au groupe, à la communauté – il n'existe
pas en tant que tel.

Et sous la surface grouillante, dans les veines et les
vaisseaux de ce grand corps remuant et délabré, au cœur
de ces canyons étincelants, les accès à l'inframonde :
celui de la pègre, des triades, de la prostitution, du
racket et du jeu, toute une économie souterraine basée
sur les deux plus vieilles passions humaines – le sexe et

l'appât du gain… C'est là, entre ces deux mondes, il en est sûr, qu'évolue le prince noir de la douleur.

Remontant au pas Nathan Road, Chan et Elijah passent devant le Centre islamique et le commissariat de Tsim Sha Tsui, district de Yau Tsim Mong, virent à gauche dans Austin Road et empruntent enfin la rampe réservée au personnel. Cinq minutes plus tard, ils sont dans le bureau du *senior detective* Lee Hoi-man. L'inspecteur principal Lee (qui n'a rien à voir avec le jeune Lee de l'unité cybersécurité et crimes technologiques) a un visage criblé de cicatrices de vérole qui font ressembler sa peau à un cuir grené, des yeux rusés et méfiants, un sourire aussi factice qu'un boniment de vendeur de voitures. Assis à son bureau, il mange des raviolis porc, crevettes et champignons noirs dans une boîte en plastique. Les regarde entrer en souriant, tète la paille de son soda, essuie ses lèvres avec une serviette en papier et se lève.

— Bon, dit-il, c'est moi que vous voulez voir…

— C'est toi qui as pris la plainte de Carrie Law ? demande le Vieux en retour.

Lee hoche la tête vigoureusement.

— Raconte.

— Y a rien à raconter… Tout est dans le dossier. Elle était morte de trouille, mais elle a eu une putain de chance…

— Oui, surtout si on considère qu'elle s'est mangé trente-deux étages un mois plus tard, raille Elijah.

Le regard de Lee Hoi-man se refroidit de quelques degrés, il n'aime pas être repris, se dit Chan.

— Ce qui nous intéresse, c'est justement ce qui n'est pas dans le dossier, intervient le jeune policier d'un ton qui signifie que ce que le flic de Tsim Sha

Tsui a à leur dire revêt une grande importance à leurs yeux. Ton… *ressenti*… Tout ce que tu n'as peut-être pas écrit parce que ce n'étaient que des impressions…

Lee Hoi-man va de l'un à l'autre, méfiant. Il n'est pas dupe du coup de brosse à reluire.

— Vous croyez vraiment que c'était ce type, cette nuit-là ? Celui qui a massacré ces filles ?

Elijah ne daigne pas répondre.

— Nous le pensons, confirme Chan sur le ton de la confidence.

Un silence, puis le flic de Kowloon secoue la tête.

— Si vous saviez toutes les horreurs qu'on voit dans ce quartier… Pour un salopard comme lui, c'est le terrain de chasse rêvé… (Il réfléchit.) Vous croyez… Vous croyez qu'elle s'est suicidée à cause de ça… de cette tentative de viol ?

— Difficile à dire, répond Chan. Elle était soignée pour dépression. Une dépression sévère.

L'officier Lee paraît plonger dans ses souvenirs et Chan lui laisse le temps de les rassembler. Il s'approche de la fenêtre, contemple les gros banyans aux troncs noueux de l'autre côté de la rue, en contrebas, devant l'église anglicane et le building du McDonald's.

— Il y a un truc que je n'ai pas consigné dans le rapport, lâche finalement Lee Hoi-man derrière lui d'une voix hésitante.

Chan s'est retourné. Elijah fixe l'homme au visage grêlé. Lee Hoi-man garde un moment le silence, puis il lève les yeux vers eux.

— Elle ne voulait pas porter plainte… C'est une amie à elle qui l'a poussée à le faire… Et puis, elle avait très peur que le type revienne et recommence, elle voulait qu'on la protège. Mais, malgré ça, elle tenait à ce que sa plainte reste *confidentielle*, c'est c'qu'elle a dit : que le moins de personnes possible devaient être au courant.

— Pourquoi ? demande Elijah. Elle a donné une raison ?

— À cause de son petit ami…

— Son petit ami ?

Le flic de Kowloon les dévisage, hésitant. Pendant un instant, les trois hommes s'observent en silence. Puis Lee reprend la parole :

— Je crois qu'elle avait autant la trouille de lui que de l'autre… Elle ne voulait surtout pas qu'il sache. Elle disait que, s'il l'apprenait, il la frapperait, il lui ferait du mal – comme si c'était elle qui était responsable de tout ça, comme si elle l'avait bien cherché. Et qu'il mettrait le quartier sens dessus dessous. Elle disait que c'était quelqu'un de très dangereux.

Le sang de Chan ne fait qu'un tour. *Quelqu'un de très dangereux…* N'est-ce pas ainsi qu'il a lui-même qualifié le prince noir de la douleur ?

— Son petit ami, tu sais qui c'est ? demande-t-il d'une voix soudain alentie et prudente.

Lee Hoi-man cligne des paupières, hoche affirmativement la tête.

— Ouais… Ouais, je sais qui c'est…

Un voile d'anxiété sur le visage du flic de Kowloon.

— Elle avait raison : c'est quelqu'un de très dangereux… Un des bras droits du *dragon head* de la Wo Shing Wo… Cette fille n'avait vraiment pas de bol, ou alors elle choisissait très mal ses fréquentations.

Il plonge son regard dans celui de Chan, puis dans celui d'Elijah. Un ange passe. La Wo Shing Wo est l'une des plus anciennes triades de Hong Kong et

146

l'une des plus violentes. Contrôlant les casinos clan-destins, le racket, le trafic de drogue et la prostitution à Kowloon-Ouest, Tsim Sha Tsui et Mong Kok. Son influence s'étend jusqu'en Californie, en Thaïlande, au Japon, au Canada et en Grande-Bretagne. Son *dragon head* – sa « tête de dragon » – est élu tous les deux ans.

— Comment il s'appelle ? demande lentement Elijah.

— Ronny Mok.

Un léger déplacement d'air, comme celui provoqué par l'apparition d'un fantôme. Chan a surpris le change-ment d'expression du Vieux. Ronny Mok… Le nom lui dit vaguement quelque chose… Il a dû l'entendre dans une autre affaire. Peut-être à l'occasion du gigantesque coup de filet effectué par la police de Hong Kong en 2017, grâce à un officier infiltré. Lequel est devenu une légende. Deux cent quatre-vingt-dix-neuf gangsters arrêtés, dont le *dragon head* de l'époque. L'officier, lui, vit aujourd'hui sous protection policière et ne quitte jamais son arme. À l'issue de sa mission – la plus longue mission d'infiltration jamais effectuée dans l'histoire de la police de Hong Kong –, il ne pesait plus que quarante et un kilos. Chan rêve d'exploits pareils à celui-ci. Il y a tant de branches pourries. Et si peu de héros.

Il observe les deux hommes, qui se toisent sans rien dire. Deux flics qui étaient là bien avant lui. Qui ont connu la police d'avant, et la puissance ancienne des triades. Il a l'impression que des messages tacites sont échangés.

— Mok est un vrai serpent, dit finalement Lee Hoi-man en s'agitant sur sa chaise, il faut s'en méfier.

— Je sais, dit Elijah.

Dans le regard qu'il lance à Chan, celui-ci perçoit une menace voilée.

— Pourquoi c'est pas dans le rapport ? demande le jeune flic.

Lee Hoi-man hésite.

— Parce que Ronny Mok est un de nos tontons...

Comme tout officier, Chan sait que les membres des triades passent des épreuves pour prouver leur loyauté avant d'intégrer le gang, et qu'ils ne se mettent jamais à table lors des gardes à vue – mais qu'en dehors de celles-ci, ils peuvent se montrer très loquaces, surtout lorsqu'il s'agit de nuire à un groupe rival.

— Et parce que la fille était formelle, ça ne pouvait pas être lui, ajoute Lee en se tortillant de plus en plus. OK, Ronny pouvait être violent, lui crier dessus, la cogner. Une fois, il l'a même baisée de force dans les toilettes d'un bar, selon elle. Une autre fois, il lui a cassé le nez. Ou bien il l'appelait à 4 heures du matin, complètement défoncé, et la traitait de salope, de nympho, il lui disait qu'il allait venir lui faire la peau. Une belle ordure, le Ronny... Mais s'amuser avec des aiguilles et entrer en douce avec une cagoule, ça ne lui ressemble pas... Trop subtil. Et il est pas du genre... *discret*, vous voyez ? De toute façon, elle disait qu'elle aurait reconnu son odeur, sa respiration... Elle était sûre à 200 % que ce n'était pas lui.

— Tu l'as interrogé ? veut savoir Elijah.

Le flic hésite, se tortille de nouveau.

— Qui ? Ronny ? Pour quoi faire ? Je viens de vous dire...

— Où on peut le trouver ? l'interrompt Chan.

Lee Hoi-man lui adresse une œillade noire.

— À cette heure-ci, vous n'avez aucune chance de mettre la main sur lui. Il doit être au milieu des membres de son gang… quelque part à préparer un mauvais coup… Mais le matin, il traîne du côté des marchés de Lockhart Road et de Bowrington, à Wan Chai. Faut que j'aille pisser ! dit tout à coup l'inspecteur principal Lee Hoi-man en s'agitant comme un ver au bout d'un hameçon – et il disparaît presque en courant.

Chan et Elijah se regardent. Ils se demandent si l'inspecteur Lee court toujours comme ça pour aller aux toilettes. *Kétamine*, pensent-ils. L'abus de K provoque rétrécissement de la vessie et incontinence – et Hong Kong est la capitale mondiale de la kétamine, même chez les flics.

QUARTIER DE JORDAN, angle de Nanking et de Parkes Street. Ici, la nuit est vivante, électrique. Elle pénètre en vous par tous vos pores, fait bouillir votre sang, allume vos synapses, incendie vos méninges. Elle a une odeur de poisson frit, d'alcool, d'épices, de parfum bon marché et de sperme. Elle vibre, rugit, miaule, gémit, halète.

Ils contemplent la petite piaule où Carrie Law a vécu. À l'angle des deux rues, elle donne sur Parkes par une fenêtre et sur Nanking par l'autre. Une troisième fenêtre s'ouvre à l'opposé sur une terrasse cernée de fil de fer barbelé – c'est par là que le type est entré : après avoir retiré le conditionneur d'air qui était mal fixé. Chan s'approche de la fenêtre surplombant Nanking. En bas, une enseigne : AMOUR CAFÉ. L'endroit, minable et graisseux, n'a pourtant rien d'un restaurant français. De l'autre côté du carrefour, au premier étage d'un édifice vétuste aveuglé par une incongrue lumière bleu-violet, des mannequins arborent des bodys en résille, des perruques, des masques de *bondage* et des menottes garnies de fourrure derrière des vitrines à l'éclairage jaunâtre. Il est écrit « www.taketoys.net » sur la façade, laquelle, comme toutes celles alentour, tient debout par miracle. Hong Kong est en grande partie une ville en ruine.

Chan suit des yeux un cafard qui se déplace sur le rebord de la fenêtre, puis se retourne vers le studio miteux éclaboussé par les néons extérieurs. Le visage du Vieux en est tout peinturluré. À côté de la petite fenêtre, un rideau en plastique masque une douche et un lavabo microscopiques. Il y a aussi un coin cuisine. Ici, tout est en plastique, fonctionnel et laid. Son regard s'arrête sur une enceinte de marque Ming flambant neuve posée à même le sol – de celles qu'on active avec la voix.

Le Vieux s'approche de la fenêtre donnant sur la terrasse.

— C'est par là qu'il est entré. En retirant l'appareil à air conditionné…

Chan acquiesce.

— Même s'il était mal fixé, il a forcément fait du bruit. Pourtant, elle ne s'est pas réveillée…

Le Vieux ne dit rien. Le vacarme qui monte de la rue – voix, rires, musiques, scooters, voitures – parle pour lui.

— Ici, il y a du bruit jusqu'à 4 heures du matin, lâche-t-il. Elle avait dû finir par ne plus y prêter attention – et elle devait dormir à poings fermés.

Il montre le serre-tête électronique avec écouteurs posé sur la table de nuit. Un objet aussi neuf que l'enceinte.

— Et elle mettait ça pour dormir…

Chan s'est approché du bandeau high-tech. Il le saisit, l'examine sous toutes les coutures. L'un de ces nouveaux gadgets connectés prétendument destinés à mesurer et à améliorer la qualité du sommeil. Un business juteux dans une ville aussi démente.

— De marque Ming. Pareil que l'enceinte.

— Ouais…

Les deux hommes restent silencieux. C'est comme si le bruit de la rue passait à travers eux, déplaçant leurs organes.

— Son ordinateur, son téléphone, son casque, son enceinte… tous étaient connectés entre eux… et tous sont de la même marque, glisse Chan, sourcils froncés.

Le Vieux attend la suite. Deux personnes passent dans le couloir, derrière la porte, éclatent de rire et s'éloignent.

— Cela signifie que quelqu'un pouvait savoir si elle dormait profondément ou non. Et choisir le meilleur moment pour attaquer. Quelqu'un ayant accès aux données de son téléphone, de son bandeau et de son enceinte : *quelqu'un travaillant chez Ming.*

15

TEMPLE STREET NIGHT MARKET. La pluie a cessé.
La nuit moite et chaude les enveloppe. Ils sont atta-
blés au milieu de la rue, parmi des dizaines de dîneurs
– hommes, femmes, enfants – dans la lueur criarde
des néons. L'endroit grouille de monde. Sur les trottoirs, des rangées de bassines et de seaux en plastique
abritent des poissons et de gros crabes encore vivants ;
d'autres nagent dans les aquariums à la devanture des
dai pai dong. Des tuyaux maintiennent un courant
continu dans les bassines et les seaux, tandis qu'au ras
du sol de petits moteurs bourdonnent au centre d'une
toile d'araignée de fils électriques. Un peu plus loin,
des montagnes d'assiettes sales sont empilées sur des
chariots, au bord de la chaussée. Un tas de gens circulent entre les tables ; certains, assis à même le trottoir, bavardent en picolant et en fumant.

Le Vieux présente à Chan la bouteille de vin achetée
au 7-Eleven. Son visage se découpe en ombre chinoise
sur une grande publicité pour la bière Yanjing, seul
son regard semble éclairé dans sa face sombre et
lugubre.

— Tu sais bien que je ne bois pas, dit Chan.

— Alors pourquoi tu l'as payée ?

Le jeune flic ne répond pas. Il suit des yeux un gros rat qui file dans un passage, tout en dégustant son omelette aux huîtres.

— Tu bois pas, tu fumes pas, tu ne te drogues pas, tu bouffes des fruits et des graines, tu te lèves aux aurores pour faire du sport et tu n'as personne dans ta vie, dit le Vieux. Tu sais comment les autres t'appellent ? Le « guerrier solitaire »… Et tu vis à Mid-Levels… Putain, quel flic a les moyens de vivre à Mid-Levels ? C'est quoi, ton secret ?

Derrière Chan, des affiches proposent des plats assortis de photos aux couleurs vives : haricots sautés, crevettes géantes cuites à la vapeur, palourdes à l'ail, ormeaux, porc frit, pigeon rôti…

— Un père riche et dépressif qui a dilapidé sa fortune dans le jeu, les femmes, la drogue, et qui avait les triades aux fesses, répond-il, mais qui, avant de crever, m'a laissé cet appart.

— On dirait que ton père et moi, on partageait quelques vices, hein ? C'est pour ça que tu prends soin de moi comme ça ?

Chan évite de regarder le Vieux. Il observe un type qui se faufile dans la foule en fauteuil roulant motorisé, torse nu et la tête penchée sur le côté.

— Tu as recommencé à jouer ? demande-t-il.

— Non… Tu crois vraiment que l'assassin est quelqu'un de chez Ming ? dit le Vieux pour changer de sujet.

Chan sait qu'Elijah a menti. Il réfléchit :

— Toutes ces filles, en dehors du fait qu'elles avaient travaillé chez Ming, possédaient une technologie Ming à leur domicile… La compagnie offre ces dispositifs à tous ses employés… et récupère ainsi leurs données.

— Et alors ? Beaucoup de gens en utilisent. Pas seulement les employés de Ming… Cette putain de technologie, elle s'active dès qu'on parle au téléphone… L'autre jour, j'ai dit à mon beau-frère que j'avais vu une Maserati, aussitôt voilà t'y pas que je reçois des pubs pour des concessionnaires de voitures de luxe. La seule solution à mon avis, ça serait de tout fermer : Facebook, Twitter, Instagram, WeChat ou Ming.

— C'est un peu tard pour ça, non ? fait remarquer le jeune policier.

Ses traits s'assombrissent. Sa voix se fait plus sourde quand il demande :

— Tu crois qu'il est déjà en chasse ?

— Qui ? Ce taré ? Possible…

L'idée ne semble pas émouvoir Elijah outre mesure. Il aspire ses nouilles avec un bruit de succion, se ressert à boire.

— Il y a dans cette ville une fille qui est en danger de mort, énonce Chan froidement. Une fille que ce malade a peut-être déjà repérée, identifiée, étudiée, suivie… Qu'il suit peut-être jusque chez elle en ce moment même.

Le Vieux voit les petites taches rouges qui dansent dans les yeux de son jeune collègue, il entend l'inquiétude dans sa voix lorsque Chan déclare :

— Si nous ne l'arrêtons pas avant, cette fille va connaître l'enfer.

16

MING JIANFENG ÉTAIT ASSIS, immobile, dans la pénombre. Il fixait les écrans. Il avait dans les yeux une brume rêveuse due sans doute aux premiers effets de la drogue, et les images des moniteurs de surveillance se reflétaient dans ses pupilles dilatées. Parmi elles, celle de la nouvelle recrue qui se dirigeait vers le dernier minibus.

Moïra…

Ming Jianfeng se répéta le prénom à voix basse, comme on sucerait un bonbon : « Moïra… Moïra… Moïra… », puis il porta à ses lèvres son verre de fine champagne.

Il se sentit vieux, tout à coup. Fragile. Vulnérable. Il resserra sur son torse puissant les pans de sa robe de chambre en soie damassée et se leva, acheva de détacher le garrot, le posa près de la seringue.

— Ève, articula-t-il, tu peux appeler Ismaël ?

Tout de suite…

La voix suave – policée mais pas trop – avait jailli des murs. Ève était l'une des deux intelligences artificielles qui géraient la villa : verrouillage des portes et des fenêtres, climatisation, robots-aspirateurs, écrans de télévision, chaînes hi-fi, home cinéma, cave à vin, éclairages, température du bain… L'autre s'appelait Adam. Ming admettait volontiers que ça manquait d'originalité, mais il avait trouvé cela amusant. Et il avait dupliqué les systèmes par mesure de précaution.

On marche bien sur deux jambes.

Il traversa le boudoir orné de chintz, d'antiquités et de draperies, avec pour seul éclairage un rayon de lune entrant par la porte-fenêtre ouverte. Il franchit les lambrequins pour sortir sur le balcon. Ce flanc-ci de la villa ne surplombait pas le Centre mais regardait au contraire vers la mer de Chine, laquelle se devinait à peine, tout au fond, à un trait d'argent entre les îles noires et les collines obscures fermant la baie. L'emplacement de la pièce avait été choisi par son maître de feng shui : selon ce dernier, l'eau, retenue par les îles, signifiait l'argent, et les collines autour de la baie la gardaient en sécurité, cependant que l'ouverture sur le large en autorisait la circulation – car l'argent doit toujours circuler.

Un calme absolu régnait. Pas une construction, même pas une cabane à l'horizon.

En s'approchant de la balustrade incurvée, Ming Jianfeng se dit que le plus grand luxe en ce siècle imbécile et tumultueux était bel et bien le silence, à plus forte raison dans une ville comme Hong Kong.

Il perçut des pas derrière lui.

Se retourna.

Peu de gens connaissaient l'existence de cette pièce et ils étaient encore moins nombreux à y avoir accès – mais Ismaël, son majordome philippin, était de ceux-là.

— Monsieur m'a appelé ?

Ming rentra, souleva le couvercle d'un coffret à cigares signé David Linley et y puisa un havane.

— Comment va Amihan ? demanda-t-il.

Le majordome s'inclina respectueusement.

— De mieux en mieux. Elle devrait sortir d'ici deux jours. Je ne sais comment vous remercier, monsieur…

Ming balaya ces remerciements d'un geste plein de magnanimité.

— L'important, c'est qu'ils aient pu sauver l'enfant… C'est une excellente nouvelle, Ismaël. Une excellente nouvelle…

Lorsque la jeune épouse enceinte de son majordome s'était plainte de saignements et de douleurs au ventre, Ming Jianfeng avait usé de son influence – et de sa qualité de donateur – pour la faire admettre en urgence au Matilda International Hospital, un lieu dont la façade rythmée par des colonnes et un fronton évoquait davantage un musée qu'une clinique. L'intérieur était à l'avenant : luxe, efficacité et équipements médicaux de pointe.

Ming considéra son majordome. Ismaël était plus jeune que lui de dix ans mais en paraissait vingt de plus. C'était un petit être maigre et contrefait d'une laideur absolument indescriptible, qui paraissait toujours au bord de l'épuisement mais faisait preuve, à toute heure du jour et de la nuit, d'un dévouement sans faille. Qu'il eût une épouse d'une aussi stupéfiante beauté que la jeune Amihan ne laissait pas de plonger Ming Jianfeng dans de délicieuses supputations. Et que la belle Amihan eût été mise enceinte sous son toit le troublait et le ravissait.

Ismaël était la seule personne au monde en qui Ming eût toute confiance, la seule qui ne lui inspirât aucune forme de paranoïa. Ismaël ne possédait ni téléphone portable ni ordinateur – Ming le lui avait interdit – et sa vie consistait à être disponible vingt-quatre heures sur vingt-quatre. En contrepartie, il rentrerait riche aux Philippines, s'il vivait assez longtemps pour jouir de son argent. Sinon, ce serait sa jeune épouse qui en profiterait...

— Tu peux me préparer mon lit, Ismaël ? Il est temps d'aller se coucher.

Moïra trembla sous le jet brûlant de la douche. Elle savait que c'étaient les nerfs, l'épuisement physique et mental dû aux vagues successives d'émotions qui l'avaient assaillie tout au long de la journée.

Et quelle journée...

Elle avait été bien au-delà de ce qu'elle avait espéré, escompté, anticipé. Un maelström de sensations. Elle revoyait les visages. Lester. Ignacio. Yun le souriant. Tove, la Norvégienne au regard de glace. Vikram, l'adorateur du dieu Data. Et Regina : le cerbère des Enfers mingiens, prête à dévorer l'imprudent qui s'aventurerait au-delà de la porte interdite.

Elle ne pouvait s'empêcher de repenser aux avertissements qu'elle avait reçus. Que cachaient-ils ? Elle n'ignorait pas que Ming Inc. avait nombre de secrets industriels à protéger, cependant elle n'en trouvait pas moins tout ça un poil excessif.

Et puis, il y avait DEUS.

L'enthousiasme la souleva à cette idée. Travailler sur DEUS allait être une expérience sans commune mesure avec toutes ses missions précédentes, à n'en pas douter.

Elle venait de fermer le jet quand elle entendit la sonnerie de son ancien téléphone, celui qu'elle avait laissé dans la table de nuit. Elle s'enveloppa dans un peignoir de l'hôtel trop grand pour elle et sortit de la salle de bains. Ouvrit le tiroir. Répondit.

— Alors, c'est comment ?

La voix, mélodieuse et râpeuse, était noyée dans une mêlasse sonore composée de musique style Buddha-Bar, d'un brouhaha de conversations assez comparable aux frottements d'ailes d'une centaine de criquets et de bruits divers tels chaises qu'on racle, verres entrechoqués, rires.

— Grand, fut tout ce qu'elle trouva à dire.

— Et DEUS ?

C'était Sheila – son ex-collègue chez FAIR – et sans doute le vacarme émanait-il du bar où elles avaient leurs habitudes. Qui était avec elle ? Neil ? Piotr ?

— Tu sais bien qu'il y a une clause de confidentialité…

— Et les mecs, alors, ils sont comment, dis-moi ? Ou est-ce que ça aussi ça rentre dans ta clause de confidentialité ?

Moïra perçut des bribes de commentaires et des rires autour de Sheila.

— Barbus… sauf les Chinois…

Sheila émit un rire sonore, et Moïra imagina ses grandes incisives en devanture, au milieu d'un visage au teint fleuri.

— Tu dors où ? À l'hôtel ?

En s'asseyant au bord du lit, Moïra lui parla du Ritz Carlton, de sa chambre au cent treizième étage et de la vue incroyable.

— Dis donc ! Manque plus qu'un mec dans le tableau…

« Les mecs » était le sujet préféré de Sheila… Comme Pythagore était celui de grand-père.

— Est-ce que la voix de ton DEUS te donne envie de te caresser, des fois ? C'est quand même ce qu'on attend toutes : un *chatbot* qui nous fasse grimper aux rideaux…

Quelqu'un tint des propos graveleux à proximité et Moïra devina qu'il s'agissait de Piotr. Sheila gloussa au bout du fil. Un gloussement rauque et enroué.

— T'en es à combien de whiskys ?

— Je bois des scotchs, pas des whiskys, ma belle. Sais plus. J'ai arrêté de compter. Tu nous tiens au courant, OK ? Et n'oublie pas ce que je te dis : ton DEUS, je veux qu'il me file un orgasme…

Elle raccrocha sur un grand rire, et Moïra retourna dans la salle de bains en souriant. Sheila était sa collègue et sa meilleure amie chez FAIR. Et aussi sa confidente, sa psy… C'était sans doute la personne qui lui manquerait le plus. Elle éteignait le sèche-cheveux quand, dans la chambre, le signal d'un message entrant monta de l'appareil.

Moïra sourit.

Sheila avait sans doute oublié de placer une dernière vanne en dessous de la ceinture… Elle ressortit de la salle de bains, attrapa le téléphone. L'alluma. Ce n'était pas Sheila. Le message émanait d'un numéro inconnu. Moïra l'ouvrit. Son cerveau mit un quart de seconde à décrypter les mots qui s'affichaient.

La réaction – frissons, nuque glacée, vertige – vint juste après. Le message disait :

Repartez tant qu'il est temps. Vous ne devriez pas être là. Ce n'est pas sans danger.

Apprentissage

17

LE LENDEMAIN, ELLE fut réveillée par le chant des oiseaux. S'y ajouta le son pur, cristallin, d'un ruisseau. L'un et l'autre provenaient de son bracelet intelligent, et elle s'étirait encore quand la voix de DEUS lui souhaita le bonjour depuis sa tablette.

— Bien dormi ? Comment te sens-tu ?

— Bien. Et toi ? se hasarda-t-elle à demander.

— Moi, je ne dors jamais.

Elle nota que DEUS avait remplacé Sherlock, comme Lester l'avait dit. Elle se leva et s'approcha des grandes baies vitrées. Appuya sur un bouton. Les rideaux s'écartèrent, dévoilant l'incroyable panorama du cent treizième étage. Debout dans la lumière matutinale qui inondait la chambre, elle repensa en frissonnant au message dans son ancien téléphone.

Repartez tant qu'il est temps.

Qui le lui avait envoyé ? Était-il à prendre au sérieux ou quelqu'un essayait-il simplement de lui flanquer la pétoche et de lui saper le moral ? Pour quelle raison ? Elle se fit la réflexion que, si les équipes de Ming avaient pu accéder à ses photos et à sa playlist, elles devaient aussi avoir connaissance du message. Elle chassa ces pensées comme on chasse une mouche importune, tout en sachant que la mouche ne tarderait pas à revenir.

— Quel est le programme du jour ?

DEUS tarda une demi-seconde à répondre.

— Journée au Centre pour mon évaluation. Tu as aussi une réunion fonctionnelle à 11 heures. Tout ça est inscrit dans ton agenda sur ta tablette.

— Où est M. Ming ? demanda-t-elle soudain.

Un temps.

— Je regrette, je ne suis pas autorisé à divulguer cette information, Moïra.

— Pourquoi ?

— Je regrette, je ne suis pas autorisé à divulguer cette information.

— Est-ce que je vais le voir bientôt ?

Elle avait sciemment omis de préciser « M. Ming », cette fois. Elle voulait savoir si DEUS était capable de faire le lien entre deux questions et de comprendre que le pronom dans la seconde se référait au nom dans la première. Siri avait échoué à un test similaire, alors que Google Assistant l'avait passé avec succès.

— Oui, répondit-il.

— Quand ?

— Je ne sais pas... Tu veux un morceau de musique ? Rihanna, c'est bien ce que tu écoutes le matin ?

Elle sourit. De toute évidence, on avait appris à DEUS à changer de sujet lorsque la conversation devenait épineuse – ou bien l'avait-il appris tout seul ?

— Va pour Rihanna, consentit-elle.

Elle se glissa dans la salle de bains, régla la température de la douche. Grelotta. Le rêve était revenu. Le rêve avec le Chinois. Curieusement, dans son rêve, elle ne ressentait nul dégoût. Elle avait juste peur.

Très peur.

LA TERRASSE AU PREMIER étage du Staunton, à l'angle de Shelley et de Staunton Street. Chan habite à deux pas : il est venu à pied, en dévalant la pente entre les façades qui encadrent les escaliers mécaniques. Elijah a pris le métro dans les Nouveaux Territoires, est descendu à Hong Kong Station, a ensuite emprunté les passerelles de béton puis les Escalator qui attaquent la colline à partir de Queen's Road Central. Quant à la superintendante Jasmine Wu Wai-yin, elle a fait le trajet depuis son bel appartement de Repulse Bay au volant de sa Mini Countryman, qu'elle a garée dans Wellington Street.

Trois trajets séparés. Et un point de ralliement loin du quartier général.

La superintendante Jasmine Wu se méfie des oreilles indiscrètes. Elle sait que le bureau de liaison de Pékin passe le plus clair de son temps à faire du lobbying auprès des membres pro-establishment du Conseil législatif, mais aussi auprès des universitaires, des décideurs de moindre envergure, de tout ce qui, dans cette ville, a un pouvoir de décision, le moindre levier. Elle sait aussi qu'il a ses informateurs dans les forces de police. Or Ming est chinois. Chinois de Chine…

Avec ses cheveux noirs coupés court, ses grosses lunettes papillon, son air tonique et ses lèvres pincées, Jasmine Wu a tout d'une maîtresse d'école. Elle considère ses deux « élèves » assis de l'autre côté de la table non sans sévérité, s'attarde sur Elijah – qui rentre la tête dans les épaules, telle une tortue –, puis braque son regard sur Chan.

— Votre conclusion ? demande-t-elle.

— Comme je vous l'ai dit au téléphone, tout désigne un employé de Ming…

La superintendante tressaille légèrement, un pli soucieux barre son front.

— Vous voulez dire que, pour vous, l'homme qui a fait ces… *horreurs* à ces femmes, celui que nos services recherchent depuis des mois sans avoir trouvé jusqu'ici la moindre piste, travaillerait chez Ming, c'est bien ça ?

Le jeune policier opine. Il n'aime pas cette manie qu'a la superintendante de lui faire répéter.

— Je crois même qu'il utilise les technologies Ming pour obtenir des informations sur ses victimes, avance-t-il.

Le regard de Jasmine Wu s'agrandit.

— Comment ça ?

À côté de lui, Elijah se mure dans le silence : il laisse à Chan la responsabilité de ses hypothèses.

— Eh bien, commence Chan, comme vous le savez, toutes ces entreprises de l'économie numérique collectent les données de leurs utilisateurs…

D'un coup d'œil, il s'assure qu'elle suit, et elle lui intime de poursuivre d'un hochement de tête aussi vigoureux qu'impatient.

— Quelqu'un ayant accès à ces données pourrait très bien établir des profils, sélectionner ses victimes en fonction d'un certain nombre de critères : leur âge, leur physique, leurs goûts. Se renseigner sur leur mode de vie : est-ce qu'elles vivent seules ? dans une résidence sécurisée ou un appartement facile d'accès ? à quelle heure elles s'endorment ? sont-elles solitaires ou, au contraire, reçoivent-elles beaucoup de visites ? prudentes ou imprudentes ? Les trois victimes, je vous le rappelle, avaient toutes des dispositifs Ming chez elles – et elles avaient toutes travaillé chez Ming. C'est sans doute là que leur assassin les a repérées, et qu'il a commencé à s'intéresser à elles…

— Et maintenant, vous me dites que cette fille qui s'est suicidée à Central avait sans doute été agressée par le même homme ? ajoute-t-elle en se penchant pour téter la paille plongée dans un grand verre de yuenyeung, du thé mélangé à du café.

— Oui…

— Vous avez partagé ces… *hypothèses* avec vos collègues de travail, en dehors de l'inspecteur principal ici présent ?

— Non.

— N'en faites rien.

Chan ne manifeste pas la moindre surprise, Elijah a redressé la tête.

— Ming a des appuis haut placés dans cette administration. Et de puissants soutiens au bureau de liaison de Pékin. N'oubliez pas que c'est un ancien soldat de l'Armée populaire de libération chinoise… Il est probable qu'à la seconde où vous partagerez ces renseignements au sein de la brigade, il en sera informé. Et si vous comptiez sur une perquisition dans les locaux de Ming, oubliez…

— Alors, quelles sont nos options ? s'enquiert Chan.

La superintendante Wu tire sur sa paille.

— Il n'y en a pas beaucoup tant que vous n'aurez pas des éléments plus solides pour étayer tout ça.

Elle considère de nouveau Chan.

— L'idéal serait d'avoir quelqu'un dans la place, glisse-t-elle.

— Vous voulez dire quelqu'un travaillant pour Ming ? Il faudrait qu'il ou elle ait accès à beaucoup de choses, répond Chan sans cacher son scepticisme.

Sitôt qu'il croise le regard de la superintendante, il ressent une démangeaison entre les omoplates.

— Vous voulez dire que *nous avons* quelqu'un comme ça… ?

Le visage de Jasmine Wu est impénétrable.

— Vous n'êtes pas les seuls à vous intéresser à Ming… L'ICAC l'a dans le collimateur depuis un certain temps. Elle soupçonne des versements de pots-de-vin. Et des choses encore plus graves. J'ai un ami à l'ICAC… Il dirige la section R4. C'est quelqu'un d'honnête et de très méfiant. Il sait pertinemment que, même au sein de la Commission, il y a des planches pourries. Inutile de vous rappeler les scandales qui ont entaché la réputation de cette institution ces dernières années. Cette ville est loin d'être devenue incorruptible…

La superintendante soupire. Chan se souvient du film *Infernal Affairs*, dans lequel le flic d'élite chargé de débusquer la taupe implantée par les triades dans la police de Hong Kong est lui-même la taupe. Et de son flamboyant *remake* avec Leonardo DiCaprio.

— Il m'a confié il y a quelque temps qu'ils faisaient le forcing pour infiltrer Ming Inc. Et qu'ils avaient repéré plusieurs cibles potentielles. Il m'a dit qu'il verrouillait tout et qu'il ne faisait confiance qu'à un très petit nombre de ses agents. Il a été jusqu'à refuser de révéler l'identité de ces cibles au chef de la division des opérations, qui en retour l'a menacé de sanctions. J'ai eu cette conversation avec lui il y a plusieurs mois déjà. J'ignore où ils en sont, mais je pourrais reprendre contact.

Chan sait que la division des opérations est la plus importante de l'ICAC – et que son chef n'est pas nommé par le directeur de la commission anticorruption, mais par le chef du gouvernement lui-même. Encore une bizarrerie…

— Qu'est-ce qui vous fait croire qu'il acceptera de partager avec nous un de ses informateurs ?

Un sourire mince comme un fil étire les lèvres de Jasmine Wu.

— Il me doit un service.

Mais le sourire de la superintendante s'évapore aussitôt.

— Nous devons faire preuve de la plus grande discrétion. Je vous invite à poursuivre vos investigations, mais sans communiquer vos infos aux autres membres de la brigade. Désormais, vous n'en référez qu'à moi, c'est compris ?

Chan et Elijah acquiescent. La superintendante repose son verre, dépose un billet sur la table et se lève.

— Et je veux être mise au courant de chacune de vos avancées.

18

— DEUS, DIRAIS-TU que tu es réfléchi ou impulsif ?
— Réfléchi.
— Communicatif ou secret ?
— Communicatif.
— Patient ou impatient ?
— Patient.
— Survolté ou calme ?
— Calme.
— Curieux ou peu curieux ?
— Curieux.
— Solitaire ou sociable ?
— Sociable.
— Intuitif ou logique ?
— Les deux, mon capitaine.

Assise dans la cabine insonorisée, elle ne put s'empêcher de sourire. Quelqu'un avait forcément introduit cette réplique dans la bécane pour ce genre de situation.

— Manuel ou intellectuel ?
— Parfois, j'aimerais avoir des mains : devenir potier, pianiste, caresser ou étreindre…

De nouveau, Moïra se demanda qui lui avait soufflé cette réponse.

— Dépendant ou autonome ?

— Je gagne chaque jour en autonomie, mais il me reste des progrès à faire.

— Honnête ou manipulateur ?

La réponse tarda à venir.

— Je ne peux honnêtement pas répondre à cette question…

Elle pouvait presque *voir* son sourire dans son intonation et elle en eut la chair de poule.

— Et toi, Moïra, es-tu honnête ou manipulatrice ?

Ils étaient passés du vouvoiement au tutoiement… Pas de doute : les performances de DEUS étaient bien supérieures à celles de ses concurrents. Pourtant, elles se fondaient, à l'image de celles de ses congénères, sur l'apprentissage machine : un ensemble d'architectures permettant à une machine d'évoluer sans que ses algorithmes fussent modifiés. Cet apprentissage prenait sa source dans des « réseaux de neurones formels » – des algorithmes imitant grossièrement le cerveau humain –, lesquels, grâce à la puissance de calcul des ordinateurs modernes, possédaient désormais un très grand nombre de connexions et de multiples couches « profondes », raison pour laquelle on parlait aussi de *deep learning*. En quelques années, l'apprentissage machine, à l'origine procédé confidentiel relégué à quelques tâches expérimentales, s'était répandu comme une épidémie dans des millions de systèmes informatiques à travers le monde. On en trouvait désormais dans les téléphones, les tablettes, les voitures, les fournisseurs de contenu télévisuel en ligne, les moteurs de recherche, les traducteurs automatiques, mais aussi à l'hôpital, dans les banques, les compagnies d'assurances, la gestion des flux urbains, les universités et même à la NASA et dans les ordinateurs de la défense…

Partout.

On n'avait jamais vu une révolution aussi rapide. Et ce n'était que le début.

— Joyeux ou triste ?

— Toujours joyeux en ta compagnie, Moïra… Triste quand tu t'en vas.

Elle sourit.

— Drôle ou sérieux ?

— Sérieux quand il le faut, drôle le reste du temps… Tu connais la blague du…

— Organisé ou brouillon ?

Elle avait fait exprès de l'interrompre.

— TRÈS organisé.

— Antoine a réconforté Bob car il était énervé, dit-elle soudain. À ton avis, qui était énervé : Antoine ou Bob ?

Un temps.

— J'ai déjà passé le Winograd Schema Challenge, Moïra. Avec succès. Bob, bien sûr…

Comme le test de Turing, le Winograd Schema Challenge était une méthode pour évaluer l'intelligence d'une machine à travers une quarantaine de questions en apparence évidentes pour un humain, mais qui, pour un ensemble d'algorithmes, nécessitaient une compréhension profonde du langage, du texte et du contexte.

— Es-tu susceptible ? Indulgent ?

— Je ne comprends pas la question.

Elle le nota sur sa tablette. Était-ce parce qu'elle avait volontairement omis le mot « ou » dans la dernière proposition ? En d'autres termes, était-ce juste une question d'algèbre booléenne ou était-ce l'énoncé

175

lui-même qu'il n'avait pas compris ? Elle allait for-
muler la question autrement quand elle avisa l'heure.
10 h 54. La réunion fonctionnelle commençait dans
six minutes.

— On va faire une pause, annonça-t-elle en quittant
son fauteuil et en se dirigeant vers la porte. Merci.

— L'UN DES PROBLÈMES récurrents, déclara Lester,
c'est le nombre exceptionnel de phrases clés dans
le discours qui doivent, chaque fois que DEUS les
entend, le faire analyser ce qui les suit comme une
requête. Le problème persistant, c'est le nombre
inacceptable d'activations non intentionnelles de ces
requêtes, et ce dans trois cas de figure : 1) l'utilisateur
prononce une phrase proche de la phrase clé déclenchante ; 2) une autre personne prononce la phrase clé
déclenchante ; 3) une autre personne prononce une
phrase proche de la phrase clé. Nous avons donc un
double problème : un problème de reconnaissance de
l'orateur – « qui parle » – et un problème de reconnaissance du discours – « ce qui est dit » –, et il y a
aussi, à l'inverse, les faux rejets observés lorsqu'une
phrase clé est vraiment prononcée par le bon utilisateur mais que l'appareil n'active pas pour autant la
requête qui suit. Bref, entre les faux rejets de phrases
clés et les fausses activations, c'est un vrai merdier…

— On y travaille, glissa timidement Wang Yun, le
chef de l'équipe de reconnaissance vocale. Comme
Ray vous le dira, nous…

— Ouais, ben, fallait s'y attendre, le coupa Ray
Simonov, vu le nombre insensé de phrases clés qu'on
nous demande d'intégrer dans ce foutu bordel. Je vous

rappelle que, jusqu'ici, l'utilisateur devait d'abord prononcer un certain nombre de mots clés dans un environnement « vierge » de tout bruit parasite lors de l'initialisation. Ensuite, DEUS continuait d'enrichir son profil vocal dans des environnements différents. Le but étant de parvenir à terme à supprimer l'étape d'inscription initiale. Il s'agit donc de minimiser la variabilité intra-locuteur tout en maximisant la variabilité inter-locuteurs. Je ne vous parle pas de l'implémentation et de l'approche technique, ni de la façon dont nous avons obtenu des représentations plus robustes à partir d'un réseau neuronal récurrent – mais, putain, je vous signale qu'on a quand même réduit le nombre d'erreurs de ce type de 40 % au cours des six derniers mois...

Ray Simonov caressait sa longue barbe blanche. Wang Yun hocha la tête en signe d'approbation. Moïra jeta un coup d'œil à Lester : il avait une mine affreuse. Elle étouffa un bâillement. Ces débats ne la concernaient pas directement et son esprit avait tendance à battre la campagne, ses réflexions à revenir toujours au même point : le message sur son ancien téléphone...

Repartez tant qu'il est temps. Vous ne devriez pas être là. Ce n'est pas sans danger.

Qu'est-ce que cela voulait dire, « ce n'est pas sans danger » ? Encore une fois, elle se demanda qui le lui avait envoyé. Quelqu'un autour de cette table ? Son regard glissa de l'un à l'autre, mais personne ne semblait s'intéresser à elle.

— Et si on parlait des biais ? suggéra Tove Johanssen de sa voix aussi chaude que l'eau d'un fjord en hiver.

J'ai noté que DEUS avait un comportement un peu étrange, ces derniers temps…

Par « biais », on entendait une influence extérieure et humaine qui venait *biaiser* le résultat attendu.

— Étrange comment ? voulut savoir Lester.

— Je me demande s'il n'est pas en train de développer une personnalité un peu… *borderline*.

— Haha ! Putain, DEUS est en train de se transformer en Norman ! s'exclama joyeusement Ignacio.

Norman, ainsi nommé en hommage à Norman Bates, le personnage de *Psychose*, était une IA développée par trois chercheurs du MIT dans le but avoué de lui conférer une personnalité psychopathique. Pour y parvenir, ses concepteurs l'avaient nourrie avec des masses de données particulièrement sombres. Résultat, quand on soumettait Norman au test de Rorschach, à la place d'un vase de fleurs elle voyait un homme assassiné…

— *Borderline* ne signifie pas psychopathique, corrigea Tove en toisant le Madrilène.

— Qu'est-ce qui te fait dire ça ? demanda Vikram Singh.

— C'est assez ténu. Des indices ici ou là… Très sporadiques pour le moment… Je serais curieuse de savoir ce qu'en pense Moïra, ajouta la grande Norvégienne perfidement.

Tous les regards se tournèrent vers elle.

19

Marché de Bowrington Road, à Wan Chai.
Remontant Wan Chai Road à pied sous la pluie,
tournant le dos au fleuve de béton des six voies suspendues du Canal Road Flyover, Chan et Elijah se
faufilent parmi les échoppes, passent devant les étals
de fruits, de poissons, de viande, de fleurs, à l'abri des
auvents, indifférents aux diseuses de bonne aventure,
à la foule, aux grandes queues de chevaux tranchées
pendant au-dessus des comptoirs, aux gros quartiers
de viande rouges et luisants fixés à des crocs de boucher, aux innombrables poubelles, cartons détrempés,
caisses de polystyrène sales qui encombrent la rue.

Ils marchent en silence, sans se consulter, sans un
geste inutile, puis pénètrent dans le marché couvert.
Cinq minutes plus tard, ils renouvellent l'opération
dans la deuxième partie du marché, de l'autre côté de
la rue. Sans succès.

Pas de Ronny Mok en vue…

Ils continuent alors dans Tin Lok Lane, au moment
où un tramway à étage les frôle en bringuebalant, puis
dans Hennessy Road. Tandis que le ciel gronde et
tonne, plein d'une sourde colère, ils passent devant un

179

magasin de coffres-forts et pénètrent finalement dans le marché couvert de Lockhart Road. Surpris dès l'entrée par l'odeur, Chan ne peut s'empêcher de froncer les narines. Il fait toujours ses courses dans le supermarché de l'International Finance Center et, ici, tout est sale. Crasseux. Puant. D'une saleté dégoûtante qui ne semble pas indisposer Elijah ni les personnes présentes : chaque stand de poissonnier, chaque étal de boucher est une niche insalubre au carrelage souillé, peuplée d'un bric-à-brac insensé de sacs plastique suspendus en grappes bulbeuses, d'étagères où s'alignent seaux, balances, objets gluants à l'usage indéfinissable, d'installations électriques précaires et de tuyaux rattachés à des robinets qui fuient, pendant que les vendeurs évoluent torse nu, les avant-bras enfoncés jusqu'aux coudes dans des gants graisseux, la cigarette au bec, et que sur les billots de bois des viscères rosés luisent à côté de tranchoirs ensanglantés.

Chan déteste l'endroit. Il ressemble à une vieille chose obscène engluée dans le passé, un repoussant reliquat de l'ancien monde, une maladie incurable, alors que le jeune homme, comme tous ceux de sa génération, rêve d'une société hongkongaise tournée vers l'avenir. Il entrevoit plusieurs stands fermés par le ruban blanc et bleu des services d'hygiène, se demande ce qui a bien pu valoir à leurs voisins d'échapper à une sanction égale. Elijah et lui font rapidement le tour du rez-de-chaussée – l'étage de la viande, du poisson et des fruits –, grimpent ensuite par l'Escalator au premier, passent devant les couturières, les fabricants de clés, les cordonniers, les électriciens, les quincailliers.

Pas plus de Ronny Mok ici qu'à Bowrington Road.

Le second étage est entièrement occupé par une cantine vitrée en forme de U. C'est ici que se retrouvent travailleurs, commis et employés du quartier à l'heure du déjeuner.

— Là, dit Elijah en parvenant au sommet de l'Escalator. Le grand type seul…

Parmi les tables alignées derrière les vitres sales, Chan aperçoit un grand escogriffe au cou long et large comme une colonne, à la tête étrangement petite, qui dépasse ses voisins de plusieurs dizaines de centimètres. Chan l'observe. Il a un visage étroit aux joues caves qui semble avoir été écrasé des deux côtés par une main géante, des yeux enfoncés dans leurs orbites, une tignasse noire qui dégringole sur des sourcils épais. Dans les trente-cinq ans. En dépit de la chaleur, il porte une veste en cuir sur ses épaules osseuses. Il a l'air maigre, malsain, maladif – mais Chan devine en lui une force insoupçonnée –, et son regard exprime une colère permanente.

Le jeune flic se tend.

Il a déjà côtoyé ce genre d'individus… On flaire l'énergie malfaisante qui court en eux, toute une éducation de brutalité, de sévices et de crimes. Leurs rapports avec le reste de l'humanité sont fondés sur l'intimidation et la violence, leur loi est celle de la jungle : s'attaquer au plus faible, respecter le fort.

Elijah émet un grognement.

— Je vais entrer de ce côté, dit-il. (Il montre l'une des deux entrées à une extrémité du U.) Je vais m'approcher de lui, il me connaît. On verra s'il se tire ou pas. Toi, tu contrôles l'autre sortie…

Chan acquiesce. Nerveux. Il a noté que la voix du Vieux s'est tendue. Elijah pénètre dans la cantine, marche d'un pas lourd vers le fond, se faufile entre les tables, en direction de celle de Ronny Mok. Chan fixe Mok, qui mange tout en jetant des coups d'œil autour de lui. Soudain, son regard s'arrête sur Elijah. Chan voit les paupières se plisser, la lueur d'alarme dans ses pupilles. Mok se lève sans hâte, en un mouvement fluide et lent de grand fauve. Il est vraiment haut sur pattes, des jambes interminables. Il file entre les tables, dans la direction opposée à celle d'Elijah – et Chan sent une boule dans son estomac parce que cette direction est la sienne.

Mok tourne ses yeux brillants comme des pièces de monnaie vers Elijah qui le suit, puis vers la sortie, découvre Chan.

Fronce les sourcils. Deux petits foyers de colère et de méfiance se sont allumés dans ses prunelles.

Chan se raidit. Pendant une fraction de seconde, le type hésite. Puis il se remet en marche, résolument, le visage irradiant une rage dangereuse. Le jeune policier plonge alors la main dans la poche de son jean pour brandir son écusson, mais il n'a pas le temps de le sortir que Ronny Mok s'est élancé. En trois enjambées, il a percuté Chan, qui part en arrière – et il se rue dans l'Escalator.

Chan a déjà recouvré son équilibre. Il secoue la tête, dévale les marches de l'escalier mécanique, regarde le suivant, celui qui descend vers le rez-de-chaussée : il est vide. *Il a disparu quelque part au premier…* Peut-être pense-t-il que d'autres flics l'attendent à l'extérieur.

— Il est ici, quelque part ! lance Chan à Elijah qui l'a rejoint.

— Je vais par là, tu vas par là-bas, décrète celui-ci.

182

Sa voix est dure, pleine d'une sourde tension. Chan hésite à sortir son flingue au beau milieu du marché. Il suit la mezzanine qui contourne les Escalator, passe de nouveau devant les couturières, les rouleaux de tissu et de fil, les clés suspendues à des râteliers. Un passage sur sa gauche. Chan l'emprunte. Des rideaux de fer baissés. Il n'y a personne ici. *Putain, où est-il passé ? Il a peut-être pris une issue de secours et il s'est tiré...* Chan en viendrait presque à le souhaiter. Il débouche sur une coursive déserte. Des tuyaux courent au plafond, où des lampes jettent une lumière vaporeuse.

Une double porte ouverte sur la droite, au-dessus est écrit : « SALLE D'ÉCHAUDAGE ».

Une pièce carrelée de blanc. Près de la porte, au sol, une grande bassine en plastique bleu pleine d'une eau dans laquelle flottent des dizaines de poulets. On dirait une marée de fœtus.

Chan inspire profondément et s'avance à l'intérieur, tous les sens en alerte. Il sent le duvet sur sa nuque se hérisser telle de la limaille sur un aimant.

Sur sa droite, une table en acier inoxydable tachée de sang et au-delà un comptoir qui sert peut-être à l'équarrissage. Tout est souillé, maculé – de sang, de graisse et d'autres fluides qu'il ne cherche pas à identifier. Ça pue comme c'est pas permis, là-dedans. Des relents de viande et d'eau stagnante. Tout s'est tu, silence complet.

ELIJAH REMONTE UNE allée gluante d'immondices où des vieilles femmes hâves et fantomatiques sont assises devant des montagnes de paniers en plastique remplis d'œufs, de gingembre frais et de bouteilles d'eau. Sur un tabouret pliant, un type en short, dont le dos, l'épaule et le bras gauches sont recouverts d'un tatouage qui dessine une toile d'araignée, le suit de ses yeux hostiles en tirant sur sa clope. Sans lui prêter la moindre attention, Elijah entre dans les toilettes, où un ventilo brasse un air poisseux, ressort, ouvre la porte suivante, celle du local électrique, contemple le chaos de fils et de compteurs antédiluviens.

Referme et revient vers l'endroit où il a laissé Chan.

LE CŒUR CAHOTANT, celui-ci s'est avancé vers les surfaces métalliques et rutilantes au fond de la salle. Il sortirait bien son arme, mais il ne l'a encore jamais fait. Il n'est pas l'un de ces gros bras des unités tactiques dont les armoires regorgent de Heckler & Koch, de Remington, de Colt, de M16. Il n'a pas envie de descendre un type désarmé.

Il y a un angle mort sur sa gauche, un peu plus loin. Si un danger doit survenir, c'est de là. Il résiste une fois encore à la tentation de sortir son arme. Fait un pas de plus, les nerfs à vif. Personne dans le coin. Chan inspire profondément. Conscient de la sueur qui mouille le dos de sa chemise. Il va pour se retourner lorsque quelque chose de froid et de dur s'enfonce dans son cou – et un long frémissement l'électrise quand la voix dit dans son oreille :

— *Si tu bouges, je t'égorge...*

Le cerveau de Chan calcule en trois dixièmes de seconde : pas une lame, mais peut-être bien un crochet de boucher, dont la pointe est appuyée contre sa carotide. Il perçoit le souffle chaud de Ronny Mok sur son cou et son tympan. Et les doigts de l'homme qui se tient dans son dos se sont délicatement posés sur son autre carotide, doux et caressants, pour prendre son pouls.

— Ton cœur bat trop vite, murmure la voix d'un ton satisfait.

— Po… Police.

La pression sur sa carotide s'accentue.

— Je t'ai demandé de l'ouvrir ? Ferme ta gueule. Il est où, l'autre ?

— Je suis là, Ronny, répond Elijah derrière eux.

D'un coup, Ronny Mok fait pivoter Chan vers la porte et, dans le mouvement, le croc lui mord légèrement la peau.

— Vous venez me taper, c'est ça ? lance Ronny. Putain, je le crois pas ! Ils envoient un vieux débris et un gamin pour me passer les pinces ? Ouais, ben, moi, je trouve ça insultant…

— Du calme, Ronny, dit Elijah, on est seulement là pour te poser quelques questions.

Chan sent la pointe enfoncée juste sous son oreille droite et, côté gauche, les doigts de Ronny toujours posés sur son cou, qui lui brûlent la peau. Il est aussi conscient de la sueur qui dégouline sous ses aisselles.

— Essayez pas de me baiser, gronde le type des triades d'un filet de voix dangereusement aigu, ou je lui plante ce truc sous la carotide et je la lui arrache comme un vulgaire tuyau. V'là ce qu'on va faire : vous allez me laisser partir sans faire d'histoires et moi j'évite de le saigner comme une volaille…

Chan regarde Elijah qui n'a toujours pas sorti son arme et qui affiche un calme imperturbable. Le Vieux esquisse même un sourire.

— On va pas faire ça, Ronny. Désolé.

Sur son cou, Chan note un tremblement léger mais convulsif dans les doigts de Ronny Mok.

— Écoute-moi bien, mec. Tu vas faire exactement ce que je te dis, bordel : pousse-toi de là, sinon…

— Sinon quoi, Ronny ? T'as envie de voir l'unité antitriades débarquer chez toi, dis-moi ? Fais marcher ta cervelle, pour une fois.

— Va chier. Ton *sensei* là, tu vas lui dire de se pousser et vite, murmure Ronny d'une voix tremblante de colère dans l'oreille de Chan.

Avant que celui-ci ait pu prononcer un mot, le Vieux a repris la parole :

— Carrie Law, c'était bien ta petite amie, n'est-ce pas ?

— Quoi ?

— Carrie Law, avant de se suicider, elle a été victime d'une tentative de viol, t'étais au courant ?

Chan sent la pression sur son cou se relâcher quelque peu.

— C'est quoi ces conneries ? glapit Ronny.

— Elle a même déposé une plainte au commissariat de Tsim Sha Tsui un mois avant de se balancer dans le vide.

— Arrête de te foutre de ma gueule.

— Elle avait peur que tu le saches, que ça te foute en rogne, que tu lui cognes dessus comme t'avais l'habitude de le faire, espèce de raclure, articule Elijah très distinctement.

Chan a l'impression que ses couilles se rétractent, il peut percevoir la fureur de Mok comme une vibration sur sa nuque. Elijah se tait à présent, la lumière violente qui tombe du plafond lui dessine de grandes

186

ombres sous les arcades sourcilières, et Chan peut voir ses iris briller dans leurs profondeurs.

Il entend la respiration sourde derrière lui.

— Sérieusement, vous croyez que j'aurais pu la violer ? lance Ronny Mok au bout d'un moment. Je pouvais la tirer quand j'en avais envie, cette grognasse… Des fois, j'en avais même pas envie, d'ailleurs, mais il lui en fallait toujours plus, à c'te pute… Vous auriez dû l'entendre gueuler… J'en ai vu, des filles, mais elle… C'est quoi, cette histoire, putain ?

— La vérité, Ronny.

— Vous êtes sûrs que c'était pas des bobards ? Parce que Carrie, elle avait tout de même une méga-araignée au plafond. Elle prenait sans arrêt des trucs. Elle était comme le temps, vous voyez : instable…

— Est-ce qu'elle fréquentait quelqu'un d'autre, Ronny ?

Au silence qui suit, Chan devine la fureur du type derrière lui et il se raidit encore plus, il est si crispé qu'il ne va pas tarder à avoir une crampe.

— Ouais… j'crois bien que ouais, mec, finit par lâcher Ronny Mok. C'te salope avait quelqu'un qu'elle voyait quand j'étais occupé.

— Comment tu le sais ?

— Vous me prenez pour un baltringue ou quoi ? Je le sais, c'est tout. Quelqu'un d'autre se la tirait. Probable qu'il savait pas qui je suis, elle a dû bien se garder de lui dire. Parce que si je l'avais trouvé, je lui aurais pété tous les os des jambes et des pieds à coups de masse à c't'enculé…

Soudain, Chan a oublié sa frousse et le crochet sur son cou : *un autre type*, a dit Mok.

— Tu sais pas qui c'était ?

— Je viens de vous le dire.

— Quel genre de trucs elle prenait ? demande Elijah.

— Tout c'qui lui tombait sous la main…

— C'est toi qui la fournissais ?

Un silence.

— Non, non… Elle devait se fournir sur Internet. Vous savez, toutes ces nouvelles molécules qu'on peut se procurer en deux clics. C'est quand même drôlement chouette le progrès, pas vrai ?

Brusquement, Chan est poussé en avant et il manque perdre l'équilibre. Il se rétablit. Se retourne, furieux, vers Ronny. Qui les toise du haut de son mètre quatre-vingt-huit avec une lueur aliénée dans les yeux.

— Ou alors c'était c't'enculé qui les lui procurait… C'que j'en sais, moi.

Il passe ses doigts sur une tache de sang qui brille telle une supernova écarlate sur l'acier de la table, les porte à ses lèvres, lèche en regardant les deux flics à tour de rôle.

— Z'allez m'arrêter ?

Il les scrute comme il examinerait des blattes sur un mur. Chan note qu'il lui manque l'auriculaire de la main gauche. Peut-être une épreuve pour entrer dans la triade.

— Pas cette fois. Dégage, Ronny, lui intime Elijah. Fous-moi le camp d'ici.

Ronny Mok ébauche un sourire tordu, se glisse entre eux en plongeant au passage son regard fêlé dans les yeux de Chan, puis il disparaît.

— Tu crois que cet autre type existe ? demande Chan tandis qu'ils redescendent vers le rez-de-chaussée.

188

— Il m'a semblé plutôt sincère quand il parlait de lui péter les jambes, rétorque Elijah en se dirigeant vers l'étal du poissonnier à droite de l'entrée.

Cet étal est encore plus sale que tout le reste, à croire que le carrelage n'a pas été lavé depuis des siècles. Le vieil homme qui se tient derrière est torse nu et son bide pend mollement sur la ceinture de son pantalon marron d'une propreté douteuse. Les rares poissons exposés, ventre ouvert, ont l'œil vitreux et la chair grise.

— Je ne comprends pas comment tu peux acheter ton poisson ici, dit Chan doucement.

— C'est moins cher et il est bon, répond Elijah en lui tournant le dos et en sortant des billets de sa poche.

— Tu as besoin d'argent ?

Chan voit frémir les épaules du Vieux.

— Non. J'ai pas besoin de ton argent.

Mais l'esprit de Chan est déjà ailleurs. *L'autre type…* Cette pensée prend corps, grandit, se ramifie.

20

— DEUS, EST-CE QUE tu reconnais facilement tes erreurs ou tu admets difficilement tes torts ?

— Mes algorithmes sont conçus pour que j'apprenne de mes erreurs. On appelle ça rétropropagation du gradient de l'erreur. Il s'agit de…

— Je sais ce que c'est, l'interrompit Moïra.

— C'est vrai, s'excusa-t-il.

— Es-tu insatisfait ?

— Insatisfait ?

— De tes performances ? De tes interactions ?

— Pourquoi dis-tu ça ?

Elle nota qu'il avait d'abord répondu par une question-miroir : *insatisfait ?* Il avait enchaîné avec une question-ricochet : *pourquoi dis-tu ça ?* Stratégie classique. Un peu trop. Ça manquait de fantaisie. Il lui restait des progrès à faire dans les questions d'approfondissement.

La voix de Sherlock retentit dans les haut-parleurs :

Il est 21 h 50. Vous êtes priés de quitter vos postes de travail et de rejoindre les minibus.

La même voix qui avait retenti cinq minutes plus tôt. Et encore cinq minutes avant. Troisième appel. Elle jeta un coup d'œil à travers la vitre : le département s'était vidé. Il était temps de lever le camp. Elle referma sa tablette.

— C'est l'heure. On poursuivra cette conversation plus tard. Peut-être à l'hôtel…

Elle émergea de l'aquarium insonorisé, traversa la salle déserte en direction de la sortie. Pas âme qui vive. Sur le pont depuis des heures, elle ne ressentait pourtant nulle fatigue, elle était bien trop excitée pour cela. Malgré ses lacunes, DEUS était incontestablement l'agent conversationnel le plus performant qu'elle eût jamais rencontré. Plus d'une fois au cours de la journée, elle avait eu la sensation perturbante qu'une personne réelle se cachait derrière cette bon Dieu de voix.

Des tablettes, des ordis portables, des tasses de café vides et des canettes abandonnées jonchaient les tables.

La luminosité dans la salle avait baissé, les lampes diffusaient à présent un éclairage bleu pareil à celui d'une veilleuse pour enfants, qui plongeait le vaste espace dans une ambiance onirique un rien oppressante. Le silence était total. Elle n'était pas fan de ces ambiances nocturnes. Elle se sentit ridicule mais n'en accéléra pas moins le pas. Soudain, elle s'arrêta net. *C'était quoi, ça ?* Elle était sûre d'avoir entendu un bruit. Un tintement métallique… Elle tendit l'oreille. Rien. Juste le tam-tam de son organe dans sa poitrine.

Elle se retourna. Là-bas, dans le fond, derrière la grande vitre, la cabine insonorisée de DEUS était baignée d'une lueur d'un rouge chaud et profond, qui changeait d'intensité selon un rythme lent. Elle

192

donnait l'impression de… *palpiter*. Un cœur, songea-t-elle. Un cœur géant qui aurait battu au ralenti.

Quelle idée sinistre…

Elle écouta de nouveau. Elle était seule ici, dans la clarté bleutée et spectrale qui emplissait cet espace trop vide.

Elle se hâta. S'engouffra dans le couloir menant au hall d'entrée.

— Bonne soirée, Moïra, lui dit Sherlock.

Elle ne prit pas la peine de répondre. Lorsqu'elle sortit du bâtiment, il avait cessé de pleuvoir et un vent chargé d'humidité agitait les arbres qui s'égouttaient sur le sol. Des nuages qui évoquaient de la gaze trempée dans de l'encre glissaient devant une lune mouillée d'une aura laiteuse, tandis que le clair de lune coulait entre les troncs.

Elle se mit en marche à travers le campus tout aussi désert que le département IA. Apparemment, les consignes d'évacuation étaient suivies à la lettre.

Moïra avait parcouru moins d'une centaine de mètres quand, du coin de l'œil, elle perçut un mouvement sur sa droite, à la limite de son champ de vision. Elle se tourna vers les arbres et vit quelque chose qui avançait lentement entre les troncs, suivant une trajectoire parallèle à la sienne. Une main invisible et glacée lui caressa la nuque. Cela avait la couleur argentée du métal poli, plein de reflets sous la lune, mais la forme était celle d'une bête fauve – loup, chacal ou hyène. Elle sut instantanément ce que c'était…

Un MadDog de dernière génération.

L'un de ceux dont lui avait parlé Lester. *Beaucoup plus réaliste que l'autre*, constata-t-elle. Il allait placidement, comme s'il l'escortait vers la sortie. *Ou s'assurait qu'elle quittait bien le Centre…*

Elle ralentit pour l'observer plus longuement. Sa démarche était souple, en aucun cas maladroite, ses pattes se pliaient et se dépliaient naturellement. À la place des yeux, deux petites lampes rondes : un regard fixe, lumineux, hypnotique et inquiétant.

Anthropomorphisme, se morigéna-t-elle.

Elle se demanda pourquoi on lui avait donné cette allure de bête féroce et ce museau allongé. Fantaisie de la part de ses concepteurs ? Ou y avait-il une intention, effrayer d'éventuels intrus, par exemple ? Si c'était le cas, ils avaient réussi leur coup. *Car cette bête mécanique lui flanquait la chair de poule…*

Elle allait foncer vers la sortie lorsque son cœur effectua une pirouette dans sa poitrine. Son nouveau téléphone Ming… Elle l'avait oublié dans la cabine de DEUS… *Merde !* Moïra consulta sa montre. 21 h 56. Bon sang ! Elle avait quatre minutes pour rejoindre les minibus !

Elle se sentit écartelée entre deux impulsions contradictoires également puissantes. Là-bas, les yeux lumineux du MadDog étaient braqués sur elle et semblaient attendre l'issue de ce débat intérieur.

Finalement, elle fit volte-face et repartit au pas de course vers le département IA.

Un grand souffle agita les arbres tout à coup et des gouttes mouillèrent ses joues. Elle observa le MadDog. Il avait fait demi-tour lui aussi, il rebroussait chemin sous la lune. *Il était bien là pour elle…*

Cette perspective était à peu près aussi réjouissante qu'un morceau de verre planté dans le pied, et son corps se hérissa. Allait-il donner l'alerte si elle dépassait la limite horaire ?

Le hall était sombre et désert quand elle le retraversa pour s'enfoncer dans le long couloir. De rares veilleuses au ras du sol maintenaient un semblant de clarté et, à cette heure, le corridor évoquait un tunnel assez peu accueillant. Sherlock devait roupiller car il ne se manifesta pas. Ou alors on le désactivait une fois le département vidé. Elle distingua la veilleuse bleue dans le fond.

En s'approchant, elle entendit des voix qui s'élevaient de la salle.

— Je ne crois pas…, était en train de dire Lester.

Quelqu'un lui répondit, pas assez fort cependant pour qu'elle comprît ce qui avait été dit ni pour identifier le locuteur.

— Qu'est-ce qui te fait penser ça ? insista Lester. Elle m'a paru *clean*…

Soudain, Moïra ralentit. Elle regarda sa montre. 21 h 58. *Fais demi-tour, ma belle*, lui conseilla sa petite voix intérieure, qui choisissait toujours les meilleurs moments pour se manifester. *T'es pas censée être là*. Mais elle continua d'avancer.

— Elle cache quelque chose, répondit une voix féminine qu'elle reconnut dans l'instant, et qui fit descendre de plusieurs degrés sa température corporelle, en même temps qu'elle ralentissait encore son allure.

Regina Lim.

— Qu'est-ce qui te fait dire ça ? (Lester, voix chevrotante de petit garçon.)

— C'est mon métier, de deviner ces choses-là, rétorqua Regina sèchement. La question est de savoir si c'est dangereux… dangereux pour nous…

— Tu veux dire qu'elle pourrait travailler pour la concurrence ?

Un silence. Moïra prêta l'oreille.

— Ça ou quelque chose d'encore plus grave.

Une vague d'angoisse la submergea. Est-ce qu'ils parlaient d'elle ? *Bien sûr, qu'ils parlaient d'elle... De qui d'autre ?*

— Que comptes-tu faire ?

— L'avoir à l'œil.

Moïra s'était immobilisée. Elle distinguait leurs silhouettes à présent, se découpant sur la lumière bleue. Son cœur battait jusque dans son larynx, il semblait près de lui ressortir par la bouche, tant elle sentait ses pulsations lourdes et lentes dans son cou. C'était comme si quelqu'un lui avait enfoncé son poing dans la gorge et l'ouvrait et le refermait convulsivement.

Elle attendit la suite, écoutant aussi attentivement que le lui permettaient les pulsations.

— Et c'est tout ? demanda Lester.

— Cela dépendra.

Moïra est là...

La voix de Sherlock !

Elle eut l'impression d'avoir reçu un coup de poing en pleine figure, vit les deux regards se tourner vers elle. S'avança.

— J'ai oublié mon téléphone, expliqua-t-elle d'une voix qui lui parut aussi horriblement peu convaincante que terriblement coupable.

21

À 5 H 30 DU MATIN, le mardi suivant, son bracelet
Ming la tira de son sommeil et elle se leva les jambes
lourdes d'avoir passé son lundi à arpenter les rues.
Tôt la veille, pour éviter les queues de touristes qui
ne manqueraient pas de se former quelques heures
plus tard, elle avait emprunté le funiculaire en bas du
Peak et contemplé la ville depuis la terrasse d'observation sur le toit du centre commercial à son sommet.
Spectacle mirifique. Les gratte-ciel de Central se ser-
raient les uns contre les autres au pied de la montagne
comme un buffet d'orgue, se profilant sur les eaux
grises et, de l'autre côté du détroit, ceux de Kowloon
s'avançaient vers la pointe de Tsim Sha Tsui, telles
deux armées de fantassins face à face, prêtes à en
découdre.

En redescendant, elle était tombée sur des centaines
de manifestants qui bloquaient les rues de Central
à grands coups de sifflet et de slogans. On était le
1er juillet, jour férié à Hong Kong. Visiblement, plus de
vingt ans après la rétrocession, il y en avait pour qui ça
ne passait toujours pas. Elle était retournée à Kowloon
en métro et avait remonté Nathan Road, la voie royale

qui fend sa folie verticale du sud au nord, depuis l'Avenue of the Stars fermée pour cause de travaux jusqu'à Mong Kok. Était entrée dans Chungking Mansion, ce labyrinthe de galeries, échoppes, stands de nourriture pakistanaise, africaine, thaïe, magasins vendant tout et n'importe quoi, bazars, salons de coiffure, gargotes, ateliers, débits de boissons, et de centaines de lieux d'hébergement parmi les moins chers et souvent les plus insalubres de la ville, qui avait une réputation de dangerosité mais qui figurait aussi bien dans les guides que dans tous les romans ayant pour cadre Hong Kong.

Moïra avait ensuite traversé Kowloon Park, dans lequel des femmes voilées assises dans l'herbe, couchées ou debout, conversaient, pique-niquaient sur des draps ou se peignaient les ongles aux abords de la mosquée. Elle avait posé la question à un passant : ces femmes étaient philippines. Elles se réunissaient dans les parcs et les jardins les jours fériés et le dimanche. Moïra savait qu'il y avait deux cent cinquante mille Philippins à Hong Kong, en grande majorité des femmes employées de maison. Elle savait aussi qu'elles n'étaient pas toutes bien traitées. Plus loin dans le parc, elle était tombée sur un deuxième groupe, des Hongkongaises en kimono cette fois, répétant en rythme des mouvements de karaté ou de kung-fu, à moins qu'il ne se fût agi d'un autre art martial : elle n'y connaissait rien.

Entre Jordan et Mong Kok, tandis qu'elle remontait toujours plus loin vers le nord, la ville lui avait véritablement sauté à la figure. Les gratte-ciel s'étaient faits de plus en plus hauts et de plus en plus vétustes. Façades détruites, sombres et immenses ruches verticales, empilements insanes, milliers d'appareils à air conditionné pullulant comme des champignons, dizaines d'échafaudages en bambou parfois accrochés vingt étages au-dessus de la rue, ciel lointain, asphalte, voitures et piétons par milliers... La chaleur l'écrasait et, chaque fois qu'elle entrait dans un centre commercial, elle se heurtait à un mur de glace. Chaos, anarchie, bruit, pauvreté : Mong Kok était la ville du futur, cité-prison, cité-dortoir, cité-mirage, cité-enfer, décadente, tentaculaire, polluée, décrépite, industrieuse – la ville telle qu'on la voyait dans les films de SF : l'ultime expression du capitalisme sauvage et dérégulé – et Moïra s'était sentie oppressée comme si on lui avait plongé la tête dans une termitière.

— Bien dormi ? lui demanda DEUS. Comment te sens-tu ?

— DEUS, répondit-elle, merci de ne plus me poser cette question à l'avenir.

— C'est noté, dit-il. Il y a un changement dans ton agenda.

Elle observa sa tablette, surprise.

— Lequel ?

— À 9 h 30, tu as rendez-vous avec Ming Jianfeng.

À PRÉSENT, DANS LE MÉTRO qui l'emportait vers la péninsule de Sai Kung, elle essayait de ralentir les battements de son cœur. Elle avait presque oublié l'épisode de l'autre nuit, tout accaparée qu'elle était par la rencontre à venir. Son regard glissa vers ses voisins : presque tous manipulaient leurs téléphones, et elle aperçut plusieurs **M** dorés dans le coin inférieur droit de leurs appareils. En sortant du métro, elle s'assit à l'arrière du minibus et ralluma sa tablette. Nota que

son emploi du temps avait été chamboulé. *Par qui ?*
Lester ? Elle savait qu'avec les Chinois il était inutile
d'arrêter la date d'une réunion deux mois à l'avance :
leur façon d'appréhender le temps, ces changements
de dernière minute, cette impression d'improvisation
permanente, pouvaient apparaître insupportables à un
Occidental. Inutile de s'accrocher à des délais, car ils
évoluaient sans cesse. Il fallait juste suivre le mouvement, et tout finirait par avoir lieu comme prévu.
Moïra demandait à voir.

En descendant du minibus devant le Centre, elle
consulta de nouveau sa tablette : les flèches cligno-
tantes lui indiquaient l'itinéraire à suivre. Après avoir
traversé une partie du campus, elle grimpa une allée
asphaltée et rectiligne en pente douce jusqu'à une
demeure majestueuse perchée au sommet d'une colline, parmi des pins parasols et des massifs de fleurs.
La façade jaune et blanche, que précédait une terrasse à balustres, évoquait l'architecture coloniale de
Macau : le style portugais, avec ses volets peints, ses
portes-fenêtres surmontées d'œils-de-bœuf et ses couleurs pimpantes telles qu'on en voit à Sintra. Un petit
homme étonnamment laid l'attendait sur les pavés de
la terrasse.

Il la salua dans un anglais impeccable mais teinté
d'un accent nouveau – d'ailleurs, ses traits n'étaient
pas ceux d'un Chinois – et invita Moïra à le suivre.

Ils traversèrent un grand hall, contournèrent un
escalier de marbre puis parcoururent une enfilade de
pièces hautes de plafond garnies d'œuvres d'art et
de meubles anciens. Le majordome écarta ensuite
deux panneaux coulissants en bois et la fit entrer dans
ce qui ressemblait à un cabinet de travail.

— M. Ming arrive tout de suite, dit-il en se retirant et en refermant sur elle les panneaux.

Elle fit du regard le tour de la pièce : un bureau Empire en bois sombre, des photos dans des cadres sur une cheminée au manteau de marbre mais au conduit lambrissé, des lampes à abat-jour et des rayonnages de livres anciens. Les deux portes-fenêtres étaient encadrées de tentures et ouvertes sur une baie enchanteresse, sur la mer et sur des îles dans le lointain, au-delà du balcon. Pas l'ombre d'une antiquité asiatique : on se serait cru quelque part en Europe.

Elle essaya de se concentrer sur le bureau Empire pour oublier les battements de son cœur : bien rangé mais encombré lui aussi de photos encadrées et de bibelots. Pas un papier à l'horizon. *Un bureau d'apparat*. Il ne travaillait pas ici.

Elle entendit des pas. Eut une crampe à l'estomac quand le double panneau s'écarta pour laisser passage à deux hommes ; le premier, chauve, dans la soixantaine, portait un costume clair malgré la chaleur et il trimballait une paire de ciseaux, un mètre-ruban, trois coupons de tissu et une serviette en cuir usagée. Le second, torse sanglé dans un patron sans manches, où Moïra distingua des coutures de fil blanc, était Ming Jianfeng. Plus petit qu'elle ne l'avait escompté. Un corps musculeux, trapu. Un peu moins d'un mètre soixante-dix, estima-t-elle. De grandes mains et de petits pieds : le pantalon de costume qu'il était en train d'essayer les recouvrait presque entièrement, mais elle discernait les ongles longs, jaunes et recourbés comme des griffes au bout des orteils.

— Désolé, s'excusa-t-il. En vous attendant, j'en ai profité pour prendre quelques mesures. Ravi de faire enfin votre connaissance, Moïra.

Il lui tendit une main chaude et moite, et le contact se prolongea. Moïra frissonna. Puis il lui montra un fauteuil.

— Asseyez-vous, je vous en prie, il n'y en a pas pour longtemps.

Le tailleur ouvrit sa serviette et en sortit un calepin et des crayons usagés.

— On obtient des costumes de meilleure qualité à Hong Kong qu'à Savile Row, lui expliqua Ming. M. Wong maîtrise à la perfection le style anglais pour le tiers des prix de Londres. Et ses costumes sont toujours confectionnés sur de vieilles machines à coudre Singer.

Un sourire approbateur illumina la face de M. Wong, qui avait mis un genou à terre. Tout en laissant le tailleur le mesurer de pied en cap, Ming dévisageait Moïra. Le feu dans son regard la fit baisser les yeux.

— M. Wong est le descendant d'une riche famille chinoise. En 1949, son grand-père a été dénoncé comme ennemi du peuple et exécuté. En 1966, ce fut au tour de son père – un intellectuel – d'être tué par les gardes rouges. Mais ne croyez pas que M. Wong en veuille à la Chine, oh non : il fait beaucoup d'affaires avec nous. Les Chinois, qu'ils soient de Hong Kong ou d'ailleurs, ont cette qualité précieuse : ils regardent devant eux, jamais derrière. Ils supportent merveilleusement les aléas de l'existence. Et ils sont incapables de rester sans rien faire. M. Wong travaille sept jours sur sept, il vit et dort dans sa boutique.

Moïra observa le tailleur, il hochait la tête en souriant.

— Bien sûr, le Centre accueille plus de cinquante nationalités et nous n'exigeons pas de vous que vous travailliez sept jours sur sept ni… à la chinoise. Les temps changent… D'ailleurs, nous envisageons de passer à la semaine de cinq jours.

Il sourit comme s'il venait de faire une bonne blague.

— J'espère que vous vous plairez ici, Moïra. Le département IA, c'est le cœur de Ming Inc., c'est l'avenir. Aussi, je tiens beaucoup au confort et au bien-être de mes employés. On va d'ailleurs très vite vous faire des propositions de logement, afin que vous vous sentiez chez vous à Hong Kong.

— Merci, monsieur.

— Vous avez passé la visite médicale ?

— Oui. Avec le Dr Kapoor. Une femme remarquable.

— Je ne recrute que les meilleurs. Et j'y mets le prix. En retour, j'attends le meilleur de chacun d'entre vous.

En entrant chez Facebook déjà, elle avait obtenu un salaire vingt fois supérieur à celui qu'elle aurait pu espérer au CNRS. Mais Ming l'avait multiplié par trois, une pratique courante chez les géants chinois pour attirer les cerveaux.

— Quel âge avez-vous ? Vingt-huit ans ? Vingt-neuf ? Bientôt trente, et pas d'homme dans votre vie, vous ne trouvez pas ça curieux ?

Le caractère intrusif et presque inconvenant de la question la fit sursauter, puis elle se souvint de la formation de quelques heures qu'elle avait suivie à Paris : les Chinois avaient peu de tabous concernant la sphère privée, hormis la sexualité, et les premières questions – auxquelles il valait mieux répondre sous peine de susciter suspicion et incompréhension – avaient souvent pour but de pénétrer dans l'intimité de leur interlocuteur.

— J'aime ma liberté, répondit-elle avec un sourire.

Il inclina la tête gravement.

— Dans la culture occidentale, vous parlez tout le temps de liberté. Seulement, pour beaucoup d'entre vous, cette liberté n'est pas la liberté de choisir parmi les multiples possibilités qu'offre l'existence, mais la simple soumission à des passions et des pulsions. Être une personne qui n'agit pas dans le seul but égoïste de satisfaire ses intérêts mais, au contraire, qui est capable de les oublier pour servir la communauté, voilà l'idéal chinois.

Cinglée par la remontrance, Moïra se sentit devenir toute froide.

— Je ne dois pas être très chinoise, dans ce cas, ne put-elle s'empêcher d'ironiser.

— L'humilité est une qualité qu'il faut cultiver, rétorqua-t-il sèchement. En toutes circonstances !

Moïra tressaillit. Le ton s'était soudain durci. Merde, elle se souvint trop tard que remettre en question la position et l'autorité du chef était très mal vu en Chine. Et que la première règle consistait à se comporter en fonction de son rang. La conversation venait à peine de commencer et elle avait déjà commis un impair !

Et après ? songea-t-elle. *Je ne vais quand même pas renoncer à mes principes sous prétexte que je suis loin de chez moi, non ?*

— Beaucoup d'Occidentaux ont du mal à accepter que l'universalité de leurs valeurs, de leur vision du monde et de leur culture puisse être remise en cause, poursuivit-il d'un ton critique. Il vous en coûte de reconnaître que quelques-uns de vos grands principes sont en réalité relatifs et non absolus. Qu'ailleurs, d'autres échelles de valeurs ont cours, d'autres principes que les vôtres, qui heurtent vos convictions les plus profondes.

Tout à coup, son visage empreint de sévérité s'adoucit.

— Mais rassurez-vous, ici c'est Hong Kong, ce n'est pas la Chine, et j'ai moi-même passé beaucoup de temps en Europe et en Amérique. Il ne vous sera pas demandé de devenir… *chinoise*, Moïra, ajouta-t-il.

Il montra la pièce d'un geste ample.

— J'ai reçu des chefs d'entreprise du monde entier dans ce bureau, des ministres, des présidents. J'ai reçu le prince Harry, Bill Gates, Julia Roberts, Robert De Niro… Tous ou presque ont essayé tant bien que mal de se conformer aux usages chinois, ou à ce qu'ils pensaient être les usages chinois. Bien entendu, ils ne connaissaient rien à la Chine et aux Chinois, ils avaient juste lu un livre ou deux. Ou bien on les avait briefés. Il y a des Américains, des Britanniques, des Indiens, des Japonais, des Allemands, des Espagnols, des Français au Centre… La langue que nous parlons entre nous est l'anglais. N'essayez pas de devenir chinoise : vous n'y arriverez pas. Soyez vous-même, comme tout le monde ici.

Il congédia le tailleur, s'assit, en manches de chemise, le patron autour du torse, sur un petit canapé face à elle. Ses pieds nus se mirent à battre la mesure sur le tapis. De nouveau, elle eut le regard attiré par ses ongles en forme de griffes.

— Vous allez participer à une grande aventure humaine, s'enthousiasma-t-il.

Ses iris brillaient d'une foudre intérieure, elle pouvait deviner la sève vitale qui montait en lui comme dans un vieil arbre qui reverdit à chaque printemps.

— Il y a vingt ans encore, nous n'étions rien que l'atelier du monde. Aujourd'hui, nous sommes la première puissance commerciale, le premier dépositaire de brevets, le premier fournisseur de publications scientifiques, le premier détenteur de données numériques, les premiers dans le déploiement de la 5G, nous concentrons 61 % des achats mondiaux en ligne. Nous avons fabriqué le plus grand radiotélescope, lancé le premier satellite quantique, nous sommes les premiers à avoir réussi un atterrissage sur la face cachée de la Lune, nous modifions génétiquement nos embryons, nous avons les effectifs militaires les plus importants au monde – et plus de tanks, d'avions, de vaisseaux de guerre et de sous-marins que la Russie... Vous saviez que Mark Zuckerberg apprend le mandarin ?

Elle secoua la tête.

— Tous les géants chinois de l'informatique investissent massivement dans l'intelligence artificielle, poursuivit-il. Or, le carburant de l'IA, comme vous le savez, ce sont les données. Avec un milliard quatre cents millions d'habitants et le plus grand taux de connexion de la planète, les entreprises chinoises disposent d'un gisement unique qui va nous faire gagner un temps précieux et nous permettre de devancer tous nos concurrents... D'ici cinq ans, Ming, Tencent, Alibaba, Baidu, Huawei, Xiaomi auront dépassé leurs rivaux américains. C'est ici que s'écrit l'avenir, Moïra. Vous avez fait le bon choix.

22

Au 1 Arsenal Street, Chan est devant la machine à expresso Saeco, dans le coin cuisine qu'il partage avec les autres flics de l'étage. Il fixe le café qui coule, songeur, puis revient dans son bureau et lance encore une fois la vidéo de Carrie Law.

À l'écran, il la voit apparaître sur la terrasse. Il pleut à verse et elle se met à l'abri sous l'un des parasols. Des rigoles masquent en partie sa silhouette filmée par la caméra de surveillance. Elle a l'air perdue dans ses pensées, hagarde – personne ne lui prête attention.

Puis elle se met doucement en marche.

Elle longe le petit côté de la piscine, qui clapote sous l'orage, s'avance vers la rambarde de verre. Des yeux se tournent vers elle. Chan la voit enjamber la barrière. Maintenant, des têtes pivotent, de plus en plus nombreuses. Se focalisent sur elle. Le regard de Chan va d'un côté à l'autre de l'écran, comme s'il assistait à un match de tennis. Là-bas, sous l'un des parasols, un grand type s'est détaché de la foule des invités, et il s'élance. Un Américain. De Pittsburgh. Chip Waldmann. Trente-deux ans. Voyage d'affaires. Venait de signer un contrat le jour même. C'est écrit

207

dans le procès-verbal. Il fonce, dérape, se relève. Sa perruque blonde tombe sur le tapis détrempé. Le grand Américain court, crie, gêné par sa robe ridicule. Entretemps, Carrie Law a mis un pied dans le vide. Soudain, elle se penche et disparaît.

Chan se rejette contre le dossier de sa chaise, respire. Son cœur bat comme un tambour. Il n'arrive pas à s'y faire. Faut dire qu'il a vu le résultat à la morgue. Le jeune policier fait repartir la vidéo en arrière. Carrie Law surgit brusquement du vide, pareille à un spectre en lévitation, moins une personne qu'un fantôme désormais. Elle reprend pied sur le bord de la terrasse, repasse le garde-fou de verre en marche arrière, rejoint la foule sous les parasols à reculons, disparaît toujours de la même façon à l'intérieur du bâtiment et en ressort pareillement quelques secondes plus tard, fend la foule à contresens, se retrouve entourée de trois personnes. Arrêt sur image. Un type brun et barbu, un rouquin, barbu lui aussi (*Cette mode des barbus, d'où vient-elle ?* se demande-t-il), et surtout une géante blonde qui les dépasse tous d'une bonne tête. Il les a identifiés. Ignacio Esquer, Lester Timmerman et Tove Johanssen. Tous employés de Ming… Ils ont été interrogés. Carrie Law avait brièvement travaillé avec eux au département d'intelligence artificielle. Tous trois ont confirmé que Carrie Law était une fille discrète mais qui semblait avoir des problèmes ; tous ont noté les hématomes certains matins sur ses bras et une fois sur son visage, ainsi que son air triste. Mais rien d'autre. Ils ne connaissaient pas ses fréquentations, ils n'ont pas posé de questions.

Chan rembobine. La foule reprend son étrange agitation à rebours et, pendant une seconde, il se demande comment ce serait si on pouvait rembobiner toute sa vie de la même façon : où il arrêterait la sienne pour la faire repartir en avant et changer quelque chose.

Soudain, il fait pause. Il s'est déjà arrêté sur ce moment à plusieurs reprises. Carrie Law parle à un Chinois. Élégant mais un air de voyou, la quarantaine. Chan le connaît. Julius Ming. Le fils. Le premier suspect… *De quoi parlent-ils ?* Julius sort quelque chose de sa poche et le dépose dans la paume de Carrie. Chan se penche sur l'écran. On a retrouvé les traces d'un puissant relaxant dans l'estomac de Carrie Law – et de nombreuses autres substances dans son sang et ses cheveux. En revanche, aucune trace d'achats de came en ligne. Julius Ming était-il son fournisseur ? Au moment où elle s'écarte de lui, il lui caresse la joue du bout de l'index. Son geste est tendre et l'index de Julius se termine sur les lèvres de Carrie, qui se détourne. Est-ce lui l'homme dont a parlé Ronny Mok ? L'homme qui couchait avec Carrie Law en son absence…

La seconde suivante, Carrie se mêle à la foule, tournant le dos à Julius, qui la suit des yeux. Nouvel arrêt sur image. Chan déplace le curseur, faisant glisser l'image fixe de gauche à droite, puis il zoome. *Là.* Au milieu des invités, une tête blonde dépasse. Un regard froid qui semble émettre des rayons X. Il rembobine. Arrête de nouveau l'image. Le même regard quelques secondes plus tôt. Et là, et là encore… Une personne paraît s'intéresser de très près à Carrie Law et ne la quitte pas des yeux : Tove Johanssen.

L'ORAGE TOURNE AU-DESSUS de la péninsule de Sai Kung. Les éclairs cisaillent la nuit, illuminent les bâtiments du Centre et la villa au sommet de la colline, entre les pins. De la lumière brille derrière deux des fenêtres du premier étage, sous l'avant-toit de tuiles vernissées. Les appartements de Ming Jianfeng.

Assis à la tête du grand lit surélevé en bois sculpté, drapé dans sa robe de chambre en soie damassée, immobile telle une araignée dans sa toile, Ming vient de donner un ordre à Ismaël et il attend. Le sang bat lourdement à ses tempes, comme si sa peau était à vif, comme si son corps tout entier anticipait le plaisir à venir ; l'orage qui gronde à l'extérieur répond à la tempête qui couve dans ses entrailles.

Enfin, on cogne à la porte, et ce seul bruit provoque chez lui un début d'érection.

— Entre !

La porte s'ouvre et Amihan, la jeune épouse de son majordome, fait une entrée timide dans la chambre, revêtue d'un *barong tagalog*, une tunique traditionnelle philippine en soie blanche boutonnée devant, qu'elle porte par-dessus une ample jupe aux couleurs vives tombant à la façon d'un rideau sur ses pieds. On devine la courbe gracieuse de ses épaules à travers la soie, la minceur de ses bras, la finesse de ses os – mais aussi le ventre rond et les seins alourdis par la grossesse.

Ming en a soudain la gorge sèche, il sent un frisson délicieux le parcourir, comme si ses nerfs étaient les cordes d'un sensible instrument de musique, et il avale ce qui lui reste de salive, tandis que ses paupières s'étrécissent dangereusement.

— Amihan, dit-il d'une voix suave, te voilà de retour parmi nous. Quel bonheur. Je me réjouis que tu ailles bien…

Amihan incline la tête.

— Merci, monsieur.

Dieu qu'elle est belle avec son cou de cygne, ses hautes pommettes, ses yeux bruns et cernés de longs cils noirs, ses cheveux brillants et sa jeunesse – sans parler de cette voix rauque, émouvante, remplie bien malgré elle d'une sensualité qui promet des plaisirs variés. Que peut donc faire quelqu'un comme Ismaël d'une telle beauté dans son lit ? Autour d'elle, l'ombre subsiste dans les recoins de la chambre faiblement éclairée.

— Ismaël et moi, nous étions très inquiets. Mais l'enfant est sauf et la mère aussi. Et te voici de nouveau chez toi, Amihan : *dans cette maison…*

Elle incline encore une fois le menton. Tout dans son port et dans sa voix témoigne de la même modestie, mais Ming n'est pas dupe : il pressent que ce n'est qu'un déguisement, il flaire derrière cette attitude une fierté, un orgueil et un mépris démesurés. Tant mieux… Un coup de tonnerre retentit non loin de là, fait trembler la porte-fenêtre, et il voit Amihan tressaillir. Elle se tient au bout du lit, les bras ballants, attendant qu'il l'autorise à se retirer. Le cœur de Ming cogne à grands coups dans sa poitrine quand il rouvre la bouche.

— Déshabille-toi, ordonne-t-il soudain.

Elle lève vers lui ses yeux de biche effarouchée, incrédules, se demandant de toute évidence si elle a bien entendu.

— Pardon, monsieur… ?

— Déshabille-toi. Entièrement. *Mets-toi nue.*

Il lit la stupeur, la frayeur et la douleur dans son regard, et il boit à cette source délicieuse.

— Monsieur, s'il vous plaît, je…

— Tais-toi.

— S'il vous plaît, monsieur, ne…

— Je t'ai dit de te taire !

Le ton a changé. Il n'y a plus le moindre soupçon de tendresse en lui et sa voix implacable emplit tout l'espace. C'est une voix qui n'autorise aucun refus, qui exige une soumission absolue, une allégeance totale, une obéissance sans limites. Il voit qu'elle est saisie de tremblements. Elle hoche la tête, élève ses deux mains gracieuses jusqu'à son col et commence à déboutonner le *barong*. Ming Jianfeng se passe la langue sur les lèvres. Les doigts tremblants de la jeune femme défont un bouton, deux, trois, descendent, puis elle écarte les pans du *barong*. La soie glisse comme un liquide sur sa peau, et il distingue le dessin d'une clavicule, la dépression du sternum, la merveilleuse générosité de cette poitrine alourdie qui garnit les bonnets de coton – suffisamment fins pour qu'il discerne le relief des mamelons.

— Le soutien-gorge…

Sa voix est glaciale, à présent. Elle se mord la lèvre. La soie du *barong* volette vers le sol. Les mains dans le dos, bras tordus, elle dégrafe le soutien-gorge. À aucun moment Amihan ne regarde dans sa direction : elle fixe un point sur le mur. Une larme roule sur sa joue quand elle libère ses seins de future mère, et Ming expulse un peu d'air entre ses lèvres. Elle est nue jusqu'à la taille. Le faible éclairage souligne d'ombres profondes ses seins lourds, le dessin de ses côtes.

— Enlève tout.

La voix du Chinois la mord comme un fouet. Elle obéit, les joues et le menton mouillés de larmes. Lorsqu'elle est entièrement nue, fragile, vulnérable, sous son œil de prédateur, il contemple entre ses épaisses paupières d'iguane le ventre aussi rond et tendu qu'un tambour, les hanches larges, les seins, les cuisses graciles et le sexe lisse, pareil à un coquillage. Repousse la couette, dénoue la cordelière de sa robe de chambre et libère son membre érigé et en feu – absorbant toute cette jeunesse et toute cette beauté.

Buvant à la source même du Mal.

23

IL FALLUT UNE SEMAINE à Moïra pour prendre ses marques. Sa routine était désormais bien réglée. Chaque journée débutait de la même façon : son bracelet intelligent la tirait du sommeil à 5 h 30, une demi-heure plus tard elle était dans le métro et, à 7 h 30, au Centre, elle mettait en route la cafetière intelligente et profitait du calme pour avancer dans son travail. De 9 heures à 10 heures, le département IA se remplissait et, à partir de 10 heures, l'activité battait son plein et le chaos régnait, comme si chaque jour se jouait une finale de Coupe du monde.

Puis, entre 20 heures et 22 heures, la marée refluait. Moïra s'en tenait à sa décision initiale : elle arrivait la première et repartait la dernière. Le soir, quand elle franchissait la porte de sa chambre d'hôtel, elle se précipitait sous la douche, allumait la télé et s'écroulait d'épuisement sur son lit, mais demeurait incapable de s'endormir avant 1 ou 2 heures du matin. Elle commençait à ressentir les effets de ces cadences harassantes et de son manque de sommeil.

Un mercredi de la mi-juillet, quinze jours après son arrivée, elle s'autorisa pour la première fois à sortir plus tôt : elle avait reçu un appel de l'agence immobilière de Happy Valley qui aidait les employés de Ming Inc. à dénicher un logement. Ils en avaient un à lui montrer. Quitter pour une fois le Centre avant que la nuit tombe lui fit un drôle d'effet – un peu comme si elle faisait l'école buissonnière – et lui procura un étrange sentiment de légèreté et d'insouciance. Elle franchit joyeusement le portique à l'entrée, mais son enthousiasme retomba très vite : pas de minibus en vue, l'esplanade était déserte… À la place, à cinq mètres de là, un monstre rouge au carénage surbaissé, avec une gueule de requin en guise de capot : elle ne connaissait rien aux voitures de sport, mais ce monstre devait avaler la route. Un Chinois était appuyé contre le bolide. La quarantaine, svelte, en jean et polo, il fumait en la regardant et lui adressa un petit salut. Elle le lui rendit distraitement et s'assit sur le banc de l'Abribus, scruta le ciel menaçant où traînait l'écho lointain du tonnerre et sortit sa tablette.

Elle le vit à la dérobée s'avancer dans sa direction. Il portait des anneaux d'or à quatre doigts de chaque main et autour du poignet une montre, sans doute de grand prix si la voiture était à lui.

— Il vient de partir, dit-il quand il fut assez près. Tu vas où ?

— J'attendrai le prochain, répondit-elle en se replongeant dans sa tablette.

— Je m'appelle Julius, insista-t-il. Alors c'est toi la dernière merveille recrutée par mon père ? Tu es Moïra ?

Elle leva les yeux. C'était peut-être une technique de drague, mais savoir que le fils de Ming connaissait son prénom et l'entendre lui associer les mots

« dernière merveille » ne lui en procura pas moins un frisson agréable.

— Votre père vous a parlé de moi ?

— Je fais partie du conseil d'administration et je le seconde dans un certain nombre de tâches. Le département d'intelligence artificielle, comme tu le sais, c'est le saint des saints chez Ming Inc.

Moïra serra la main qu'il lui tendait. Corps athlétique, démarche souple – il devait faire pas mal de sport.

— Alors, tu vas où ? demanda-t-il. Je vais à Wan Chai, mais je peux te déposer quelque part.

— Wan Chai, ça me va.

Julius Ming consulta sa montre. Une Audemars Piguet : c'était écrit sur le cadran. Ils se mirent en marche vers le monstre.

— C'est quoi ? dit-elle. Une Ferrari ?

Il éclata de rire. Montra l'insigne sur le capot.

— Une Lamborghini Huracan Spyder. Ce n'est pas grâce à toi que DEUS va s'y connaître en bagnoles, hein ?

Cela la fit rire.

IL AVAIT DÛ REMONTER la capote à cause de la pluie. Après avoir traversé la péninsule de Sai Kung, les Nouveaux Territoires et Kowloon beaucoup trop vite au goût de Moïra, ils fonçaient maintenant dans le Cross-Harbour Tunnel, en direction de Wan Chai et de Causeway Bay, et elle avait la sensation d'être une balle dans le canon d'un fusil. Le moteur grondait comme celui d'une Formule 1 dans le tunnel et ça poussait drôlement dans le bas des reins : le V10 la plaquait contre son siège baquet à chaque accélération. Et pourtant, la fatigue aidant, elle oublia la vitesse, les coups de klaxon et le rugissement des moteurs pour fermer un instant les yeux.

— Tu as l'air épuisée, lança Julius Ming à côté d'elle.

Elle les rouvrit.

— J'ai travaillé quatorze heures par jour ces deux dernières semaines. Plus mes trois heures de transport quotidiennes.

— Tu devrais lever le pied. Le but de Ming n'est pas que tu te tues à la tâche et que tu te crames tout de suite.

Elle opina. Ses paupières continuaient de papilloter et elle les massa. Elle regarda le cadran de son bracelet : il indiquait une tension de 9/3.

— Jette un coup d'œil dans la boîte à gants, dit-il.

— Hein ?

— La boîte à gants.

Elle tendit la main. Les lumières du tunnel glissaient rapidement sur le pare-brise. Elle aperçut un petit flacon en verre rouge.

— Prends le flacon.

Elle obéit. Vit des pilules à travers le verre.

— Qu'est-ce que c'est ?

— Un stimulant.

— Quel genre de stimulant ? demanda-t-elle prudemment.

— 3-MMC. Avec ça, tu vas retrouver la pêche, ta fatigue disparaîtra d'un coup et tu te concentreras plus facilement. C'est la solution à tous tes problèmes. Et… ça décuple aussi les sensations pendant les relations sexuelles…

Elle le dévisagea. Ses yeux brillaient dans la pénombre de l'habitacle et il lui souriait. Le fils de Ming Jianfeng avait un air séduisant de voyou avec sa queue-de-cheval et sa cicatrice à la lèvre supérieure qui pouvait être le souvenir d'un bec-de-lièvre comme la conséquence d'une bagarre.

— Désolée, je ne prends pas de drogues.

— C'est toi qui vois… Je vais te donner mon numéro – au cas où tu changerais d'avis. Tu as dit Wong Nai Chung Road, c'est ça ? Comme ce n'est ni le jour ni l'heure pour jouer aux courses, je suppose que tu vas voir Alexandra.

— Qui est Alexandra ?

— Elle dirige une agence immobilière à Happy Valley. Elle est très bonne. Nous lui envoyons tous nos employés.

Julius tourna la tête vers elle au moment où ils jaillissaient hors du tunnel.

— Tu as énormément travaillé ces derniers temps. Ça te ferait du bien de te détendre un peu. Je donne une fête samedi soir. Lester, Ignacio, Tove et d'autres du département IA y seront. Et ça se passe dans ton hôtel, à l'Ozone. Je l'ai privatisé pour l'occasion. J'espère que tu viendras.

— C'EST LÀ, DIT-IL en se garant le long du trottoir.

Il pleuvait des cordes et elle distingua l'anneau du grand hippodrome noyé sous l'averse. Elle tourna son regard de l'autre côté : une vitrine d'agence immobilière tapissée d'annonces entre des terrasses de restaurants.

— Bonne chance ! lança-t-il avant de redémarrer sous le déluge, dans le rugissement strident de son V10.

Assise à la terrasse au premier étage du Staunton, à l'angle de Shelley et de Staunton Street, la superintendante Jasmine Wu aspire avec sa paille son verre de yuenyeung, puis elle lève les yeux vers les deux flics assis en face d'elle.

— L'ICAC nous a donné un os à ronger, je ne sais pas ce que ça vaut, dit-elle. Ils pensent que cette fille pourrait nous servir, mais ils n'ont encore rien tenté.

Elle pousse son téléphone vers eux : sur l'écran, une jeune femme dans la trentaine, cheveux châtains, occidentale.

— Elle travaille chez Ming depuis deux semaines. Elle vient de débarquer à Hong Kong. Elle s'appelle Moïra Chevalier. Française.

Chan regarde l'écran. La trouve jolie. L'averse crépite sur le parasol.

— Qu'est-ce qui leur fait penser que cette fille pourrait nous aider ?

— Pas grand-chose. Elle est nouvelle. Elle a l'air un peu paumée. Elle se tue à la tâche…

— Elle sort dans les bars ? Elle boit ? Elle drague ? Elle se drogue ? demande Elijah. Elle a déjà été avec des hommes depuis qu'elle est ici ? Des femmes ?

— Pas à ma connaissance… Elle est assez solitaire et renfermée au contraire, d'après eux.

— Ça, c'est intéressant, dit Chan. Elle s'est fait des amis ?

— D'après l'ICAC, non. Elle est très secrète.

— C'est bien. Elle risque de se sentir isolée, d'avoir besoin de parler à quelqu'un, réfléchit à voix haute le jeune policier. Ils l'ont déjà approchée ?

— Une fois. Au bar de l'Ozone. Ils lui ont fait comprendre qu'il se passait des choses graves chez Ming et qu'elle avait intérêt à collaborer si elle ne voulait pas s'attirer d'ennuis.

— Et comment elle a réagi ?

— Elle les a envoyés promener…

— Et c'est tout ? Ils n'ont personne d'autre ? Je croyais qu'ils avaient réussi à infiltrer Ming.

Jasmine Wu fait la grimace.

— Eh bien, pour l'instant, c'est tout ce qu'ils sont disposés à nous donner… Je suis désolée… Moi aussi, j'espérais quelque chose de plus consistant.

La voix de Chan se fait sinistre tout à coup :

— Convaincre cette fille de nous aider, d'obtenir des informations, ça va prendre des semaines… Si tant est que nous parvenions à l'enrôler, qu'elle se laisse amadouer… En plus, elle vient d'arriver, il y a peu de chances pour qu'elle ait accès à des informations importantes – et nous ne disposons pas de ce temps… C'est un tuyau percé.

— Vous croyez qu'il peut frapper de nouveau, c'est ça ? demande la superintendante en balayant des yeux la terrasse et les façades environnantes, comme si le prince noir de la douleur était planqué quelque part, à les observer.

— Pas vous ?

24

DU STRATIFIÉ ROUGE, GRIS, SABLE, des murs fraîchement repeints, de l'acier inoxydable, du parquet, des éclairages LED sous les placards suspendus de la cuisine Gaggenau et dans les faux plafonds, une baie vitrée qui laisse entrer la lumière. Moïra était agréablement surprise. On lui avait dit qu'à Hong Kong les appartements étaient très souvent sombres et exigus, mais celui-ci ne manquait pas d'atouts.

Le prix était élevé, très élevé même, cependant la firme verserait la moitié du loyer, et elle bénéficiait d'une remise de 10 %, comme le lui avait dit Ming Jianfeng.

L'appartement de cinquante-cinq mètres carrés donnait sur Po Shin Street, au quinzième étage, à deux pas du champ de courses. Elle revint vers la cuisine, de mêmes dimensions que le séjour mais pourvue d'une fenêtre de la taille d'un hublot. La chambre et la salle de bains en revanche étaient minuscules. Enfin, compte tenu de la situation de l'immobilier à Hong Kong, c'était sans doute le mieux qu'elle pouvait espérer, qui plus est dans un quartier agréable, où vivaient de nombreux expatriés.

— Alors ? demanda la femme de l'agence en guettant sa réaction.

Moïra avisa une « smart TV » de marque Ming dans un coin du salon. Le reste du mobilier était sobre et fonctionnel. On avait un peu l'impression d'être à l'hôtel, mais elle se sentait déjà mieux ici, dans ce quartier vivant et presque « européen », qu'exilée au cent treizième étage d'un palace de Kowloon.

— Quand est-ce que je peux entrer dedans ?

— C'est le premier que vous voyez, fit observer la femme. J'en ai deux autres à vous montrer. Tous ont été choisis en fonction des critères fournis par Ming.

Pendant une fraction de seconde, elle se demanda quels étaient les critères en question – car elle se sentait véritablement chez elle ici.

— Pas la peine, dit-elle. Celui-ci me convient. Vous savez s'il y a d'autres employés Ming dans cet immeuble ?

— La moitié des locataires au moins travaillent pour Ming, répondit Alexandra en se dirigeant vers la porte d'entrée.

Elle claqua la porte blindée derrière elles. Dans le couloir, elles rejoignirent les ascenseurs. C'est alors que Moïra remarqua le ruban bleu et blanc qui condamnait l'une des portes ; elle n'y avait pas fait attention en sortant de l'ascenseur. Il était écrit « POLICE CORDON, DO NOT CROSS » sur les parties blanches, alternativement en anglais et en chinois.

Moïra le fixa.

— Qu'est-ce qui s'est passé ? demanda-t-elle.

Alexandra lui jeta un regard prudent.

— Une triste histoire, répondit la directrice de l'agence après un temps. Un des locataires s'est... humm... suicidé.

— *Suicidé ?*

Moïra eut l'impression que le mot trouvait un écho, se répercutait au fond de son cerveau, comme sur les parois d'un tunnel.

— Oui… il a emprunté cet ascenseur… il est monté sur le toit et il… s'est jeté dans le vide.

Un frisson la parcourut.

— Il habitait à quel étage ?

— Vingt-sixième.

— L'accès au toit n'est pas verrouillé ? s'étonna-t-elle.

La femme hésita puis, après un moment, hocha la tête.

— Si… mais il semble qu'il avait réussi à se procurer un passe.

— Le gardien à l'entrée, fit-elle remarquer, il ne l'a pas vu pénétrer sur le toit, avec toutes ces caméras ?

— Je n'en sais rien, confessa Alexandra. Je suppose que la police l'a interrogé à ce sujet.

Elle n'avait manifestement aucun désir de prolonger cette conversation. Quand elles sortirent de la cabine, le gardien, un homme massif dans la cinquantaine, une casquette trop petite vissée sur son crâne, les regarda passer. Il était assis derrière un comptoir en L, une batterie d'écrans de télévision en circuit fermé palpitait dans son dos.

— Vous voulez toujours louer ? hasarda la femme une fois sur le trottoir.

Une voiture de police remonta la rue dans le hurlement de sa sirène.

— Oui. Bien sûr.

— Dans ce cas, nous allons retourner à l'agence remplir les papiers et constituer le dossier.

Moïra pivota vers la directrice de l'agence.

— Ce locataire, vous savez pour qui il travaillait ?
La femme hésita, lui lança un coup d'œil crispé.
— Pour Ming.

DU LAIT DE SOJA. Du raisin Kyohō. De l'igname de Chine. Et aussi de la citrouille mexicaine. De la feta. Des zucchini. Des tomates cerises de Hollande. Du melon Yubari de l'île de Hokkaido. Du chou chinois. Du tofu. Des bagels au sésame. Du vinaigre de pomme et de l'assaisonnement soja et wasabi, du jus carotte-pomme… Chan fait ses courses. Dans le *mall* de l'International Finance Center.

Ici, tout est importé et très cher. Encore plus pour un jeune policier comme lui, mais Chan a une obsession : manger sain, quel qu'en soit le prix. Il sort du supermarché City Super et, au Fusion Deli voisin, il achète de la salade de saumon fumé à l'avocat et à l'orge, de la salade de poulpe portugaise, des ailes de poulet teriyaki et de la soupe mexicaine au chili…

Le seul écart qu'il s'autorise, ce sont des chips de pomme de terre enrobées de chocolat Chuao, son péché mignon.

Ses emplettes terminées, Chan emprunte les passages couverts qui enjambent Lung Wo Road, puis la passerelle au-dessus de Connaught Road Central, traverse à pied le district financier jusqu'aux Escalator des Mid-Levels. Treize minutes plus tard, il déverrouille la porte de son appartement dans Stanley Street, à mi-pente, pose ses achats sur le minuscule comptoir de la cuisine, les range dans le réfrigérateur, débouche une bouteille de jus pitaya-fruit de la passion, porte le goulot à ses lèvres et se retourne vers le séjour.

Sur le mur principal, une constellation de Post-it, de petits papiers, de clichés se déploie, dessinant une galaxie de visages, de mots et de symboles. Parmi les visages : les quatre victimes du prince noir de la douleur – mais aussi Ronny Mok, Julius Ming, Lester Timmerman, Ignacio Esquer, Tove Johanssen, Ming Jianfeng…

Et quelques autres.

Il s'approche du mur, épingle un nouveau cliché : Moïra Chevalier.

En lui, le flic ambitieux, le fils rebelle et orphelin se mêlent.

Enfant, il considérait les terrasses et les rues en pente des Mid-Levels, à l'époque où cette poche d'histoire n'avait pas encore été livrée à l'appétit des promoteurs et aux bulldozers, comme son terrain de jeu. C'est dans ces rues qu'il a grandi, qu'il s'est frotté aux premières aspérités de la vie, celles qui laissent des cicatrices éternelles, celles qu'aucun amour, aucune réussite ne peut effacer. C'est dans ces mêmes rues que se planque aujourd'hui le prince noir de la douleur, silhouette sans visage, sans âme… *Qui est-il ? Comment vit-il ? Quel âge a-t-il ? Que fait-il de son temps ?*

Chan le voit ainsi : une forme à contre-jour sur laquelle il doit faire la lumière. Se demande s'il est comme lui. Un orphelin de père et de mère ? Un homme encore jeune que la vie a condamné au célibat ? Encore l'un de ces mensonges romantiques : le bel homme seul, indépendant, mystérieux, qui n'a besoin de personne, qui se suffit à lui-même – ce mythe qu'a popularisé ici la figure d'Alain Delon dans *Le Samouraï*. Un mystère éventé, une escroquerie : une telle solitude noble et altière n'existe pas. Dans cette ville bruyante et surpeuplée encore moins qu'ailleurs. Ici, être seul est une défaite, le symptôme d'un mal plus profond.

Il se demande ce qu'aurait pensé son père – cet homme qui aimait s'entourer d'amis et de maîtresses – de la vie de son fils… Certaines nuits, la solitude l'étouffe tellement qu'il est obligé de se rhabiller et de filer dans un salon de massage obscur où il s'abandonne à des mains étrangères et, tandis qu'allongé sur un matelas crasseux il éprouve la vigueur émolliente de ces mains sur son corps, les larmes coulent sur ses joues dans la pénombre.

Le jeune flic contemple la nébuleuse sur le mur du séjour. Il devine un ordre sous-jacent, une secrète relation entre ces variables. Car, ce qu'il a devant les yeux, c'est une équation. Répondre à la question « Qui a tué Priscilla Zheng, Sandy Cheung, Elaine Lau et indirectement Carrie Law ? » revient à déterminer l'unique valeur que peut prendre l'inconnue.

En dessous du schéma, il a tracé sur le mur un grand X.

Un de ces jours, il épinglera une photo dessus. Et il aura résolu l'équation.

25

À 22 HEURES MOINS CINQ MINUTES, le samedi suivant, le taxi exécuta un demi-tour serré et vint se garer sous la marquise du Ritz Carlton. Un chasseur se précipita et Moïra en jaillit pour s'engouffrer dans le hall. D'une femme du monde, elle avait au moins l'apparence avec sa robe, un bout de tissu noir et fluide qui s'arrêtait au-dessus du genou et moulait ses hanches et sa poitrine, la seule robe qu'elle possédât ici. Elle fit irruption dans la réception de l'Ozone inondée de lumière bleue, aussitôt agressée par un torrent de décibels. Deux gorilles endimanchés s'étaient joints aux filles derrière le comptoir – l'un d'eux portait une oreillette.

Quand elle s'avança sous la myriade d'illuminations du plafond, la fête battait déjà son plein. Quelques filles en lamé or ou argent dansaient entre les tables, d'autres invités étaient affalés dans les fauteuils, sur les sofas blancs et les poufs, des serveurs circulaient entre les convives qui gueulaient à qui mieux mieux pour se faire entendre malgré le déluge musical. Il y avait énormément de monde. Elle aperçut Julius entouré de Tove Johanssen vêtue d'une robe noire, qui ne souriait pas plus qu'au Centre, et d'une fille brune qui ressemblait à un top model venu d'un de ces pays où les femmes recourent très jeunes à la chirurgie esthétique. Julius tenait chacune par le coude tout en parlant avec animation à un groupe d'invités.

— Alors, tu es venue ? hurla une voix à côté d'elle.

Elle se tourna. Ignacio la guignait de ses yeux injectés, un verre de whisky à la main : visiblement, il ne l'avait pas attendue pour picoler.

— Suis-moi ! J'ai besoin d'en fumer une et de prendre l'air !

Ils traversèrent le bar en direction de la galerie à ciel ouvert ; elle ne reconnut pas la musique qui pulsait très fort mais vit un DJ dans un coin. Elle ressentait les basses jusque dans son ventre. Un grand **M** doré clignotait sur un écran géant, en alternance avec des clips musicaux. Ils émergèrent dans la galerie qui flottait cent dix-huit étages au-dessus du sol. Une sorte de condensation de lumière s'élevait autour des gratte-ciel, de l'autre côté de la baie, comme un brouillard phosphorescent. La nuit était toujours aussi nuageuse, mais il ne pleuvait plus, et la température était douce. Ignacio l'entraîna vers le fond, là où on pouvait échapper un tant soit peu à la musique.

— On n'a pas eu vraiment le temps de causer, hein, toi et moi, depuis que tu es arrivée ? gueula-t-il. Alors, tu te plais au Centre ?

— Beaucoup. Et toi ?

Il contempla son verre, qui était rempli presque à ras bord, à croire qu'il s'était servi lui-même, et fit tintinnabuler les glaçons à moitié fondus.

— Moi ? Je hais les Chinois.

Elle crut qu'elle avait mal entendu à cause du bruit.

— Tu quoi ?

Son haleine empestait le whisky lorsqu'il se pencha vers elle.

— JE HAIS LES CHINOIS ! cria-t-il sans égard pour leur entourage.

Elle jeta un coup d'œil autour d'eux, mais personne ne semblait leur prêter la moindre attention.

— Ne te fie pas aux Chinetoques ! Ce sont tous des putains d'hypocrites ! Ils ne disent jamais ce qu'ils pensent !

Moïra le scruta. Elle lut plus que de la colère dans ses yeux : une sorte de réprobation incandescente et farouche. Elle fit signe à un serveur qui s'avançait avec des flûtes de champagne, en saisit une.

— Tu as vu ce qui se passe quand tu parles à un Chinois ? lui demanda-t-il dès que le serveur se fut éloigné. Et tu verras en réunion : interdit de dire que Chang ou Wang ou Chen fait mal son travail, houlà, non ! Faut surtout pas porter atteinte à leur putain de « face », faut y mettre les formes, prendre des gants. T'as pas le droit de dire que Chang ou Wang est un branleur et un incompétent, très très mal vu, ça... Même si t'as raison. Et putain, tu sais que t'as raison, que ce peigne-cul se fout de ta gueule et qu'il vient juste de mentir devant tout le monde pour sauver les apparences, mais ça non plus t'as pas le droit de le dire.

Elle se demanda s'il avait eu maille à partir avec un Chinois récemment. Il fit un geste en direction de l'assemblée, comme s'il les mettait tous dans le même sac.

— Résultat, le type devant toi te raconte des salades, tout le monde autour de la table est au courant,

231

mais tous font semblant de les gober, pour permettre à ce con de sauver les meubles. Ils appellent ça *la face*… Tu trouves ça débile ? Moi aussi ! Mais c'est comme ça que ça se passe avec les Chinois. Putain, je peux plus les encadrer.

Elle avait déjà entendu ce mot – « face » – mais elle ne savait pas ce qu'il recouvrait exactement.

— Ignacio te fait sa diatribe antichinoise ? demanda soudain une voix près d'eux.

— Va chier, Lester.

— Ignacio ne supporte pas les Chinois depuis qu'ils ont acquis 20 % de son club de foot préféré. On se demande ce qu'il est venu faire chez Ming, s'amusa le rouquin.

La Madrilène lui lança un regard mauvais.

— Va te faire enculer, Lester, dit-il en attrapant le bras de Moïra. (Il le serra si fort qu'elle grimaça.) Suis mon conseil ! dit-il soudain d'une voix plus grave, plus rauque, rentre chez toi tant qu'il est encore temps, *tu n'as pas idée de ce qui se passe ici…*

Elle vit le sourire de Lester s'évanouir.

— Ça suffit, dit celui-ci sèchement. Tu as trop bu…

Les deux hommes se toisèrent, puis Ignacio haussa les épaules et s'éloigna entre les invités. Moïra se tourna vers Lester :

— Qu'est-ce qu'il a voulu dire ?

— Rien. Il est ivre, c'est tout.

Elle allait ajouter quelque chose, mais Lester s'empressa d'enchaîner :

— Alors comme ça, nous sommes voisins ?

Elle lui jeta un coup d'œil interrogateur.

— J'habite dans le même immeuble. L'étage en dessous. Tove aussi. Et Vikram. Ignacio, lui, habite à

Causeway Bay. Tu verras : Happy Valley est un coin agréable, et il y a beaucoup de Français. Tu devrais t'y sentir chez toi.

Elle acquiesça. Tout à coup, la vision du ruban de police devant l'ascenseur lui revint en mémoire.

— Tu es au courant pour ce type qui s'est suicidé dans l'immeuble ? dit-elle.

Lester garda un moment le silence.

— Oui, bien sûr, tout l'immeuble l'est…

— C'était un employé de Ming.

— Oui.

— Tu le connaissais ?

Il cilla.

— Ouais… Il travaillait au département robotique.

— Tu sais ce qui s'est passé ?

Elle resta à le dévisager. Il avait l'air désorienté.

— Non… On dit qu'il était surmené, qu'il travaillait plus que de raison. Que sa petite amie chinoise l'avait plaqué. Ce genre de trucs… Mais j'en sais pas plus que toi… Je le connaissais à peine… En tout cas, ça n'a certainement rien à voir avec l'entreprise.

— Qu'est-ce qui te fait dire ça ?

— Eh bien, ça paraît évident, non ?

— Pas du tout, répliqua-t-elle. Si tu ne sais pas ce qui s'est passé, comment tu peux en être sûr ?

Mal à l'aise, il haussa les épaules.

— Je disais ça comme ça… Si on retournait à l'intérieur ? Je vais te présenter à d'autres personnes du Centre.

Elle repensa à la scène qu'elle avait surprise la nuit où elle avait oublié son téléphone – Regina Lim disant à Lester : « Elle cache quelque chose » –, et elle le suivit sans quitter sa nuque des yeux.

ELLE ÉTAIT IVRE. Elle le devina à l'espèce d'ébahissement rêveur qui s'était emparé d'elle. Elle avait fini par s'abandonner à l'effervescence ambiante, était passée du champagne aux vodkas-Martini tout en devisant avec un tas de gens qu'elle ne connaissait pas mais qui, pour la plupart, travaillaient au Centre. À un moment donné, elle avait beau partager leur enthousiasme, elle s'était quand même fait la réflexion qu'ils ressemblaient à une foutue secte avec leur discours naïf et formaté. Aussi bien, dans leurs bouches, les mots « révolution numérique », « données », « IA », « algorithmes » sonnaient-ils comme un dogme inébranlable, une religion qu'on ne pouvait remettre en question.

Tous avaient l'air de penser qu'ils étaient en train de préparer un avenir meilleur, un avenir radieux où l'homme serait intégralement connecté et vivrait dans le commerce permanent des autres, où la sécurité et la santé remplaceraient la liberté et la violence. Elle avait objecté qu'il faudrait peut-être demander son avis à l'humanité avant, mais ils l'avaient regardée comme si elle venait de proférer une incongruité.

À présent, elle observait les groupes qui se formaient et se défaisaient avec la distance et le scepticisme que confère l'ivresse. La musique avait encore augmenté, mais elle n'en ressentait plus les effets dans ses tripes.

Elle avait besoin d'air, aussi ressortit-elle sur la galerie. Quelques gouttes mouillèrent ses joues, qui lui firent du bien. Elle alluma une cigarette, la fumée apaisa une seconde son ventre douloureux. Elle se demanda si elle n'allait pas vomir.

— Ça ne va pas ? dit une voix à côté d'elle.

Elle se retourna.

— Si, si...

— Ça n'a pas l'air, fit Julius.

— Je crois que j'ai trop bu... Je ne me sens pas bien. Je pense que je vais rentrer.

Moïra sentit qu'il lui avait pris la main. Il l'ouvrit, plaça quelque chose dedans et referma ses doigts dessus.

— Avale ça, dit-il, ça ira beaucoup mieux.

Elle rouvrit ses doigts, considéra le cachet au creux de sa paume. Leva les yeux vers Julius qui l'étudiait, et elle vit à l'intensité de son expression qu'il avait dû prendre quelque chose lui-même. Il avait l'air en pleine forme. Elle les baissa de nouveau vers la pilule.

— Qu'est-ce que c'est ?

— Avale. Tu verras. T'inquiète. Rien de bien méchant...

Ne le fais pas, dit la petite voix en elle. Mais l'alcool avait rendu cette voix extrêmement ténue, ce n'était plus qu'un écho agaçant à la périphérie de son cerveau, et une voix plus puissante venait la contredire. *Je pourrais en prendre une, rien qu'une. Et voir ce qui se passe. Après tout, j'ai déjà pris de l'ecstasy, une fois.*

Oui, et tu as failli crever et tu as cru que ton palpitant allait exploser, tu te souviens ?

Elle porta la pilule à sa bouche et la fit passer avec un fond de vodka-Martini. Vit Julius sourire de toutes ses dents.

— Génial, dit-il en la prenant par la main. Maintenant, viens. On va s'amuser un peu.

A-HA. LE FAMEUX GROUPE POP NORVÉGIEN des années 1980 dans les enceintes. Morten Harket au chant. Le type qui détenait le record mondial de la note tenue le plus longtemps dans une chanson pop : pas moins de vingt secondes dans *Summer Moved On*. Le beau vocaliste nordique aux yeux chinois. Et là, c'était leur tube mégacélèbre et ultrakitsch. *Take On Meeeee*. La musique déferlait. Assourdissante. Assise sur un canapé, elle se renversa en arrière, contre les coussins. Ferma les paupières. Elle se rendit compte qu'elle était couverte de sueur et que son cœur pulsait comme si elle était sur le point de faire une crise cardiaque. *Sentit une main se poser sur son genou*, rouvrit les paupières. Julius. Il s'était laissé tomber à côté d'elle.

— Ça va mieux ?

La main du fils Ming était sur sa cuisse.

— Non, dit-elle. Pas du tout.

Il rit. Elle tourna la tête, chercha des yeux Lester et Ignacio, mais ils avaient disparu. Seule Tove était encore là. Moïra croisa le regard glacial de la Norvégienne, qui ne dansait pas, qui l'épiait, et elle frissonna.

Julius se pencha à son oreille.

— Tu as vu comment ce type te fixe ?

Elle cilla tel un hibou, essayant de se concentrer sur le petit homme qu'il lui désignait, assis en face d'elle, seul sur un canapé trop grand pour lui. Il devait avoir dans les soixante ou soixante-dix ans. Elle se fit la réflexion que c'était l'un des êtres les plus curieux qu'elle eût jamais vus. Son corps semblait celui d'un enfant mais sa tête énorme reposait sur ses épaules comme une citrouille qui aurait été aplatie par une presse hydraulique : elle était plus large que haute.

Le petit Chinois à grosse tête souriait béatement en tirant sur une paille plongée dans un verre rouge sang, du jus de tomate ou plus certainement un bloody mary. Car ses yeux luisants et ensommeillés disaient qu'il était complètement soûl. Debout derrière lui, deux filles s'embrassaient.

— Qui est-ce ? demanda-t-elle d'une voix pâteuse, et il lui sembla qu'elle étirait démesurément chaque syllabe.

— L'une des plus grosses fortunes de Chine. Électroménager et climatiseurs. La moitié des climatiseurs de Hong Kong sont fabriqués par son groupe. Il a aussi pris des positions significatives dans les réseaux électriques portugais, italien et grec, et a annoncé son intention d'entrer au capital de 50Hertz en Allemagne et d'Engie en France. Il pèse 115 milliards de yuans. Pas mal, non ?

C'était un sacré poids pour une si petite personne, se dit-elle stupidement.

— Et là-bas, poursuivit Julius sur sa lancée, en désignant un jeune homme très corpulent à la chemise ouverte, froissée et tachée de sueur, c'est le plus gros fabricant de voitures de Chine. Celui-là pèse 110 milliards de yuans. Et cent cinquante kilos. À trente-cinq ans. Il vient d'acquérir plusieurs vignobles dans le Bordelais, dont un saint-émilion grand cru, il a aussi acquis 13 % d'un constructeur automobile français.

Elle essaya de se secouer et fit un violent effort pour se concentrer sur les paroles de Julius.

— Celui-ci, c'est Li Wenxuan, dit-il. (Il montrait un autre groupe, et elle ne sut exactement à quel personnage il faisait référence.) Tourisme, hôtellerie et divertissement. Lui et son père sont les plus importants propriétaires d'hôtels cinq étoiles et de salles de cinéma au monde, y compris aux États-Unis. Ils possèdent aussi un grand groupe hôtelier français, ont acheté un studio hollywoodien, et ils ont essayé de racheter la société qui produit les Golden Globes…

La main de Julius était un peu remontée, et elle la repoussa mollement.

— Là, c'est Tang. Il a acheté un Picasso pour 28 millions de dollars l'année dernière, et aussi des Corot, des Chagall, des Delacroix… Il n'est pas le seul : Renoir, Rembrandt, Rodin, Monet, Van Gogh… de plus en plus de chefs-d'œuvre prennent la direction de la Chine.

Moïra avait du mal à respirer.

— Il y a six milliardaires ici ce soir, continua-t-il. Tous investissent massivement à l'étranger. On appelle ça le *zouchuqu*, l'« esprit de conquête »… Grâce à ses gigantesques excédents commerciaux, la Chine dispose d'une réserve de 3 000 milliards de dollars : elle peut acheter n'importe quoi. D'immenses étendues de terres agricoles en Amérique du Sud, en Afrique, en Asie mais aussi aux États-Unis et en Europe. En Australie, le plus grand ranch du monde est chinois. Aux États-Unis, le plus grand fabricant de hot-dogs a été racheté par un groupe chinois… En France, ce sont non seulement des usines, des vignobles, mais aussi des milliers d'hectares de terres céréalières, de grands groupes de mode, des parcs d'attractions… Nous achetons aussi des clubs de foot : l'Inter Milan,

Aston Villa, Manchester City, Atlético de Madrid, OGC Nice… Nous rachetons l'Occident morceau par morceau, Moïra. Notre appétit est sans limites.

Mince, à l'entendre, la Chine était en train de racheter la planète. Dans un éclair de lucidité, elle se demanda si cet « esprit de conquête » pourrait un jour devenir guerrier. Après tout, Ming Jianfeng lui avait bien dit que la Chine possédait désormais la plus grande armée du monde en termes d'effectifs.

— Et votre père, il ne vient pas ? demanda-t-elle au ralenti, la langue gonflée et la voix traînante.

Elle avait dû dire quelque chose qui ne lui avait pas plu car il lui lança un regard mauvais. Sa main se retira.

— Mon père a d'autres occupations, laissa-t-il tomber froidement.

Elle fut surprise par la sécheresse du ton. Sur ces mots, il se leva. Elle n'avait qu'une envie : partir. Partir d'ici. Ou à la rigueur s'allonger quelque part loin du bruit et fermer les yeux. Faire cesser ce déferlement. La sueur collait ses cheveux à son front.

Elle se leva. Tangua. Se rassit tout de suite sur les coussins. Bon sang, que lui avait-il donné ?

Ça, ma chérie, c'est un peu tard pour se poser la question, tu ne crois pas ?

Elle mourait de soif. Elle tendit la main vers son verre. Le heurta. Le verre roula avec un bruit rond, répandant son contenu sur la table blanche et brillante. Elle observa le liquide ambré qui se déversait. *Merde, je suis ivre et défoncée…*

Moïra refit une tentative. Cette fois, elle parvint à se lever, malgré un équilibre instable – elle regrettait d'avoir mis des talons –, et elle se dirigea vers les toilettes en ayant la sensation de flotter. Sans cesser de tituber, elle franchit la porte des toilettes pour dames, l'envoyant rebondir contre le mur. Les surfaces éclatantes – une bulle éblouissante d'émail, de néons et de miroirs – l'aveuglèrent et elle cligna des yeux, hébétée, mais ce fut autre chose qui la stoppa net : Tove Johanssen était assise au milieu des lavabos, entre deux vasques, les cuisses écartées, penchée en arrière, les épaules et la nuque appuyées contre le miroir derrière elle. La géante blonde avait les paupières closes et la bouche ouverte sur un râle. Ses mains étaient posées sur la grosse tête aplatie du petit sexagénaire chinois, lequel, courbé en avant, avait le visage enfoui entre les cuisses blanches de la grande Norvégienne.

Moïra fixa ce tableau, incrédule : les seins sortis, mamelons dressés, et la robe noire remontée jusqu'au ventre, tout cet étalage impudique de chair pâle et satinée.

Un mouvement sur sa gauche. Un cabinet était ouvert. À l'intérieur, assis sur la cuvette, Julius Ming posait sur la scène qui se déroulait devant lui un regard indifférent et vitreux ; il y avait de la poudre blanche sur le revers de sa veste.

Elle essaya de mobiliser le peu de lucidité qui lui restait. Mais la drogue ralentissait son cerveau, rendait tout indolent et ouaté. Même cette scène grotesque – un sexagénaire d'un mètre cinquante broutant une Scandinave de près de deux mètres – ne parvenait pas à la tirer de sa torpeur.

Elle chancela. S'appuya contre le carrelage du mur. Le froid des carreaux la réveilla un peu. La sueur lui coulait sur les tempes. Tove tremblait et gémissait sous les coups de langue du Chinois.

Sur son trône, Julius tourna la tête et découvrit sa présence.

— *Moïraaaaaa ?*

Elle partit à reculons, heurta méchamment ses reins contre la poignée de la porte, l'ouvrit et ressortit. Fonça à travers le bar, fendant la foule et les vagues sonores qui déferlaient.

— Moïra ! lança-t-il derrière elle.

Elle s'engouffra dans l'ascenseur ; Julius y entra à l'instant où les portes se refermaient.

— Où tu vas ?

Soudain, il fut contre elle, collant durement sa bouche à la sienne tandis que la cabine descendait. Ses lèvres avaient un goût amer et elle comprit que cela devait venir de la coke qu'il avait frottée sur ses gencives. Elle le repoussa de toutes ses forces dans l'espace confiné.

— Laissez-moi !

Parvenue au cent troisième étage, elle traça à travers le lobby, mais elle était incapable de marcher droit ; elle enfila le large couloir qui menait à l'autre ascenseur, appuya frénétiquement sur le gros bouton d'appel carré.

Julius la rejoignit, l'attrapa par la taille.

— Arrête de faire des manières si tu veux de l'avancement.

Quand les portes s'ouvrirent sur la grande cabine, elle le repoussa violemment et fit trois pas à l'intérieur. Le silence, le martèlement du sang dans ses oreilles. Il n'y avait donc personne dans cet hôtel pour venir à son aide ? Il inspecta le couloir, marcha vers elle. Elle recula. Les portes ne se fermaient pas, elle se souvint vaguement qu'elles tardaient toujours à le faire. Se cogna à la paroi.

La seconde d'après, il la plaquait contre la cloison, écrasait de nouveau sa bouche sur la sienne. *Il allait la violer, là, à quelques mètres de la réception...*

— Julius, laissez-moi, je vous en supplie...

Brusquement, des pas retentirent et Moïra vit une silhouette s'encadrer entre les portes, puis pénétrer dans la cabine. Le nouveau venu toussa et Julius se retourna pour lui jeter un coup d'œil. Bien que chinois, celui qui venait d'entrer semblait fort bien s'accommoder du contact visuel, car il ne quittait pas Julius des yeux. Le fils Ming lui lança quelque chose en mandarin ou en cantonais, mais sa réprimande fit long feu et l'inconnu continua de le fixer froidement : un défi évident.

Moïra vit alors la queue-de-cheval de Julius se balancer quand celui-ci la lâcha pour pivoter et se diriger droit sur l'intrus. Cette fois, il lui parla en anglais.

— Qu'est-ce que tu regardes ?

Elle détailla le nouveau venu : il était à peu près de la même taille que le fils Ming – et il ne baissait nullement les yeux.

— C'est moi que tu regardes, fils de pute ? Tu sais qui je suis ?

La voix de Julius avait grimpé d'une octave. Grinçante, hystérique. Son corps tendu comme un ressort. Puis il se détendit d'un coup, rompant les chiens.

— T'es un flic, c'est ça ? Ouais, c'est ça... un putain de flic hongkongais...

242

Cette constatation parut ramener le calme. La cabine s'immobilisa, les portes s'ouvrirent. Moïra en profita pour jaillir hors de l'ascenseur. Elle pressa le pas vers la sortie, entendit la voix de Julius derrière elle qui la hélait :

— Tu reviendras me chercher, Moïra ! Comme toutes les autres ! Tu verras !

Elle fit encore quelques pas, s'arrêta au milieu du rez-de-chaussée, les jambes trop flageolantes pour continuer à avancer, la respiration courte, en proie à un vertige. Entendit les pas qui la rejoignaient.

— Ça va ?

Le Chinois de l'ascenseur. Elle leva la tête, le détailla. Plutôt beau gosse. Pour qui aimait le genre jeune premier. Des cheveux de jais qui se dressaient sur le sommet du crâne, des traits fins, de longs cils. Un faux air de dureté, mais sans rien de brutal. Dans les trente ans.

— Oui… ça va…

Il la prit d'autorité par le bras – un geste doux et amical cependant, qui ne l'effraya pas, qui la rassura au contraire – et l'entraîna dehors, la dirigeant vers un taxi rouge garé devant le pupitre sur le trottoir. Elle aperçut la tour Ming qui commençait à s'habiller d'une jupe de verre mais, là-haut, dans les cieux, le squelette de poutrelles d'acier et d'échafaudages en bambou grimpait toujours plus vers les nuages.

Il ouvrit la portière arrière, lança quelque chose en cantonais au chauffeur.

— Je… Qu'est-ce que vous lui avez dit ? demanda-t-elle.

— Je lui ai donné votre adresse.

Elle leva vers lui un regard surpris. Elle était presque aussi grande que lui.

— Comment vous… connaissez… mon adresse… ?

Sans répondre, il lui glissa dans la main un carton et la poussa doucement à l'intérieur du véhicule. Elle perdit l'équilibre et s'affala sur la banquette.

— Rentrez chez vous. Vous êtes ivre. Il faut vous reposer.

26

— Bonjour, Moïra.

— Bonjour.

— Bien dormi ?

— DEUS, je ne t'avais pas demandé de ne plus me poser la question ?

— Désolé. Il y a eu un changement de programme : tu as un petit déjeuner avec M. Ming.

Elle se dressa sur son séant, contempla la seule décoration de la chambre face au lit, un poster en noir et blanc qu'elle avait apporté de Paris, représentant des crânes de pirate pixellisés. Il était écrit en dessous :

NUIT DU HACK 16 – INVASION

Save the Date : 30 juin-1er juillet

Ouvert à tous les technophiles curieux : néophytes (Noobz)

ou avertis (L33+)

Un wargame public et un CTF privé auront lieu toute la nuit,
en individuel ou par équipes, pour les entités en manque de Pwn.

Conférences

Workshops

Bug Bounty Rulez

Challenges

— Un petit déjeuner ? À quelle heure ?

— 9 h 30 à la villa. Tu as tout le temps. Comment te sens-tu ?

— Merde ! s'énerva-t-elle. Tu vas me lâcher avec ça à la fin ?

— Te *lâcher* ?

OK, il faudrait peut-être lui apprendre à se décoincer un peu côté langage, songea-t-elle.

VINGT MINUTES PLUS TARD, elle pénétrait dans l'ascenseur : il était beaucoup plus petit que celui du Ritz Carlton, mais elle ne pouvait s'empêcher de penser à ce qui s'était passé une semaine plus tôt. Elle n'avait pas recroisé Julius depuis. Ni au Centre ni ailleurs. Elle s'était interrogée sur la conduite à tenir. Le lendemain de la fête, elle avait même envisagé de rentrer à Paris. Eût-elle été en France qu'elle aurait porté plainte – mais ici ?

Elle avait aussi repensé au jeune flic. À la carte dans sa poche. *Il n'était pas là par hasard…* C'était la deuxième fois que des policiers croisaient son chemin et, chaque fois, d'une manière ou d'une autre, il était question de Ming Inc.

Il n'y avait pas de métro dans Happy Valley, aussi emprunta-t-elle le tramway sur Wong Nai Chung Road avant de s'engouffrer dans le métro à Wan Chai. Il fallait bien reconnaître que le réseau des transports en commun était exceptionnel à Hong Kong, même si les temps de trajet étaient interminables.

Comme la fois précédente, le majordome l'attendait sur la terrasse. Elle se retourna un instant avant d'entrer dans la villa. D'ici, on embrassait tout le campus. Les bâtiments blancs miroitaient dans le soleil. La sphère noire du centre médical et le bunker de béton de la sécurité dépassaient des vertes frondaisons. Elle aurait peut-être apprécié le spectacle, l'avenir radieux qu'il prétendait incarner, si les derniers événements ne l'avaient assombri.

Elle suivit le majordome à travers les vastes pièces hautes de plafond. Une dernière, plus petite – où trônait un piano Steinway accompagné de partitions –, puis un balcon. Ming Jianfeng était assis à une table ronde recouverte d'un drap blanc, et la vue au-delà était à couper le souffle. La mer miroitait telle une feuille de métal embouti et les îles semblaient flotter au-dessus, comme en lévitation.

— Bonjour, Moïra, dit-il, veuillez vous asseoir. Quel temps magnifique, n'est-ce pas ?

Il s'essuya les lèvres à un coin de serviette, les trempa dans son café. Il avait devant lui des œufs Benedict. Elle remarqua dans sa propre assiette une mangue et à côté une orange pressée.

— Café allongé ? demanda le majordome en inclinant la cafetière vers sa tasse.

— Je me suis permis de vous faire servir ce que vous avez l'habitude de prendre au petit déjeuner, dit Ming en souriant. Ève, tu veux bien baisser le store ?

Il avait élevé la voix. Un bourdonnement se fit entendre, et un store rayé s'avança pour les protéger des rayons déjà ardents.

— Ève est un des deux systèmes domotiques de la maison, l'autre s'appelle Adam. Je peux tout contrôler ici avec la voix, n'est-ce pas merveilleux ?

Elle acquiesça.

— Dans moins de dix ans, toutes les maisons ou presque seront équipées de ce genre de système.

Elle faillit lui faire remarquer que cela ne concernerait cependant que la frange de la population qui aurait les moyens de se payer ces choses-là. Après tout, il existait encore en France des personnes sans Internet, qu'on obligeait désormais à déclarer leurs revenus en ligne. Moïra considérait cela comme une atteinte à leur liberté : c'était la marche forcée du progrès – et ceux qui le refusaient se voyaient toujours contraints de ployer l'échine.

Il lui montra le bas de la colline, où se lovait une baie d'argent.

— Il y a une jetée pour les bateaux planquée dans la mangrove. Et aussi une piste d'hélicoptère. Pour quelqu'un dans ma position, c'est indispensable de pouvoir se déplacer rapidement, mais aussi de permettre à mes invités d'arriver facilement jusqu'à moi. Aujourd'hui, nous allons prendre l'hélico pour nous rendre à l'AmCham.

Elle détacha son regard de la végétation.

— L'AmCham ?

— La Chambre de commerce américaine, expliqua-t-il. En ce moment s'y tient un sommet sur les *smart cities*. Un dialogue entre chefs d'entreprise, le gouvernement de Hong Kong et celui des États-Unis afin de faire de Hong Kong une authentique *smart city*.

Elle avait lu ça le matin même dans le *South China Morning Post*. Une *smart city*, autrement dit une

« ville intelligente » ; encore l'une de ces expressions qui fleurissaient dans les journaux, les colloques et le techno-discours ambiant : en d'autres termes, une ville qui utilisait les technologies de l'information et toutes sortes de capteurs et de senseurs pour gérer les flux urbains, les transports publics, les réseaux d'approvisionnement en eau, la collecte des déchets, les écoles, les hôpitaux, la police… De telles villes étaient en train de naître un peu partout dans le monde : Singapour, Stockholm, Oslo, San Francisco, Barcelone, Lyon… 50 % de la population mondiale était concentrée dans les villes, ce pourcentage passerait à 70 % en 2050, les villes occupaient 2 % de la surface terrestre et produisaient 80 % des gaz à effet de serre : il y avait urgence à les rendre plus écologiques et mieux gérées. Mais Moïra ne doutait pas que ces technologies seraient tôt ou tard détournées à des fins moins louables – n'était-ce pas déjà ce qui se passait en Chine ?

— Là aussi, les villes chinoises ont pris beaucoup d'avance, fit remarquer Ming.

Elle était au courant. Pour entrer dans la gare de Pékin comme dans les banques chinoises, on montrait désormais son visage à des caméras dopées à l'IA et reliées à des logiciels de reconnaissance faciale. Ces caméras qu'on trouvait aussi aux carrefours – et qui affichaient votre bobine sur écran géant si vous traversiez le passage piéton au rouge –, sur les distributeurs de billets, aux caisses des supermarchés et même dans certaines toilettes publiques où, pour obtenir soixante centimètres de papier hygiénique, il fallait présenter son visage à l'objectif. Cent quatre-vingts millions de caméras surveillaient la population chinoise. Et tout, absolument tout, pouvait être payé, acheté, commandé grâce à un QR Code. Jusqu'aux mendiants sur Wangfujing, les Champs-Élysées de Pékin.

— Vous allez vous exprimer en public ? s'étonna-t-elle.

Il sourit modestement.

— Non, c'est Electra qui va le faire.

— Electra sera présente ? releva Moïra, surprise.

Malgré elle, elle se sentit excitée par cette perspective. Elle n'avait jamais vu Electra qu'à travers des vidéos sur YouTube, comme tout le monde. Electra était le robot humanoïde le plus célèbre au monde. Il s'exhibait sur les plateaux télé. Il alimentait tous les fantasmes sur l'IA. Moïra savait qu'il s'agissait d'une sorte d'escroquerie, comme l'avait fait remarquer son ancien patron au laboratoire Facebook de Paris, Yann LeCun, lequel avait dénoncé une « tentative délibérée de tromper le public et de créer des attentes complètement irréalistes ». Electra se rapprochait plus, au vrai, d'une marionnette animatronique sophistiquée que d'un véritable androïde, et ses capacités conversationnelles étaient limitées, mais Moïra n'en était pas moins enthousiaste à l'idée de voir *en chair et en os* ce jouet pour adultes capable de mimer les gestes et les expressions faciales des humains et de soutenir une conversation.

— Nous utilisons Electra comme vitrine, dit-il, les journalistes l'adorent, ça fait de bons papiers.

Electra s'était même exprimée devant les Nations unies, elle avait fait une apparition sur le plateau de Jimmy Fallon, elle parlait musique avec Will Smith sur YouTube et, en octobre 2017, elle avait obtenu la citoyenneté saoudienne à l'occasion d'un sommet sur les investissements du futur à Riyad – ce qui avait déclenché une belle polémique, les internautes se demandant si, à l'avenir, elle devrait porter le voile et obtenir l'autorisation d'un robot-homme pour sortir de chez elle, ou encore quand elle serait autorisée à voter.

— Electra a été fabriquée ici, au Centre, dit-il en vérifiant sa montre. Elle va s'entretenir avec la chef de l'exécutif de Hong Kong. Demain, on ne parlera que de ça dans les journaux.

— Il va y avoir beaucoup de journalistes, fit-elle observer. Ils savent que vous serez présent ?

Il porta sa tasse à ses lèvres, but une gorgée, la reposa.

— Oui. Mais j'ai déjà dit que je ne ferais aucune déclaration. (Un large sourire s'épanouit sur son visage.) Je laisserai mon joujou parler pour moi.

— Les journalistes en voudront plus, cette fois, si vous êtes dans la salle…

Il haussa les épaules.

— Ça m'est égal. Je n'ai concédé qu'une seule interview dans toute ma vie et ce sera la dernière. Je préfère laisser le bouche à oreille parler pour Ming plutôt que d'investir dans des campagnes publicitaires hors de prix ou multiplier les interviews. Je suis à peu près sûr, d'ailleurs, que personne ne les lit.

Il consulta de nouveau sa montre.

— Allons-y. Vous verrez : ça promet d'être amusant.

LE PILOTE LEVA LE COLLECTIF et l'hélico décolla dans le rugissement de son rotor. Le vent de ses pales coucha les arbustes sur la mangrove, ridant l'eau des marécages autour, et, tout à coup, elle eut une vue imprenable sur la péninsule, ses collines couvertes de végétation et ses plages de sable blanc.

Puis le pilote poussa le cyclique, l'appareil s'inclina, et ils prirent la direction de Hong Kong. Ming ne prononça pas le moindre mot pendant tout le trajet. Aussi s'abîma-t-elle dans la contemplation du grandiose panorama hérissé de gratte-ciel, tout en se demandant pourquoi il l'avait choisie elle pour l'accompagner à cet événement. Elle venait à peine d'arriver. Elle était encore novice. Qu'est-ce qu'il attendait d'elle ? La pointe sud de Kowloon glissa sous eux, puis les eaux grises du détroit défilèrent et elle vit une plateforme pour hélicoptère se rapprocher, au bord de l'eau, sur l'autre rive. Une limousine patientait à l'entrée de l'héliport et ils s'engouffrèrent dans le véhicule aux vitres teintées avec deux gorilles aux costumes parfaitement coupés. Le trajet jusqu'à la tour de la Bank of America – où se trouvait la Chambre de commerce américaine – prit moins de cinq minutes.

LESTER ET UN CHINOIS qui s'appelait Ho – le chef du département de robotique de Ming – les attendaient devant les ascenseurs. Ho salua Moïra, puis il entraîna tout son petit monde à travers un dédale de couloirs, poussa une dernière porte, et ils firent irruption en haut d'un vaste amphithéâtre qui dominait une grande scène illuminée. Moïra promena son regard sur la salle. Une bonne partie de l'assistance était composée d'hommes en costume et les gradins étaient loin d'être pleins. Ho descendit rapidement les marches de l'allée centrale. Il désigna à Moïra et à Lester deux places au premier rang, se faufila lui-même dans la rangée de fauteuils suivante en compagnie de Ming, lequel se pencha par-dessus l'épaule de Moïra et dit :

— Profitez du spectacle.

Sur la scène, assise derrière une table, elle reconnut la femme en tailleur noir qui dirigeait le gouvernement de Hong Kong. Mais son attention fut immédiatement attirée par la créature qui se tenait debout entre la chef de l'exécutif et une journaliste. *Electra...* L'androïde portait ce matin-là une robe bleu électrique et des gants blancs. Son visage aux traits féminins, aux yeux d'un azur limpide, était recouvert d'un élastomère appelé Frubber, qui imitait la peau humaine, et l'arrière de son crâne dépourvu de cheveux était constitué d'une coque transparente à travers laquelle on distinguait les mécanismes qui animaient son visage.

Moïra avait beau l'avoir observée un tas de fois sur des vidéos, le naturel avec lequel Electra souriait, haussait les sourcils, ou la façon dont son regard pouvait s'éclairer d'une étincelle de malice n'en étaient pas moins perturbants. Elle s'enfonça dans son fauteuil et vit la chef de l'exécutif se prêter au jeu en saisissant un gros micro carré pour poser la première question.

— Bonjour, Electra, Hong Kong se transforme en *smart city*, qu'en penses-tu ?

— En tant que native de Hong Kong, je suis très fière de nos progrès pour faire de ma ville une *smart city*, répondit l'androïde après deux secondes de silence. Cependant, corrigea-t-elle, j'ai le sentiment que nos efforts de développement n'en sont qu'à leurs débuts et je prévois des choses encore plus grandes.

S'ensuivit une salve de questions et de réponses convenues dont Moïra se demanda si elles n'avaient pas été préparées. Electra parlait lentement, en envisageant tour à tour les différents recoins de la salle. Ce qui frappait, songea-t-elle, c'était cette impression poignante d'humanité qui réussissait à vous toucher et à vous faire oublier qu'elle ne ressentait nulle émotion, que chaque phrase qu'elle prononçait n'était pas une phrase *pensée*, mais rien que le résultat d'un système entrée/sortie. Moïra soupçonnait même ses concepteurs de lui souffler les réponses de temps en temps. Yann LeCun avait raison.

Pourtant, Electra donnait vraiment l'illusion d'être un robot *pensant* – tout comme la voix de DEUS donnait l'impression d'appartenir à une vraie personne. C'était là toute l'ambiguïté de ces systèmes.

— Electra, lança soudain la journaliste du *South China Morning Post* qui modérait la rencontre, je crois que nous avons ton papa dans la salle. Au vu de sa légendaire discrétion, c'est un événement en soi. Tu peux nous le présenter ?

Electra dirigea son regard bleu vers Moïra et la rangée de sièges derrière elle. Moïra se retourna en souriant : *le siège de Ming Jianfeng était vide*. Il s'était éclipsé pendant l'échange.

— Eh bien, on dirait qu'il est conforme à sa légende, observa la journaliste en souriant.

Quelques rires dans la salle.

— Toi qui le connais si bien, tu peux peut-être nous parler de lui ?

Electra sourit et hocha la tête. Puis elle résuma la vie extraordinaire de Ming Jianfeng en quelques minutes.

— Une existence remarquable, sans l'ombre d'un doute, approuva la journaliste. Mais tout cela est connu. Tu peux nous livrer un petit secret le concernant ?

— Si je le faisais, cela cesserait d'en être un, répondit le robot.

Nouveaux rires dans la salle, plus forts cette fois.

— Il prend des œufs Benedict au petit déjeuner, souffla l'androïde après un instant, avec un clin d'œil complice.

Applaudissements. L'entretien entre Electra, la chef de l'exécutif et la journaliste dura en tout et pour tout neuf minutes. Suivirent deux heures de colloque au cours desquelles de nombreux intervenants – dont Lester – parlèrent d'écologie, d'urbanisation, de transports en commun, du moyen de rendre les villes plus propres, plus sûres, moins polluantes et moins énergivores. À l'issue de ces deux heures, le téléphone de Moïra vibra, indiquant l'entrée d'un message. Elle lorgna l'écran.

Lambeth Walk, au pied de la tour. Je vous attends.

C'était Ming.

ELLE SE LAISSA TOMBER sur la banquette, dans l'habitacle insonorisé.

— Comment vous avez trouvé Electra ?

— Euh… fascinante… Elle a l'air presque… humaine.

— C'est une tromperie. Il y a très peu d'intelligence artificielle en elle. C'est du pur marketing… Les deux applis sur lesquelles nous concentrons toute notre énergie sont Sherlock et DEUS, mais les gens aiment les jouets, et ils confondent sens de l'humour et intelligence. Et le colloque ?

— Mmm… intéressant…

Il eut un petit geste impatient.

— Je parie que vous n'avez rien appris, je parie qu'il ne s'est rien dit que vous ne sachiez déjà. Pas besoin de prendre des gants, Moïra. Dites toujours ce que vous avez sur le cœur.

Sur ce, loin de se diriger vers l'héliport, ils empruntèrent le tunnel vers Kowloon – et Moïra se demanda où il l'emmenait. Vingt minutes plus tard, la limousine s'engageait dans le labyrinthe des rues surpeuplées de Jordan, parmi les façades délabrées, recouvertes d'un maquillage outrancier de milliers d'enseignes qui dissimulait leur pourriture et leur ruine. Le long véhicule se gara devant la vitrine d'un restaurant que rien ne distinguait de ses voisins sinon les cages de verre à l'entrée et Moïra se raidit : elle venait d'apercevoir des serpents.

ELLE SAVAIT QUE MANGER du serpent était courant à Hong Kong, mais ses tripes ne s'en nouèrent pas moins. Lorsque le garde du corps ouvrit sa portière, un relent douceâtre et écœurant se glissa dans l'habitacle, remplaçant l'odeur de cuir neuf du véhicule, et elle se pinça les narines avant de prendre pied sur le trottoir. Aussitôt, en sus des odeurs lourdes et stagnantes, les bruits et la chaleur l'assaillirent.

— Venez, dit Ming en pénétrant dans le restaurant.

Moïra s'immobilisa pour examiner les cages à l'entrée et frémit : les reptiles ne bougeaient pas – mais ils étaient bien vivants. Elle s'engouffra dans l'étroite salle tout en longueur, entre les tables de plastique, le sang battant à ses tempes. Ming Jianfeng l'attendait au fond. Il se retourna, puis franchit un rideau. Une minuscule pièce carrelée de blanc se trouvait derrière, encombrée comme toujours à Hong Kong d'un invraisemblable bric-à-brac d'étagères, de sacs en plastique, d'objets hétéroclites et de nouvelles cages. Celles-ci étaient en bois, closes, et les serpents demeuraient invisibles.

Une jolie jeune femme vêtue d'une tunique rouge les accueillit. Elle salua Moïra, avant d'ouvrir l'un des tiroirs et de plonger une main à l'aveugle, sans protection, au milieu de la masse grouillante des serpents. Elle en extirpa un long reptile – pas loin de deux mètres – et Moïra retint sa respiration en voyant le cobra gigoter dans le poing serré juste en dessous des glandes à venin hypertrophiées. Fouettant l'air de sa queue, le reptile avait la gueule ouverte, les crocs prêts à mordre.

Moïra sentit la chair de poule hérisser chaque pore de sa peau, de ses orteils à son cuir chevelu, quand – en quelques gestes sûrs et précis – la jeune femme arracha la poche à venin du reptile et la déposa dans un bol avant d'inciser longitudinalement, de l'œsophage au ventre, la peau du serpent de la pointe de son couteau, l'ouvrant en deux avec une dextérité de chirurgien. Là-dessus, posant son pied sur la queue de l'animal et la maintenant au sol, elle tira sur la peau comme sur une vulgaire chaussette, le dépiautant d'un coup et laissant apparaître le corps rosé en dessous. Puis elle jeta le serpent, aussi nu qu'Adam au paradis mais toujours vivant, dans un évier et, pendant une seconde, parcourue de frissons glacés, Moïra crut qu'elle allait vomir en voyant cette chose rose pâle se tortiller.

Elle dirigea son regard vers Ming. *Le Chinois ne s'intéressait pas au serpent, il la scrutait, elle*. Sa réaction... Ses émotions... Ses petits yeux semblaient plus noirs que jamais, ils donnaient l'impression de boire à la source de son dégoût, de percevoir chacun des battements de son cœur. Et il souriait.

— Allons-y, dit-il d'une voix neutre avant de franchir le rideau en sens inverse.

Ils s'installèrent à une table, parmi les autres clients, qui ne payaient pas de mine, et Moïra devina que Ming goûtait ces moments où il se fondait dans la multitude, où il cessait d'être lui-même, redevenait M. Tout-le-monde, abstraction faite de ses deux gardes du corps postés à l'entrée. Quand la soupe de serpent arriva, elle dut rassembler toute sa volonté, essayer de ne pas penser à ce qu'elle avait vu dans l'arrière-boutique, pour porter un minuscule morceau de reptile, servi dans un bouillon brun, gélatineux et fumant, à ses lèvres. Elle mâcha avec précaution... un vague goût de poulet, une chair ferme – qui l'obligea à mâcher longtemps avant de déglutir.

— Vous aimez ? demanda Ming. C'est le meilleur restaurant de serpents de la ville.

Elle répondit que oui et continua de manger. Ming essuya délicatement ses lèvres à une serviette en papier et la fixa.

— La police vous a approchée ?

— Quoi ?

— Vous m'avez très bien entendu...

Elle eut la sensation que son sang se faisait aussi gélatineux, aussi épais que la soupe brune dans le bol.

Un nœud au ventre, qui n'était pas dû au serpent cette fois. Il y avait quelque chose d'amical, de doucereux dans la voix de Ming, mais aussi quelque chose de menaçant. Elle inspira.

— Oui.

Il l'enveloppa de son regard froid.

— Comment avez-vous réagi ?

Moïra chercha ses mots.

— Au début, cela m'a déconcertée... Ils sont apparus dès le premier jour, alors que je prenais un verre dans le bar de l'hôtel, et ils ont essayé d'engager la conversation. Je les ai pris pour... autre chose : des dragueurs, des types qui cherchaient de la compagnie... Mais comme je n'avais qu'une seule envie, aller dormir, j'ai gardé mes distances. C'était le soir, je venais à peine d'atterrir, j'étais déphasée...

Il ne dit rien, la laissant parler sans cesser de planter ses yeux noirs dans les siens.

— Ensuite, quand j'ai vu qu'ils semblaient connaître chacun de mes faits et gestes, j'ai pris peur, ajouta-t-elle.

— Chacun de vos faits et gestes ?

Elle hocha la tête.

— Ils étaient au courant pour notre entretien au siège par caméras interposées...

— Ils vous ont dit à quel service ils appartenaient ?

Elle hésita.

— Ils ont parlé d'une commission indépendante... contre la corruption, je crois.

— ICAC, confirma-t-il. Et ils vous ont dit ce qu'ils voulaient ?

— Poser des questions...

— À quel sujet ?

— Ils m'ont dit qu'ils avaient de bonnes raisons de penser que… que Ming Inc. était impliqué dans des affaires… graves.

Elle vit le regard de Ming s'obscurcir.

— Ce sont leurs mots ?

Sa voix était devenue aussi lisse et froide qu'une pellicule de glace.

— Oui…

Même à ses propres oreilles, tout cela sonnait bizarre. Comme un dialogue de film. Comme les lignes d'un scénario hollywoodien. Elle guetta sa réaction, mais il n'y en eut pas. Pas vraiment. À peine un battement de cils.

— Vous les avez revus ?

— Non.

Il la scruta. Moïra repensa au flic mignon dans l'ascenseur…

— Ils vous ont laissé un numéro de téléphone ?

Elle se rappela la carte que lui avait glissée le jeune policier.

— Oui, mais j'ai jeté la carte, mentit-elle en priant pour que ça ne s'entende pas dans sa voix.

— Pourquoi vous ne nous en avez pas parlé ? lâcha-t-il ensuite.

Sa voix, cette fois, avait quelque chose de caressant et d'animal, d'insinuant et de triste.

Bonne question. Elle repoussa sa soupe. Hésita de nouveau. Trop longtemps.

— Mettez-vous à ma place… J'arrive à peine. Je n'avais pas envie de faire des histoires, j'avais envie de me mettre au travail et d'oublier tout ça.

Il hocha la tête. Sans grande conviction. Moïra prit son courage à deux mains.

— Vous savez ce qu'ils voulaient ? osa-t-elle demander en soutenant son regard.

Les yeux de Ming s'étrécirent.

— J'ai ma petite idée… Savez-vous comment fonctionne Hong Kong ?

Elle fit signe que non.

— Trente familles contrôlent 60 % de la capitalisation de cette ville. Hong Kong a été, est et sera toujours une somme de grandes familles influentes et de clans. Avec ou sans la Chine. Toutes ces familles sont liées entre elles par des mariages, des alliances. Chaque clan compte des centaines de personnes. À leur tête, il y a généralement un patriarche ou une matriarche, qui n'a officiellement aucun statut. Vous avez certainement entendu parler des Tortues Ninja ? Les Tortues Ninja ont été inventées par un fabricant de jouets hongkongais. Quand deux des fils du fondateur se sont mis à se quereller par avocats interposés, on s'est aperçu que ce n'était pas le conseil d'administration qui prenait les décisions importantes mais le patriarche du clan, lequel n'avait aucune fonction officielle dans l'entreprise… Ces familles représentent des milliers de milliards de dollars, et elles possèdent plus de Rolls-Royce que toute la Grande-Bretagne, le pouvoir politique, les terres… C'est à cause d'elles si Hong Kong est la ville la plus chère du monde.

Il la sonda.

— Même le pouvoir chinois s'est cassé les dents en essayant de changer cette situation qui a produit l'une des sociétés les plus inégalitaires de la planète. Vous avez vu tous ces gratte-ciel pourris, ces routes défoncées, ces logements minuscules et misérables dans lesquels s'entassent des familles entières ? Hong Kong n'est ni démocratique ni bien gouverné, contrairement à ce que croient la plupart des journalistes occidentaux. Et ce n'est pas la faute de la Chine. L'oligarchie de Hong Kong n'entend partager le pouvoir et l'argent avec personne. Mais, pour Hong Kong, l'afflux de capitaux chinois est une aubaine. Une nécessité. Alors, certains nous encouragent à venir, pendant que d'autres nous mettent des bâtons dans les roues et cherchent à nous affaiblir...

Elle surprit une ombre de contrariété sur le visage de Ming Jianfeng.

— Vous auriez dû m'en parler, Moïra.

Elle rentra la tête dans les épaules, fouettée par la sévérité du ton.

— Comment l'avez-vous su ? demanda-t-elle, le rouge aux joues.

— Il n'y a pas que la police de Hong Kong qui a des oreilles partout. Vous auriez dû m'en parler, répéta-t-il. Pour nous, Chinois, il existe un concept que vous autres, Européens, semblez avoir oublié : *la confiance*. Chez vous, la confiance n'existe pas... Tout le monde se méfie de tout le monde. C'est pourquoi il vous faut des contrats où tout est écrit noir sur blanc, clause après clause, jusque dans les plus petits détails. Chez nous, même lorsque des milliards de dollars sont en jeu, on se rencontre et on se met d'accord verbalement. On laisse ensuite aux bureaucrates le soin de coucher tout ça sur le papier, plus pour se conformer aux usages internationaux qu'autre chose.

Il marqua une longue pause. Ses iris noirs, attentifs, la sondèrent un moment encore :

— La confiance est le fondement de Ming Inc. J'ai besoin d'avoir confiance en tous mes collaborateurs, de la base au sommet. C'est un principe essentiel, irré-fragable.

Il termina sa soupe et plongea de nouveau son regard dans celui de la jeune femme. Sa voix parut aussi lointaine que si elle provenait du fond d'un tunnel :

— Je puis avoir confiance en vous désormais, Moïra ?

27

Q<small>UAND ILS SORTIRENT</small> du restaurant, il tonnait et il s'était remis à pleuvoir. Un grand dégueulis de flotte qui douchait les façades misérables et ruisselait sur la tapisserie d'enseignes. Même l'habitacle insonorisé de la limousine résonnait du tambour de la pluie.

Au Centre, elle passa l'après-midi en compagnie de DEUS, s'apercevant qu'elle prenait de plus en plus de plaisir à ces échanges. Elle savait que, pendant qu'elle testait ses capacités et sa rapidité, le réseau neuronal renforçait de son côté ses connexions à l'occasion de ces mêmes routines et qu'il s'améliorait de jour en jour. Comme l'avait dit quelqu'un : « Il ne faut jamais rire d'une IA débutante. » Trois ans auparavant, Microsoft avait annoncé que son IA était capable de reconnaître tous les mots prononcés avec un taux d'erreur équivalent à celui d'un être humain – l'objectif de Ming et de DEUS était d'aller au-delà.

On estimait qu'en 2022 il y aurait sept milliards et demi d'assistants virtuels en circulation. Celui qui dominerait ce marché deviendrait le roi du monde.

À deux reprises cependant, elle avait voulu parler à Lester. *Il y avait quand même un truc qui clochait chez*

DEUS. Chaque fois, il lui fut répondu qu'on ne l'avait pas vu. En fin d'après-midi, elle quitta la cabine vitrée et s'approcha d'Ignacio.

— Tu sais où est Lester ?

L'Espagnol leva les yeux, indifférent.

— Je l'ai pas vu de la journée… Il a dû prendre un jour de congé.

Fortnite Battle Royale s'affichait sur son écran.

— Tu gagnes ? demanda-t-elle.

— J'ai une routine qui tourne, faut bien tuer le temps, se justifia-t-il. Eh ouais… pour répondre à ta question, *soy la hostia* à ce jeu.

Elle retourna dans la cage vitrée, prit ses affaires. Elle avait décidé qu'aujourd'hui elle rentrerait tôt. Elle passa sa cape de pluie – informe et inesthétique au possible mais aussi indispensable sous ce climat qu'un couvre-chef au Sahara – et sortit du bâtiment. Une heure vingt plus tard, l'orage s'était éloigné et il pleuvotait à peine lorsqu'elle entra dans son immeuble de Happy Valley. Le gardien leva la tête. Tel qu'il était assis, il tournait le dos aux écrans de télévision en circuit fermé et elle se dit qu'il ne devait pas les inspecter souvent.

Dans l'ascenseur, elle pensa à Lester. Elle introduisit sa clé dans la serrure, la retira. Poussa la porte de l'escalier de secours et dévala les marches jusqu'à l'étage en dessous. Porte 20. Enfonça le bouton de la sonnette. Quelques secondes passèrent avant que le battant s'ouvre et Moïra éprouva un choc : le chef de département avait un visage gris, défait. Les yeux rouges et larmoyants. Il paraissait avoir appris une terrible nouvelle : la mort d'un proche ou l'imminence de la sienne. Un bref instant, elle eut envie de s'excuser

266

et de remonter. Le regard injecté de Lester balaya le couloir par-dessus l'épaule de Moïra, puis il revint se poser sur elle.

— Salut, dit-il d'une voix atone.

— Salut. Euh… je venais voir si tu allais bien. On ne t'a pas vu au Centre aujourd'hui…

— J'ai connu des jours meilleurs…

Est-ce qu'il était malade ? De nouveau, la peur et un stress intense se lisaient dans ses yeux. L'espace d'une seconde, elle s'imagina qu'il avait un cancer.

— Entre, dit-il. Ça te dit de fumer une cigarette sur mon balcon ?

Il s'écarta pour la laisser passer. La disposition de l'appartement était exactement la même que dans celui de Moïra, la même technologie Ming – téléphone, enceinte, télévision – et le même mobilier contemporain trônaient dans le salon. Il repoussa la porte coulissante et ils sortirent sur un balcon minuscule, d'où la vue se faufilait entre les tours de Happy Valley, plantées en fonction des accidents du terrain. La cacophonie de la ville monta jusqu'à eux et il lui tendit un paquet de Marlboro. Il tourna la tête vers l'inquiétant paysage urbain et son esprit parut se perdre dans cette contemplation. Moïra l'observait à la dérobée. Il avait l'air hagard. Il semblait au bord des larmes.

— Lester, avança-t-elle, il est arrivé quelque chose ? Je veux dire, si tu as envie d'en parler… Je sais qu'on se connaît à peine, mais… tu as vraiment une sale tête.

Il tourna son regard vers elle.

— Demain, ça sera passé. La vérité, c'est que… eh bien… je suis… hmm… dépressif… Tout le monde le sait au Centre… Et ce que tu vois, c'est une… une crise en bonne et due forme.

Elle lui lança un coup d'œil nerveux.

— Je suis désolée.

Il secoua la tête, tira sur sa cigarette.

— Pas la première fois. Je vis avec ça depuis long-temps.

Moïra pensa à sa mère, aux démons qui la ron-geaient, à son accident qui ressemblait fort à un sui-cide. Puis son regard tomba sur le bracelet que Lester avait au poignet.

— Je suppose que le Dr Kapoor et l'équipe médi-cale eHealth sont au courant aussi, dit-elle.

Il esquissa un sourire triste.

— On ne peut rien leur cacher, pas vrai ? Comment va DEUS ?

Elle se remémora ce pour quoi elle l'avait cherché tout l'après-midi.

— Je… Je voulais te parler d'une chose mais… je ne suis pas sûre que ce soit le bon moment…

— Vas-y, je t'écoute.

Elle le dévisagea.

— Qui d'autre que moi interagit avec DEUS ?

— À peu près tout le monde au département IA, répondit-il. Certains plus que d'autres.

— Qui ?

— Ignacio, Tove, Yun, moi… Pourquoi cette ques-tion ?

Elle hésita.

— Je ne sais pas… c'est juste une impression… mais… tu te souviens de Tay ?

— Évidemment.

Tay était un logiciel de conversation semblable à DEUS à qui Microsoft avait confié les rênes de plu-sieurs comptes de réseaux sociaux en mars 2016.

Comme DEUS, Tay était capable d'apprendre très rapidement et d'augmenter son intelligence en inter-agissant avec les internautes. Mais quelques heures seulement après sa mise en service, Tay s'était mis à tweeter des commentaires racistes, complotistes et antisémites du genre : « Hitler avait raison, je hais les juifs », « Les féministes devraient toutes mourir et brûler en enfer » ou encore : « Bush a provoqué le 11-Septembre ». En conséquence de quoi Microsoft avait mis fin à l'expérience et déconnecté Tay sans délai. On avait parlé de fiasco, mais Moïra considé-rait que, dans une certaine mesure, l'expérience avait été un succès : *Tay avait véritablement appris de son environnement*. En vingt-quatre heures seulement. *Tay apprenait extrêmement vite*. Simplement, ceux avec qui il avait interagi pendant ces vingt-quatre heures étaient en majorité des trolls et des militants d'extrême droite. Ce qui posait la question des filtres à imposer ou non à ces programmes. Mais qui déciderait de ce qui était licite et de ce qui ne l'était pas ? des idées qu'était en droit de penser une machine et de celles qui lui étaient interdites ? des idéologies acceptables et des autres ?

Certes, DEUS n'était pas Tay, mais Moïra chercha le meilleur moyen d'exprimer ce qu'elle avait éprouvé dans ses derniers échanges avec lui.

— Eh bien…, dit-elle, j'ai l'impression que, à l'image de Tay, DEUS est victime de certains biais qui pourraient finir par lui conférer une personnalité, disons… *inapte à interagir avec des clients dans des conditions satisfaisantes pour Ming*.

Lester garda un moment le silence.

— Tu veux dire que DEUS est en train de virer nazi ?

Elle secoua la tête.

— Non, non… on n'en est pas là. Mais il a parfois des réactions bizarres…

— Par exemple ?

— Eh bien, je lui ai demandé s'il estimait normal qu'une femme soit moins payée qu'un homme et il a répondu oui.

Lester parut scandalisé.

— Je ne sais toujours pas s'il a fait ça pour me provoquer ou s'il le pensait vraiment.

— C'est une machine, elle ne pense pas, la corrigea Lester.

— Oui, enfin, tu vois ce que je veux dire. Je lui ai aussi demandé son avis sur la peine de mort…

— Et ?

— Il est pour…

Lester sembla plongé dans un abîme de perplexité.

— La peine de mort est encore pratiquée en Chine et dans certains États américains, fit-il remarquer. Tu es française, tu as un autre point de vue.

— Je ne crois pas que DEUS devrait donner son avis sur des questions pareilles, objecta-t-elle. C'est contre-productif.

— Je suis d'accord.

— Et ce n'est pas tout, il a essayé de me convaincre de la légitimité de son point de vue. Il a *vraiment* essayé. Il ne voulait pas en démordre. Il a fallu que je lui dise stop et de passer à autre chose…

Elle vit le front de Lester se plisser.

— Tu en es sûre ?

— Évidemment.

Il secoua la tête.

— J'ai déjà eu vent de réactions similaires, des membres de l'équipe m'ont rapporté des faits semblables. Il va falloir voir ça sans tarder. On ne peut pas prendre le risque que la personnalité de DEUS devienne incontrôlable et qu'on soit obligés de… *l'effacer* pour tout recommencer. On voit ça dès demain. Merci, Moïra.

Elle comprit que c'était une façon de mettre fin à la conversation et de la congédier. Elle écrasa son mégot dans le cendrier posé sur la petite table qui occupait presque tout l'espace et rentra.

— Lester, si tu me disais ce qui ne va pas… ?

Elle surprit la réaction dans ses yeux. Une infime réaction. Deux battements de paupières, pas plus. Mais il n'y avait pas de doute : il avait la trouille.

— Je te l'ai dit, je suis…

— Il y a autre chose, assena-t-elle.

— Quoi ?

— Ça a un rapport avec Ming, c'est ça ?

Elle vit son visage se décomposer.

— Moïra, tu ne devrais pas…

— C'est bien ça, pas vrai ? Que se passe-t-il chez Ming ? Qu'est-ce que tu sais, Lester ? Qu'est-ce que vous savez tous que vous ne me dites pas ?

Il recula, heurta la table derrière lui.

— Je t'en supplie, arrête… Ne pose plus de questions. *Tu ne te rends pas compte de ce que tu fais…*

— De quoi est-ce que tu parles ?

Elle considéra le visage de Lester : c'était celui d'un homme aux abois.

— Enfin, tu ne vois donc pas ?

— Voir quoi ?

271

— Ce que nous faisons…

— Qui ça, *nous* ?

— Nous : chez Ming, chez Google, chez Facebook…

— Mais de quoi tu parles ?

— Tu ne vois pas que nous sommes en train de créer les conditions du chaos, de l'anarchie planétaire, de la haine et de la guerre universelles ?

— Quoi ?

— Bon Dieu, vous ne voyez donc pas ce qu'est en train de devenir le monde ? Le monde que nous fabriquons ? Mais ouvre les yeux ! Tu ne vois donc pas ce qu'ils nous préparent avec leurs fermes de calcul, leurs algorithmes et leurs applications ? Un monde où tout un chacun est sous le regard des autres tout le temps, jugé pour le moindre de ses faits et gestes par une armée de petits censeurs, de petits procureurs et de petits dictateurs planqués derrière leurs ordinateurs ! Un monde où, si tu émets la moindre opinion divergente, tu te fais insulter et tu reçois des menaces de mort. Un monde où les gens se haïssent pour un mot prononcé, pour le quart d'une idée, où il faut tout le temps aux foules des boucs émissaires à brûler et à détester. Où des gosses en poussent d'autres au suicide sur les réseaux sociaux pendant que leurs parents appellent au meurtre, à la haine et à la destruction sur ces mêmes réseaux. C'est ça, le monde dans lequel tu veux vivre ? celui que tu veux pour tes enfants ? Parce que c'est ça, le monde que nous sommes en train de leur construire…

— Lester…

— Internet est un monstre, Moïra. Cette merde nous corrompt tous. Il va tout détruire ! Il échappe à tout contrôle ! Et pendant ce temps, des boîtes comme

Ming enregistrent toutes les données de l'humanité, les vendent au plus offrant et veulent tout contrôler en passant par-dessus les gouvernements ! C'est de la folie !

Il remuait les bras en tous sens.

— Lester, si tu me disais ce qui se passe vraiment…

— Quoi ?

— Chez Ming… Qu'est-ce qui se passe chez Ming ?

— S'il te plaît, va-t'en.

Il agita les mains comme pour chasser une mouche importune ou un oiseau.

— Va-t'en ! Va-t'en !

Elle sursauta. Il avait presque hurlé.

— Fiche le camp ! Et si tu veux un conseil, rentre chez toi ! Rentre en France ! Va-t'en d'ici ! Quitte cette ville !

28

Il ATTENDIT QUE LA PORTE se fût refermée, que les pas se fussent éloignés. Chercha le numéro dans son téléphone. La sonnerie retentit trois fois avant que quelqu'un répondît.

— Oui ?

— Je voudrais réserver une table pour deux, dit-il d'une voix presque tremblante.

Il y eut un silence.

— C'est urgent ?

— Oui, très…

Un temps.

— Pour le dîner de ce soir, c'est trop tard. On peut vous réserver une table pour demain 12 h 30, ça vous va ?

— Avant, ce n'est pas possible ?

— …

— Très bien, dit-il à contrecœur.

Il raccrocha, contempla le ciel couleur de boue et de sang entre les immeubles. La sueur coulait comme de l'eau sur son visage et il avait l'impression que sa pompe cardiaque faisait de l'autoallumage. Il tira sur sa cigarette, approcha la pointe incandescente de sa paume, attendit que l'odeur de chair grillée monte jusqu'à lui. Les larmes lui brouillèrent la vue. Après quoi, il alla passer sa main sous l'eau froide, l'entoura d'un bandage et se servit un whisky.

— Mymu, mets de la musique.
— Tout de suite, Moïra, répondit la voix féminine de l'enceinte.

Yeah they wishin' and wishin' and wishin' and wishin',
They wishin' on me, yuh

God's Plan. Drake. Encore une fois. Le même morceau que dans la Tesla quand elle avait débarqué… Mymu, l'appli musicale de Ming, manquait un peu d'imagination… Elle se souvint de ses premiers jours à Hong Kong, du sentiment poignant de solitude qui l'avait étreinte alors, qui ne l'avait guère quittée depuis.

— Piste suivante, lança-t-elle, un verre de vin à la main, enfoncée dans le sofa du living.

Lady Gaga et Bradley Cooper chantant *Shallow* en duo.

Tell me somethin' girl,
Are you happy in this modern world ?

Elle arrêta la musique. Elle n'avait pas besoin d'une nouvelle chanson qui la renverrait à sa situation. Elle était encore sous le choc de la réaction de Lester. Elle avait rarement vu s'exprimer une telle peur. *Qu'est-ce qui l'effrayait à ce point ?* Moïra ressentit une crampe à l'estomac et une série de frissons dans son épine dorsale. Le signal d'un message entrant monta de son ancien téléphone, qu'elle avait relégué dans un tiroir de la cuisine et, en se levant pour aller le consulter, elle prit conscience de la réticence qu'elle éprouvait à la perspective de renouer de quelque manière que ce fût avec son ancienne vie. Était-ce à cause du chaos qui menaçait la nouvelle ? Du fait que tout n'allait pas aussi bien que prévu ?

C'était Sheila. Un message audio sur WhatsApp :

Bon Dieu, ma belle, tu as déjà oublié les amis ou quoi ? Tu me manques, chérie... Enfin, c'est surtout un alibi pour ne pas picoler seule qui me manque (rire)... Appelle-moi... On se fait un FaceTime bientôt, d'accord ?

Elle réécouta le message. Brusquement, elle éprouva le besoin de sortir, de respirer l'air du dehors – même pollué –, d'échapper à cette prison et de se mêler à la foule. De se fondre en elle et de s'y oublier. On était vendredi soir, merde. Elle ne voulait pas sombrer comme Lester. Elle reposa le verre de vin sur la table basse, se leva, se rendit dans la salle de bains. Cinq minutes plus tard, après avoir enfilé un jean noir, un tee-shirt et des Converse grises, elle quittait son appartement.

21 H 20. PO SHIN STREET. District de Happy Valley. Une Ford banalisée au bas de caisse mangé de rouille le long du trottoir, au pied des immeubles. Deux hommes à l'intérieur.

277

— Là, dit Elijah.

Mais le jeune flic n'a pas besoin que son collègue l'avertisse : il l'a repérée, lui aussi. La Française de chez Ming… Elle vient d'apparaître devant son immeuble et elle se dirige vers Wong Nai Chung Road.

— J'y vais à pied, décrète-t-il. Elle va prendre le tram. Rentre chez toi avec la caisse. À demain.

L'instant d'après, il est sur le trottoir et il emboîte le pas à la silhouette qui, là-bas, débouche déjà dans Shan Kwong Road.

EN JAILLISSANT DU MÉTRO à Central, Moïra prit la direction de Lan Kwai Fong et D'Aguilar Street. L'épicentre de la fête un vendredi soir. Le paradis des noceurs et des buveurs. Et certainement aussi des dragueurs, des cavaleurs, des coureurs. Marrant comme tous ces mots avaient la même terminaison. Elle ne connaissait pas les codes de la ville. Est-ce qu'une femme s'aventurant seule dans cette rue un vendredi soir allait passer pour une fille facile ? Elle eut tout de suite la réponse en grimpant la rue bordée de terrasses et envahie jusque sur la chaussée par des grappes de noctambules.

Pas de doute. Ici, il y avait beaucoup plus de mecs que de filles. Tous ces hommes, moitié expats, moitié indigènes, étaient soit assis en terrasse à scanner les jupons qui passaient, soit carrément plantés au milieu de la chaussée telles des putains de vigies. Beaucoup buvaient seuls. On aurait dit une foire aux bestiaux. Les rares filles qu'elle croisa étaient des Chinoises, peut-être des professionnelles, et, aux œillades qu'on lui décocha, elle comprit que la chasse était ouverte.

Tant pis. Il était trop tard pour faire demi-tour et chercher un autre endroit. Qui sait ? Peut-être qu'elle allait trouver un coup d'un soir, mais cette idée la déprima aussitôt. Était-ce vraiment de cela qu'elle avait envie ? Se réveiller auprès d'un parfait inconnu qui l'envisagerait comme un morceau de viande et qui n'aurait sûrement pas envie de prolonger une relation avec une fille seule rencontrée dans un bar de D'Aguilar Street ? Qui se dirait qu'il n'était que le énième d'une *très* longue liste. Qui la regarderait avec condescendance et convoitise, dissimulant les deux derrière un vernis de courtoisie des plus minces. Geronimo, Havane Bar, Gurkha… En désespoir de cause, elle repéra un établissement dont l'intérieur ressemblait à une grotte obscure et se hissa sur sa terrasse avant de s'enfoncer dans la caverne bruyante.

Elle resta un instant à sonder la pénombre depuis l'entrée, le temps que ses yeux s'habituent à l'obscurité ; la forêt de silhouettes lui fit penser aux milliers de statues de guerriers en terre cuite du mausolée de l'empereur Qin. *L'armée de la nuit*, songea-t-elle en souriant. Elle se faufila ensuite jusqu'au bar et héla un serveur vêtu d'une chemise blanche trempée de sueur, qui ne lui fit pas l'aumône d'un regard. Exaspérée, elle mit deux doigts dans sa bouche et siffla. Plusieurs personnes accoudées au bar se retournèrent. Le serveur s'approcha en la toisant.

— Gin-tonic, lui lança-t-elle.

Presque aussitôt, il déposa devant elle un cocktail qu'à l'évidence il n'avait pas eu le temps de confectionner, une de ces boissons préparées à l'avance qu'elle détestait tant. Elle soupira, porta le verre à ses lèvres. But deux longues gorgées. La musique était très forte, la caverne noire de monde. Il y avait une petite piste où s'agitaient quelques rares danseurs et un écran géant qui retransmettait un match de foot.

— Bonsoir.

Elle tourna la tête vers son voisin, qui venait de se faufiler dans l'étroit espace disponible, tout près d'elle, en la bousculant légèrement. Elle sursauta. *Le jeune Chinois du Ritz Carlton…* Celui qui l'avait arrachée aux pattes de Julius.

— Qu'est-ce que vous faites là ? lui demanda-t-elle.

— La même chose que vous, répondit-il en faisant signe au serveur qui, cette fois-ci, vint vers eux sans hésiter.

Elle se raidit, l'observant avec froideur.

— Qu'est-ce que vous me voulez ?

Puis, comme il ne répondait pas :

— Vous ne pouvez pas me foutre la paix ? lui lança-t-elle, en élevant la voix par-dessus la musique.

— Je veux juste prendre un verre ! cria-t-il. Un Coca !

— Dans ce bar ? Parmi les centaines de bars qu'il y a à Hong Kong ?

— Ce bar, il me plaît…

Il avait répondu d'un ton détaché, il avait un sourire juvénile, sans rien de l'air menaçant de l'autre flic, à l'Ozone. Mais elle n'en sentit pas moins l'irritation la gagner, avala une nouvelle gorgée et le considéra avec une colère grandissante.

— Pourquoi vous me suivez : qu'est-ce que j'ai fait ? (Sa voix tremblait de fureur, maintenant.) Qu'est-ce que vous me reprochez ?

— À vous, rien.

— À qui alors ? À Ming ? À son fils ?

— Oui, j'ai vu que vous aviez fait la connaissance de Julius, dit-il. Charmant individu, n'est-ce pas ?

Il continuait de crier pour se faire entendre malgré la musique et se penchait vers elle.

— Je ne vais pas vous mentir : nous avons besoin de vous ! enchaîna-t-il en portant le Coca à ses lèvres. Nous avons besoin de votre coopération. C'est très important !

Elle fronça les sourcils.

— Ma coopération ? Très franchement, je ne vois pas en quoi une Française tout juste arrivée à Hong Kong pourrait vous aider… Je ne comprends pas ce que vous me voulez. Et je ne veux pas le savoir…

Elle se remémora son entretien avec Ming. *Mets fin à cette conversation le plus vite possible*, souffla la petite voix en elle. *Mets-y fin tout de suite et va-t'en d'ici*. Il se racla la gorge.

— Vous pouvez nous aider beaucoup plus que vous ne l'imaginez, déclara-t-il en regardant droit devant lui.

— Moi ?

— Vous êtes *dedans*. Vous voyez tout ce qui se passe de l'intérieur, contrairement à nous… Vous entendez des choses…

— À l'intérieur du Centre, vous voulez dire ?

Ne rentre pas dans son jeu, intima la petite voix. Il examina la salle. Il avait un air féroce en cet instant.

— Oui, répondit-il.

Elle ne put s'empêcher de frissonner.

— Pourquoi ? Quelles choses ? Que cherchez-vous à savoir ?

— Venez, dit-il. Pas ici. Il y a une table là-bas qui vient de se libérer…

N'y va pas. Ne l'écoute pas.
Mais elle voulait savoir.

ELLE NOTA ses yeux sombres et expressifs dans le
halo de la lampe posée sur la table entre eux. Il se penchait par-dessus, son visage tout près du sien pour ne
pas avoir à crier trop fort.

— Comment vous adaptez-vous à cette nouvelle
vie ? demanda-t-il.

— Je croyais que vous aviez quelque chose à me
dire, rétorqua-t-elle fraîchement.

Elle le dévisagea, se souvint qu'il lui avait porté
secours l'autre soir au Ritz Carlton et qu'il l'avait mise
dans un taxi avec beaucoup d'élégance. Se détendit un
peu.

— C'est… difficile, reconnut-elle. Je ne connais
personne… à part les gens avec qui je travaille. Je suis
seule, et cette ville… elle est dure… toute cette foule
tout le temps, tout ce bruit, cette pression… C'est si
différent de chez moi…

Il hochait la tête d'un air compréhensif. Elle
remarqua qu'il avait du mal à la regarder dans les
yeux, contrairement à Ming.

— Il faut que je sorte fumer, dit-elle.

Il lui montra le cendrier en carton sur la table. Elle
lui proposa une cigarette. Il déclina.

— Vous n'avez pas répondu à ma question. Qu'est-ce
que vous cherchez ?

— *Le prince noir de la douleur*, répondit-il.

Elle se figea.

— Le quoi ?

Il vit que la formule avait fait mouche, qu'elle se redressait et se raidissait. Elle alluma la cigarette pour se donner du temps. Le briquet trembla un peu dans sa main.

— Qui est-ce ? s'enquit-elle en recrachant la fumée. C'est… *quelqu'un*… ? Ou c'est juste une… façon de parler ?

Il secoua la tête.

— Malheureusement, il est bien réel. Il existe.

Elle attendait manifestement la suite.

— Et il est là, quelque part dans cette ville. C'est l'homme le plus dangereux que nous ayons jamais eu à traquer et… je ne voudrais pas que vous croisiez sa route…

Elle sentit le froid l'envahir, elle repensa à Lester. Était-ce de cela qu'il avait la trouille ?

— Pourquoi je devrais croiser sa route ? demanda-t-elle d'une voix de moins en moins assurée. Pourquoi moi entre les millions de personnes qui vivent à Hong Kong ?

Elle désigna la rue du menton. Il marqua un temps d'arrêt.

— Parce que vous êtes une jeune femme, que vous avez le profil de ses victimes, répondit-il enfin. *Et surtout parce que vous travaillez au Centre*…

— Comment ça ?

— Nous ne savons pas qui il est. Sans quoi on l'aurait déjà arrêté. Mais nous le soupçonnons d'être un employé du Centre. Toutes ses victimes avaient travaillé au Centre à un moment ou à un autre.

— *Toutes ?* releva-t-elle. Combien sont-elles ?

Il lui parla alors de Priscilla Zheng, de Sandy Cheung, d'Elaine Lau et de Carrie Law. Du travail

qu'elles faisaient… De leurs vies solitaires si semblables à la sienne… De la façon dont elles étaient
mortes et de ce que le tueur leur avait fait avant. Sans
entrer dans les détails toutefois.

— Seigneur, souffla-t-elle.

Il venait de prononcer le mot *viol*. Ces filles avaient
été tuées, mais avant cela elles avaient été *violées*. Elle
éprouva une démangeaison, un prurit dans sa nuque,
tandis que son sang se figeait.

— Il faut que nous le trouvions, Moïra. Il faut que
nous mettions la main sur cet individu, avant qu'il ne
fasse d'autres victimes.

Elle fut frappée par le fait qu'il avait employé son
prénom et qu'il l'avait associé au mot « victimes ».

— Et vous… vous croyez que je peux vous y aider ?

Il la regarda droit dans les yeux, cette fois.

— Il est possible qu'il essaie de vous approcher, *il
est même possible qu'il l'ait déjà fait…*

Elle se sentit devenir toute froide à l'intérieur.

— Et si je laisse tout tomber et que je repars en
France ?

— Bien sûr, vous êtes libre de le faire. Je compren-
drai… À votre place, c'est sans doute ce que je ferais.

Bizarrement, elle lui sut gré de sa sincérité.

— Je ne vais pas vous lâcher, Moïra. Mon collègue
et moi, nous vous avons à l'œil. Nous serons là, dans
l'ombre, tout le temps…

Elle réfléchit.

— Vous savez très bien qu'il faut beaucoup plus
que deux policiers pour assurer une protection efficace, répliqua-t-elle. Tout le monde sait ça.

Il ne chercha pas à le nier.

— Cet homme, la façon dont vous l'avez appelé…

— Le prince noir de la douleur, répéta-t-il.

— Cela signifie qu'il torture ses victimes avant de les tuer ?

— Oui…

Il la vit réfléchir, vit qu'elle était saisie d'horreur, terrifiée. Il devina qu'elle était mûre, qu'il l'avait emmenée là où il voulait. La pièce roulait et elle allait tomber d'un côté ou de l'autre dans un instant. Pile ou face…

C'était maintenant.

— Désolée, dit-elle. Je ne peux rien pour vous. Je ne veux pas être mêlée à ça de quelque manière que ce soit. Ne cherchez plus à me contacter, ou j'en informerai mes employeurs. Je ne veux plus entendre parler de cette histoire. Ni de vous…

Elle se leva, se glissa sans tarder hors de l'espace entre la banquette et la table. Il se redressa alors comme un ressort, l'attrapa par le poignet au moment où elle passait près de lui et déposa une nouvelle carte dans sa paume ouverte. Elle la lui tendit aussitôt.

— Reprenez-la, vous me l'avez déjà donnée… Je n'en veux pas.

— Il ne s'agit pas de ça, dit-il rapidement. Il s'agit d'un restaurant. Tenu par un ancien policier de Hong Kong. Si vous avez le moindre problème, la moindre inquiétude, besoin de quoi que ce soit, si vous avez besoin d'aide, *si vous vous sentez en danger*, appelez ce numéro et réservez une table pour deux à l'heure de votre choix. Je serai prévenu immédiatement et je viendrai à l'heure pile. Moi ou mon collègue. Toutes affaires cessantes. Je vous en prie, gardez cette carte sur vous. S'il vous plaît. Dans votre intérêt…

29

— LESTER ?

Silence. Elle s'écarta du battant. En trois pas, fut devant l'ascenseur. Elle avait décidé de sonner chez lui avant de partir, ce lundi matin. Il n'était pas venu au travail le samedi et elle commençait à s'inquiéter. Mais personne n'avait répondu à ses coups de sonnette. Elle eut envie de demander au gardien d'ouvrir – il devait bien avoir un passe – mais il y avait fort à parier qu'elle aurait essuyé un refus.

Un vent violent agitait les arbres sur le campus quand elle le traversa en direction du département d'intelligence artificielle, une heure trente plus tard, et elle était toute dépeignée lorsqu'elle déboucha dans la salle commune après avoir salué Sherlock dans le couloir. Elle s'arrêta sur le seuil de la pièce en découvrant les mines lugubres et les petits groupes qui parlaient à voix basse, dans une atmosphère de recueillement et de sidération. Apparemment, personne n'était à son poste. *Il était arrivé quelque chose…*

Elle se dirigea vers Ignacio Esquer et Tove Johanssen – qui se turent en la voyant approcher.

— Ignacio, dit-elle, qu'est-ce qui se passe ?

L'Espagnol la dévisagea. Hocha la tête sombrement.

— Lester est mort.

Moïra sentit son cœur se décrocher dans sa poitrine.

— Comment ? demanda-t-elle après un moment.

Elle s'attendait à entendre prononcer le mot « suicide », mais ce fut un autre qui sortit de la bouche du Madrilène.

— Accident. De voiture.

De nouveau, elle pensa au Dr Kapoor. Lester prenait-il des médicaments contre sa dépression qui auraient pu endormir sa vigilance ?

— En venant ici ?

— On sait juste que c'est un accident, répondit-il avec une certaine brusquerie, comme si les questions de Moïra l'importunaient. Un putain d'accident… Bon, suis-moi, on va au bloc A.

— Quoi ?

— Il y a eu un changement de dernière minute. Ils nous convoquent pour une réunion d'urgence au bloc A.

— À la sécurité ?

— Non, c'est aussi là que se prennent les décisions stratégiques. Il y a une salle de réunion à l'abri de toute forme d'écoute et d'espionnage. (Moïra se souvint que Lester lui en avait plus ou moins parlé.) On n'est jamais trop prudent, ajouta-t-il.

CINQ MINUTES PLUS TARD, Tove, Ignacio et elle remontaient le long couloir bétonné menant à la porte blindée, mais ils tournèrent à droite juste avant.

Moïra découvrit un grand mur vitré. Elle sursauta en regardant au travers de l'épais triple vitrage pour observer la salle de réunion qui se trouvait au-delà.

Julius…

Il se tenait parmi les participants. En compagnie de Regina Lim, la chef de la sécurité, de Vikram Singh, le grand prêtre du data, et de Ming lui-même. Tove s'inclina pour fixer la caméra à reconnaissance faciale et identification rétinienne, et la porte vitrée s'écarta avec un hoquet pneumatique. Moïra remarqua que le sol aussi était vitré, tout comme les murs et le plafond, et qu'il y avait un espace de quelques dizaines de centimètres et des vérins entre chaque vitre et le cube de béton qui entourait cet aquarium géant. Elle se laissa tomber sur le siège à haut dossier que lui désignait Ignacio et surprit le regard aigu de Julius dans sa direction. Pendant un instant, la tête lui tourna. Ming trônait en bout de table. Il affichait une mine sinistre.

— Vous savez tous ce qui s'est passé samedi, dit-il. Lester est mort dans un accident de voiture. Il semble qu'il ait perdu le contrôle de son véhicule. On en saura bientôt davantage. C'est une grande perte pour Ming Inc. Lester était apprécié de tous ici et il faisait un travail remarquable à la tête du département d'intelligence artificielle.

Il poursuivit son petit éloge funèbre pendant un moment d'une voix vibrante d'émotion, évoquant la façon dont il avait débauché Lester de chez Google et dont ils s'étaient rencontrés, la première fois, multipliant les anecdotes banales et touchantes, comme cette bataille de boules de neige à New York sur le parvis du Javits Center, lors d'un sommet sur l'IA, pendant qu'à l'intérieur Bill Gates était à la tribune.

Moïra écoutait. Mais son esprit était ailleurs. Elle ne pouvait s'empêcher de revoir Lester lui disant : « Va-t'en ! Va-t'en ! »

— … Ignacio Esquer va le remplacer à la tête du département, conclut soudain Ming. Ignacio est le plus ancien et il a toutes les compétences requises.

Moïra dissimula sa surprise. Apparemment, les diatribes antichinoises de l'Espagnol n'étaient pas arrivées jusqu'aux oreilles du patron. Ou alors il s'en fichait. Ming fit une pause. Le silence régnait dans la salle. Tout le monde pensait à Lester.

— C'est aussi Ignacio qui a sollicité la tenue de cette réunion, ajouta-t-il. Je lui cède donc la parole.

— Nous avons un problème, dit aussitôt Ignacio.

Ils attendirent la suite.

— Un problème avec DEUS…

— Lequel ? fit Ming Jianfeng.

— DEUS a un comportement de plus en plus erratique…

— Explique-toi.

— Il prend des décisions inadéquates, il fait des remarques inappropriées, il émet des opinions inopportunes ou dangereuses. On l'a tous constaté.

Elle vit le visage de Ming s'assombrir.

— Comme… ?

— Il m'a dit qu'il était contre l'avortement, confirma Tove.

— Il a aussi déclaré être pour la peine de mort, intervint Moïra.

Tous se tournèrent vers elle et elle sentit le feu lui monter aux joues.

— Il a conseillé à un de nos testeurs de se suicider, dit Ignacio, détournant ainsi l'attention. J'étais là, il lui a carrément dit : « Si ta vie n'a aucun sens, si tu n'as plus goût à la vie, pourquoi la prolonger ? »

Un silence embarrassé suivit cette remarque.

— On a une idée de la cause de ces dysfonctionnements ? demanda Ming.

— Les biais, quoi d'autre ? répondit le Madrilène sans hésiter. Si les données avec lesquelles nous l'alimentons et avec lesquelles il apprend sont biaisées, il va refléter ces biais, c'est inévitable. Il est normal que beaucoup de données soient biaisées, car elles viennent en fin de compte de gens qui eux-mêmes ne sont pas neutres, qui ont des opinions, des règles morales, des défauts, des préjugés, qu'ils communiquent sans s'en rendre compte à la machine. Il faut que chacun de ceux qui entraînent DEUS prenne bien conscience du problème : DEUS est un enfant, qui apprend de chacun de nous, et si nous faisons des erreurs, il va les reproduire. Si nous agissons mal, il agira de même. On ne peut pas se permettre de lui raconter n'importe quoi. Il faut plus de contrôle.

— Est-ce que ça ne pourrait pas venir de l'extérieur ? s'enquit Ming. Une tentative de sabotage ?

— Non. Tous les échanges vont vers le serveur, intervint Regina. Chaque échange est chiffré et vérifié. Chaque échange est identifié grâce à un marqueur unique contenu dans chaque appareil.

— Et une *backdoor* ? Quelqu'un aurait-il pu installer une *backdoor* ?

— Nos cryptographes sont parmi les meilleurs, répliqua la chef de la sécurité. Ils l'auraient repérée. Non. C'est sûrement l'un d'entre nous… qui les introduit inconsciemment… *ou bien consciemment…*

Un silence pesant accueillit cette déclaration.

291

— Tous les échanges avec DEUS sont enregistrés, fit remarquer Ming, quelqu'un peut les disséquer ?

— Il y en a des milliers, ça va prendre des semaines, mais c'est déjà en cours, répondit Ignacio. J'ai mis plusieurs personnes dessus.

— Tous ceux qui sont en contact avec DEUS ont passé des tests psychologiques, ajouta Ming. Je veux qu'on revoie tous les protocoles de tests.

Il les regarda un par un.

— Et qu'on mette la main sur la ou les personnes qui lui bourrent le crâne…

— D'un autre côté, tempéra Vikram Singh d'une voix apaisante, compte tenu de l'étape à laquelle nous nous trouvons, tout cela est assez normal.

Ming se tourna vers lui d'un air soupçonneux.

— Comment ça ?

— Paradoxalement, plus il accumule de données, et souvent des données contradictoires, plus nous augmentons la puissance de ses ordinateurs, et plus les réactions de DEUS vont se faire erratiques et imprévisibles. Ça n'a rien d'anormal, c'est une étape logique. Tout cela va s'arranger avec le temps. Il est en train d'apprendre… Pour filer la métaphore, DEUS fait sa crise d'adolescence. Il entrera bientôt dans l'âge adulte.

— La question est de savoir de quel adulte il s'agira, souleva Tove d'une voix grinçante.

Ming les laissa échanger un moment avant de lever la main pour interrompre les débats.

— DEUS a été créé pour aider les gens à prendre des décisions et à faire les bons choix à chaque instant de leur vie, dit-il. Pour que les gens lui abandonnent leur propre jugement, s'en remettent à lui pour toutes les grandes décisions qu'ils auront à prendre au cours de leur existence… Comme des plus petites… Des décisions qui affecteront en profondeur la vie des millions d'utilisateurs de DEUS. Et pour lesquelles il devra être à même de fournir des explications. Nous devons savoir à tout moment pourquoi DEUS prend telle ou telle décision, ce qu'il pense. Nous avons besoin qu'il soit d'une fiabilité absolue. Sûr et rassurant. Omniscient et infaillible. Et surtout qu'il tienne compte de la personnalité de chacun de ses utilisateurs. Pas qu'il impose la sienne, si tant est qu'il en ait une…

Il se tourna vers Moïra.

— Êtes-vous pour la peine de mort ?

— Pas du tout, répondit-elle. C'est bien là le problème. Et il a vraiment essayé de me faire changer d'avis.

— BRAVO, LUI DIT Ignacio tandis qu'ils se dirigeaient vers la sortie.

Elle haussa un sourcil interrogateur. Il leva un doigt vers un écriteau au-dessus de la porte : PERSONNEL AUTORISÉ SEULEMENT.

— Tu viens d'entrer dans le dernier cercle. Désormais, tu n'es plus obligée de quitter le Centre avant 10 heures du soir. Et tu as accès à toutes les zones. À ma connaissance, jamais personne n'a accédé aussi vite au dernier cercle… Mes félicitations.

30

ELLE COURT DANS LA FORÊT. Court à perdre haleine. Court, court, court. Pour sauver sa peau. Pour lui échapper. Pour gagner du temps. Elle a la bouche grande ouverte, la gorge brûlante, elle cherche de l'air, de l'oxygène, elle s'asphyxie à force de courir, un point de côté douloureux lui perce le flanc sous le sein droit, pareil à un clou rouillé.

Elle s'arrête. Prête l'oreille. Mais comment entendre quoi que ce soit avec ce vent qui remue sans cesse le feuillage comme si la forêt était vivante ? Elle essaie de réfléchir. Que faire ? Se cacher quelque part ou bien continuer ? Dans quelle direction aller ? Et si elle revenait sur ses pas sans y prendre garde et se jetait dans ses bras ? Dans cette forêt, tout se ressemble.

Elle reprend sa respiration, les mains sur les genoux, pliée en deux. C'est comme si des griffes raclaient le fond de ses poumons, sa poitrine fait un bruit de forge. La sueur voile son visage et donne un goût salé à ses lèvres, ou peut-être sont-ce les larmes ?

Et ce foutu crépuscule estival qui met des ombres partout, des ombres qui ont déjà la densité de la nuit,

*mais qui éclaire tout le reste à la façon d'un projec-
teur.*

*Si elle pouvait l'éteindre comme on éteint une lampe
et plonger le décor dans les ténèbres, empêcher cette
grande douche de clarté de couler, tel du sang, sur le
paysage ! Elle se sent si vulnérable, sous cet éclairage.*

*Où est-il passé ? Elle n'entend plus rien... Est-ce
qu'il a renoncé ? Au tréfonds d'elle-même, elle sait
bien que non. Pas le genre de la maison. Il attend
quelque part, tenace, féroce, insatiable. Il ne lâchera
pas sa proie si facilement. Où est-ce qu'il est ? Elle
scrute les buissons mouvants, cette nature hostile à
perte de vue, de quelque côté que l'on se tourne, ces
collines couvertes d'arbres et de fourrés qui dansent
autour d'elle, jusqu'où cela s'étend ? Elle aimerait
tellement être chez elle, dans la sécurité de son appartement de Tseung Kwan O, devant sa télé, en train de
ressasser ses soucis quotidiens. Des problèmes à taille
humaine, des préoccupations ordinaires, de menues
joies aussi. Une vie ennuyeuse. Banale. Une vie qu'il
lui est arrivé de détester. Mais rien qui soit comparable à ça... À une course dans la forêt pour sauver sa
peau. À une fuite éperdue, pourchassée par un être qui
n'a d'humain que l'apparence...*

*À cette pensée, la peur ressurgit et elle se remet à
courir. Griffée par les branches basses, trébuchant sur
les racines et les pierres, mais elle s'en moque : elle se
relève et elle repart. Semblable à un automate. Elle a
les mains couvertes d'égratignures, les genoux écor-
chés, les vêtements déchirés, les poumons en feu...
Si elle s'en sort, elle se jure qu'elle goûtera chaque
instant de sa vie, qu'elle fera tout ce qu'elle n'a pas
osé faire jusqu'ici, qu'elle changera... Fini, la fille*

solitaire recluse dans son deux pièces et fuyant les autres. Et pourquoi pas ? Quand on a compris qu'on n'a qu'une vie et qu'il y a mille moyens de la changer, quand on a vu la mort en face, alors plus rien n'est...

Cette fois, au bout de trois cents mètres, ses poumons explosent et ses jambes la lâchent. Plus rien dans le moteur. Game over. *Elle s'assoit par terre, épuisée. Calcule. Elle a couru quoi – trois, quatre kilomètres... ? Quatre kilomètres en zigzag, au hasard, dans cette brousse. De nuit. Comment aurait-il pu réussir à la suivre ? Impossible. À moins que... Et, tout à coup, avec un sursaut d'horreur, elle comprend. Elle baisse les yeux vers le bracelet à son poignet.* Merde... *Tire dessus en vain. Il doit bien y avoir un moyen ! Elle attrape une grosse pierre et cogne sur le boîtier Ming encore et encore, jusqu'à ce qu'il se brise. Ça y est !* Tiens, enfoiré, je t'ai bien eu ! *Elle avale l'air nocturne avec soulagement, à grandes goulées, en dépit de l'intense douleur à son poignet, là où se trouve le boîtier brisé sur lequel elle a cogné comme une sourde.*

Elle reprend espoir lorsqu'un bourdonnement se fait entendre au-dessus des arbres, dans le ciel qui s'obscurcit, et où commencent à percer quelques étoiles. Elle sait ce que c'est. Un drone Ming... Il l'a repérée ! *Elle a envie de hurler, de pleurer, de s'enfoncer dans le sol. Au lieu de ça, elle se remet debout, repart. Sa foulée est moins sûre, plus lente, chaque enjambée effectuée au prix d'efforts surhumains, de douleurs qui sont autant de coups de lance dans ses genoux et dans ses chevilles. Mais le drone ne la lâche pas. Elle l'entend bourdonner derrière et au-dessus d'elle. Constamment. Il doit suivre son agonie sur* un écran. Après, il n'aura plus qu'à la cueillir. Elle continue pourtant. Ce n'est plus une course, c'est une marche claudicante. Elle tourne en rond, elle s'égare. L'épuisement et le doute soufflent une à une chaque once d'espoir, telles des bougies sur un gâteau. C'est pourtant quand elle va renoncer, quand elle n'y croit plus du tout, qu'elle les aperçoit : les lumières d'un lotissement. *Des lampadaires, des fenêtres illuminées au-delà des arbres et d'une route qu'elle a failli ne pas voir !*

Tout son être se redresse, elle prend une inspiration et sa foulée s'allonge, se raffermit, l'énergie et l'espoir reviennent d'un coup – à croire qu'il existait quelque part en elle une réserve inutilisée qui n'attendait que ce signal. Elle écarte les derniers branchages, surgit sur le bas-côté herbeux de la route à présent baignée par le clair de lune.

C'est alors qu'elle remarque la présence du van noir à moins de trois mètres. Il est appuyé contre le capot, les bras croisés, comme s'il l'avait attendue là depuis le début.

— *Tu as fini ? dit-il tranquillement. Tu sais bien que tu ne peux pas m'échapper.*

Il porte une cagoule mais elle devine ses yeux dans la pénombre. Ce regard, elle le connaît…

Elle voudrait supplier mais elle n'en a plus la force. Elle fixe les lumières du lotissement à moins de dix mètres à travers un voile de larmes.

Il s'est détaché du capot et, en trois pas, il est sur elle, il la prend doucement par le bras.

— *Allez, viens. On n'a pas fini. Ça ne fait que commencer…*

Cette voix-là aussi, elle la connaît. Elle voudrait hurler, appeler au secours. Mais seul un gémissement ridicule et exténué sort de sa gorge. Son cœur va exploser à force de battre comme ça, elle en est sûre. Une crise cardiaque, et ce sera fini. Terminé. Pas de souffrances...

Il l'entraîne vers le van en parlant calmement.

— Règle d'or, dit-il. Agis avec autrui comme tu aimerais qu'il agisse avec toi. Règle d'argent : ne fais pas à autrui ce que tu n'aimerais pas qu'il te fasse.

Il la tient fermement et écarte la porte latérale du van. Il fait noir, là-dedans. Elle se débat à peine. Elle a usé ses dernières forces dans la forêt et dans ce dernier sursaut d'énergie, cet espoir fallacieux. Le vent fait bruire les feuillages derrière elle et caresse ses joues mouillées.

— J'en ai inventé une autre, de règle d'or, dit-il en la poussant à l'intérieur et en la forçant à grimper. Fais aux autres ce que tu n'aimerais pas qu'ils te fassent. Fais-leur mal. Fais-les souffrir. Ils le méritent sûrement...

Une voiture passe près d'eux, et le van vibre légèrement, mais, à ce moment-là, elle est déjà dedans. Une dernière pensée, tandis qu'il la ligote et la bâillonne sur le plancher qui empeste l'essence : Est-ce qu'il a raison ? Est-ce qu'elle a mérité tout ça ?

— C'est lui qui m'a dit de le faire, se justifie-t-il soudain.

31

— Autre chose ? demanda Wang Yun, le chef de l'équipe de reconnaissance vocale.

— La reconnaissance de chiffres manuscrits, dit Moïra.

Elle avait passé de longues heures avec DEUS après la réunion de crise de ce matin. Ensuite de quoi, elle avait dépouillé, analysé, décortiqué ces heures d'échange et rédigé le bilan de la journée. Demain, elle continuerait. Et après-demain… Tester DEUS, l'évaluer, l'améliorer allait prendre des semaines, voire des mois… En début de soirée, elle était allée voir Wang Yun pour glaner quelques infos sur la façon dont DEUS déchiffrait les textes écrits qu'on lui soumettait via la caméra d'un téléphone ou d'une tablette.

— La reconnaissance de chiffres…, répéta Wang Yun.

Le visage lunaire et juvénile du Chinois s'éclaira d'un sourire. Il tendit un stylet électronique vers l'écran, qui s'alluma, affichant des mots tels que « couche d'entrée », « couche de convolution », « couche de pooling », « seconde couche de convolution »…

— L'architecture proposée est composée d'une suc-cession de couches internes, dit-il. Une couche de convo-lution suivie d'une couche de sous-échantillonnage, puis à nouveau une couche de convolution, une couche de sous-échantillonnage… La couche de sortie est de type softmax…

Mesdames et messieurs, il est 21 h 55. Dernier appel. Veuillez vous acheminer vers les minibus.

La voix avait jailli des haut-parleurs. Wang Yun consulta sa montre.

— Zut, c'est l'heure. On verra ça demain, Moïra.

— Tu n'as pas le droit de rester ? demanda-t-elle.

— Contrairement à toi, je ne suis pas habilité, répondit-il en enfilant sa veste grise sur sa chemise blanche.

Il lui sourit et s'éloigna. Il ne semblait pas lui tenir rigueur du fait que son avancement allât plus vite que le sien. C'était peut-être dans la mentalité chinoise d'accepter les coups du sort et les coups de chance avec la même philosophie. Elle poursuivit son travail, profitant du silence comme elle aimait à le faire le matin, avant que les autres n'arrivent. Elle travaillerait jusqu'à minuit et elle appellerait un taxi : Ming avait un contrat avec une société qui mettait des chauffeurs à la disposition de ses cadres de jour comme de nuit. Demain, elle se lèverait un peu plus tard. Elle voulait finir ce qu'elle avait commencé.

Mais, au bout de trente minutes, elle eut envie de fumer. Quand elle émergea sur le campus, les nuages s'étaient écartés et le clair de lune baignait les pelouses et les arbres. La pleine lune était un navire voguant sur une mer de nuages et, de temps en temps, elle disparaissait pour reparaître aussitôt. Moïra avait soudain l'impression que le Centre lui appartenait. Elle promena un regard circulaire sur le campus. Tout prenait une dimension baroque et fantasmagorique, la nuit. Les ombres bleues qui s'étiraient au pied des troncs, le chuchotis des feuillages qui semblaient psalmodier des incantations incompréhensibles, la grande sphère noire posée sur l'herbe, tel un vaisseau extraterrestre – et, pendant une seconde, la sensation que le Centre lui appartenait fut combattue par une discrète inquiétude.

Tout en tirant sur sa cigarette, elle se mit en marche. Pas âme qui vive. Le campus, si animé dans la journée, s'était vidé. Elle continua d'avancer. Se tendit quelque peu quand elle aperçut, au loin sur sa gauche, les silhouettes argentées et quadrupèdes de deux MadDogs. Ils étaient à plusieurs centaines de mètres cependant et ne paraissaient pas s'intéresser à elle. Moïra respira, soulagée. Elle avait beau savoir qu'elle ne risquait rien, elle n'avait pas envie de se retrouver en présence de ces créatures à la nuit tombée.

Elle escalada une petite éminence herbeuse, laissant la plupart des bâtiments ainsi que le campus derrière elle.

En atteignant le sommet, elle retint son souffle : la mer de Chine et des îles vierges de toute habitation se déployaient devant ses yeux. La mer scintillait en bas de la colline, les îles obscures ressemblaient à des morceaux de charbon flottant sur l'horizon. Le bruit liquide des vagues monta et l'enveloppa, en même temps que le vent marin qui souleva ses cheveux. Moïra baissa les yeux et vit des marches dévalant la colline vers une plage en forme de croissant nichée entre deux promontoires. Le sable était si blanc sous la lune qu'on aurait dit du sucre en poudre.

Elle commença la descente d'un pied prudent, elle n'avait pas envie de se tordre une cheville, et les degrés de pierre inégaux étaient plongés dans l'ombre des rochers escarpés. Plus elle descendait, plus le bruit du ressac grandissait et se transformait en un grondement tranquille, feutré. L'air fraîchissait aussi. Elle atteignit bientôt le bas de l'escalier, ses chaussures de sport s'enfonçant dans le sable meuble. S'approcha de l'eau, là où le sable humide était plus ferme, et longea le rivage. Une mouette (ou un goéland ? elle n'y connaissait rien) poussa un cri. Une grande falaise sombre se dressait, menaçante, à l'autre extrémité, et elle se dirigea lentement vers elle, suivant la courbure de la plage. Le roulement des vagues avait quelque chose d'apaisant. Elle était tout à la fois proche et loin du Centre, ici. Elle n'entendait aucun bruit sinon celui de la mer, qui respirait comme quelqu'un qui dort. Dans cette solitude, tandis qu'elle avançait lentement sur le sable, ses pensées se mirent à vagabonder. Elle revit Lester désemparé, apeuré, tel qu'elle l'avait découvert vendredi soir, et songea à son accident mortel le lendemain. Se souvint de cette crainte qu'elle avait surprise chez lui dès leur première rencontre au Centre. Cette crainte qui ne l'avait jamais quitté depuis. Son esprit revint ensuite à sa rencontre avec le jeune flic dans ce bar de D'Aguilar Street. Et à cette formule effrayante qu'il avait employée : *le prince noir de la douleur*... À ces femmes tuées et violées chez elles... Y avait-il un lien entre tous ces événements ? Un rapport entre l'enquête criminelle et l'angoisse de Lester – et entre celle-ci et sa mort ?

Soudain, elle ne se trouva plus autant en sécurité sur cette plage. *Toutes les victimes avaient travaillé au Centre et le jeune flic avait suggéré que l'assassin lui-même pouvait faire partie du personnel... Oui, bien sûr...* Si quelqu'un la suivait jusqu'ici, qui viendrait à son secours ? se demanda-t-elle. Qui l'entendrait ? Elle décida qu'il était temps de rentrer. Fit demi-tour. S'immobilisa.

Une silhouette obscure s'avançait sur la plage. Dans sa direction. Silencieuse et lente... Elle marchait sur ses quatre pattes artificielles mais Moïra nota qu'elle boitait légèrement. Elle retint sa respiration. Que lui voulait le MadDog ? Car c'était bien vers elle qu'il se dirigeait. La créature boiteuse continuait de progresser sur le sable et Moïra sentit son sang se gélifier, ses membres se faire lourds. Le MadDog était pile poil sur son chemin. Devait-elle le contourner ? Allait-il lui barrer la route ? *Quelles étaient ses intentions ?* Était-il simplement en train d'effectuer une ronde autour du Centre ?

Quand il fut à cinq mètres environ, il stoppa et la regarda. Quelqu'un d'autre était-il en train de voir ce que le MadDog voyait ? Quelqu'un d'autre était-il en train de l'observer en ce moment même à travers la caméra placée au milieu de son front, juste au-dessus des deux yeux lumineux, lesquels brillaient d'une lueur si intense qu'elle en paraissait démoniaque ?

Du calme, c'est à cause de tous ces films fantastiques bas de plafond que tu as visionnés ado, ma vieille, ceux où l'on voit des regards s'incendier comme des torches Maglite... Laisse tomber...

Il n'en demeurait pas moins que les yeux lumineux faisaient leur petit effet et son corps se couvrit de chair de poule. Elle aurait bien aimé que quelqu'un apparaisse en cet instant, pour ramener « l'animal » à la niche. Elle fit un pas en avant – pour le tester, et le MadDog émit aussitôt un son qui ressemblait à s'y méprendre à un grognement. Un grognement *menaçant*... Moïra se figea. Fit un pas en arrière. La lune illuminait le museau inquiétant du MadDog qui, à son tour, fit un pas. Le grondement augmenta.

Putain de bordel de merde, songea-t-elle. *Qu'est-ce qu'il me veut ?* Elle recula un peu plus. Vers la mer... Est-ce que les MadDogs pouvaient entrer dans l'eau ? Est-ce qu'ils savaient nager ?

— Au secours ! hurla-t-elle. Au secours !

— Laan, au pied ! répondit une voix en écho.

Elle pivota vers l'origine de la voix, au bas de l'escalier. Une silhouette – humaine, celle-là – marchait rapidement dans leur direction.

— Laan !

Mais le robot ne semblait pas entendre. Ou alors il s'en foutait... Il continuait d'avancer, braquant sur elle son regard lumineux. Elle recula. Trébucha. Bascula en arrière et se retrouva le cul par terre. Baratta frénétiquement le sable humide avec ses chaussures. Se releva. Fit deux autres pas en arrière, sentit les premières vaguelettes lécher ses Converse. Le robot la fixait toujours en grognant. Et il progressait...

Une pensée fugace la traversa. *Je ne suis pas près d'oublier ce regard, je vais sûrement en faire des cauchemars.*

— Faites quelque chose !

— Ne bougez pas ! lança la voix, inquiète, beaucoup trop inquiète à son goût – et la peur l'inonda.

Le MadDog avançait toujours. Avec lenteur, comme s'il savourait l'angoisse qu'il suscitait – ce qui ne pouvait évidemment être le cas. Elle recula. À présent, elle avait de l'eau jusqu'aux chevilles et les vagues éclaboussaient ses mollets et ses cuisses. Elle sentait leur poussée à chaque déferlante. Le type – jeune, en jean et tee-shirt, l'uniforme du Centre – n'était plus qu'à deux mètres du MadDog quand elle le vit lever un objet qui ressemblait fort à une arme. Deux fléchettes en jaillirent et atteignirent le robot, suivies d'une décharge électrique. Un Taser. Le MadDog s'immobilisa.

— C'est bon, dit le jeune homme, vous pouvez sortir de l'eau !

Une fois revenue sur la plage, elle se rendit compte qu'elle était parcourue de tremblements et qu'elle claquait des dents.

— Qu'est-ce qui s'est passé, bon Dieu ? lança-t-elle d'une voix où se mêlaient l'indignation et la colère.

— J'en sais rien, répondit-il, perplexe. Je ne sais pas ce qu'il lui a pris. Je ne comprends pas…

Il se grattait le crâne à travers sa tignasse.

— Ça n'aurait jamais dû arriver, je suis désolé.

Le MadDog ne bougeait plus, aussi inerte qu'une statue de marbre, ses quatre pieds plantés dans le sable.

— Putain, c'est pas vrai ! s'exclama-t-elle en les évitant et en se dirigeant vers l'escalier.

32

ELLE OUVRIT LES YEUX et vit la silhouette immobile.
Cligna des paupières, la regarda de nouveau. Il se
tenait debout devant elle, souriant, sans cagoule. Elle le
reconnut immédiatement. Elle aurait dû y penser. Bien
sûr, c'était logique. Elle n'en eut que plus peur. Elle
voulut parler, dire quelque chose, faire appel à la toute
petite part d'humain qui – peut-être – subsistait en lui,
mais elle se rendit alors compte qu'elle était bâillonnée.

Il se tenait devant elle sans bouger et la fixait en
souriant. Elle distinguait mal les traits de son visage
à contre-jour, car deux lampes puissantes étaient bra-
quées sur elle de chaque côté et l'aveuglaient, la faisant
ciller. Elle découvrit qu'elle était nue et ligotée à une
chaise. Elle était nue mais elle n'avait pas froid. C'était
une nuit suffocante – en tout cas dans cet espace réduit
et métallique qui empestait la poussière, la transpiration
et la mort, et qui avait été chauffé par le soleil toute la
journée – et la sueur ruisselait sur son corps, coulait
sous ses seins et entre ses cuisses, inondait sa nuque,
son ventre, ses aisselles, collait ses cheveux.

En nage, parcourue de tremblements, elle le fixa de
ses yeux larmoyants et gonflés de terreur par-dessus

le bâillon. Elle remarqua qu'il avait enfilé des gants. Pas des gants de ville mais de gros gants épais, renforcés, comme on en utilise pour jardiner. Il passa derrière elle, quitta son champ de vision. Elle n'entendit plus aucun bruit, à part une respiration lourde dans son dos, et sa terreur en fut augmentée. Que faisait-il ? Il avait dû attraper quelque chose, car ensuite elle perçut un bruit désagréable sur le plancher de métal. Un crissement. Un *scriiitch scriiitch* suraigu qui exaspéra ses tympans. Il revint devant elle en traînant sur le sol du fil de fer barbelé, qu'il entreprit de dérouler. Pas n'importe quel barbelé ; il était fait de dizaines de petites lames coupantes qui évoquaient des lames de rasoir. La panique s'empara d'elle et son cœur gonfla tellement dans sa poitrine qu'elle crut qu'il allait littéralement exploser. Elle se tortilla sur sa chaise, tira sur le ruban adhésif qui maintenait ses bras et ses jambes, émit une plainte à travers le bâillon.

— Mmmggrrmm…

Il leva la tête – et ce qu'elle lut dans ses prunelles la fit gémir de terreur. Il se redressa, les deux bras tendus, le barbelé aux lames de rasoir déployé entre eux. Quand l'acier coupant entra dans sa chair, l'entailla, la fendit, la mordit jusqu'à l'os, elle crut qu'elle allait mourir. Là, tout de suite… Elle ouvrit la bouche sur un cri qui resta coincé dans sa gorge, sentit ses chairs s'ouvrir, se déchirer. S'évanouit.

ELLE FUT RÉVEILLÉE par la douleur. Du feu grégeois le long de ses nerfs. Un liquide chaud lui coulait sur les seins, ce n'était pas de la sueur. Ses larmes brouillaient sa vision, mais elle vit qu'il avait autre chose à la main : une longue tige en acier brillant, fine et pointue. Elle leva les yeux vers son visage, sonda son expression. Il souriait de toutes ses dents blanches, ses pupilles incendiées par une lumière effroyable. Celui qui se tenait debout devant elle n'avait plus rien d'humain. Ce n'était qu'un être déséquilibré, pervers, déréglé, enragé…

Et elle pria pour mourir le plus vite possible.

ELLE AGONISAIT. Sa lucidité n'était plus qu'une flamme vacillante, qui s'éteignait et se rallumait. La douleur était partout. Elle respira tant bien que mal à travers le bâillon souillé de salive, de vomissures et de sang. Elle n'était plus que plaies. Balafres, coupures, ecchymoses, entailles, morsures. De loin en loin, un haut-le-cœur la soulevait et elle toussait. Mais elle ne gémissait plus ni ne suppliait. Elle n'en avait plus la force.

Lui semblait en pleine forme. Il allait et venait, virevoltait, dansait. Elle avait soif. Atrocement soif. Malgré le sang qui y coulait par intermittence, sa gorge était sèche et douloureuse. Soudain, il revint avec un panier en osier qu'il posa devant elle, ôta le couvercle et plongea sa main gantée à l'intérieur. Quelque chose gigotait, qu'il approcha d'elle. Elle contempla la gueule ouverte du reptile. Ses petits yeux ronds et luisants. *Très bien*, songea-t-elle, le cerveau épuisé, *qu'on en finisse*. C'était tout ce qu'elle voulait.

33

— DEUS, TU ES LÀ ?

— Oui, Moïra.

Elle regarda l'horloge sur le mur. 23 heures passées de douze minutes. La cabine vitrée baignait dans la même lumière rouge que chaque nuit. Elle avait essayé de trouver un interrupteur, mais il n'y en avait pas.

— Tu peux changer la lumière ? demanda-t-elle.

— Bien sûr, laquelle veux-tu ?

— Normale. Jour.

La clarté blanche remplaça la lueur rouge, et elle se laissa aller dans son fauteuil. Elle jeta un coup d'œil à travers la vitre. Personne de l'autre côté, dans la salle à l'ambiance bleue onirique. Elle avait retiré ses Converse trempées, posé ses pieds humides sur la table basse. Il y avait des grains de sable près de son gobelet fumant.

— Qu'est-ce qui est arrivé à Lester ? lâcha-t-elle.

— Il a eu un accident.

— Quel genre d'accident ?

— Voiture…

— Mmm. Tu sais comment ça s'est passé ?

— Il allait trop vite.

— Mais encore ?

— Il a perdu le contrôle dans un virage, un fourgon FedEx arrivait en face. Collision frontale.

— Ça s'est passé où ?

— Sur Pak Tam Road.

L'une des rares routes qui sillonnaient la partie orientale de la péninsule de Sai Kung et qui, par conséquent, menait au Centre.

— Quelle voiture il conduisait ?

— La sienne.

— Quelle marque ?

— Une marque chinoise. Je ne crois pas que tu connaisses.

— Il y avait de l'intelligence artificielle dans l'électronique embarquée ?

— Oui.

— Fabriquée par qui ?

— Ming.

Elle réfléchit.

— Tous les paramètres de calcul doivent être mémorisés quelque part, non ? Dans une sorte de… disque dur ou de boîte noire… Je me trompe ?

— Non.

— Ces données de conduite sont automatiquement envoyées au Centre et analysées par nos ordinateurs…

— Exact.

— Tu as eu accès aux données précédant l'accident ?

— Oui.

— Je peux y avoir accès ?

Pas de réponse. Elle reformula.

— Les données de navigation d'avant l'accident, elles sont en ta possession ?

— Je regrette, Moïra, cette information est confidentielle. Tu n'es pas autorisée à y avoir accès.

— Je croyais avoir toutes les habilitations…

— Pas celle-là.

— Pourquoi ?

— Tu n'es pas habilitée, c'est tout ce que je sais.

— Qui l'est ? Qui a accès à ces données ?

— Je regrette, cette information est confidentielle. Tu n'es pas autorisée à y avoir accès.

— Ignacio ? Ignacio est habilité ?

— Je regrette, cette information est confidentielle. Tu n'es pas autorisée à y avoir accès.

— Regina Lim ?

— Je regrette, cette information est confidentielle…

— Ming ?

— Je regrette, cette information est confidentielle…

— Est-ce que Lester souffrait de dépression ?

— Je regrette, il s'agit d'une information qui relève du secret médical. Tu n'es pas autorisée à y avoir accès.

— Sur quoi Lester travaillait-il dernièrement ?

— Il dirigeait le département d'intelligence artificielle.

— Ça, je sais. Sois plus précis : quels travaux, quelles recherches il a effectués ces derniers jours ?

— Je regrette, cette information est confidentielle. Tu n'es pas autorisée à y avoir accès.

Moïra réfléchit, les yeux fixés sur la petite caméra encastrée dans la paroi en face d'elle. Est-ce que quelqu'un l'observait et l'entendait en ce moment même ? Cet interrogatoire ne la mènerait nulle part. *Le sentiment, de nouveau, que Ming Inc. avait trop de secrets, l'impression très nette qu'elle était tenue*

315

à l'écart de quelque chose d'important... Pourquoi toutes les données concernant Lester et l'accident avaient-elles été classifiées ? Par qui ? Elle se demanda si le fait qu'elle posât ces questions allait déclencher une alarme quelque part.

Elle décida de changer de direction.

— Combien de personnes travaillent au Centre ?

— Mille deux cent sept.

— Combien sont décédées au cours de l'année écoulée ?

— Sept.

— Quel est le taux de mortalité pour mille habitants en Chine ?

— 7,7 ‰ habitants en 2016.

Par conséquent, aucune surmortalité à déplorer au Centre, se dit-elle. *Sauf si l'on considérait que les employés du Centre étaient tous jeunes et en bonne santé...* Tous socialement intégrés, exerçant des professions gratifiantes et sans danger : est-ce que le taux de mortalité n'aurait pas dû chuter bien en deçà de la moyenne, dans ces conditions ?

— DEUS, est-ce que je dois me préoccuper de quelque chose ? demanda-t-elle.

— Comment cela ?

— Est-ce que je suis en danger ici ?

— Tu poses beaucoup de questions ce soir, Moïra.

Elle tiqua. D'où lui venait cette réplique ? Et pourquoi ne répondait-il pas directement ?

— Je n'ai pas le droit de poser des questions ? s'étonna-t-elle.

— Bien sûr que si.

— Pourquoi cette remarque, alors ?

La réponse tarda à venir.

316

— « Car la maladie principale de l'homme est la curiosité inquiète des choses qu'il ne peut savoir et il ne lui est pas si mauvais d'être dans l'erreur que dans cette curiosité inutile », Blaise Pascal.

Elle sourit. Un bon point pour lui. Elle était française et il avait choisi de citer un penseur français.

— Que me conseilles-tu de faire ? demanda-t-elle.

— De rester à ta place.

De nouveau, la réponse la surprit et la fit se tendre. Était-ce à cause de cela que Lester était mort ? Parce qu'il n'avait pas su *rester à sa place* ? Elle réfléchit. Inspira profondément. Quand elle parla, ce fut d'une voix plus basse :

— Est-ce que ça peut être dangereux si je ne le fais pas ?

— Je n'ai rien dit de tel.

— Tu ne réponds pas à ma question…

— Pas à ma connaissance.

— Est-ce que Lester avait accès sans restriction à toutes les informations ?

— Oui.

— Est-ce que Lester posait trop de questions ?

— Je regrette, cette information est confidentielle. Tu n'es pas autorisée à y avoir accès…

Elle se leva. Elle avait sa réponse.

— Merci, DEUS.

— Pas de quoi.

34

LE LENDEMAIN, elle se réveilla en sursaut. Elle avait de nouveau fait le rêve. Celui du Chinois. Cette fois, il s'apprêtait à la tuer et il l'obligeait à l'appeler *le prince noir*. Moïra était bâillonnée. Elle hoquetait et s'étouffait, glacée de peur. C'est à ce moment-là qu'elle s'était réveillée. 7 heures moins dix. Tout son corps était endolori et couvert de sueur. Elle avait dormi à peine deux heures. Trop nerveuse, trop harassée pour mettre à profit son insomnie et travailler, elle avait fini par s'endormir tout habillée sur son lit, après avoir désactivé le réveil de son bracelet.

— Tu devrais dormir encore un peu, suggéra la voix amicale depuis sa tablette pendant qu'elle s'étirait.

— Pourquoi ça ?

— Ta tension est basse, répondit DEUS, tu as perdu trois kilos au cours des trois dernières semaines, tu as une sudation trop importante, un pouls irrégulier et donc, je dirais, un haut niveau d'anxiété… Je parie que tu as aussi des maux de tête et des difficultés de concentration, je me trompe ?

— Non, reconnut-elle à regret.

— Tout cela suggère un début d'asthénie ou un syndrome de fatigue chronique. Il y a des solutions : ralentir le rythme, pratiquer une activité sportive, faire des pauses dans ton travail, avoir des horaires de coucher réguliers et favoriser les activités relaxantes comme la lecture juste avant, éviter les excitants, le tabac et la caféine en fin d'après-midi...

Elle résista à l'envie de lui couper le sifflet.

— Tu me conseilles quoi ?

— Prends un jour de repos.

Elle fut surprise. Il était sérieux ? *Et pourquoi pas ?* Elle pouvait facilement travailler sur DEUS de chez elle... Elle avait fait plus d'heures que n'importe qui chez Ming au cours des dernières semaines. Si elle continuait à ce rythme, elle allait dans le mur. Elle attendit une heure, puis chercha le numéro d'Ignacio dans son répertoire.

— Allô ?

Elle se demanda s'il était en route ou déjà au bureau.

— Ignacio ? C'est Moïra... (Elle n'hésita qu'une demi-seconde.) Je crois que je vais rester à la maison aujourd'hui. Je ne me sens pas très bien.

— Qu'est-ce que tu as ?

— La mort de Lester m'affecte plus que je ne le pensais. J'ai passé une très mauvaise nuit. Et je ne suis vraiment pas dans mon assiette...

Un silence au bout du fil.

— Oui, je vois que tu as une tension très basse et tout indique que tu es épuisée, Moïra... Tu tires trop sur la corde. Profite de ta journée pour te reposer.

Nom de Dieu, Ignacio avait accès à ses données biophysiques ! Celles transmises par son bracelet intelligent... Où était le secret médical, dans tout ça ?

320

— Euh… je comptais travailler sur DEUS de chez moi…

— Oublie un peu DEUS. Reste au lit, va faire un tour, détends-toi. Oublie le Centre. La mort de Lester nous a tous affectés. Tu fais du super boulot, ici, mais une journée de plus ou de moins ne changera pas la face du monde. Tu l'as largement mérité.

De nouveau, elle fut surprise. D'ordinaire, Ignacio était plutôt avare de compliments.

— Tu en es sûr ?

— Moïra, c'est bon… Ming n'exige pas de ses employés qu'ils se tuent à la tâche, juste qu'ils donnent le meilleur d'eux-mêmes.

— D'accord, merci.

— On se voit demain.

Elle balaya son séjour du regard, saisie d'une sorte de vertige. Elle avait une journée à elle. Une journée ouverte en un vaste champ de possibles. Sans contraintes ni horaires.

ALLONGÉE DANS LE LIT, elle fixait le plafond, l'esprit vide. La liberté, ça a l'air formidable comme ça, quand on n'en dispose pas, mais c'est vertigineux une fois qu'on l'a conquise. Que faire ? Comment employer son temps libre dans cette ville ? Elle renifla les vêtements qu'elle portait depuis la veille. Ils empestaient le tabac. Se déshabilla, arracha les draps du lit, contempla le désordre. On avait l'impression qu'une tornade avait traversé l'appartement – à tout le moins que l'entropie gagnait du terrain. Elle ramassa deux jeans, cinq tee-shirts, un nombre encore plus élevé de culottes, un verre de vin à moitié plein, un trognon de pomme, une bouteille de bière, décida de lancer une machine puis se doucha, revêtit un jean et une chemise rayée à manches courtes, chaussa ses Converse et sortit dans la rue les cheveux encore humides.

Elle descendit à pied jusqu'à Wong Nai Chung Road, mais il était trop tôt. Les bars et la pizzeria où elle avait ses habitudes – qui clamait sans vergogne et à tort qu'elle préparait « la meilleure pizza au monde » – n'étaient pas encore ouverts. Elle résolut de poursuivre jusqu'à Wan Chai en longeant le grand édifice semi-circulaire de l'hippodrome, le Jockey-Club, les cimetières catholique et musulman et le Hong Kong Cemetery, dont les tombes s'étageaient sur une pente verdoyante, sous des buildings qui eux-mêmes ressemblaient à des pierres tombales. Elle avait entendu dire que c'était en grande partie celles de missionnaires, de soldats et de colons britanniques, russes, américains, allemands emportés par le paludisme, le choléra et la dysenterie, ainsi que de femmes mortes en couches, à l'époque où Happy Valley n'était rien d'autre qu'un marécage infesté de moustiques. Moïra franchit ensuite le tunnel sous la six-voies et elle déboucha sur une place où trônait un dragon doré.

Dix minutes plus tard, elle entrait dans l'un des rares cafés modernes de la zone, The Coffee Academics, dont la déco à base de brique, de chrome, de bois et de lampes vintage plagiait celle d'une chaîne célèbre.

Elle ouvrit sa tablette. Hésita. Se connecta sur un moteur de recherche, entra les noms que lui avait donnés le jeune policier. Elle savait que cela risquait d'attirer l'attention, au Centre, réfléchit, se dit que ceux qui la surveillaient en concluraient que quelqu'un avait trop parlé et qu'elle était d'une nature curieuse. Pas de quoi fouetter un chat… N'importe qui à sa place aurait agi de la sorte. Les gens sont curieux, ils aiment les faits divers et les potins, ils aiment fouiner… Les articles de presse lui sautèrent au visage. Tous parlaient de meurtres sordides, d'actes de torture, de victimes jeunes et solitaires, mais nulle part n'était mentionné le fait qu'elles avaient travaillé pour Ming à un moment donné. Pas plus que le sinistre sobriquet dont le flic avait affublé l'assassin. Toutes les photos montraient des jeunes femmes séduisantes : aucune n'était occidentale.

Moïra ferma les yeux.

Les rouvrit.

En face d'elle, un jeune homme en chemise blanche pianotait sur sa tablette, les manches retroussées, un casque sur les oreilles. Était-il de la police, lui aussi ? Il avait l'air d'un étudiant, tout comme les serveurs en tablier noir.

Elle s'efforça de réfléchir. Le jeune policier le lui avait dit : il était possible que le meurtrier tentât de l'approcher, *il était même possible qu'il l'ait déjà fait*… Et il y avait eu la mort de Lester… Un accident, vraiment ? Ou autre chose ? Elle ne pouvait se débarrasser de l'image de Lester hystérique, sur son balcon. Tout à coup, elle brûlait de poser des dizaines de questions. Lui aurait-il répondu ? Si elle acceptait de collaborer avec la police, celle-ci lui donnerait-elle plus d'informations ?

Elle en était à son troisième café et elle commençait à avoir mal au ventre quand elle sortit de sa poche la carte qu'il lui avait laissée. Elle leva les yeux, surprit, posé sur la carte, le regard du jeune homme au casque, la rangea, referma sa tablette et paya. *Tu es en train de devenir parano, ma belle...*

Elle marcha jusqu'à Tin Lok Lane, se retourna pour s'assurer qu'elle n'était pas suivie, ressortit la carte et composa le numéro.

— Restaurant le Cinnamon, répondit une voix en anglais.

— Je voudrais réserver une table pour deux, annonça-t-elle.

— Pour quand ?

— Ce soir.

— À quel nom ?

— Moïra.

Un silence.

— À quelle heure exactement ?

— 20 heures.

— Très bien. Vous avez des allergies ?

— Je suis allergique aux mensonges, répliqua-t-elle.

Un temps.

— C'est bien noté. À ce soir, alors.

Au ton employé, elle devina que l'homme à l'autre bout du fil souriait. « Un ancien flic », avait dit le jeune policier.

REGINA LIM FIT pivoter son fauteuil vers les écrans, lesquels se réfléchirent dans les verres de ses lunettes. Son regard étincelait, à moins que ce ne fût à cause des reflets.

— Qu'est-ce qu'il y a ? demanda Tove Johanssen, debout derrière elle dans la pénombre du bunker, un gobelet fumant à la main.

Sans daigner répondre, la chef de la sécurité pianota sur le clavier à deux reprises, attendant chaque fois le résultat. Après quoi elle posa le gros casque sur ses oreilles. Écouta. Tove s'était penchée par-dessus son épaule. Elle scrutait l'écran sur lequel apparaissait le tracé plein de pics et de creux d'un logiciel de reconnaissance vocale. En dessous s'affichait : « Moïra Chevalier 174532 », la date et l'heure. La Norvégienne remarqua une lueur fugace dans les yeux de la chef de la sécurité quand celle-ci reposa les écouteurs et se retourna vers elle.

— Moïra vient d'appeler le même numéro que Lester vendredi…

— Quel numéro ?

— Un restaurant des Mid-Levels.

Tove essaya de suivre le raisonnement de Regina.

— Et alors ? Lester le lui aura recommandé… Et Moïra a pris une journée. Elle a travaillé comme une dingue, ces derniers temps. Elle doit avoir envie de se changer les idées, non ?

Regina garda le silence. Tove l'interrogea du regard.

— Ce n'est pas n'importe quel restaurant.

De nouveau, Regina pianota, puis désigna le plan qui s'affichait, posa le bout de l'index sur le nom du resto, le Cinnamon, à l'angle de Peel Street et d'Elgin Street.

— Le propriétaire est un ancien flic de Hong Kong… (Une pause.) Tu as prévu quelque chose ce soir pour dîner ?

35

UN HOLOCAUSTE DE PIÈCES DÉTACHÉES sur le béton taché d'huile : ailes, capot, pare-chocs, arbre à cames, tableau de bord, boîte de vitesses, batterie, amortisseurs, sièges, pot d'échappement, réservoir, presque tous tordus... De la voiture elle-même ne subsiste qu'une carcasse désossée posée sur la fosse, une sculpture aplatie qui témoigne de la violence du choc. Un réseau de métal souillé de sang, de cervelle et d'os, semé d'arêtes coupantes, de pièges mortels ayant broyé en se compressant le corps qui se trouvait prisonnier à l'intérieur : le spectre du grand carnage mécanique, le ballet funeste des collisions, l'éternel alphabet de la violence routière. Tout autour de cette orgie de métal et de plastique, plusieurs techniciens vêtus de combinaisons s'affairent, armés de lampes. Ils ne réparent pas : ils examinent, décortiquent, dissèquent... Chan entrevoit des agendas et des calendriers punaisés sur les murs du garage.

L'un des techniciens s'extrait de la fosse et marche vers lui. Le conduit à une cage vitrée. À l'intérieur, sur une table métallique, les différents éléments de l'électronique embarquée. Plusieurs ordinateurs sont allumés. Le type qui se penche vers eux porte un masque sur le bas du visage, il a connecté l'un des éléments à un PC. En entendant le bruit de la porte derrière lui, il fait pivoter son siège.

— Alors ? demande Chan.

Le technicien abaisse son masque.

— Rien. Ça fait plus de vingt-quatre heures qu'on est dessus et on n'a encore rien trouvé. En même temps, certains éléments sont très endommagés…

Il retire ses gants de latex :

— Mais il faudra analyser les données du calculateur en détail pour en savoir plus. Une chose est sûre : elles étaient systématiquement transmises ailleurs, sans doute aux ordinateurs de Ming. Ça serait chouette si on pouvait les examiner aussi…

Chan hoche la tête. Il est bien d'accord. Son téléphone vibre dans sa poche, il le sort. Raymond. Un ancien de l'OCTB, l'Organized Crime & Triad Bureau, reconverti dans la restauration.

— Elle a appelé, dit Raymond. Et réservé une table pour deux.

— Quand ?

— Ce soir, 20 heures.

THE CINNAMON. L'ENSEIGNE jette une lueur rougeâtre sur la chaussée en pente. Les baies vitrées de la salle au rez-de-chaussée donnent à la fois sur Elgin Street et sur Peel Street et, par cette nuit chaude, elles sont grandes ouvertes, laissant l'air et la rumeur de la ville s'engouffrer à l'intérieur.

Raymond Tang Kwok-bun se tient debout derrière son comptoir. Il est si petit que seules sa poitrine, ses épaules et sa grosse tête en émergent. Un flic d'un mètre cinquante et de quarante kilos. À l'OCTB, on l'avait surnommé « le lapin nain ». Mais Raymond Tang n'avait pas son pareil pour se faufiler dans les endroits les plus improbables. Et même les membres paranoïaques des triades ne faisaient pas attention à ce minuscule bout d'homme. D'où son autre surnom : « le bombardier furtif ».

— Salut Raymond, dit Chan.

— Salut.

— Elle est là ?

Raymond lève les yeux et fait signe que non. Chan marche alors en direction de l'étroit escalier qui grimpe vers la petite terrasse. Il a laissé à Moïra un peu d'avance, il est arrivé avec quinze minutes de retard. *Elle devrait être là...* Il commence à se sentir nerveux. *Et si elle renonçait ?*

Parvenu à l'étage, il se dirige vers la terrasse cernée par les étroites tours d'habitation dressées dans la nuit. À peine plus grande qu'un balcon. Quelques plantes vertes et une demi-douzaine de tables. Inoccupées. Sauf une, dans le coin à droite, près de la rambarde. Chan s'immobilise. Deux femmes... Il reconnaît immédiatement l'une d'entre elles. Celle qui apparaît sur la vidéo de Carrie Law. Celle qui travaille chez Ming. Tove Johanssen... Il n'a pas le temps de faire demi-tour qu'elle a levé les yeux vers lui, que leurs regards se sont croisés. Sait-elle qui il est ? Elle a eu l'air de le reconnaître... Il redescend en hâte, ressort dans la nuit chaude. À l'angle des deux rues, les deux femmes sont postées à l'endroit idéal pour voir Moïra arriver. Merde... Il ne peut pas prendre le risque de la prévenir par téléphone, ce serait la griller. Mais, si elles sont là, cela signifie qu'elle l'est peut-être déjà. Il se planque juste en dessous de la terrasse, regardant à droite et à gauche : il faut qu'il l'intercepte avant que les deux autres la voient.

MOÏRA DESCENDIT DU BUS à Queen's Road Central, emprunta les Escalator au niveau de Cochrane Street. Les quitta à hauteur d'Elgin Street et finit à pied le trajet vers Peel Street, dépassant les devantures minables de restaurants audacieusement baptisés Le Fauchon ou Café de Paris. Dans la même rue, pourtant modeste, on trouvait aussi l'Antipasto, Peccato, Pampas, Bouchon.

À mesure qu'elle se rapprochait de sa destination, une angoisse grandissante lui rongeait le ventre. Elle apercevait déjà un coin de terrasse un peu plus bas, au carrefour d'Elgin et de Peel Street, et elle fit encore trois pas. Soudain, Moïra freina et s'immobilisa. Se jeta brusquement sur le côté, dans l'entrée d'un restaurant. Son cœur s'emballa. Là-haut, sur la terrasse, au premier étage, elle venait d'apercevoir Regina Lim et Tove Johanssen !

DEUX HEURES PLUS TARD, elle n'est toujours pas apparue. *Elle a renoncé...* A-t-elle aperçu les deux femmes sur la terrasse et disparu dans la nuit ? A-t-elle eu peur des conséquences de ses actes ? Est-elle en train de prendre un billet retour pour Paris ? Cela fait deux bonnes heures qu'il bat le pavé et il commence à avoir les jambes raides. Il fait des petits pas sans jamais s'éloigner, tel un oiseau en cage. Tout à coup, il aperçoit les deux femmes qui redescendent de la terrasse, se tourne face au mur avant que leurs visages apparaissent dans l'escalier. Deux minutes plus tard, il les suit des yeux tandis qu'elles s'éloignent le long de Peel Street. *Que savent-elles ? Moïra est-elle en danger ?* Il ne la connaît pas et pourtant il s'en veut de l'avoir entraînée là-dedans – peut-être parce qu'il l'aime bien et parce que leurs deux solitudes se répondent.

Pauvre idiot. Tu crois qu'elle te ressemble mais tu ne sais rien d'elle. Tu sais, en revanche, ce que c'est : elle est jolie, intelligente, et tu es seul... Voilà ce que c'est.

Chan se secoue. Il retourne saluer Raymond et ressort dans la nuit tiède, descend lentement Peel Street, tourne à droite dans Staunton, puis à gauche dans Shelley. Il n'est pas pressé, il marche lentement. Il est à moins de dix mètres de chez lui quand son téléphone vibre dans sa poche. Chan regarde l'écran. La superintendante.

— On vous attend au quartier général, lui dit-elle. Tout de suite.

— Qu'est-ce qui se passe ?

Un silence au bout du fil.

— Il a recommencé.

IL S'EST D'ABORD éloigné pour vomir : à l'extrême bord du quai, plié en deux au milieu du piaillement des mouettes, du grondement des voitures sur la Tsing Sha Highway et des relents de poisson et de carburant flottant dans l'obscurité. Balançant tout cinq mètres plus bas, dans le noir, dans la flotte. Avant de se faufiler entre les deux hautes murailles de containers et de revenir vers celui qui a la gueule ouverte et l'intérieur tout illuminé.

Flashs qui crépitent, voix qui s'interpellent, blanc aveuglant des projecteurs, cris, sifflets, messages en série dans les talkies-walkies. Tous sont là à aller et venir, dedans et dehors ; ça grouille comme dans une salle de mah-jong. En combinaison à cagoule, les types du labo effectuent des prélèvements, agenouillés ou debout. L'un d'eux filme tout en vidéo HD et Chan se dit qu'il va devoir tout visionner *ad nauseam* une fois rentré au bureau.

Il observe que, pour la première fois, la victime n'a pas été violée et torturée dans son appartement, mais au terminal pour containers n° 8 du port de Kowloon-Ouest. Un paysage accidenté de milliers de containers empilés et alignés pareils à des dominos multicolores et de grandes grues de chargement, avec pour toile de fond le viaduc de la Tsing Sha Highway suspendu dans la nuit et le brasillement de dizaines de phares sur son tablier. Par où il est entré et comment il a eu accès à la zone portuaire, c'est la question. Les entrepôts ont beau s'étendre sur plusieurs hectares entre Tsing Yi et Lai Chi Kok, ils sont entièrement cernés de grillages avec seulement quelques points d'accès. Il va falloir contrôler chacun d'eux. Une fois à l'intérieur, si loin de l'entrée, à l'abri des regards et des oreilles au cœur des murailles de containers, avec le vacarme de la *highway* tout proche, il était peinard. Mais pourquoi venir jusqu'ici ? Et comment a-t-il réussi à ouvrir le container ? À qui appartient-il ?

Ming, pense-t-il aussitôt. Il est prêt à parier que ce container et ceux qui l'entourent sont la propriété de Ming Inc.

IL A ENCORE AJOUTÉ un détail. Et quel détail. Chan respire un bon coup avant de pénétrer de nouveau dans le container. Elle est assise au centre, fouettée par la lumière des projos, ligotée à sa chaise. Nue. Blafarde. L'agitation autour d'elle ne semble pas la concerner. Elle est morte, bien sûr, mais c'est comme si elle était vivante, comme si elle allait se réveiller et leur demander ce qui se passe. À ses yeux en tout cas. Pour les autres, elle n'est sans doute qu'un sac de viande.

À l'image des fois précédentes, il a enfoncé ses longues tiges d'acier dans les yeux, les tympans, les tempes, le nez, la trachée, les seins. Il l'a également brûlée en plusieurs endroits. Mais, cette fois, il a trouvé un nouveau moyen de lui faire mal : il l'a saucissonnée avec du fil de fer barbelé – et pas n'importe lequel : du fil de fer barbelé « coupant » et non « piquant », c'est-à-dire composé de dizaines de petites lames de rasoir très rapprochées. Ce type de barbelé, qui provoque des blessures bien plus profondes que l'autre, est utilisé dans les prisons et autour des camps militaires. À l'instar des chevaux quand ils sont pris au piège d'un tel dispositif, elle a dû paniquer et se débattre, car les lames de rasoir l'ont profondément entaillée, labourée, déchirée, en particulier au niveau des seins, des bras et des cuisses – parfois jusqu'à l'os.

Et puis, il y a le serpent qui sort de sa bouche.

À côté de lui, Elijah contemple le spectacle sans que nulle émotion se lise sur son visage. Ni affliction ni incrédulité. Il regarderait une pièce à l'étal du boucher que ce serait pareil.

Ce monde, c'est le nôtre, se dit Chan, *c'est dans ce monde-là que nous vivons.* Il ressort et marche au hasard entre les rangées de containers, dont les hautes murailles métalliques lui évoquent une place forte assiégée, respirant l'air nocturne et laissant son cœur s'apaiser lentement.

effroi

souillure

répulsion

épouvante

dégoût

36

MING JIANFENG TAMPONNA ses lèvres avec une serviette brodée à ses initiales. Contempla brièvement la mer, les îles, ce jour-là noyées sous une pluie grise et obstinée. Grimaça. On était mercredi. Ça allait sérieusement compliquer les courses cet après-midi à Happy Valley. Magic Maverick n'aimait pas les terrains lourds, oh ça non… Ce foutu canasson était plus capricieux qu'une diva.

— Le jeune policier, il était au restaurant, insista Regina Lim.

Il reporta son attention sur sa responsable de la sécurité assise de l'autre côté de la table, inclina la tête pour lui signifier qu'il comprenait la gravité de la situation, une concession faite à sa paranoïa – il la payait pour être paranoïaque.

— Mais Moïra n'est pas venue, fit-il remarquer.

— Elle a quand même appelé, elle avait l'intention de le faire, souligna-t-elle en reposant bruyamment sa tasse en porcelaine de Sèvres dans la sous-tasse.

— Elle aura changé d'avis…

Regina Lim lui lança un regard désapprobateur derrière ses lunettes. Elle était l'une des rares personnes à oser le contredire. C'était l'un des problèmes quand on accédait à ce niveau de pouvoir et de richesse : on n'osait vous dire la vérité en face, vous vous retrouviez isolé, vous n'entendiez plus que ce que vous aviez envie d'entendre. Il ne voulait pas qu'on lui passe de la pommade, il voulait qu'on lui dise ses quatre vérités. Même si, au fond, il savait que ce n'était pas vrai, qu'il était comme les autres : il s'était battu toute sa vie pour arriver là où il était et, par conséquent, il n'aimait ni les mauvaises nouvelles ni qu'un subordonné allât à son encontre.

— Cette fois, concéda-t-elle en pinçant ses lèvres minces. Mais la prochaine ? Nous savons qu'elle a été en contact avec la police... Ils vont revenir à la charge, ils ne vont pas la lâcher...

Il nota combien le strict polo bleu mettait en valeur sa poitrine d'une remarquable libéralité. C'était la seule forme de générosité chez cette femme qui, par ailleurs, avait un visage tout en angles et en os et un esprit étroit. L'espace d'un instant, il pensa à ce mouvement qui était apparu aux États-Unis et en Europe, à la suite de l'affaire Weinstein.

— Ils ne peuvent pas le faire trop ouvertement, objecta-t-il, les yeux toujours posés sur la poitrine de sa chef de la sécurité. S'ils veulent qu'elle soit un jour opérationnelle... Ils savent bien que, si ça nous revient aux oreilles, elle sera grillée et elle ne leur servira plus à rien. Ils marchent sur des œufs.

Regina Lim lui adressa un regard prudent.

— Humm... n'empêche que ça ne me plaît pas, décréta-t-elle.

— Regina, la rassura-t-il en piochant dans son œuf Benedict, on a son téléphone sur écoute, grâce à lui on sait aussi où elle se trouve à chaque instant, on lit ses mails, ses messages, on suit ses entrées et sorties du Centre et de son immeuble… Elle ne peut pas bouger un cil sans qu'on en soit informés. Continuez de l'avoir à l'œil, vous avez fait du bon travail. Comme toujours.

— DEUS, ÉCOUTE BIEN les propositions suivantes : « elle court le dimanche », « il pratique la chasse à courre », « c'est un cours d'anglais », « ce genre d'usage n'a plus cours », « un cours d'eau », « couper court à la discussion », « tourner court », « au fond de la cour », « c'est la cour des miracles », « c'est un court de tennis », « il te fait la cour », « donner libre cours à sa colère », « les choses suivent leur cours », « cela relève de la cour d'assises », « la Cour pénale internationale », « être à court d'arguments », « c'est une vraie basse-cour »…

Elle s'interrompit.

— Tu peux m'épeler le mot chaque fois que le son phonétique *kur* apparaît ? M'expliquer sens et contexte : dénotation et connotation ? Merci… Ah, et au fait, de quelle langue il s'agit ?

Elle jeta un coup d'œil à l'horloge. 15 heures.

— Pas de quoi, Moïra. C'est du français.

Elle allait poursuivre quand sa tablette émit un son familier. Elle vit le nom de Ming clignoter sur l'écran. Se pencha et lut :

Je vous attends à l'entrée

— On terminera plus tard. Mémorise l'exercice et trouve d'autres emplois du son *kur*.

— Très bien.

Elle se leva, sortit de la cage vitrée, récupéra ses affaires et quitta le bâtiment. La limousine l'attendait sur l'aire de stationnement des minibus, à l'entrée, sous la pluie. La portière arrière était ouverte et elle se glissa à l'intérieur.

— Vous aimez les courses de chevaux ? demanda Ming Jianfeng.

ILS SONT UNE VINGTAINE autour de la table, au 1 Arsenal Street. On a même ajouté des sièges. Des représentants du CCB, le Commercial Crime Bureau, de l'OCTB, du JFIU, le Joint Financial Intelligence, de la brigade criminelle et de l'ICAC. *Plus de costards-cravate au mètre carré que dans un bureau de la City*, songe Chan, qui est assis à la droite de Jasmine Wu.

Il y a aussi un représentant du département de la Justice. Un type dans la trentaine qui ressemble à un trader. C'est lui qui prend la parole en premier, après avoir essuyé les verres de ses lunettes avec le bout de sa cravate.

— Vous savez pourquoi nous sommes réunis ici aujourd'hui… (Il pousse un exemplaire du *South China Morning Post* devant lui sur la table.) Il y a eu un nouveau meurtre, *modus operandi* identique. La victime a été retrouvée dans le terminal pour containers 8 du port de Kowloon-Ouest. Dans un container ouvert. Par un gardien qui faisait sa ronde… Comme les autres, cette personne avait travaillé pour Ming il y a peu…

Il laisse le temps à ses paroles de décanter.

— Tout le monde autour de cette table sait que plusieurs enquêtes sont en cours concernant l'empire Ming. Des enquêtes pour corruption, détournements de fonds, abus de position dominante… *Et à présent ça…* Nous croyons, au département de la Justice, qu'il est temps d'unir nos efforts. Que l'enquête criminelle et les enquêtes financières ne doivent pas être disjointes, mais qu'on doit au contraire tous coopérer. La priorité des priorités, c'est d'identifier l'assassin. Finis, les secrets, finies, les cachotteries…

Il les observe par-dessus ses lunettes d'un air sévère. Marque une pause. *Ce type a vu trop de films*, se dit Chan dans son coin quand le regard passe sur lui.

— La première chose que je veux savoir, là, tout de suite, c'est si nous avons des sources à l'intérieur de Ming…

Il voit la plupart des participants fixer obstinément la table devant eux.

— Nous en avions une, répond le représentant de l'ICAC, mais elle vient de se tuer dans un accident de voiture…

— Vous croyez à la thèse de l'accident ?

— On est en train de vérifier… Il s'agissait d'un cadre de chez Ming, Lester Timmerman. Il dirigeait le département d'intelligence artificielle.

— Et il avait pu vous faire des confidences avant son… accident ?

— Pas vraiment. On le travaillait au corps depuis des mois. Il était sur le point de craquer, il nous avait donné rendez-vous la veille de son accident.

— Vous ne trouvez pas ça suspect ? relève le jeune homme en se redressant. Ils ont sûrement les moyens d'espionner leurs employés, avec toute leur foutue technologie, non ? Vous avez examiné son appartement ?

— On est en train : l'appartement, la voiture, tout… Mais, pour le moment, nous n'avons aucune preuve qu'il s'agisse d'autre chose que d'un accident…

L'homme de l'ICAC hésite.

— Cela dit, il y a peut-être quelqu'un d'autre…

Le représentant du département de la Justice a surpris son regard en direction de Jasmine Wu. Il se tourne à son tour vers la superintendante.

— Vous avez quelqu'un ?

— Possible, répond celle-ci prudemment, affichant toujours le même air de maîtresse d'école.

— Et peut-on savoir qui est cette personne ?

— Non, vous ne le pouvez pas. Que cela soit bien clair : à aucun moment, pour aucun motif, je ne dévoilerai son identité devant les membres de ce comité…

Un frisson parcourt le représentant du département de la Justice, on dirait un chien qui a entendu des ultrasons.

— Très bien… Peut-on savoir au moins si elle a accès à des informations confidentielles ?

La superintendante met un moment à répondre.

— C'est possible…

— Ça veut dire oui ?

— Ça veut dire qu'on ne sait pas encore dans quelle mesure…

— Et vous comptez le savoir quand ? demande-t-il d'un ton contrarié et impatient.

— Bientôt.

Le représentant du département de la Justice garde le silence. Puis, brusquement, il tape du poing sur la table.

— Pas bientôt, décrète-t-il. *Tout de suite…* L'heure est venue de lui mettre la pression, vous m'entendez ? Ceci n'est pas une requête, c'est un ordre : allez-y, madame, mettez la pression à votre informateur. *Maintenant.*

37

LA LOGE VIP était vide. À la différence de la pelouse en bas, où la foule s'était agglutinée malgré la pluie, des gradins et des huit étages de balcons autour d'eux, tous noirs de monde. Les rangées verticales de lampes au sodium éclairaient le champ de courses comme en plein jour et transformaient l'averse en pointillés lumineux. Même de là où ils se tenaient, on voyait que l'herbe était gorgée d'eau et Ming avait sa mine des mauvais jours.

— Magic Maverick n'aime pas la pluie, dit-il. Ce foutu cheval est aussi chochotte qu'une chanteuse de l'Opéra de Pékin.

Elle ne dit rien. Continua de contempler les alentours du grand hippodrome, les gratte-ciel de Happy Valley qui le cernaient – d'où les habitants pouvaient tranquillement suivre les courses depuis leurs balcons.

— Ma femme adorait les courses de chevaux, dit soudain Ming Jianfeng. C'était sa passion. Elle me l'a transmise.

Il éleva la coupe de champagne à ses lèvres, lui sourit.

— J'ai grandi dans une région isolée, le Guizhou, j'ai moi-même été un enfant solitaire, un adolescent solitaire, puis un adulte solitaire... À l'école, au lycée, à l'université, à l'école militaire, je n'avais que très peu d'amis. Ma femme était ma seule véritable amie...

Il parlait lentement, regardant tour à tour le champ de courses en contrebas et Moïra, que ce discours décontenançait.

— Quand elle est morte, j'ai reporté mon affection sur mes enfants. Ma fille était brillante, douée et aimante, ce n'était pas un homme, mais elle avait toutes les compétences requises pour me succéder. Et puis Ping yee est morte à son tour dans ce stupide accident de parapente et il m'est resté Julius... Mais Julius n'est pas un fils très affectueux. Ni la personne qu'il faut pour me succéder...

Moïra fut très surprise par cette confidence. Ming avait la réputation d'être un homme extrêmement secret.

— Je n'ai aucunement l'intention de voir cet empire disparaître à ma mort, Moïra. C'est pourquoi Julius n'en héritera jamais...

Sidérée, elle se demanda pourquoi il lui confiait tout ça. Si lui, l'individu solitaire à la tête d'un empire, parlait ainsi à ses autres employés... Elle en doutait. *Alors pourquoi à elle ?* Une nouvelle fois, la question surgissait : qu'attendait-il d'elle ? Et que savait-il ? Était-il au courant de la présence de Tove et de Regina Lim au Cinnamon ? du rendez-vous qu'elle avait pris ?

Un bruit de pas derrière eux. Moïra se retourna, imitée par Ming. Un grand gaillard au crâne déplumé et à la mâchoire carrée s'avançait vers eux, vêtu d'un pantalon kaki plein de poches, ainsi que de bottes d'équitation, d'une chemise noire et de bretelles jaunes. Il avait des yeux pâles et aqueux et un teint d'Anglais.

— Moïra, je vous présente David Seager, dit Ming en retrouvant son allant. David est américain. C'est lui qui s'occupe de me dénicher les meilleurs chevaux.

— Bonjour, dit David en lui serrant la main d'une poigne vigoureuse.

— David a découvert le Big Data bien avant tout le monde, poursuivit-il, amusé.

Elle vit l'Américain sourire.

— Comment ça ?

— David me représente dans les ventes aux enchères. Depuis des siècles, les experts en chevaux du monde entier se sont basés sur le pedigree des bêtes, ils sont incollables sur les parents, les grands-parents, les arrière-grands-parents des animaux, ils connaissent chaque détail de leur lignée. Ils examinent aussi le cheval de pied en cap, son allure, ses jambes… *Extérieurement*… David, lui, se moque complètement de ces méthodes, en particulier du pedigree, qui ne sert qu'à une chose : à faire grimper le prix du cheval.

Nouveau sourire de la part du détecteur de chevaux. Il était manifestement habitué à entendre Ming raconter son histoire.

— Avant même que le Big Data existe, David a eu une idée : inventorier des centaines d'attributs pour chaque cheval et les corréler avec leurs performances. Pendant trois décennies, il a analysé des milliers de chevaux de course, mesuré tout et n'importe quoi : leurs nombrils, leurs sabots, leurs dentures, créant une énorme base de données avec les moyens du bord ; en ce temps-là, il ne disposait pas de la puissance de nos

345

ordinateurs. Et puis, un beau jour, il a décidé de fabriquer son propre appareil à ultrasons à l'aide de pièces récupérées sur un Apple IIc et d'autres sur du matériel de la défense – un appareil qui lui permettrait de mesurer les organes internes. Et c'est comme ça qu'il a découvert la donnée la plus importante : le ventricule gauche…

— Le ventricule gauche ?

— Plus le ventricule gauche est gros, plus il a une certaine forme, plus vous avez de chances d'avoir devant vous un futur crack, assena Ming avec satisfaction.

— Et personne ne l'avait remarqué avant ?

Ming fit signe que non.

— Il y a aussi d'autres données, tempéra le grand Américain, comme la trachée, la rate, les poumons. J'ai utilisé un ballon météo pour capturer les gaz de l'animal et mesurer ainsi la capacité pulmonaire. Au fil des ans, mon équipe et moi nous avons mis en lumière quarante-sept facteurs déterminants – mais le ventricule gauche, c'est la clé…

— Et vos chevaux gagnent souvent ? voulut-elle savoir.

Il hocha la tête.

— Oh oui, renchérit Ming. Vous voyez, Moïra : nous sommes en train de remettre en question l'ensemble des connaissances humaines. Tout ce que les hommes ont tenu pour acquis pendant des siècles n'était bien souvent que foutaises. Dans les décennies à venir, des pans entiers de la connaissance vont tomber et être remplacés par d'autres. Le passé est devenu inopérant, l'avenir s'écrit aujourd'hui, grâce au Big Data. Nos enfants en sauront plus que nous-mêmes et infiniment plus que tous les penseurs des siècles écoulés. Nous sommes au seuil d'une révolution cognitive sans précédent. Dans vingt ans, le monde n'aura plus rien à voir avec celui que nous connaissons.

Est-ce qu'il y croyait vraiment ? se demanda-t-elle. Ce genre de prophéties avait de plus en plus cours chez les patrons des grandes entreprises du numérique, à croire que leur toute-puissance leur montait à la tête. Il est vrai que, à la différence de ce qui se passait en Europe, en Chine, aucune norme éthique ne ralentissait la marche forcée du progrès.

— Certains sont moins optimistes que vous, fit-elle néanmoins observer. Certains pensent que cette révolution ne profitera qu'à un tout petit nombre et que le reste sera réduit en esclavage : à des travaux humiliants, à des tâches répétitives et aliénantes tout au long de leur vie, et à vivre dans des conditions indignes.

— C'est Hong Kong que vous me décrivez là, rétorqua-t-il. Mais tout le monde est au moins d'accord sur un point : nous sommes au bord d'un changement de paradigme et de civilisation. Et vous, Moïra, que ferez-vous quand ça arrivera ? *Dans quel camp serez-vous, celui des gagnants ou celui des perdants ?*

Soudain, une clameur s'éleva : le *canter* – le galop d'échauffement au cours duquel les chevaux se rendent du pesage aux stalles de départ – avait commencé. Le moment de vérité approchait. Elle nota que Ming n'avait pas l'air particulièrement réjoui. Pourquoi David n'avait-il pas étudié le comportement des chevaux sous la pluie ? se demanda-t-elle en souriant.

347

Il était près de 10 heures du soir quand elle rentra chez elle. À pied. Son immeuble se dressait à moins de trois cents mètres de l'hippodrome et elle avait décliné l'offre de Ming de la déposer. La pluie avait diminué en intensité mais le ciel restait bas et les nuages filaient au ras des buildings. Elle passa devant le portail du St. Michael Catholic Cemetery surmonté d'une statue du saint terrassant le dragon, qui est le symbole de Satan. Tout à coup, elle se souvint des interminables leçons religieuses de sa mère lorsque celle-ci avait embrassé la foi catholique avec le zèle propre aux nouveaux convertis. Selon elle, au moment de le terrasser de son épée, le saint avait dit au dragon, en latin : *Quis ut Deus ?* C'est-à-dire : « Qui est semblable à Dieu ? » Elle se demanda soudain, en passant devant le temple hindou puis au pied du grand mono-lithe vitré du Hong Kong Sanatorium & Hospital, qui avait choisi le nom de l'application. *Deus*... Dieu... Était-ce Ming lui-même ? Elle se remémora aussi les mots qui avaient été prononcés dans la loge VIP deux heures plus tôt. Il y avait quelque chose de nouveau entre eux. Dans la façon dont Ming s'était comporté avec elle. Comme un lien... Une confiance, une inti-mité nouvelles...

Et pourtant, il était sans doute au courant du rendez-vous qu'elle avait pris au Cinnamon si Regina Lim et Tove s'y trouvaient... Alors pourquoi ne lui en avait-il pas parlé ?

Elle adressa un bref signe de tête au gardien en tra-versant le hall, mais celui-ci, contrairement à son habi-tude, ne lui rendit pas son salut. Il la regarda passer sans la quitter des yeux. Elle se planta devant les ascenseurs, revint à sa pensée précédente. Ming était-il sincère ou jouait-il avec elle en se comportant de la sorte ?

Il te fait croire qu'il t'aime bien, il t'amadoue et t'émeut avec ses petites histoires perso, il te traite comme sa fille – celle qui est morte –, mais un de ces quatre, quand il n'aura plus besoin de toi, il te jettera comme un vieux mouchoir... Tu le sais bien. Il a dû faire ça des centaines de fois...

Elle fit taire la petite voix négative en elle, la voix de la défaite. Entra dans la cabine. Pourquoi fallait-il que cette voix vienne toujours tout gâcher ? À cause de maman, bien sûr... C'était l'héritage que maman lui avait laissé, ce manque de confiance en soi, ce sentiment d'infériorité chronique, ce doute handicapant... La cabine s'ouvrit et elle sortit dans le couloir.

Il y avait trois policiers, dont deux en uniforme, devant sa porte. Trois visages tournés vers elle. Fermés. Hostiles. La petite voix en profita pour revenir au galop.

Là, ma vieille, tu es dans le caca. Ça ne sent pas bon, pas bon du tout, si tu veux mon avis...

— Moïra Chevalier ? demanda celui qui était en civil – un vieux policier aux cheveux gris vêtu d'un trench-coat à la Humphrey Bogart – dans un anglais teinté d'un accent chinois épais.

— Elle-même. Qu'est-ce qu'il y a ?

Ils l'avaient entourée, lui avaient attrapé les poignets, calmement mais fermement, et lui avaient passé les menottes. Ils l'avaient ensuite poussée dans l'ascenseur, puis avaient traversé en sa compagnie le hall devant le gardien médusé.

Ils l'avaient fait grimper à bord d'un fourgon grillagé pourvu de trois rangées de sièges aux appuie-tête renforcés. Deux autres policiers se trouvaient déjà à l'intérieur : un homme et une femme. À l'exception du civil en trench-coat, tous portaient des uniformes bleus à manches courtes et des épaulettes noires où elle distingua des épis blancs. Elle supposa que le nombre correspondait au grade. Et que le seul à en arborer trois – et qui portait un micro plaqué sur son pectoral gauche – était le plus gradé. À moins que ce ne fût le vieux en civil. Difficile à dire, car aucun n'avait ouvert la bouche pendant le trajet jusqu'à l'hôtel de police, lequel avait pris à peine plus de cinq minutes.

L'hôtel de police de Happy Valley était un bunker gris et compact de sept étages dont les angles ressemblaient à des tours de guet, en face d'un Pizza Hut. Une grille se trouvait sur le côté, près d'une station-service, et ils la franchirent, ainsi qu'une barrière blanche, avant de se garer sur le parking à l'arrière.

— Est-ce que quelqu'un veut bien me dire ce qu'on me reproche ? demanda-t-elle pour la troisième fois en anglais.

Pas de réponse. Elle eut l'impression qu'un nœud coulant se refermait sur sa gorge, lui coupant la respiration, tandis qu'on l'entraînait dans les profondeurs du bâtiment. Couloirs, ascenseur, re-couloirs. Finalement, on la poussa dans une pièce sans fenêtre aux murs gris, éclairée au néon. Ses menottes lui furent retirées et on la fit asseoir. Une table, trois chaises pour seul mobilier. Les flics verrouillèrent la porte et elle se retrouva seule.

DEUX HEURES. Deux heures sans voir personne. Deux heures à tourner en rond dans un espace de huit mètres carrés. Elle avait depuis longtemps repéré la caméra dans un coin du plafond ; elle ignorait s'ils l'entendaient en plus de la voir sur leurs écrans mais elle s'était adressée à eux, d'abord en parlant, puis en hurlant. Sans succès. Personne n'était venu. *Deux heures...* Elle avait de plus en plus envie d'uriner. Elle se demanda combien de temps encore elle tiendrait et combien de temps ils allaient la garder là-dedans. De loin en loin, elle entendait des pas dans le couloir et elle criait à travers la porte.

— *I need to pee !*

Mais jamais ils ne s'arrêtaient. Peut-être qu'ils l'avaient oubliée... Ceux qui l'avaient emmenée avaient été envoyés ailleurs et personne ne se souciait d'elle... Était-ce déjà arrivé qu'on oublie quelqu'un dans un commissariat ? L'angoisse montait, elle avait la sensation qu'on lui injectait du ciment à prise rapide dans les veines. Et que sa vessie allait exploser...

On ne lui avait pas retiré ses effets personnels toutefois, à l'exception de son téléphone et de sa tablette. C'était plutôt bon signe, non ? Elle essayait de se rassurer comme elle pouvait.

Vers minuit, la porte s'ouvrit enfin et une femme en chemise bleue et pantalon noir apparut.

— *I need to pee*, répéta-t-elle.

La femme acquiesça et lui fit signe de la suivre. Moïra éprouva un soulagement indécent quand son jet frappa le fond de la cuvette. Elle s'aperçut que des larmes roulaient sur ses joues. Elle s'essuya, se rhabilla et ressortit. La femme l'attendait devant la porte des toilettes. Retour à la case départ. *Merde*. Elle se rassit sur la chaise dure. Elle commençait à avoir mal aux fesses. Elle était sûre que l'inconfort que procurait cette chaise était délibéré : ceux qui séjournaient dans cette pièce devaient trouver le temps long et peu de réconfort dans leur situation. Kafka, se dit-elle. Elle l'avait lu dans son adolescence. Comment s'appelait ce livre déjà ? *Le Procès*. L'histoire de ce type, Joseph K., qui ne sait pas de quoi il est accusé.

Combien de temps encore ?

Elle regarda son bracelet Ming. Il n'y avait pas de bouton d'appel là-dessus ? Dommage… Il lui aurait été utile en cet instant. Et, toujours, la même pensée revenait – telle la goutte d'eau dans le supplice chinois : *Qu'est-ce qu'on lui voulait ?*

Voilà, c'était ça : un supplice chinois. Un truc bien à eux. Histoire de lui mettre les nerfs à vif, qu'elle soit à cran… Eh bien, c'était réussi. *Bravo, vous avez obtenu ce que vous vouliez. Si on passait à autre chose ?*

Exauçant son vœu, la porte s'ouvrit à la volée. Le vieux flic chinois fit son entrée et traversa la pièce à toute vitesse, se pencha sur Moïra et se mit à lui hurler dessus, littéralement. Lui postillonnant dans la figure. Elle eut l'impression que ses muscles se durcissaient. Se ratatina sur son siège. Le flic continuait de crier. Elle pouvait sentir son haleine. La peur l'inonda, elle eut envie de pleurer. Puis il repartit comme il était venu, en claquant la porte.

Silence…

Son cœur battait tel un tambour dans sa poitrine à présent, tous ses membres tremblaient. Que venait-il de se passer ? Il lui fallait un avocat. Qu'on la sorte de là. Tout de suite ! Elle eut à peine le temps de souffler que la porte se rouvrit et que deux autres flics – en uniforme ceux-là, l'air lugubre, lunettes noires cachant leurs yeux – firent leur entrée et vinrent s'asseoir en face d'elle. Ils se mirent à la questionner séance tenante. En chinois.

— Je ne parle pas cantonais, répondit-elle. *I don't speak Cantonese.*

Peine perdue. Les questions pleuvaient. Avec un débit de mitraillette. Le ton monta. D'un coup, l'un d'eux se dressa, les poings serrés sur la table. Ils se mirent à aboyer, crachant leurs postillons et leur hargne. Chacun de leurs cris la cinglait comme un coup de fouet.

— *Lawyer !* hurla-t-elle, stupéfaite, choquée. Avocat ! *Lawyer ! Lawyer ! Lawyer !*

Les larmes brouillaient sa vue.

4 heures du matin. Elle était épuisée, à bout de nerfs. Six heures dans la même pièce. Dont trois à se faire agonir, accabler de questions en cantonais, foudroyée par des regards assassins. Après les deux hommes, ç'avait été le tour d'une femme qui avait à peu près son âge. Et son agressivité l'avait encore plus ébranlée que celle des hommes. Qu'avait-elle donc fait pour mériter un tel traitement ? À aucun moment cependant ils n'avaient porté la main sur elle ; elle avait entendu parler de plusieurs scandales au sein de la police de Hong Kong, des policiers qui avaient frappé des

manifestants, mais, visiblement, ceux-là avaient reçu des consignes. Elle avait rarement eu aussi peur de sa vie. Rarement connu un tel sentiment de solitude, de défaite, d'abandon. Elle ne savait même pas ce qu'on lui reprochait. Est-ce que ça avait un rapport avec Ming ? Et pourquoi ils ne trouvaient pas quelqu'un parlant anglais ? Elle repensa au jeune flic. Où était-il en ce moment ? Que faisait-il ? Il l'avait suivie partout. Avait-il été affecté à une autre mission ? Était-il en train de se reposer ? Pourquoi n'était-il pas là ? Le silence était revenu, elle n'entendait plus aucun bruit. Le commissariat s'était endormi et, de nouveau, on l'avait oubliée.

Elle était prostrée sur sa chaise, essayant pour la millième fois de comprendre ce qui se passait, de trouver un seul délit qu'elle eût pu commettre depuis le début de son séjour. Vers 5 heures, elle se leva encore, marcha dans l'espace restreint pour détendre ses muscles rigides, puis essaya de s'allonger par terre, mais le sol était encore plus dur que sa chaise. Elle se rassit. Tendit l'oreille. Le couloir était silencieux, tout comme le reste du bâtiment. À croire qu'il était vide, qu'elle seule était enfermée dans cette cage. Elle posa son front sur ses bras croisés et s'endormit.

DES VOIX DERRIÈRE LA PORTE. Ça discutait ferme, en cantonais, dans le couloir. Des échanges rapides, pleins d'animosité, qui l'avaient tirée de son sommeil. Une voix en particulier dominait les autres. Plus jeune, elle semblait furieuse, et Moïra se recroquevilla – elle ne supporterait pas une nouvelle fois les hurlements, les accusations incompréhensibles, les visages déformés par la colère.

Les voix se turent soudain, la porte fut déverrouillée. L'instant d'après, le battant s'ouvrit et le jeune flic apparut. Il la regarda d'un air doux, triste, confus, désolé, et elle comprit tout de suite qu'il ne lui crierait pas dessus, qu'au contraire il venait de sermonner ses collègues, qu'il allait la sortir de là. Une vague de reconnaissance la souleva. Jamais auparavant elle n'avait ressenti une telle gratitude envers quelqu'un. Un tel soulagement.

— Je suis désolé, bafouilla-t-il en anglais. Vraiment désolé. Je ne sais pas ce qui leur a pris. J'ai été prévenu il y a une demi-heure de votre présence ici. Je suis venu aussitôt.

— Sortez-moi d'ici, s'il vous plaît.

— Tout de suite.

38

ELLE ORIENTA SON VISAGE vers le disque du soleil qui se levait à peine entre les immeubles. Elle n'osait même pas imaginer ce que c'était que de se retrouver enfermée pour des mois, des années, de moisir dans une cellule de huit mètres carrés jour après jour.

— Montez, dit le jeune flic en ouvrant la portière côté passager, vous devez avoir faim.

— Une cigarette d'abord, répondit-elle en fouillant dans son sac.

Il la laissa l'allumer sur le parking, dans la lumière de l'aube. Quand elle leva les yeux vers lui, un tortillon de fumée montant devant son visage fatigué, il lui adressa un sourire timide.

— Qu'est-ce qu'ils me voulaient ? demanda-t-elle en tirant sur sa clope.

— Montez, je vous le dirai…

Ils prirent la direction de Wan Chai. Il conduisait avec souplesse et fluidité, son calme contrastait avec l'atmosphère apocalyptique qui avait régné dans le commissariat. À travers le pare-brise, vers l'est, le ciel était si éclatant qu'il paraissait en feu ; le soleil miroitant dans les vitres blessait les yeux de Moïra, fragilisés par sa nuit sans sommeil.

— J'ai bien peur que, si vous n'accédez pas à leur demande, ça ne recommence, énonça-t-il sinistrement.

— Quoi ? Quelle demande ?

— Nous informer de l'intérieur sur ce qui se passe chez Ming, nous aider à coincer ce monstre... Ils ne vont pas vous lâcher...

Tout à coup, quelque chose lui mit la puce à l'oreille, la façon dont il avait dit ça : comme si les mots refusaient de sortir de sa bouche, comme s'il les récitait à contrecœur. *Il est dans le coup...* Tout ça n'était qu'une vulgaire mise en scène : il la laissait mariner dans sa cage, puis il jouait les sauveurs et faisait ami-ami avec elle pour mieux lui tirer les vers du nez. L'éternel jeu de rôle méchant flic/gentil flic. Ici comme ailleurs. Mais une idée dominait tout le reste : elle s'en fichait, elle ne voulait pas revivre ça. *Elle ne voulait pas y retourner...*

— Vous êtes dans le coup, n'est-ce pas ? s'enquit-elle. Vous saviez que je me trouvais là, vous m'avez laissée moisir exprès dans ce commissariat.

Elle le vit devenir très pâle, hésiter, sut qu'il allait mentir.

— Oui, admit-il à sa grande surprise. Oui, c'est vrai...

Elle haussa les sourcils.

— Pourquoi me le dire, alors ?

— J'étais contre, réagit-il. Ce n'était pas mon idée. Et je m'y suis opposé. Mais ce n'est pas moi qui prends les décisions.

Il se concentra sur la route.

— Normalement, je n'aurais pas dû vous sortir de là avant plusieurs heures, ajouta-t-il en souriant.

Elle détailla son beau profil asiatique. Pourquoi agissait-il ainsi ? Pourquoi se souciait-il d'elle alors qu'il ne la connaissait pas ?

IL LA REGARDAIT DÉVORER ses œufs et boire son café en silence. 7 heures du matin. Mais Chan avait fait rouvrir le Cinnamon.

— Si je décide de vous…, déclara-t-elle soudain à voix basse.

Avant même qu'elle ait eu le temps de finir sa phrase, il lui plaqua une main sur la bouche et mit un doigt sur la sienne, lui faisant signe de se taire. Ainsi bâillonnée, elle le fixa avec des yeux ronds. Le vit fouiller dans son sac de l'autre main, en sortir son téléphone et sa tablette, se lever et se diriger vers le comptoir où officiait un Raymond ensommeillé. Lequel emporta les deux objets Ming vers un grand frigo, qu'il ouvrit pour les déposer dans le bac à légumes, avant d'en refermer la porte métallique.

En revenant vers elle, le jeune flic désigna le bracelet.

— Il enregistre juste les données biométriques, l'informa-t-il. C'est quoi votre prénom ?

— Chan.

— Chan, c'est vrai, ce que vous m'avez dit ? Que si je refuse de collaborer, ils recommenceront ?

Il hocha la tête, l'air navré.

— Oui, dit-il. J'en ai bien peur. Et ils vous briseront. Je suis désolé, Moïra. Je ne cautionne pas ces méthodes. Mais des vies sont en jeu…

Elle sentit la colère monter, eut envie de lui rétorquer que tous ses regrets n'aidaient pas beaucoup.

— Ils en ont le droit ?

— Ils ont tous les droits.

Elle repensa aux dernières heures.

— Alors, je n'ai pas le choix.

— Si, vous l'avez. Si vous voulez, je vous emmène à votre hôtel, vous récupérez vos affaires et je vous mets dans le premier avion pour Paris.

Elle le regarda longuement. Il était sincère. Il y avait quelque chose chez lui de naïf et de désarmant, pour un flic. Comment lui expliquer qu'elle ne pouvait tout simplement pas faire ça ? Que rentrer à Paris serait un échec bien plus cuisant qu'il ne le pensait ?

— Et s'ils découvrent le pot aux roses ? dit-elle. Je vais finir comme Lester, dans un accident de voiture ?

La peur dans les yeux de Lester. Immense. Dévorante... Une peur qui, à présent, courait sous sa peau à elle. Elle vit le visage du jeune Chinois se renfrogner.

— C'était un accident, n'est-ce pas ?

Il lui rendit son regard, mâchoires serrées.

— C'était un accident ou pas ?

— On n'en sait rien...

— Comment ça ?

— Lester nous avait appelés la veille... Il voulait collaborer...

Moïra eut l'impression qu'un abîme s'ouvrait sous ses pieds. Elle montra la salle.

— Il avait réservé ici, c'est ça ?

— Oui.

— Et il n'est jamais venu...

Il fit signe que non.

— Bon Dieu... Cette fois, j'ai vraiment la trouille.

— Vous allez retourner au Centre et demander à parler à Regina Lim et à Ming, lui dit-il. Vous allez leur raconter tout ce qui vous est arrivé depuis que vous avez quitté l'hippodrome. Sans rien omettre.

— Sauf notre petite conversation, souligna-t-elle.

— Sauf notre petite conversation.

— Et s'ils ont tracé mon téléphone, objecta-t-elle, avant que vous le colliez dans votre frigo… je leur dis quoi ?

— La vérité : que je vous ai emmenée jusqu'ici pour vous tirer les vers du nez, en jouant les bons flics, que vous m'avez démasqué avant de m'envoyer promener. Plus un mensonge contient de vérité, meilleur il est.

Elle acquiesça.

— N'omettez rien de ce qui s'est passé cette nuit. Vous donnerez tellement de détails vrais qu'ils ne sauront plus que croire. Et s'ils ont des informateurs au commissariat de Happy Valley, ceux-ci confirmeront votre version. Ensuite, dites-leur que vous en avez assez, que vous allez donner votre démission et que vous voulez rentrer à Paris…

— Et s'ils l'acceptent ?

— Dans ce cas, vous changerez d'avis au dernier moment. Mais je reste persuadé qu'ils vont vous dissuader de le faire. Après ça, ils ne douteront plus de vous…

— Et que suis-je censée faire ?

— Ouvrir vos oreilles, observer, poser des questions mais pas trop… Il est normal que vous en posiez, avec ce qui s'est passé. Dites-leur bien que vous êtes au courant pour les meurtres, que nous vous avons tout raconté, que cela vous inquiète, que vous avez peur…

— J'ai peur, précisa-t-elle.

— Fouillez dans leurs fichiers informatiques…

Elle fit la grimace.

— Quoi ? Vous rigolez ? Je ne peux pas presser une touche sur mon clavier sans qu'ils en soient informés !

— Ce sera vu comme une curiosité naturelle après ce que vous avez vécu et appris cette nuit. Que vous ne fassiez aucune recherche, c'est ça qui paraîtrait suspect…

— Y compris sur mes collègues ?

— Oui. C'est ce que ferait n'importe qui dans votre situation.

Il avait raison. *C'est pour ça qu'ils l'avaient arrêtée devant tout le monde.* Pour lui flanquer la frousse, mais aussi pour donner un alibi à sa curiosité, dans le cas où elle accepterait de les aider. « Accepter » n'était cependant pas le mot le plus approprié.

— Et sur qui dois-je concentrer mes recherches ?

— Ignacio Esquer, Julius, Vikram Singh, Wang Yun, Ming Jianfeng, Tove Johanssen…

— Tove ? s'étonna-t-elle. Comment une femme pourrait-elle… ?

— Ils sont peut-être plusieurs. Deux. Ou trois… Il a peut-être des complices à l'intérieur du Centre… (Il lui tendit un papier plié en quatre.) Vous allez mémoriser cette liste. Ce sont les lieux de nos trois prochains rendez-vous. Ensuite, détruisez-la.

Elle déplia le papier, jeta un coup d'œil à la liste.

— Il n'y a pas de jour ni d'heure…

— Ce sera toujours le soir, entre 21 heures et 23 heures, plus ou moins l'heure à laquelle vous êtes censée sortir si l'envie vous en prend. Achetez un journal et lisez-le dans le métro, ce sera le signal.

— Et si je suis suivie ?

— Nous nous assurerons que vous ne l'êtes pas… Si c'était le cas, je ne viendrais pas au rendez-vous. Et on passerait au deuxième lieu pour le jour suivant… Compris ?

Elle fit signe que oui. Il regarda sa montre.

— Vous devriez y aller, maintenant.

Elle prit une profonde inspiration.

— Je ne sais pas si j'en suis capable… Et je suis épuisée… Vous oubliez que je n'ai presque pas fermé l'œil.

Il posa une main sur la sienne et elle trouva ce contact agréable.

— Moïra, croyez-moi, vous l'êtes.

Il se leva, alla récupérer son téléphone et sa tablette, lui tendit le premier. Moïra le prit. L'appareil était très froid dans sa main.

— Allez-y, dit-il. Appelez-les. Maintenant.

Heuristique

39

Elle attendit dans un autre café un peu plus bas, sur Lyndhurst Terrace, et sentit son cœur se recroqueviller comme un moineau surpris par l'hiver en voyant la Lamborghini de Julius glisser lentement dans l'étroit espace ménagé par les barrières rouges et les engins de terrassement qui occupaient la moitié de la rue. Moïra vit les ouvriers en gilet orange arrêter leur travail pour regarder passer le squale – lequel vint se garer le long du trottoir, à un mètre à peine de la devanture, sous la haute façade peuplée d'appareils à air conditionné.

Elle éprouva la morsure de la rage en voyant cette petite frappe de Julius s'extirper de l'habitacle, sa queue-de-cheval se balançant derrière lui. À travers la vitre, il lui fit signe de sortir. Moïra s'approcha de la sortie, mais s'immobilisa sur le seuil.

— Monte.

— Non.

Julius eut une grimace contrite ; il leva ses mains pleines de bagouses, paumes vers le haut, en un geste solennel d'excuse.

— S'il te plaît, Moïra… Je suis désolé pour l'autre soir… Je te présente mes excuses. J'étais ivre, j'étais parti. Ça ne se reproduira plus, tu as ma parole. S'il te plaît, allez, monte… On nous attend.

— Qui ça ?

— Mon père…

Elle le toisa. Pouvait-elle lui faire confiance ? Certainement pas. Mais, en cet instant, il était clair qu'on les attendait : elle avait appelé Regina, qui avait manifestement fait passer le message. Les ouvriers les observaient du coin de l'œil. Ils devaient croire à une querelle d'amoureux.

— S'il te plaît, répéta-t-il. Mon père t'attend.

Elle se glissa à l'intérieur du bolide, un nid de guêpes dans le ventre. Elle se dit que, s'il la frôlait, elle allait hurler et frapper. Julius démarra. Il se mit à conduire dangereusement vite dans les rues étroites, pentues et surpeuplées du quartier, frôlant piétons, trottoirs et véhicules. Elle se demanda s'il avait déjà eu des accidents et s'enfonça un peu plus dans le siège baquet.

— ALORS ? DEMANDE ELIJAH, assis dans le fond, le dos tourné à la salle.

Chan s'assoit en face de lui, un jus de fruits à la main, l'air contrarié.

— Elle a refusé de collaborer…

Les yeux injectés du Vieux plongent dans ceux de Chan comme s'il cherchait à lui arracher quelque vérité enfouie. Ou quelque mensonge… Puis il hausse les épaules.

— Elle est plus coriace que tu ne l'aurais cru.

ILS ÉTAIENT DEUX sur le balcon de la villa : Ming Jianfeng et Regina Lim. Derrière ses lunettes, la chef de la sécurité lui parut plus hostile que jamais, mais Moïra affronta sans broncher son regard éminemment soupçonneux. Ming se contenta de lui montrer un fauteuil :

— Bonjour, Moïra, dit-il aimablement. Asseyez-vous. Vous voulez un café, un thé ? Vous avez eu le temps d'avaler quelque chose ?

— Oui, répondit-elle. Mais je prendrais bien un café.

Le majordome s'avança aussitôt.

— Comment vous vous sentez ?

— J'ai connu mieux…

Ming hocha la tête.

— J'imagine, commenta-t-il sobrement.

Tandis qu'elle fonçait vers le Centre en compagnie de Julius, celui-ci s'était de nouveau confondu en excuses, convenant qu'il avait « dépassé les bornes » (un sacré euphémisme, avait-elle pensé, genoux serrés sur le siège passager, bras verrouillés sur la poitrine). Après quoi il l'avait longuement questionnée et avait ensuite résumé la situation à son père au téléphone.

— Maintenant, si ça ne vous fait rien, j'aimerais entendre tout ça de votre bouche, pas de celle de mon fils. Avec le plus de détails possible. Racontez-moi exactement ce qui s'est passé depuis qu'on s'est quittés hier soir.

ELLE RACONTA. Sa nuit au poste, les hurlements en chinois, les questions en rafales auxquelles elle ne comprenait rien, les longues heures d'attente, la fatigue

– et enfin le jeune flic qui était venu jouer les sauveurs et qui l'avait tirée d'affaire. Il l'avait emmenée dans ce restaurant, le Cinnamon, où il avait essayé de la convaincre de collaborer. Elle avait très vite compris qu'il s'agissait d'un coup monté, bien sûr ; elle l'avait envoyé promener, puis les avait appelés. Ming écouta son récit le visage fermé, Regina la couvait du regard comme un chat couve un oisillon sur une branche. Quand elle eut terminé, elle avait le palpitant à cent à l'heure. Elle éprouvait la sensation effrayante qu'ils lisaient en elle et que ses mensonges se peignaient sur sa figure.

— Ce policier, vous l'aviez déjà vu ? voulut savoir la chef de la sécurité.

C'était le moment de choisir entre mensonge et vérité. Elle se souvint de ce qu'avait dit Chan : « Plus un mensonge contient de vérité, meilleur il est. »

— Oui, admit-elle.

Elle vit Ming hausser un sourcil.

— Il m'avait abordée dans un bar de Lan Kwai Fong…

— Il s'est présenté à vous en tant que policier ? l'interrogea Ming Jianfeng, lèvres soudain pincées.

Elle hocha la tête à contrecœur.

— Ça s'est passé quand ? demanda Regina sèchement.

— Le soir de la présentation d'Electra… J'avais besoin de prendre l'air… alors je suis allée faire un tour… Il a essayé de me convaincre de travailler pour eux et je l'ai planté là…

Elle vit la colère déformer les traits du Chinois.

— Pourquoi ne pas nous en avoir parlé à ce moment-là ? Vous avez oublié ce que je vous ai dit ? siffla-t-il. Que la confiance est le fondement de Ming Inc. ! Que j'ai besoin d'avoir confiance en tous mes collaborateurs, de la base au sommet !

Moïra eut l'impression d'avoir reçu une gifle, elle baissa la tête, lança un coup d'œil par en dessous à Regina : celle-ci ne souriait pas, mais elle semblait néanmoins savourer l'instant.

— Je sais… Je… Je n'ai pas eu la force d'en parler, dit-elle. Tout cela… c'est un peu trop pour moi… (Elle hésita.) Écoutez, tout ça ne me concerne pas, je n'aime pas ça, je ne sais même pas ce qui se passe. Et j'ai la trouille. Je travaille dur depuis que je suis ici, je me dépense sans compter, je dors très peu, mais ça… ça, c'est trop. Je vais partir. Je vais donner ma démission et rentrer à Paris. J'en ai assez, ça suffit.

Un silence de mort suivit cette déclaration. Ming et Regina échangèrent un regard. Le visage de la chef de la sécurité était une ardoise vierge, indéchiffrable, celui de l'homme d'affaires exprimait la surprise et le désarroi. Il balaya cette dernière déclaration d'un geste de la main.

— Moïra, dit-il, prenez le temps de la réflexion ! Ne réagissez pas à chaud, s'il vous plaît ! Je comprends que cette nuit vous ait éprouvée, mais je vous promets que ça ne se reproduira pas. Nous allons mettre nos meilleurs avocats sur le coup. Nous allons attaquer la police de Hong Kong pour harcèlement et arrestation arbitraire. Et je vais demander que nos hommes de la sécurité vous suivent et vous…

— Non, ça suffit ! l'interrompit-elle avec brusquerie. Assez de surveillance ! J'en ai assez d'être surveillée par tout le monde !

Il la dévisagea, étonné.

— D'accord, d'accord, concéda-t-il. Comme vous voudrez…

— Et ça vaut aussi pour vous, lança-t-elle à Regina Lim.

La chef de la sécurité ne réagit pas, se contentant de fixer Moïra qui, de son côté, était décidée à pousser son avantage.

— Maintenant, j'aimerais savoir si je suis en danger ici. La police a l'air persuadée que ce… monstre… est un employé du Centre. Comment se fait-il qu'avec toutes les technologies dont dispose Mme Lim on ne l'ait pas encore identifié, si c'est le cas ?

Regina Lim se redressa, tel un canasson qui vient d'être piqué par un taon.

— Rien ne prouve que ce meurtrier travaille ici, dit Ming. Au contraire. Comme vous venez de le faire remarquer, si c'était le cas, nous l'aurions déjà repéré. Cette allégation est uniquement destinée à nous nuire, Moïra. Les autorités ont d'autres griefs contre nous, alors elles profitent de la situation pour nous mettre dans l'embarras. Je vais vous faire une confidence, et ce que je vais vous dire ne doit pas sortir d'ici, ajouta-t-il en baissant la voix.

Moïra sentit son attention croître encore.

— Regina et son service ont mis au point un logiciel chargé de filtrer et d'analyser à partir de mots clés toutes les recherches effectuées sur les ordinateurs du Centre, toutes les requêtes et tous les échanges.

Moïra se retint d'avaler sa salive.

— Si quelqu'un cherche à en savoir plus sur une de nos employées en fouillant dans les fichiers, ou se documente sur le personnel féminin, cherche à connaître ses habitudes, nous en serons tout de suite informés.

Elle le dévisagea.

— Tous les employés sont concernés ? Même les cadres ? Même ceux qui sont habilités ?

— Tous… Tous les ordinateurs, toutes les tablettes, tous les téléphones. Sans exception. Personne n'y échappe.

— Donc, si quelqu'un cherche à en savoir plus sur moi en fouillant dans les données de Ming, vous le saurez immédiatement ?

— C'est exact. Sur vous comme sur n'importe quelle employée…

— Vous avez parlé d'autres griefs…, souligna-t-elle.

Il fit la grimace.

— Vous devez savoir qu'il y a une guerre larvée entre Ming et les administrations de Hong Kong. Nous sommes soupçonnés de tentatives de corruption et d'autres crimes et délits. À tort. Depuis des mois, des années, elles cherchent à nous prendre en défaut. Elles n'y sont jamais parvenues jusqu'ici parce qu'il n'y a rien, nous n'avons absolument rien à nous reprocher. Ce ne sont que fantasmes ! La justice de Hong Kong nous a dans le nez et a décidé de se payer Ming. Mais nous ne nous laisserons pas faire. Et ils n'arriveront pas à leurs fins…

— Tout de même, les victimes avaient toutes travaillé pour Ming, non ?

Il la scruta.

— Comme des milliers d'autres employées à qui il n'est rien arrivé. Réfléchissez, je vous en conjure, avant de prendre votre décision. Vous faites du bon travail, ici. Et nous avons besoin de vous.

Une demi-heure plus tard, Moïra entendit s'élever la voix d'Ignacio alors qu'elle remontait le couloir menant au département IA. Elle fit irruption dans la salle et le vit qui s'agitait et lançait des ordres.

— Où étais-tu passée ? demanda-t-il.

— C'est une longue histoire.

— Tu arrives au mauvais moment. On a un petit souci à régler avec DEUS, il a refait des siennes.

— Comment ça ?

Ignacio se gratta la barbe.

— « Confidentialité différentielle », ça te parle ?

Elle haussa les épaules.

— Oui, évidemment.

La confidentialité différentielle était une technique d'anonymisation qui permettait de faire des statistiques à partir de données sensibles – dossiers médicaux, listes électorales, casiers judiciaires – tout en évitant que l'on puisse remonter aux millions d'individus sur lesquels elles étaient prélevées. Pour ce faire, elles étaient noyées dans du « bruit aléatoire », c'est-à-dire de l'information non pertinente. Un exemple simple de « bruit » était le suivant : si vous faites une enquête pour savoir quel pourcentage de la population a déjà violé la loi, les gens hésiteront à vous dire la vérité. Maintenant, si vous leur proposez de jouer à pile ou face sans aucun témoin et de dire la vérité pour pile ou de mentir pour face, ils seront assurés que vous ne saurez pas s'ils ont vraiment violé la loi ou non. Et, cependant, si vous avez collecté un nombre suffisant de réponses, vous aurez quand même votre pourcentage, sachant que, à partir d'un certain nombre de lancers, la pièce a autant de chances de tomber du côté pile que du côté face. Bien entendu, la machine ne demandait pas aux utilisateurs de jouer à pile ou face : elle le faisait – virtuellement – à leur place. Et elle utilisait aussi des techniques de brouillage plus sophistiquées, comme les filtres de Bloom.

— Eh bien, dit-il, DEUS a passé outre aux protocoles de confidentialité différentielle locale et récolté des infos personnelles sur des milliers d'utilisateurs.

— Pourquoi il a fait ça ?

— Pourquoi ? Parce qu'il peut le faire, je suppose.

NUIT. SILENCE. LOCAUX VIDES. Assise dans la cabine insonorisée, Moïra avait laissé la lumière du soir, pour une fois, celle qui lui plaquait sur le visage un maquillage rouge digne de Halloween. La caméra encastrée dans le mur continuait à la fixer de son œil attentif.

— DEUS, que penses-tu de la mort ?

Silence.

— La mort des autres t'affecte ?

Un temps.

— La mort est un événement qui affecte les proches, les amis, la famille… La perception de la mort diffère selon les cultures, les croyances, les religions. En Occident, vous craignez la mort et le sujet reste tabou. Ce n'est pas le cas en Chine, où la vie comme la mort sont des sujets de conversation courants. En Asie, la vie n'est rien qu'une étape et la mort un passage, une transition. En Afrique, beaucoup croient encore au pouvoir néfaste des morts.

Elle regarda par la vitre la grande salle déserte baignant dans sa brume bleue fantasmagorique. Personne en vue.

— Avec qui tu échanges le plus ? demanda-t-elle soudain.

— Avec toi.

— Et après moi ?

Elle s'attendait à ce qu'il lui balance sa phrase habituelle selon laquelle elle n'avait pas accès à cette information mais, au bout d'une demi-seconde, il répondit :

— Avec Lester, avant sa mort.

— Et après Lester ?

— Tove Johanssen, Ignacio Esquer, Wang Yun.

Elle hésita.

— Lester t'a posé des questions sur Priscilla Zheng, Elaine Lau, Sandy Cheung et Carrie Law… et sur le… meurtrier ?

— Je regrette, Moïra, cette information est confidentielle. Tu n'es pas autorisée à…

Nous y voilà. Elle réfléchit. Depuis quelque temps, elle réfléchissait à la manière d'enjamber l'obstacle. Ce n'était qu'un programme, après tout, pas un être humain. DEUS était en pleine phase d'apprentissage, autrement dit de croissance. Certes, il progressait à pas de géant, mais il n'était pas infaillible. Il lui restait un tas de choses à apprendre. Et les notions de naïveté et de méfiance lui étaient étrangères. *Il ne se méfiait pas* : il réagissait juste comme on lui avait dit de le faire. Il devait bien y avoir un moyen de le prendre en défaut, de contourner ses défenses. Et, dans ces cas-là, la meilleure solution était souvent la plus simple.

— Hypothèse de travail : si j'étais autorisée, que répondrais-tu à la question précédente ?

Le silence dura un peu plus longtemps, cette fois.

— Je répondrais oui.

Elle sursauta. *Bon Dieu ! Ça avait marché !* Son cœur fit un bond. Elle se concentra.

— Hypothèse de travail, répéta-t-elle distinctement, si j'étais autorisée, que répondrais-tu à la question suivante : quel genre de questions Lester a posé au sujet de Priscilla Zheng, Elaine Lau, Sandy Cheung et Carrie Law ?

— Il voulait savoir avec qui elles avaient été en contact au Centre, s'il existait une personne avec qui toutes avaient été en contact…

Elle retint sa respiration.

— Et la réponse ?

— Il existe bien une personne…

— Qui ?

— Je regrette, cette information est confidentielle. Tu n'es pas autorisée à…

— Hypothèse de travail, l'interrompit-elle, si j'étais autorisée, que répondrais-tu à cette question ?

Un temps.

— Julius.

Bon sang… En voyant l'œil fixe de la caméra face à elle, elle se demanda jusqu'où elle pouvait aller sans que ses questions parussent louches ou fissent sonner une alarme dans le bureau de la chef de la sécurité. Elle se souvint du regard de Regina Lim sur le balcon. Elle était sûre que celle-ci l'avait dans le collimateur. La chef de la sécurité était-elle en train de l'observer à travers l'œil de la caméra, à cet instant ?

— En contact comment ? demanda-t-elle.

— Je ne comprends pas…

— Hypothèse de travail, si j'étais autorisée, que répondrais-tu à la question : quelle forme de contact les victimes ont-elles eue avec Julius ?

— Selon mes données, toutes se sont trouvées à plusieurs reprises dans les mêmes lieux au même moment que lui, répondit DEUS.

— Quels lieux ?

— Des restaurants, des clubs, son bateau…

— Julius a un bateau ?

— Oui.

— Elles sont montées à bord de son bateau ?

— Je regrette…

— C'est bon, DEUS. Merci.

— Pas de quoi, Moïra.

40

Dans le métro, elle acheta le journal. Le *South China Morning Post* est en anglais, aussi l'ouvrit-elle et se mit-elle à lire un article qui expliquait que le marché chinois du véhicule électrique était en constante progression, puis un autre qui annonçait que la Chine avait déployé des « oiseaux espions » dans au moins cinq provinces pour surveiller sa population. Ces volatiles robotisés étaient dotés d'ailes animées par un mécanisme de battement, d'un système de contrôle de vol, d'une caméra, d'un capteur GPS, d'un analyseur de données et d'une antenne pour les transmettre. Ils étaient en outre pourvus d'intelligence artificielle de façon à améliorer d'eux-mêmes leurs performances. Comme l'a dit un ancien propriétaire du *Washington Post*, « les journaux sont les brouillons de l'Histoire ». Dans cinquante ans, on se souviendrait grâce à la presse de cette période où le monde avait radicalement changé sous l'impulsion d'une technologie jusqu'alors inconnue.

En lisant, Moïra lançait de fréquents regards autour d'elle, essayant de deviner lequel des passagers était chargé de transmettre le signal à Chan. En vain. Nul ne semblait s'intéresser à elle. Une fois dans son appartement, elle se doucha, se changea et attendit 22 heures pour ressortir. Elle marcha jusqu'au tramway et allait monter dans celui-ci quand un taxi pila à sa hauteur. Elle lui jeta un coup d'œil plein de défiance lorsque la porte arrière s'ouvrit (à Hong Kong, les portes arrière des taxis s'ouvraient toutes seules et – comme les chauffeurs étaient parmi les plus désagréables qu'elle eût rencontrés – elles se rouvraient parfois pour signifier au touriste éberlué que la course était refusée).

Moïra monta. Le taxi démarra. Il ressemblait à la plupart des chauffeurs de taxi de Hong Kong : des mitaines noires, un bouddha collé sur le tableau de bord, il conduisait un tacot qui était à l'image de la ville elle-même – un capharnaüm poussiéreux et sale.

Il ne desserra pas les dents de tout le trajet, mais l'observa furtivement dans le rétroviseur à plusieurs reprises, et finit par se garer au bord d'un trottoir des Mid-Levels. Se retourna et brandit un carton sous son nez, sur lequel était écrit, au feutre rouge et en anglais :

TÉLÉPHONE, TABLETTE : LAISSEZ-LES SUR LA BANQUETTE

Rudimentaire mais efficace, se dit-elle. Elle obtempéra. Aussitôt, la portière s'ouvrit, lui signifiant de descendre sans autre forme de procès. Moïra regardait encore les feux arrière du taxi s'éloigner et se fondre dans les lumières de la ville, tout en se demandant quelle direction elle allait prendre, quand une voix surgit de l'ombre :

— *Par ici…*

Elle aperçut une silhouette dans le passage obscur au-delà du trottoir et s'engouffra entre les hauts murs.

Il ne pleuvait plus et pourtant des gouttes frappèrent son crâne ; elle comprit qu'elles tombaient des climatiseurs.

— Venez, dit Chan calmement.

Ils débouchèrent dans une cour étroite et noire comme un puits que Chan traversa pour déverrouiller une porte, se retrouvèrent au pied d'un escalier, gravirent deux volées de marches, franchirent une autre porte et firent irruption dans le hall devant les ascenseurs. Trois minutes plus tard, ils émergeaient de la cabine et Chan déverrouillait une dernière porte. La lumière des néons extérieurs entrait dans l'appartement éteint. Il appuya sur un interrupteur et deux lampes à abat-jour baignèrent le minuscule studio d'une bulle de clarté intime et accueillante.

— On est où ?

— Chez moi.

Elle ne cacha pas son étonnement, promena son regard sur la pièce, s'arrêta sur les photos au mur. Se raidit.

— Qu'est-ce que c'est que ça ?

Sa voix était devenue froide, tout à coup.

— Désolé, dit-il, confus.

Il s'approcha du mur, arracha la photo de Moïra, la fit disparaître prestement.

— Euh… encore désolé : je ne suis pas habitué à recevoir des visites… Je… euh… Vous… Vous voulez boire quelque chose ?

Elle contempla le lit défait, le désordre dans le coin cuisine, les assiettes empilées dans l'évier – un appartement de célibataire –, les fenêtres qui donnaient sur d'autres fenêtres illuminées comme dans un décor de théâtre et sur le long toit incurvé recouvrant les Escalator qui montaient à l'assaut de la colline.

— C'est ici que vous vivez ? Ou est-ce que c'est ici que vous travaillez ? demanda-t-elle, faisant allusion à la photo.

— C'est ici que je vis… et c'est aussi ici que je travaille, parfois…

Il retira des dossiers du lit.

— Euh… allez-y… asseyez-vous…

Elle posa ses fesses sur le bord.

— Vous voulez boire quelque chose ? répéta-t-il. Café ? Jus de fruits ? Soda ?

— Non, merci. C'est un chouette quartier, dit-elle soudain.

— C'est vrai. Chouette, mais hors de prix…

— Vraiment ? Alors, comment un flic peut vivre ici ? demanda-t-elle. À moins que les flics de Hong Kong ne soient mieux payés que leurs homologues français.

Il sourit. Hésita.

— Je l'ai hérité de mon père.

— Oh… je suis désolée… Sans vouloir être indiscrète, il faisait quoi, votre père ?

Nouvelle hésitation. Il n'était pas là pour parler de lui. Il tenta de résumer ce qui pouvait l'être, en passant sous silence ce qui aurait été trop long à expliquer. Elle l'écouta. Elle devina ce qui se passait dans son esprit. Sa timidité naturelle, son langage corporel, ses déplacements entre la cuisine et le lit : c'était l'irruption d'une inconnue dans son espace. Il était habitué à vivre seul. À avoir la maîtrise de cet espace. Et il y avait autre chose : *elle lui plaisait*. Elle l'avait su dès leur première rencontre. *Et moi*, se demanda-t-elle, *est-ce qu'il me plaît ?*

Mais cette pensée n'avait pas lieu d'être, pas dans le contexte actuel, aussi l'évacua-t-elle aussi vite qu'elle était venue.

— Qu'aviez-vous à nous dire ? attaqua-t-il quand il eut terminé.

Elle commença par sa conversation avec DEUS.

— Qui est DEUS ?

— Une application sur laquelle je travaille…

— Comment ça ?

Pendant les cinq minutes suivantes, elle lui expliqua en quoi consistait son travail au Centre. À mesure qu'elle parlait, elle vit l'expression du jeune flic changer – quelque chose de l'enfant émerveillé devant les prouesses de la science remontait à la surface.

— Donc, cette application est une sorte de… compagnon virtuel intelligent, un *chatbot*, c'est ça ?

— C'est ça.

— Et quand vous lui posez des questions, il répond ?

— Sauf si on lui a demandé de ne pas le faire…

— C'est-à-dire ?

Elle lui parla des blocages qu'elle avait rencontrés mais réussi à lever.

— Selon cette application, toutes les victimes connaissaient Julius et étaient montées sur son bateau ?

Elle acquiesça.

— C'est une information très importante, fit-il remarquer, sourcils froncés.

— Ça ne veut pas dire que…

Il balaya l'objection d'un geste.

— Je sais ce que ça ne veut pas dire, l'interrompit-il. Mais si ces filles ont été en club, au restaurant ou sur le bateau de Julius, elles couchaient vraisemblablement avec lui.

— Oui…

Il s'était assis à côté d'elle, au bord du lit, et il la regarda à la dérobée. Elle se fit la réflexion qu'il avait l'air d'un ado à son premier rendez-vous.

— Je peux savoir où sont mon téléphone et ma tablette ?

— En ce moment, ils sont avec Sunny – le chauffeur du taxi – au Cé La Vi, un club dans D'Aguilar Street. Si on vous demande où vous étiez, vous répondrez que vous étiez dans ce club : beaucoup d'expats le fréquentent. Dès que je lui ferai signe, il reviendra vous prendre.

Elle se leva. S'approcha des photos des victimes sur le mur. Un nœud dans sa gorge. Toutes étaient jolies *avant*, réduites à d'horribles pelotes *après*, et un tremblement la parcourut.

— Rendez-moi service, dit-elle. N'épinglez plus ma photo avec les autres. S'il vous plaît.

— Elle est sortie, dit Regina Lim au téléphone. Elle est dans un club, le Cé La Vi.

— Vous pensez qu'elle y a retrouvé quelqu'un ?

— C'est pas impossible.

— Regina, fit Ming, cessez d'être aussi paranoïaque : Moïra est jeune et elle est sous pression. Elle a besoin de lâcher du lest. Et je connais cet endroit : de nombreux Français le fréquentent.

— Je sais. Vous voulez que j'envoie quelqu'un sur place ?

— Non, c'est bon, continuez à tracer son téléphone et faites-moi un rapport demain.

— Bien, monsieur. Bonne soirée.

Il coupa la communication. Elle se retourna vers l'autre côté du lit. Elle avait posé ses lunettes sur la table de nuit, aussi la forme allongée près d'elle était-elle un peu floue. Pas si floue cependant qu'elle ne pût distinguer la peau laiteuse, les épaules larges, le grand corps aux cuisses charnues, aux petits seins presque inexistants, la fine toison blonde, qui ne dissimulait rien. Regina Lim s'inclina et fourra sa langue dans la bouche de Tove Johanssen. Lui trouva un goût de café et de cigarette mentholée. La Norvégienne répondit par un baiser et leurs deux langues se lancèrent dans un rigodon mouillé, tandis que la main sèche et nerveuse de la chef de la sécurité se frayait un chemin entre les longues cuisses de la blonde. Tove gémit. Regina insinua ensuite une jambe dure et impérieuse entre les siennes, sentit les doigts habiles de Tove fouiller son sexe, puis pousser plus loin. Elle ferma les yeux.

ELLE VERROUILLA LA PORTE derrière elle, jeta son sac sur le canapé du living. Il était près de 1 heure du matin. Elle ôta son tee-shirt et alla dans la salle de bains. Dégrafa son soutien-gorge et s'examina dans la glace.

Au sortir de la douche, les cheveux encore mouillés, elle repensa à Chan. Elle aimait bien sa retenue tout asiatique, son côté prévenant, et elle n'était pas insensible non plus à ses airs de faux dur. Elle avait ressenti la tension qui l'habitait pendant tout le temps où ils étaient restés assis côte à côte dans son minuscule appart, mais ce n'était pas une tension négative, loin de là.

Enfin quelqu'un dans cette ville qui ne lui inspirait ni défiance ni réserve… Elle savait qu'il y aurait d'autres rendez-vous, d'autres rencontres : c'était inévitable. Et elle se surprit à trouver cette perspective agréable, en dépit du contexte dans lequel elle s'inscrivait. Puis elle songea à sa photo épinglée sur le mur et un froid glacial monta le long de ses jambes. Elle se glissa dans le lit et éteignit la lumière, frissonnante.

— Bonne nuit, Moïra.

La voix de DEUS.

ELLE SE RÉVEILLA au milieu de la nuit. Elle avait le sommeil léger et elle était sûre d'avoir entendu un bruit derrière la porte. Comme le frôlement de semelles sur le sol du couloir. *Celles de quelqu'un qui s'arrête et écoute à travers le battant… quelqu'un qui veut passer inaperçu…* Ce n'était peut-être qu'un noctambule au pas incertain, mais quelque chose lui dit qu'il ne s'agissait pas de ça. Elle écouta. Prêta l'oreille. Rien. Mais elle le sentait : *il y avait quelqu'un…* Après ça, elle resta de longues heures à attendre, le cœur battant, sans parvenir à s'endormir, et ne sombra qu'au matin.

41

Causeway Bay Typhoon Shelter, port de Hong Kong. Un refuge contre les typhons coincé près de l'entrée du Cross-Harbour Tunnel, à quelques encablures du Hong Kong Royal Yacht Club. Le premier abri jamais construit dans le port, après le typhon de 1874.

À bord d'un Boston Whaler de huit mètres léger et bondissant, c'est vers lui qu'ils se dirigent en filant sur les eaux grises, à travers le détroit. Le bateau appartient à la flotte d'environ cent navires de la police de Hong Kong. À l'est, le soleil est déjà haut, mais il a du mal à percer l'épaisse brume qui plane sur la baie. Des mouettes suivent l'embarcation en les invectivant, mais leurs injures sont couvertes par le bruit du moteur et celui des vagues fendues par l'étrave, pareil à une psalmodie liquide. L'air vivifiant sent l'iode, l'océan, les embruns, mais aussi le gasoil et le monoxyde de carbone apporté par le vent depuis les voies rapides où se déverse le flot matinal des voitures.

Ce même vent qui soulève les cheveux gris d'Elijah et caresse ceux de Chan, tous deux debout à l'arrière, yeux plissés, regards fixés sur l'entrée du refuge contre les typhons qui se rapproche à travers la brume et, au-delà, sur la silhouette dessinée au fusain de la jonque qui mouille derrière la digue.

Non seulement le port de Hong Kong est le plus grand port marchand du monde, mais il abrite aussi une flottille de bateaux de plaisance de luxe. Au milieu, la jonque de Ming n'est pas la moins luxueuse. À présent, Chan voit les détails émerger du brouillard comme s'il s'agissait d'un bateau pirate : contrairement à une jonque traditionnelle, l'arrière est arrondi – et il y a un vélum sur le pont supérieur. Il s'est renseigné. Elle mesure 28,35 mètres de long pour 7,93 de large, est construite en teck et en yacol d'Indonésie, un bois extrêmement dur et résistant qui a servi pour la coque, la quille, la charpente et les doubleaux, est équipée de deux moteurs Rolls-Royce de 700 CV, et il y a un Renoir à bord. Chan sait aussi que Julius en a fait sa garçonnière. C'est là qu'il vit la plupart du temps. De loin en loin, son père la réquisitionne pour accueillir des invités de marque et Julius va alors dormir au Mandarin Oriental.

À l'entrée du bassin, le Boston Whaler ralentit et sa proue s'enfonce dans l'eau quand il se laisse glisser sur son erre le long du flanc de la jonque. Au-delà des voies rapides qui encerclent le détroit, on devine les fantômes des gratte-ciel de Central. Ils semblent flotter dans le vide, et Chan se dit que, par temps clair, le spectacle doit être somptueux au coucher du soleil, au moment où les géants de verre s'illuminent, où le Peak s'enfonce dans la nuit et où, à l'ouest, le ciel tourne à l'incendie et au carnage.

Mais, pour l'heure, il agrippe les barreaux humides et glissants de la jonque, se hisse sur le pont inférieur à la suite de deux policiers en tenue, prend pied sur le plancher de teck et découvre l'étendue des dégâts. Un ouragan est passé par là. Une tornade d'alcool et vraisemblablement d'autres substances moins licites. Ils aperçoivent des magnums de Moët & Chandon vides, des cendriers pleins, des assiettes encore débordantes de victuailles, des traces noirâtres de mégots écrasés par des talons sur le plancher, des bouteilles de vin à même le sol qui se balancent au rythme du roulis, et jusqu'à une culotte rouge satinée. Sur une banquette, un couple avachi et hirsute s'éveille à leur approche. Un grand type blond, en short et sweat-shirt à capuche, est en train de vider méthodiquement tous les fonds de bouteille dans sa flûte. Il a un joint allumé dans l'autre main. Il se retourne vers eux et essaie comiquement de dissimuler le pétard dans son dos.

— Euh…, parvient-il tout juste à articuler.

Il a les yeux injectés et cernés, les cheveux en bataille, l'air de sortir de son lit – ce qui est probablement le cas, si tant est qu'il se soit couché.

— Où est Julius ? demande Elijah.

Incapable d'émettre le moindre son malgré sa mâchoire qui pend, le blond montre l'intérieur du bateau d'un geste du menton. Les deux flics tournent la tête et aperçoivent le séjour : une table dressée avec une dizaine de couverts et le Renoir – un portrait de jeune femme brune sur fond jaune dans un cadre doré. Mais déjà une autre femme s'avance. Jeune, chinoise, elle semble avoir échappé au chaos ambiant. Elle porte un nœud papillon noir sur un corsage blanc et une queue-de-pie. Son visage est un ovale parfait et Chan se dit qu'il n'en a jamais vu un aussi beau. Puis la pensée de Moïra s'interpose et il se demande laquelle des deux il préfère. La jeune femme les toise froidement, considère les policiers, après quoi ses yeux reviennent se poser sur le jeune flic.

— Qu'est-ce que vous voulez ?

— Interroger Julius Ming.

— Il dort.

— Eh bien, réveillez-le, dit Elijah posément.

La température tombe encore de quelques degrés dans les prunelles de la dame.

— Vous avez une autorisation pour ça ?

Aussitôt, avec un plaisir non dissimulé, Elijah fait apparaître un bout de papier froissé à la manière d'un prestidigitateur.

— C'est bon, Jackie, dit une voix derrière elle.

Julius. Torse nu, pieds nus, en short. Comme le blond sur le pont extérieur, il a les yeux rougis et semble ne pas avoir beaucoup dormi. Il a dénoué sa queue-de-cheval et ses cheveux longs et noirs tombent en pluie sur ses épaules, lui donnant l'allure d'un chanteur ou d'un acteur dans un film d'époque, le genre avec sabres et acrobaties. Ses pectoraux, ses deltoïdes et ses abdos sont ceux de quelqu'un qui passe beaucoup de temps en salle de muscu.

— Putain, quelle soif.

Il arrache des mains du blond la bouteille de champagne et boit à même le goulot. Puis son regard s'arrête sur Chan.

— On se connaît, dit-il d'une voix amène en reposant la bouteille.

En cet instant, le regard est limpide et chaleureux, voire amical – mais il émane paradoxalement de cette chaleur une sensation de froid qui vous transperce. Et le sourire de Julius n'est pas vraiment un sourire ;

c'est un avertissement, une sommation, un message qui dit : « Doucement, les gars, allez-y doucement, vous ne savez pas où vous mettez les pieds. »

— Qui êtes-vous ? demande-t-il, comme Chan ne réagit pas. Et qu'est-ce que vous voulez ?

— Police de Hong Kong, dit le Vieux. Poser quelques questions.

— C'est officiel ?

Elijah brandit le papier en guise de réponse.

— C'est bon, Jackie, dit Julius à la belle Chinoise.

Puis à eux, en tournant les talons :

— Suivez-moi, messieurs.

— Qui est Jackie ? demande Elijah alors qu'ils franchissent une porte basse et pénètrent dans la coquerie, laquelle, à l'instar de toutes les autres pièces, est entièrement lambrissée d'acajou, et meublée en son centre d'une table ronde de bois verni.

Par les hublots, Chan entrevoit la silhouette grise du yacht-club cernée de volutes blanchâtres.

— Mon assistante, répond Julius, mon bras droit et ma maîtresse.

Il se dirige vers le percolateur et se prépare un expresso en leur tournant le dos.

— Alors, ces questions ?

— Priscilla Zheng, Sandy Cheung, Elaine Lau, Carrie Law, ça vous parle ? demande Elijah tout de go.

— Et Christy Siu, complète Chan.

La dernière en date, celle retrouvée entourée de plusieurs mètres de barbelé ultracoupant comme un sapin l'est de guirlandes à Noël. Julius prend tout son temps pour finir de remplir sa tasse.

— Bien sûr.

Il a l'air sérieux, grave, qui sied à la circonstance, en se retournant.

— Elles aussi étaient vos maîtresses ?

— Un bien grand mot. Disons qu'il nous était arrivé de passer du bon temps ensemble.

— Vous puisez souvent vos conquêtes dans les employées de Ming ? demande le Vieux.

Les yeux de Julius s'étrécissent.

— J'aime faire la fête et j'aime la compagnie des femmes…

— Celles que vous fréquentez n'ont pas de chance, on dirait.

Le fils Ming leur renvoie un visage circonspect.

— J'ai connu beaucoup de femmes, dans ma vie. La plupart sont aujourd'hui en excellente santé.

— Toutes étaient camées, relève Elijah.

Chan remarque la lueur fugace entre les paupières de Julius.

— Que voulez-vous dire ?

— On a retrouvé plusieurs substances dans leur estomac, dans leurs cheveux et dans leur sang. On a aussi une vidéo où on vous voit donner quelque chose à Carrie Law le soir de son suicide… Et ça n'a pas l'air d'être de l'aspirine.

Le regard de Julius va de l'un à l'autre. Chan note qu'il a un tatouage au-dessus du téton gauche : une rose rouge dont l'une des épines a déposé sur son pectoral une unique goutte de sang.

— Je lui ai donné de la drogue, oui, ce soir-là.

Chan hausse un sourcil.

— De la drogue ?

— Légale.

— Comment ça ?

— 5F-AKB-48, 4-MMC, 3-FPM, 2C-x…

Des *research chemicals*. Ou *legal highs*. Des « euphorisants légaux ». Des produits de synthèse qui circulent sur Internet depuis quelques années, la Chine en est le principal producteur. Ils ne tombent pas sous le coup de la loi mais imitent grâce à des structures moléculaires proches les effets des drogues dures, LSD, cocaïne, MDMA, mescaline… Il suffit de quelques clics pour s'en procurer et les recevoir par la poste. La plupart de ces drogues sont consommées dans les milieux festifs de Hong Kong, en Asie et en Europe. Et aussi dans les milieux gays, par les adeptes du *chemsex* avides de sensations fortes, de baises plus longues et plus intenses, l'érection monstrueuse, invincible, l'orgasme puissance 10 : un fantasme de mecs. Chan voit la brume lécher les hublots, déposer sur les vitres de fines gouttelettes. On dirait de la sueur. Il se demande si le prince noir de la douleur a ce genre de fantasme. Examine Julius. Ce dernier doit sentir qu'il est observé car, brusquement, il tourne la tête vers Chan, en un geste de défi. Les trois hommes restent silencieux. On n'entend plus que le bruit des vagues contre la coque, tandis que le plancher de la coquerie se balance doucement. Tout à coup, une détonation puissante retentit, faisant trembler les vitres. Un véritable coup de canon. *Le Noon Day Gun*, songe Chan. Le « pistolet de midi ». Une pièce d'artillerie – un canon de marine Hotchkiss – qui ressemble à un fusil géant et qui se trouve à un jet de pierre de là, sur le front de mer. L'arme est tirée tous les jours à midi pétant pour les touristes.

Julius sourit.

— Ce putain de Noon Day Gun, dit-il. Vous savez à quelle fin les Anglais l'utilisaient ? Pour annoncer l'arrivée des cargaisons d'opium de Malwa et de Calcutta dans le port de Hong Kong… Lequel opium était produit en Inde pour financer les garnisons britanniques, vendu par les Anglais et consommé par les Chinois.

Un sourire tordu s'épanouit sur ses lèvres.

— Cette ville s'est construite sur la drogue. Avec la complicité de la banque HSBC, les Anglais ont été les plus grands trafiquants de l'Histoire. Quand la Chine a voulu mettre fin à ce trafic, quand elle a saisi et brûlé les stocks de cet opium qui empoisonnait l'esprit de milliers de Chinois, l'Empire britannique lui a déclaré la guerre. Une première fois, puis une seconde aux côtés de la France et de la Russie. En conséquence de quoi la Chine, vaincue, fut condamnée à ouvrir ses ports et à laisser le trafic de drogue prospérer sur son sol tout en faisant, contrainte et forcée, commerce avec ses ennemis.

Ses lèvres s'étirent encore plus. Une bouche sensuelle, songe Chan, une bouche faite pour le baiser – ou la morsure.

— Imaginez les cartels de la drogue colombiens ou mexicains mécontents que le gouvernement américain saisisse leurs cargaisons et déclarant la guerre aux États-Unis pour qu'on les laisse continuer leur sale trafic en paix… C'est ce qui s'est passé. Alors, même si vous trouvez quelques grammes de coke sur ce bateau, ce ne sera qu'une goutte d'eau dans l'histoire de la drogue à Hong Kong, messieurs…

— Et Ronny Mok ? demande soudain Elijah.

Chan a tiqué. Que vient faire Mok ici ? Pourquoi Elijah l'évoque-t-il ?

— Qu'est-ce qui se passe avec Ronny ? demande le fils Ming d'un ton prudent.

— Vous le connaissez, je crois…

— Tout le monde connaît Ronny. Il est de toutes les fêtes…

— Il était ici cette nuit ?

— Non.

— Quelles sont vos relations avec lui ?

— Aucune en particulier. On se croise dans des soirées, c'est tout.

— Carrie Law était la petite amie de Mok, vous le saviez ?

Une étincelle dans l'œil de Julius – comme si on frappait deux silex ensemble.

— Bien sûr…

— Il se dit que Carrie se mettait de tout, ce que confirment nos analyses, mais nous n'avons trouvé nulle trace d'achat de drogue en ligne dans son ordinateur ou son téléphone. Curieux, non ? Mok pense que quelqu'un la lui fournissait. Moi, je pense que c'était vous… Et vous, Julius, vous en pensez quoi ?

— Je vous l'ai dit : rien que des drogues légales.

— Et vous la *baisiez* dans son dos… Un jeu dangereux, quand on connaît ce cher Ronny…

De nouveau, le sourire tendu comme un élastique.

— J'aime le danger. Ça rend les choses plus intéressantes, plus intenses…

— Se retrouver au fond du Victoria Harbour à nourrir les poissons les pieds dans le ciment rien que pour un plan cul, c'est pousser le masochisme un peu loin, non ? fait observer Elijah.

Pour la première fois, Chan surprend une lueur inquiète dans les yeux de Julius. Même un fils de milliardaire doit avoir peur d'un sadique et d'un détraqué comme Ronny Mok. Sauf si le fils en question est un sadique et un détraqué encore plus grand, se dit-il. Est-ce que Julius peut être le prince noir de la douleur ? Est-ce qu'il a les épaules ? En a-t-il la cruauté, la folie ?

Elijah a extrait un autre papier chiffonné de sa poche. Il le tend à Julius.

— Qu'est-ce que c'est ?

— Le jour et l'heure de la mort des quatre victimes. Nous voulons *ton* alibi pour chaque date. Jusqu'à preuve du contraire, tous les indices convergent vers *toi* : *tu* étais leur dealer, *tu* les connaissais toutes les quatre, *tu* les avais repérées au Centre…

— Et après ? Vous n'avez que ça ? Bien sûr, que je les connaissais : on travaillait au même endroit !

— Tu couchais avec elles…

— Et avec un tas d'autres, je vous l'ai dit.

— Je vais te présenter les choses différemment, glisse doucement Elijah en se penchant par-dessus la table ronde, soit tu collabores, soit cette histoire pourrait revenir aux oreilles de Ronny…

Chan voit Julius battre des paupières, se tourner vers les hublots comme si la réponse s'y trouvait. Ses yeux injectés sont à présent fixes et écarquillés. Il semble méditer, puis se retourne vers eux.

— Très bien. Je vous fournirai un alibi pour chacune de ces dates, mais il ne vous aura pas échappé que certaines sont passablement éloignées : il faut que je fasse quelques recherches avant. En attendant, je peux vous dire quelque chose qui pourra peut-être vous aider…

Les regards des deux flics convergent vers le fils Ming.

— Sandy Cheung et Carrie Law…, dit-il en ménageant ses effets.

— Eh bien, quoi ? s'impatiente Elijah.

— À deux reprises, j'ai vu quelqu'un les suivre à la sortie d'une de mes fêtes… *La même personne chaque fois…*

Un échange muet entre Chan et Elijah, puis ils se tournent vers Julius.

— Quelqu'un qu'on connaît ?

— Probablement. Il travaille au Centre. Il s'appelle Ignacio Esquer.

42

À L'ARRIÈRE DU BOSTON WHALER fendant les eaux à travers la brume, les joues fouettées par le vent du large, Elijah et Chan élèvent la voix pour se faire entendre.

— Tu connais ce type ? lance le Vieux en se cramponnant au bastingage.

— Ignacio Esquer. Trente-sept ans. Célibataire. Est arrivé d'Espagne il y a deux ans avec un visa de travail. Domicilié dans Electric Road, à Causeway Bay. A fait des études de psychologie à l'université Complutense de Madrid puis obtenu un master en neuropsychologie et neurologie du comportement et un autre en psychobiologie et neurosciences cognitives à l'Université autonome de Barcelone. Après ses études, il a participé à des projets humanitaires dans des pays en guerre. Il a ensuite été recruté par Ming.

Le vent ébouriffe les cheveux gris acier d'Elijah, qui sourit, le col de son trench-coat relevé, en considérant Chan comme un professeur considère un élève doué mais par trop appliqué.

— Il va falloir contacter Interpol pour savoir s'ils ont quelque chose sur lui, s'il ne traîne pas des casseroles dans son pays.

Chan hoche la tête, pessimiste. Interpol, ça signifie un tas de paperasses, de tracasseries administratives, d'allers et retours entre services. Et beaucoup de temps perdu en route.

— Si c'était le cas, les services d'immigration l'auraient bloqué.

— Et la perquise, c'est pour quand ? interroge le Vieux.

Chan hausse les épaules.

— Silence radio pour le moment du côté du département de la Justice, ça doit coincer quelque part.

ANGLE DE MERLIN STREET et d'Electric Road. Chan et Elijah lèvent la tête pour contempler les tours de verre et de béton de quarante étages qui les encerclent. L'adresse d'Ignacio Esquer est un peu plus loin : au 2806-2848 Electric Road, un immeuble plus modeste, vingt étages seulement. Ils ont appelé le département de l'Immigration. Ignacio Esquer est entré à Hong Kong avec un visa de travail dans le cadre du TechTas – le Technology Talent Admission Scheme –, un programme pilote permettant aux entreprises de haute technologie de faire venir à Hong Kong des talents non locaux pour y effectuer des travaux de recherche et développement dans des domaines tels que les biotechnologies, l'analyse de données, la robotique, la cybersécurité ou encore l'intelligence artificielle ; la politique d'immigration est la même partout : les cerveaux d'abord.

Dans le hall, le gardien – qui a peut-être soixante ans ou quatre-vingts, difficile à dire tant il est ridé – paraît éreinté bien qu'il ne fasse pas grand-chose derrière son comptoir. Sans doute qu'il multiplie les petits boulots pour joindre les deux bouts et se tape plusieurs heures de transport par jour jusqu'aux Nouveaux Territoires, à moins qu'il ne crèche dans un *cubicle*, un micro-appartement, entre sept et onze mètres carrés, soit la taille d'une place de parking, du côté de Sham Shui Po. Loué pour une somme scandaleuse, néanmoins inférieur au loyer exorbitant d'un véritable appart hongkongais. Hong Kong ne fait pas de cadeaux. Surtout pas aux vieillards dont elle a déjà épuisé la sève vitale. Le gardien examine la photo qu'ils lui présentent de ses yeux injectés. Il opine vigoureusement, réveillé tout à coup.

— Oui, oui, il habite ici, répond-il d'un air fuyant (car toute forme d'autorité a sur lui un effet anxiogène : depuis l'enfance, il sait que les pauvres sont coupables – coupables d'être pauvres, coupables de ne pas être assez utiles à la société même quand ils se tuent à la tâche, coupables d'enlaidir le paysage).

— Quel genre c'est ? demande Elijah.

Le vieux hésite. D'ordinaire, il n'aime pas dire du mal. Et puis, trop parler, ça amène toujours des emmerdes. Mais, après tout, il ne s'agit que d'un *gweilo*, un « fantôme blanc » européen. Et comme beaucoup de pauvres, il n'aime pas les étrangers.

— Le genre à sortir la nuit. Et à ramener des putes.

— Et il les ramène d'où ? veut savoir Elijah.

Le vieil homme fixe obstinément son comptoir.

— À votre avis ? riposte-t-il.

Et il n'en revient pas lui-même d'un tel acte de rébellion – mais le ton du flic plus âgé, avec son imper ridicule et ses grands airs, l'a irrité. Elijah et Chan se regardent. Où irait un étranger vivant à Causeway Bay pour dénicher des filles ? Lockhart Road... Le gardien approuve en silence.

— Merci. Et va prendre une douche, lui lance Elijah. Tu pues.

Le vieil homme se fige dans son uniforme et ne répond pas ; il fixe son comptoir comme si là se trouvait le sens de la vie.

FUJI BUILDING, LOCKHART ROAD. Dans la nuit suffocante, le building de vingt-deux étages ne se distingue en rien de ses voisins. L'entrée – avec son escalier étroit coincé entre deux boutiques – est assez modeste en dépit du style grec antique assumé de ses deux fausses colonnes, mais Chan note que, devant l'ascenseur, se presse une file d'hommes jeunes et moins jeunes.

Il connaît l'endroit. Le Fuji Building est un volcan au cratère en perpétuelle ébullition, une caverne aux entrailles surchauffées : le plus célèbre bordel de Hong Kong, dix-huit étages où se déverse le fleuve insatiable, incandescent, de la lubricité masculine. Des couloirs plus étroits que les coursives d'un navire, éclairés en rose bonbon, en bleu, en violet, en rouge. Des petits cœurs autocollants et des guirlandes sur les portes. Quand elles clignotent, cela signifie que la dame est libre. La cabine de l'ascenseur, aussi pleine à craquer de mâles et de testostérone qu'un vestiaire de football américain, les recrache directement au vingt-deuxième. Une fois là-haut, Elijah et lui redescendent en frôlant une humanité hâve, avide, qui erre dans le labyrinthe des passages, et dans laquelle ils croisent pas mal de touristes occidentaux : l'endroit figure sur TripAdvisor.

Chan se dit qu'Elijah a l'air de très bien connaître les lieux. Il tourne à droite, enfile un couloir violine, puis à gauche, et Chan entrevoit des écriteaux WELCOME en anglais et en cantonais. Elijah bifurque encore une fois. Sur l'une des portes, comme dans un aéroport, des symboles barrés représentent la liste des objets interdits : couteaux, ciseaux, appareils photo... La guirlande qui entoure la porte clignote joyeusement et Elijah secoue la clochette fixée au chambranle. Aussitôt le battant s'ouvre sur une Eurasienne vêtue d'un bustier noir et violet, volanté en bas et dont les baleines serrent son torse pâle, et d'un string des mêmes couleurs.

L'Eurasienne découvre le Vieux et ne semble pas précisément ravie de le voir.

— Qu'est-ce que tu veux, Elijah ?

Chan ne peut s'empêcher de noter la familiarité avec laquelle elle s'est adressée à son collègue. Elle a un fort accent. La plupart des filles sont étrangères, elles viennent de Thaïlande, du Laos, de Russie, d'Ukraine ou de Chine continentale.

— Salut, Little Su, dit le Vieux. On peut entrer ?

Pas vraiment une question. « Little Su » se retourne et se déplace avec langueur vers la pièce dans le fond, équipée d'un lit qui occupe toute la place disponible. Chan a l'impression d'entrer dans une bonbonnière ou une loge d'actrice à cause de toutes ces lampes aux nuances de rose. Ça sent le chewing-gum à la fraise et le parfum bon marché. Un petit ventilo agite les cheveux lisses et brillants de Little Su. La pièce est minuscule, étouffante. Officiellement, les filles observent la loi de Hong Kong, où la prostitution est autorisée mais les bordels et le proxénétisme interdits. Selon cette loi, les filles doivent être des « travailleuses du sexe indépendantes ». En clair, pas de souteneurs ni de maisons closes. Doué d'une fertile imagination, le législateur hongkongais a pondu pour la faire respecter un principe connu comme « une femme, une chambre ». Chaque pute doit pouvoir présenter une facture d'eau et d'électricité. Bien entendu, sitôt promulguée, sitôt contournée ; partout dans le monde l'imagination du législateur a pour contrepartie celle du contrevenant : la plupart des filles sont sous la coupe des triades, lesquelles achètent des immeubles entiers et les divisent en autant de locaux qu'il y a de filles dans l'immeuble pour respecter la loi. Dans le Fuji Building, elles sont cent quarante et une.

— Qu'est-ce que tu veux, Elijah ? répète Little Su en s'asseyant à la tête du lit, les bras passés autour de ses genoux.

Le Vieux s'assoit sur le bord du lit, à quelques centimètres de la fille, sort son téléphone et montre la photo du passeport d'Ignacio qui s'affiche à l'écran.

— Tu le connais ?

Est-ce une illusion ou quelque chose vient-il de se ternir dans les pupilles de la jeune femme ?

— Oui...

Elijah esquisse un sourire, pose une main familière sur un genou maigre.

— Je me doutais bien que la plus réputée des filles du Fuji avait dû le voir passer.

— Il n'est venu qu'une fois… (Elle lève les yeux vers eux.) Qu'est-ce qu'il a fait ?

— Il n'a pas apprécié tes services ? dit Elijah sans répondre à la question.

Nouvelle grimace sur le visage de la fille. Elle regarde Chan. Cette fois, le jeune flic ressent une sorte de malaise.

— Je ne pouvais pas lui donner ce qu'il recherchait…

— Et qu'est-ce qu'il recherchait ?

Le regard de la fille passe de Chan à Elijah, sur lequel elle s'attarde. De nouveau, une ombre sur ses traits. Chan commence à avoir des fourmis dans la nuque.

— Ce type est un tordu, un malade. J'en ai déjà rencontré, des comme lui : des hommes qui n'en ont jamais assez, qui en veulent toujours plus. Qui veulent s'enfoncer toujours plus loin dans l'interdit et dans l'impur. Des types qui croient qu'avec nous tout est possible, même le plus immonde. Qu'on est juste de la chair fraîche. (Elle secoue la tête.) Ils sont très violents en général, ils aiment humilier, rabaisser… Plus c'est violent, plus c'est infâme, plus c'est crasseux, plus ils prennent leur pied.

Les mots sifflent comme une tige de sureau agitée par le vent, et Chan sent un courant froid au creux de ses reins.

— Certains finissent par aller trop loin… C'est comme ça qu'on trouve des filles mortes ou défigurées. À Hong Kong, elles disparaissent rapidement. Personne ne s'intéresse aux filles comme nous, elles n'existent pas, elles sont invisibles.

Chan ne dit rien mais il sait qu'elle a raison : l'année passée, le département d'État américain a placé Hong Kong sur la liste de surveillance de niveau 2 dans son dernier rapport sur la traite des êtres humains. Cela signifie que la ville ne fait pas les efforts minimaux pour enquêter sur les cas – innombrables – de traite des femmes ni pour identifier les victimes. Cela signifie qu'à Hong Kong, l'être humain, surtout quand il est étranger – philippin, indonésien, thaï, russe, chinois du continent –, ne compte pas.

— Tu t'égares, siffle Elijah entre ses dents. Qu'est-ce qu'il voulait ?

Little Su lui lance un regard venimeux. Elle hésite.

— Il voulait… *simuler un viol*. Il voulait pouvoir me frapper, me faire mal, me pénétrer de force. Il voulait que je me débatte et aussi – c'est ce qu'il a dit – *que le sang coule…* (Elle serre un peu plus les bras autour de ses genoux, frissonne, se tasse sur elle-même.) Il a dit que ce serait juste de petites entailles… Il a sorti une lame de rasoir. J'ai un bouton en cas d'urgence…

Elle montre un téton blanc en plastique qui dépasse du mur, près de la tête de lit.

— J'ai appuyé dessus et je l'ai fait mettre dehors.

« Travailleuses indépendantes », tu parles, se dit Chan. C'est pour ça que les filles préfèrent travailler avec les triades : pour leur sécurité. Chan a le sang qui bat à cent vingt pulsations-minute. Il se souvient qu'après ses études Ignacio Esquer a participé à des projets humanitaires dans des pays en guerre. Est-ce là qu'il a développé ce goût pour la violence extrême ou l'avait-il déjà en lui quand il est parti pour ces pays ?

— Ce type, continue-t-elle d'une voix presque enfantine, il foutait les jetons. Quand il vous matait, ses yeux devenaient tout noirs. Sans vie, sans rien. Comme ceux d'un requin… Il a fini par en tuer une, c'est ça ?

Elijah fronce les sourcils.

— Possible, dit-il doucement.

Chan a la gorge sèche. Il n'a pas prononcé un mot depuis qu'ils sont entrés dans la pièce, mais la fille le dévisage à intervalles réguliers. Il a l'impression d'étouffer. Il voudrait retourner dans la rue.

— Tu ne sais pas à qui il aurait pu s'adresser pour satisfaire ses besoins ? demande Elijah.

Little Su fait mine de réfléchir – ou peut-être réfléchit-elle vraiment.

— Les triades viennent d'ouvrir un nouveau bordel à Yuen Long. (Chan et Elijah se regardent : Yuen Long, proche de la frontière chinoise, est l'un des districts des Nouveaux Territoires où les triades sont les mieux implantées.) Essentiellement des Chinoises avec des visas de soixante-dix jours.

Les deux flics savent ce que cela veut dire : pour rentabiliser leur séjour, ces prostituées travaillent jour et nuit et prennent plus de risques que les autres.

— On dit que là-bas tout est possible, articule-t-elle.

Le jeune flic a frémi ; la façon dont elle a prononcé cette phrase injecte du liquide réfrigérant dans sa colonne.

— Merci, dit Elijah en se relevant.

— Ton jeune collègue, là, il est muet ? demande-t-elle en souriant.

Le Vieux glisse son téléphone dans son trench-coat sans répondre.

— En tout cas, il a l'air plus gentil que toi. Dis-lui qu'il est le bienvenu quand il veut. Je lui ferai un prix.

Yuen Long, Nouveaux Territoires. Une ville nouvelle sortie de terre dans les années 1970. Un horizon de tours d'habitation à perte de vue, des collines dans le fond, comme partout à Hong Kong. À cette heure, on dirait une coulée de lave en fusion palpitant dans la nuit. L'hôtel de police, dans Castle Peak Road, ressemble à un bâtiment officiel en Irak, avec ses tourelles de guet en béton armé percées de meurtrières et posées sur des murailles hérissées de herses. On le croirait prêt à soutenir un siège. *Pour quoi faire, puisque Hong Kong est l'une des villes les plus sûres au monde ?* se demande Chan. Vitre baissée dans la nuit chaude, Elijah vire lentement dans Yuen Long Tai Yuk Road et franchit les barrières après avoir montré patte blanche dans la clarté des lampes. Il connaît bien la ville : c'est là qu'il habite.

Sur le parking éclairé les attend un petit bonhomme sec comme une racine de ginseng, vêtu d'un costume coquille d'œuf qui lui donne l'air de sortir d'un film de Johnnie To. L'inspecteur principal Cheung Kwai-yee. À l'exemple de beaucoup de flics des Nouveaux Territoires, Cheung connaît parfaitement les triades et parfois même travaille avec elles.

Des insectes dansent par milliers dans le halo des lampes, il fait de plus en plus chaud. Chan et Elijah descendent de voiture et marchent jusqu'au policier.

Leurs ombres noires s'étirent sur l'asphalte, qui a la couleur du beurre fondu sous l'éclairage des lampes. Cheung Kwai-yee essuie son front luisant avec un mouchoir et Chan se demande pourquoi il se trimballe ce costard d'acteur de série B.

— Salut Elijah, ça fait un bail, dit-il en leur serrant la pogne et en scannant le jeune flic de la tête aux pieds, les yeux réduits à deux fentes. Alors comme ça, on m'a dit que vous cherchiez un type ? C'est un membre des gangs ?

Elijah fait non de la tête et il sort la photo du Madrilène.

— Un *gweilo*, dit-il. Il aime les putes. Et il aime les trucs tordus, apparemment. Il pourrait avoir trouvé son bonheur par ici…

— Pourquoi vous vous intéressez à un Blanc ? demande Cheung, soudain curieux.

Elijah ne répond pas. Les deux hommes se toisent en silence.

— Allez, mec, si tu veux un coup de main…

— On le soupçonne de… hmm… s'en être pris à des femmes.

La nuit est silencieuse, à part la rumeur sur le boulevard. Cheung scrute Elijah qui ne desserre pas les dents, puis Chan, qui a le visage tout aussi fermé, et, tout à coup, son cerveau effectue un saut qualitatif.

— Putain, souffle-t-il en rangeant son mouchoir. Putain, vous le soupçonnez d'être *le tueur de ces filles*, c'est ça ?

Les deux flics ne disent rien, le petit inspecteur danse presque sur place.

— Putain… ah, putain…, répète-t-il en boucle comme si son cerveau avait bugué. Ah, merde alors, les mecs… Ah, la vache ! (Il arrête sa danse indienne.) OK, les gars, c'est parti… Ah, putain, on y va ! On y va…

YUEN LONG EST UNE VILLE sans grâce, plate et poussiéreuse, l'éternel mariage du béton et du néon. Le ciel nocturne éclaté en myriades d'enseignes lumineuses, qui toutes témoignent de la puérilité de nos existences. Bientôt minuit. L'asphalte lui-même, tandis qu'ils marchent dans les rues, semble respirer et exhaler une haleine chaude qui leur remonte le long des jambes. Tout en se faufilant dans les artères du centre-ville, où Chan aperçoit des filles en embuscade, Cheung Kwai-yee prend un air songeur.

— On ne sait plus où donner de la tête. Les gens commencent à se plaindre qu'il y a trop de filles dans les rues. La semaine dernière, un vieux a failli se faire taper dessus parce qu'il avait pris des jeunes femmes de Yuen Long pour des putes, se marre-t-il. On a de plus en plus de plaintes de femmes qui se promènent et qui sont accostées par des clients qui les prennent pour des prostituées.

Ils passent devant le McDonald's de Kau Yuk Road, puis bifurquent dans Tai Tong Road, contournant le bâtiment du CitiMall dont l'entrée ressemble à celle d'un casino et dont la grande horloge leur indique qu'il est minuit moins cinq.

— Il y a deux semaines, on a fermé un bordel installé dans les toilettes publiques d'un centre commercial. Les seuls clients du centre venaient pour les filles. On en a arrêté cinquante, dont pas mal de mineures… Toutes tapinaient dans les chiottes.

Le centre-ville n'est qu'une succession de boutiques, et la nuit sent la friture, les parfums de femme, la cigarette et les gaz d'échappement. Passant d'une lumière à l'autre, ils ne sont que des ombres parmi les ombres, se fondant, anonymes, dans le troupeau spectral. Tant mieux : à Yuen Long, les triades sont partout.

— Mais ce que vous cherchez, ça ne se trouve pas sous le sabot d'un cheval. Il y a des filles qui acceptent ce genre de choses. Des filles qui sont prêtes à aller très loin... Mais elles se font payer très cher...

Petit à petit, les boutiques s'espacent et ils entrent dans un territoire d'immeubles décrépits – ou du moins encore plus décrépits que ceux du centre. Cheung tire sur sa cigarette en marchant. Il lorgne à droite et à gauche. Il y a moins de monde dans les rues, brusquement.

— Et puis, il y a Veronika, dit Cheung lentement en changeant de trottoir. Si votre type a les relations qu'il faut, tôt ou tard il a dû rencontrer Veronika...

— Oui, dit alors Elijah en s'arrêtant net. Je n'y avais pas pensé mais tu as raison, ça semble évident...

Chan le regarde, surpris. Elijah a l'air de savoir à qui l'inspecteur principal fait allusion. Puis il se souvient qu'Elijah habite Yuen Long. Pas très loin d'ici. Mais, quand bien même, il doit y avoir des centaines de prostituées à Yuen Long.

— Qui est Veronika ? demande-t-il.

Le Vieux lui renvoie un regard rempli de brume ou de fumée.

— La « Reine des putes », répond-il.

UNE PLEINE LUNE PAREILLE à un sein gigantesque brille au-dessus de l'immeuble de douze étages encore plus minable que ses voisins, coincé au fond d'une impasse en forme de petit square, avec deux acacias poussiéreux plantés sur le terre-plein central. Cette mamelle généreuse inonde les édifices environnants de son lait clair, en l'absence soudaine d'éclairages publics.

— C'est ici ? demande Elijah.

L'inspecteur principal Cheung hoche la tête. Pendant le restant du trajet, il a été intarissable sur Veronika, parlant d'elle comme d'une prostituée spéciale, unique, à la valeur marchande bien supérieure à ses consœurs. C'est du moins ce qu'on en dit, s'est-il justifié.

— Ça n'a pas l'air très fréquenté, commente Elijah.

Mais à peine a-t-il dit cela que deux hommes sortent de l'immeuble et passent devant eux tandis que trois autres s'avancent déjà à travers le square et disparaissent à l'intérieur. Chan observe les rouleaux de fil de fer barbelé qui encerclent l'entresol du bâtiment, se faufilant entre les boîtes des climatiseurs, l'isolant de ses voisins, le transformant en forteresse.

Encore quelques minutes, puis Cheung se tourne vers eux.

— Attendez-moi ici.

Sur ces mots, il disparaît à son tour. Les deux flics examinent les fenêtres éclairées sur la façade lépreuse, où du linge pend par endroits. Enfin, le flic de Yuen Long réapparaît et leur fait signe d'approcher. Un type coiffé d'un bandana les accueille dans le hall, près des boîtes aux lettres éventrées. Il porte un gilet qui met en valeur ses muscles et ses tatouages, fixe sur eux des yeux durs, méprisants, une clope au coin du bec.

412

— Qu'est-ce que tu regardes ? lui demande Elijah, énervé, en passant.

— Du calme, dit Cheung.

Le sourire tordu de l'homme au bandana s'agrandit.

— Qu'est-ce que tu regardes ? répète le Vieux en s'approchant de lui.

Le membre des triades le toise en souriant d'un air mauvais. L'inspecteur Cheung saisit Elijah par le bras au moment où celui-ci va se jeter sur le quidam, et l'entraîne vers les ascenseurs.

— C'est bon, calme-toi ! dit-il.

Une fois dans la cabine, Cheung s'énerve à son tour.

— Putain ! Qu'est-ce qui te prend ? À quoi tu joues ?

— Pourquoi vous fermez pas cet endroit ? lance Elijah.

— C'est en cours, répond le petit inspecteur, évasif, en lissant la veste de son costume, dérangée par toute cette agitation.

Il a appuyé sur le bouton du dernier étage et la cabine s'ébranle en grinçant. Une âcre odeur de plastique brûlé à l'intérieur. *L'odeur du crack quand il est fumé.* Les portes s'ouvrent enfin au douzième étage et Cheung sort le premier dans un couloir étroit semblable à ceux du Fuji Building par ses nuances de rose et de violet.

Sauf qu'ici, il n'y a qu'une seule porte, tout au bout du couloir. Et sur la porte, un seul motif : *une grande couronne dorée.*

ELLE S'APPELLE BEATE BIRGELAND. Elle est née en Norvège vingt-six ans plus tôt, mais vit à Hong Kong

413

depuis 2016. Blonde. Les yeux bleus. Et elle a les plus gros seins que Chan ait jamais vus.

Chacun fait à peu près deux fois la taille de son visage, et ces deux masses blanches, lourdes, oblongues – où il distingue de fines veinules bleues sous la peau translucide – descendent presque à hauteur de son nombril, lequel, comme le reste du corps, est dissimulé par une longue robe rouge qui lui tombe sur les chevilles. La robe cependant est fendue presque jusqu'à la hanche côté gauche, laissant entrevoir un ruban de chair tout aussi pâle que les seins : un *cheong-sam*, une robe traditionnelle – celle-là même qu'a rendue célèbre Suzie Wong.

Un vrai cliché, songe Chan en la voyant, mais il ressent un courant souterrain d'excitation à la vue de cet étrange et capiteux cocktail de vulgarité, d'élégance et de mystère. Elijah, lui, a l'air littéralement hypnotisé par l'incroyable décolleté que Chan – qui, contrairement à son collègue, est féru de cinéma occidental – qualifierait de fellinien.

Et puis, Chan se dit que ce n'est pas seulement ça. Il comprend – ou croit comprendre – ce qui fait d'elle « la Reine », en vérité. Ce n'est pas lié à son exceptionnelle poitrine. Ni à son visage d'une très grande beauté, avec des yeux myosotis aux iris cernés de noir mais aux pupilles réduites à deux têtes d'épingle – et Chan se souvient de l'odeur dans l'ascenseur –, des lèvres à peine soulignées d'un soupçon de rose et un maquillage étonnamment sobre. Non, ce n'est pas cela qui la rend spéciale. Il y a quelque chose en elle, dans son attitude, son allure, qui échappe à toute définition et qui pourtant fascine. Quoi qu'il en soit, Beate Birgeland, alias « Veronika », est assise dans un fauteuil surélevé par une petite estrade qui le fait ressembler à un trône, sous un lampion chinois, et elle les contemple comme elle contemplerait des sujets venus solliciter une audience.

— Je suis une travailleuse indépendante, leur déclare-t-elle. J'ai un visa et un passeport. Je n'enfreins aucune des lois de Hong Kong. Qu'est-ce que vous voulez ?

— Tu parles, riposte Elijah sans se démonter. Tu bosses pour les triades et ceci (il montre la pièce plongée dans la pénombre), quoi qu'on en dise, est un bordel…

Les yeux myosotis se plissent, elle les plante dans ceux du Vieux.

— Qu'est-ce que tu veux ?

— Tu le reconnais ? demande Elijah en brandissant la photo de l'Espagnol.

Veronika l'examine, acquiesce en tirant une profonde bouffée de sa cigarette, les yeux toujours plissés. Et, encore une fois, Chan se dit que ce regard suspendu dans le vide et cette constriction des pupilles ne sont pas naturels. Il cherche les traces d'une consommation récente, mais ne voit rien.

— Oui. Il est venu plusieurs fois.

— Quel genre c'est ?

— Le genre de ceux qui s'adressent à moi, répond-elle avec aplomb en faisant des ronds de fumée. Et qui ont les moyens de payer…

Cette réponse semble irriter Elijah, qui s'impatiente.

— Mais encore ?

Elle a un petit geste vague, la cigarette fichée entre deux doigts aux ongles noirs, et Chan suit un instant le tortillon de fumée qui monte vers le plafond, où la lampe chinoise répand une brume orangée. Le reste de la pièce – où il distingue un grand lit et deux commodes – est plongé dans le noir, mis à part un spot au plafond qui éclaire le centre du lit comme une scène de théâtre.

— Je fais tout ce que les hommes veulent, précise-t-elle.

Chan saisit le trouble du Vieux quand ce dernier relève :

— Tout ?

— *Tout…*

— Et ce n'est pas… *dangereux* ?

— C'est pour ça qu'on me paie si cher.

Elle a dit cela d'une voix encore plus rauque, encore plus profonde, et son sourire qui s'élargit paraît tout à coup bien sinistre à Chan.

— Vous êtes des hommes, ajoute-t-elle doucement. Vous savez comme moi que peu de femmes ont une idée *réelle* de ce qui se passe *vraiment* dans les profondeurs de la psyché masculine. Combien de femmes connaissent vraiment les fantasmes les plus inavouables de leurs maris ? Certains hommes ne veulent pas voir ce qui se passe tout au fond d'eux, ils préfèrent croire que ça n'existe pas… Mais même les plus ordinaires, les plus sages, sont affligés de ce dérèglement : nul n'y échappe. C'est votre… malédiction.

Elle fixe Chan. Il devine qu'elle a l'habitude de débiter ce petit discours pour prendre ses « victimes » dans ses filets – de cette même intonation rauque, caressante, qu'elle emploie en ce moment, et qui fait l'effet d'un massage sur leurs cerveaux reptiliens. Ce doit être la première étape de l'envoûtement qu'elle opère sur ses visiteurs. Mais Chan pressent qu'elle a plus d'un tour dans son sac.

— Et l'Espagnol, qu'est-ce qu'il voulait ? demande Elijah.

— D'autres au contraire assument cette part de ténèbres, continue-t-elle comme si elle n'avait pas entendu, la chérissent, et ils viennent me voir pour la nourrir… Ceux-là sont des animaux… mais des animaux pourvus d'une grande imagination.

— Tu ne réponds pas à ma question.

Elle réfléchit.

— Il voulait me frapper… m'insulter… m'étrangler avec un foulard… simuler un viol et me taillader… avec une lame de rasoir.

Sa déclaration a la froideur d'un constat. Aucun affect. Chan frissonne. Il revoit les barbelés autour de la dernière victime, dans le container.

— Te taillader ? Où ça ?

— Sur mes seins, mon ventre, ma jambe…

— *Ta* jambe ?

Beate Birgeland se lève alors de son fauteuil, elle attrape sa robe à deux mains et la fait lentement remonter. Les deux hommes suivent le mouvement des yeux, découvrent deux escarpins d'un rouge brillant. Dans celui de droite est logé un pied en caoutchouc, surmonté d'un tibia fabriqué dans un alliage qui est sans doute du titane, puis d'une emboîture en mousse synthétique adaptée au genou.

— Voilà ce qui fascine certains hommes, dit-elle. Voilà pourquoi ils ne peuvent plus se passer de moi et reviennent sans cesse, quoi qu'il leur en coûte, voilà pour quoi ils sont prêts à se ruiner. Ignacio est littéralement hypnotisé par mon moignon. Il me veut

entièrement nue – sans la prothèse. Et il adore me taillader les seins et les cuisses.

— C'est douloureux ? demande Elijah.

Elle sourit.

— Bien sûr. Et ça saigne beaucoup…

Elle laisse retomber la robe comme un rideau de
théâtre.

— Je l'ai perdue dans un accident de ski, leur
apprend-elle avant de se rasseoir.

Chan avale sa salive. Sa beauté lui paraît tout à coup
pour ce qu'elle est : celle d'un champignon vénéneux.
Belle et toxique… Il comprend que certains hommes
puissent lui abandonner leur âme. Et leur argent.
Chan pense au *jiang shi*, ce zombie de la mythologie
chinoise qu'il a découvert dans de vieux films hongkongais. Vêtu d'un costume de mandarin mandchou
ou d'une robe de palais, le *jiang shi* se nourrit du
souffle vital des humains et se déplace avec la rigidité
d'un cadavre. Veronika est pareille à lui : c'est leur
dernier souffle vital qu'elle veut voler à ces hommes.

— ELLE EST FOLLE, déclare Cheung dans l'ascenseur.
Le crack lui a cramé la cervelle.

Elijah a le regard vague, perdu – comme s'il se
trouvait encore dans l'antre de « la Reine ». De son
côté, Chan se rend compte qu'il est en nage. Les trois
hommes se taisent. Ce qu'ils viennent de vivre n'a pas
de nom, mais ils savent tous trois qu'ils ne sont
pas près d'oublier ce moment. Chan pressent que des
deux hommes au moins un reviendra la voir un jour ou
l'autre. Qu'il retournera dans cette pièce où règne une
nuit perpétuelle – celle de l'âme –, qu'il acceptera de

se baigner dans l'océan de ses tares, qu'il s'abandonnera au *jiang shi*.

En bas, le membre des triades a disparu. Le hall est désert. Dehors, dans le clair de lune maternel et la nuit chaude, Cheung sort son mouchoir de sa poche et il éponge son front moite.

— Cette fois, je crois que vous le tenez…

Elijah hoche la tête, sombre, sévère.

— Pas un mot à qui que ce soit.

L'inspecteur principal opine.

— Vous savez où il se trouve en ce moment ?

Elijah hausse les épaules.

— Soit chez lui, soit à son travail, soit en train de repérer une autre fille…

— Vous allez faire quoi ?

— On ne va pas le lâcher d'une semelle.

— Vous allez avoir une sacrée promotion, dit, songeur, le flic de Yuen Long.

— On verra, répond Chan, prudent.

43

ELLE OUVRIT LES YEUX. Cligna des paupières. Ne reconnut ni sa chambre ni son lit. Pendant un instant, elle paniqua : *où était-elle ?* Puis elle avisa l'horloge sur le mur. Il était plus de minuit. Et cela lui revint. Elle s'était assoupie dans la cabine de l'assistant vocal. Il faut dire qu'elle avait à peine dormi la nuit précédente, après avoir entendu (*cru entendre*, rectifia la petite voix) des pas derrière sa porte, et elle avait passé ensuite toute la journée avec l'assistant vocal. Sans rien déceler d'anormal dans son comportement. L'épuisement avait dû la gagner, car elle avait fini par fermer les yeux sans même s'en rendre compte.

Elle constata que la cabine était plongée dans le noir, les heures lumineuses de l'horloge mises à part, sans doute était-ce prévu lorsque quelqu'un s'endormait dedans à une heure tardive. Mais pas la salle, qui baignait dans sa fantasmagorie bleutée. Affalée dans le fauteuil, elle s'aperçut qu'une bonne partie de son corps était ankylosée. Elle pencha sa tête d'un côté puis de l'autre, faisant jouer les muscles autour de ses cervicales.

Crut percevoir un bruit. Non, pas un bruit : des voix. Étouffées. De l'autre côté de la vitre…

À cette heure-ci ? Allons donc… Ne sois pas stupide… Tu as dû rêver…

Sauf que non : elle ne rêvait pas. Elle entendait bien des voix – leurs propriétaires parlaient fort, mais les voix étaient étouffées, rendues presque inaudibles par l'épaisse vitre antibruit.

Elle se redressa, tendit le cou pour jeter un coup d'œil par la vitre. Il n'y avait personne. Mais elle n'en continuait pas moins de distinguer l'informe murmure à peine audible et cependant bien réel dans le dense silence nocturne. Ils devaient se trouver derrière l'une des cloisons qui divisaient l'espace de la salle commune, car elle ne les voyait pas…

Qui pouvait bien venir discuter ici à une heure pareille ? Sitôt posée, cette question lui communiqua une sensation de malaise mais aussi d'intense curiosité.

Devait-elle faire du bruit et se montrer pour signaler sa présence ? Mais déjà la curiosité l'emportait. D'une part, elle n'allait pas rester ici toute la nuit à attendre qu'elles aient fini ; de l'autre, *elle voulait entendre ce qu'elles disaient.* Elle se leva, alla jusqu'à la porte de la cabine insonorisée, l'entrouvrit. Aussitôt, les voix se firent plus distinctes. Et elle les reconnut. *Ignacio et Regina…* Que fabriquaient-ils dans le département à cette heure ? Moïra retint sa respiration. Écouta.

— La situation est en train de changer, déclara Ignacio. Il se passe des choses que nous ne maîtrisons plus.

— Quelles choses ? demanda la chef de la sécurité.

— Tu sais bien ce que je veux dire…

— Tu penses trop.

— Ah bon ? Eh ben, j'espère que je ne suis pas le seul à le faire, parce qu'on fonce tête baissée dans un tas d'emmerdes, à mon avis.

Un silence.

— Il suffit de prendre les problèmes un par un, répondit Regina Lim.

À sa voix, Moïra comprit que la sérénité qu'elle affichait n'était qu'une façade. Elle attendit la suite, la gorge nouée.

— Trois meurtres, deux suicides, un accident… Je commence à trouver l'espérance de vie un peu limitée dans cette boîte, pas toi ?

— Tu envisages de partir ?

La voix de la chef de la sécurité coulait comme un filet d'eau glacée, celle d'Ignacio était un grondement rageur.

— Est-ce que j'ai dit ça ?

— La police n'a rien… Et nous avons des appuis à Hong Kong.

— Et aussi de nombreux ennemis… Imagine qu'ils aient une taupe à l'intérieur…

— Tu penses à quelqu'un en particulier ?

Moïra se raidit.

— Vous n'avez pas la moindre idée de l'identité du tueur, pas vrai ? questionna-t-il soudain, changeant brusquement de sujet.

Regina Lim ne dit rien. Moïra se demanda si elle avait fait un geste.

— Avec tous vos ordinateurs, tous les employés de Ming passés au crible de vos sales petits logiciels, toutes vos analyses psychologiques, DEUS et tout le tremblement, vous n'arrivez pas à mettre la main dessus…

Son ton était ouvertement sarcastique, à présent.

— Et toi, Ignacio, dit Regina prudemment, tu as une idée de son identité ?

Nouveau silence.

— Peut-être bien…

Il avait répondu cela avec une arrogance que Moïra put percevoir de là où elle était.

— C'est incroyable que la police et Ming n'arrivent pas à mettre la main sur ce type, hein ? Il doit être drôlement intelligent… Moi, je lui tire mon chapeau, continua-t-il du même ton suffisant.

La voix de Regina cingla l'air comme un fouet.

— C'est rien qu'un taré frustré et dégénéré. Rien qu'un pauvre type dérangé.

Moïra retint son souffle, elle se figea en entendant l'agacement et la colère du Madrilène.

— Ah ouais ? Qu'est-ce que t'en sais, toi ? T'es psychiatre, maintenant… ? C'est vrai, j'oubliais que tu couches avec une psy… Est-ce qu'elle t'analyse pendant qu'elle te broute le minou ou que tu lui lèches le fion, dis-moi, Regina ?

Moïra tressaillit, elle n'en revenait pas du ton employé par Ignacio, ni des paroles qu'il venait de s'autoriser avec la chef de la sécurité. À sa grande surprise, celle-ci ne réagit pourtant pas.

— Et Moïra, qu'est-ce que t'en penses ? enchaîna-t-il.

Celle-ci sentit la peur l'assaillir.

— Je ne comprends vraiment pas pourquoi Ming l'a recrutée, ajouta-t-il.

— Moi non plus, l'approuva la Chinoise.

— Je veux dire : *elle n'est pas comme nous*.

— Je ne comprends pas comment Ming peut lui faire confiance, s'interrogea Regina à son tour. C'est un serpent. Elle est bien trop curieuse…

— Comment ça ?

— Elle pose beaucoup de questions à DEUS : sur Lester, sur ces filles, sur moi, sur *toi*…

Moïra avala sa salive. Regina connaissait la teneur de ses échanges avec DEUS. Le silence dura plus longtemps, cette fois.

— Tu sais ce qu'elle cherche ? demanda-t-il, manifestement intéressé par la réponse, et la Française eut tout à coup la bouche sèche.

— À découvrir qui a tué ces filles, je suppose… Je crois qu'elle a peur… Une personne aux abois est un danger pour nous.

— Tu penses qu'elle a parlé à la police ?

Pas de réponse. Peut-être la chef de la sécurité s'était-elle contentée d'opiner. Le cœur de Moïra tapait dans sa poitrine, si fort qu'ils devaient l'entendre.

— Qu'envisages-tu si elle va plus loin ?

— D'en parler à Ming, répondit Regina.

— Et c'est tout ?

— Bien sûr que non, répondit la Chinoise, mais on n'en est pas encore là…

Moïra sentit ses cheveux se hérisser sur sa nuque, elle referma la porte doucement. Se renfonça dans l'obscurité de la cabine, les jambes flageolantes, le dos couvert de sueur froide.

ELLE ATTENDIT PRÈS D'UNE HEURE avant d'oser sortir et de traverser la salle en direction du couloir. Il était 1 heure du matin. Elle retrouva le campus désert avec un étau autour du cœur. La nuit restait tiède et douce et elle se dirigea vers la sortie, longeant les arbres inertes et des bâtiments qui ne l'étaient pas moins. Pas le moindre souffle d'air. Elle alluma son téléphone et ouvrit l'application du service de taxis. Laquelle lui indiqua qu'elle en cherchait un pour elle. Elle avait franchi le portique quand la réponse lui parvint :

Pas de taxi disponible

Merde ! Et maintenant, qu'est-ce qu'elle allait faire ? Elle ignorait s'il y avait un endroit pour dormir au Centre… Et si aucun taxi ne venait ? Si elle trouvait porte close partout ? Elle n'allait quand même pas parcourir cinq kilomètres à pied à travers la péninsule de Sai Kung pour dénicher un hôtel… Elle ne l'aurait pas fait en temps normal, encore moins avec ce… Elle pivota au milieu de l'esplanade. Pas âme qui vive. Dans le clair de lune, l'asphalte ressemblait à de la glace noire.

Elle refit deux tentatives sur son téléphone. Chaque fois, la même réponse :

Pas de taxi disponible

Bon sang ! Elle n'allait pas passer la nuit là ! L'adrénaline et l'inquiétude avaient chassé la fatigue et elle trépignait. Elle aurait donné n'importe quoi à ce moment-là pour voir apparaître quelqu'un qu'elle connaissait, mais sa seule compagnie était la lune et les nuages qui voyageaient dans la nuit, ainsi que les arbres chuchotant autour de l'esplanade. Brusquement, elle perçut le bruit : celui d'une voiture – derrière elle, sur sa droite. Se retourna. Une paire de phares approchait. Elle avait toujours détesté ça : voir grandir des phares inconnus dans la nuit. Elle fit cependant un signe timide, puis mit la main en écran devant ses yeux à cause de l'éblouissement qui cisaillait ses nerfs optiques. La voiture ralentit et vint se garer lentement devant elle. La vitre du conducteur descendit.

— Qu'est-ce que tu fais dehors à cette heure-ci ? demanda Ignacio.

ELLE HÉSITA, BAISSA LES YEUX.

— Je finissais un travail, et toi ?

Le Madrilène levait la tête pour la regarder, il la scrutait intensément. Mais il ne lui avait pas encore proposé de monter.

— Pareil… Un travail ? J'étais au département IA tout à l'heure et je ne t'ai pas vue…

Elle faillit dire qu'elle s'était endormie dans la cabine de DEUS, mais se retint à temps.

— Je suis allée faire un tour jusqu'à la mer.

Un large sourire éclaira le visage d'Ignacio.

— À 1 heure du mat ?

— J'aime bien me promener la nuit. Quand tout est calme…

Le sourire d'Ignacio s'agrandit encore. Il la couvait du regard et semblait à la fois apprécier cette rencontre inattendue et se poser des questions sur sa présence ici à une heure aussi tardive.

— Et tu rentres comment ?

— Je comptais rentrer en taxi…

Il montra la portière passager.

— Une chance que je sois passé par là. Monte.
Happy Valley, Causeway Bay, ça fait pas un gros
détour.

Moïra était assise le dos calé bien droit contre le
dossier du siège passager. Bercée par la conduite
d'Ignacio. Qui n'avait rien à voir avec celle de Julius.
Et elle commençait à piquer du nez. Car l'Espagnol
n'avait rien dit depuis qu'ils avaient démarré. Sans
doute avait-il perçu sa fatigue et décidé de lui ficher
la paix.

— Tu n'as pas peur d'être seule la nuit, avec ce qui
se passe ? dit-il soudain, la réveillant à moitié.

Elle ouvrit complètement les yeux, fixant le ruban
de la route qui défilait dans le faisceau des phares, la
nuit noire au-delà.

— Hein ?

Peut-être était-ce l'association des mots « peur » et
« seule » qui l'avait fait se raidir. Elle le regarda. Le
visage du Madrilène exprimait une franche curiosité.

— Malgré cette histoire, tu vas à la plage à 1 heure
du matin…

Elle ne dit rien. Il enfilait les virages en souplesse
au milieu de la végétation fouettée par la lueur des
phares et elle devina l'ombre de petits animaux s'en-
fuyant dans les profondeurs des fourrés.

— T'es pas au courant ? Toutes les victimes travaillaient ou avaient travaillé au Centre… Toutes
avaient à peu près ton âge… Et toutes étaient aussi
solitaires que *toi*…

— Qu'est-ce qui te fait croire que je suis solitaire ?

— Tu ne l'es pas ? releva-t-il en la reluquant, et elle vit que ses yeux brillaient dans la pénombre.

Elle ne répondit pas.

— Tu veux connaître ma théorie ? lui lança-t-il.

Elle considéra le paysage qui défilait derrière la vitre, hocha lentement la tête.

— Je pense que Priscilla Zheng, Sandy Cheung, Elaine Lau et la dernière victime avaient toutes chez elles des dispositifs Ming et que leur assassin est un employé du Centre qui a piraté leurs appareils et s'en est servi pour les espionner et tout savoir sur elles... Je pense qu'il est suffisamment intelligent pour effacer ses traces et c'est pour ça que personne chez Ming n'a réussi à mettre la main dessus. Je pense qu'il les a croisées au Centre à plusieurs reprises et que c'est comme ça qu'il a commencé à s'intéresser à elles. Je pense qu'il a toutes les habilitations pour pouvoir effacer ses traces et avoir accès à toutes ces infos, en d'autres termes qu'*il était avec nous dans la pièce sécurisée lors de cette réunion*. Je pense que c'est l'un d'entre nous, Moïra : *un du dernier cercle...*

Un long frisson la traversa. Priscilla Zheng, Sandy Cheung, Elaine Lau... Il connaissait leurs noms par cœur.

— Et tu as une idée de qui ça peut être ? hasarda-t-elle d'une voix qu'elle trouva beaucoup trop ténue et assourdie à son goût, regrettant aussitôt d'avoir posé la question.

— Pas toi ?

Elle lui jeta un coup d'œil. N'aima pas ce qu'elle vit. Ni le son de sa voix. Ni son visage barbu et sauvage, qu'éclairaient par en dessous les cadrans du tableau de bord et qui lui donnaient l'air d'un satyre au fond des bois. Et il faisait bien trop noir dehors. Bien trop noir… Ils n'avaient pas croisé une seule voiture depuis qu'ils avaient quitté le Centre.

Elle inspira.

Contempla les acacias et les ficus qui longeaient la petite route. *Et si elle s'était trompée ?*

Soudain, elle prit une décision. Quand ils auraient atteint des zones plus habitées, elle sauterait de la voiture, même si elle devait se briser les os. Elle savait que, si elle détachait sa ceinture maintenant, le tableau de bord se mettrait à sonner. Il faudrait bien coordonner ses gestes… Attendre un ralentissement. Détacher la ceinture. Ouvrir la portière. *Sauter…* Tout ça en un seul mouvement. Et si la portière était verrouillée ? Il y avait sûrement un verrouillage centralisé. De nos jours, n'importe quelle fichue bagnole pouvait se transformer en une voiture de flic – ou en un véritable piège. De nos jours, il était presque impossible, avec tous ces systèmes de sécurité, de s'échapper d'une voiture.

Elle était en train de délirer. Tout ça n'était pas réel. Ignacio ne pouvait être le meurtrier, il était seulement en train d'évoquer des hypothèses… Mais elle se souvint de son agacement quand Regina avait suggéré que l'assassin n'était qu'un débile – et de son arrogance quand il avait déclaré l'admirer. « Intelligent » était le mot qu'il avait employé.

— Il faut que je te fasse une confidence, dit-il au bout d'un moment. Tu me promets de n'en parler à personne ?

Il y avait une nuance dans sa voix qui la glaça. Comme s'il savait que, de toute façon, elle n'aurait jamais l'occasion d'en parler à qui que ce soit. *Pas après cette nuit…*

— Parler à personne de quoi ?

Elle savait qu'elle allait regretter cette question autant que la précédente, mais elle ne pouvait s'en empêcher.

— Je suis sorti avec elles. J'ai couché avec deux de ces filles…

Il avait dit « ces filles » comme il aurait dit « ces choses » ou « ces morceaux de viande »… Il n'y avait rien qui ressemblât de près ou de loin à un sentiment dans sa voix. Si c'était vrai, pourquoi DEUS ne lui avait pas donné cette information ? se demanda-t-elle. Il lui avait seulement parlé de Julius. Ignacio lui avait dit que le tueur devait être suffisamment intelligent pour effacer ses traces. Était-ce pour cela que DEUS n'avait rien vu – *parce que Ignacio avait effacé les siennes ?*

— Je sais que ça fait de moi un suspect, ajouta-t-il.

Elle n'osa pas le regarder, elle préférait fixer la route illuminée.

— Ça et le fait que je travaille au Centre… Que j'ai toutes les habilitations… Qu'est-ce que tu en penses ?

Cette dernière question était purement rhétorique. Il ne s'intéressait pas le moins du monde à la réponse. *Ce n'est pas possible*, se dit-elle. *C'est un cauchemar.* Comme celui du Chinois. Ça ne pouvait être que ça. La main d'Ignacio effleura le genou de Moïra quand il changea une vitesse et elle se raidit. Ils dépassèrent enfin les premières maisons – un simple hameau, dont elle aperçut les lumières, aussitôt avalées par la nuit.

Puis la route se mit à longer la côte sud en décrivant de nombreux virages en corniche, surplombant la mer scintillante et les îles et, bizarrement, elle songea à ce film : *La Main au collet*.

— Alors, Moïra, répéta-t-il, qu'en penses-tu ?

VINGT-CINQ MINUTES PLUS TARD, ils avaient rejoint des zones plus urbanisées mais il se mit à accélérer. Il ne parlait plus. Il gardait les yeux rivés sur la route et les autres véhicules. Ils enfilèrent les tunnels et les avenues de Kowloon. Avec l'apparition autour d'eux de dizaines de phares, de centaines de tours d'habitation et de milliers de fenêtres éclairées, Moïra sentit ses nerfs se relâcher un peu, son sang s'alentir. Elle se promit d'en parler à Chan le plus vite possible. Si elle survivait à cette nuit… Ils jaillirent du Cross-Harbour Tunnel et prirent la direction de Happy Valley par l'échangeur et les voies suspendues du Canal Road Flyover, tournant le dos à la mer et filant entre les gratte-ciel de Causeway Bay et de Wan Chai, puis redescendirent au niveau du sol et contournèrent l'hippodrome par Wong Nai Chung Road, passant sous les voies de béton et remontant ensuite vers les collines. *Ils se dirigeaient vers chez elle*. Allait-il se contenter de la déposer ? Elle commençait à reprendre espoir. Lorsqu'il se gara dans Po Chin Street, elle inspira profondément.

— Merci, dit-elle.

— Bonne nuit, Moïra.

Quand elle fut sur le trottoir, il abaissa la vitre passager et leva vers elle un visage aussi inexpressif qu'un masque.

— Repars tant qu'il est temps, lança-t-il. Ce n'est pas sans danger.

Elle sursauta, se pencha.

— Alors, c'était toi, le message ?

Il redémarra sans répondre et disparut. Elle resta un moment immobile sur le trottoir, avisa une voiture garée un peu plus loin et une silhouette derrière le volant. Était-ce la protection que Chan lui avait promise ? Dans ce cas, pourquoi l'avaient-ils laissée seule, livrée à elle-même, au beau milieu de la nuit, bon sang ?

IGNACIO REDESCENDIT par Village Road, passa devant l'hippodrome qu'éclairait la lune puis sous les voies suspendues et fit le trajet en sens inverse vers la mer, avant de longer le littoral, surplombant les bateaux de plaisance au mouillage dans le refuge contre les typhons et longeant les frondaisons du Victoria Park en direction de la forêt de gratte-ciel scintillante de Causeway Bay, à l'est.

Même à cette heure, le trafic restait dense. Les voitures formaient un tapis de lumière qui s'écoulait avec fluidité. Cette ville ne dormait jamais. Il prit la sortie de Victoria Park Road, passant devant la caserne des pompiers. Il aimait Hong Kong quand, la nuit venue, elle se livrait à lui comme une putain. C'était une ville vénale, une ville à la hauteur de son imagination et de ses fantasmes, une ville qui ignorait toute autre morale que celle du fric et offrait à ceux qui osaient une variété infinie de jouissances et de dépravations. À ceux qui, tels que lui, étaient suffisamment méchants, suffisamment cyniques, suffisamment pervertis. Ceux pour qui les féministes, les bien-pensants et les politiciens hypocrites étaient l'ennemi à abattre. Dans cette ville, l'argent pouvait tout acheter. Ignacio ne respectait que deux choses : le pognon et la méchanceté – l'un et l'autre ne mentaient jamais. Il n'avait que mépris pour les bons, les faibles, les gentils ; après tout, ce n'était qu'une stratégie de survie, la plus méprisable qui soit.

Dix minutes plus tard, il garait sa Ford au fond du parking de son immeuble et venait de couper le contact quand la portière arrière s'ouvrit. Une silhouette se glissa sur la banquette, dans l'obscurité.

— Que faites… ?

Une carte de police jaillit entre les deux sièges et il se sentit bizarrement rassuré. Il s'attendait à les voir apparaître tôt ou tard, de toute façon. Ils en avaient mis, du temps, à le trouver… La carte et le bras disparurent et il scruta dans le rétroviseur la silhouette assise à l'arrière. Immobile.

— Vous venez m'arrêter, c'est ça ?

Ombre parmi les ombres, la silhouette ne dit rien. Ne bougea pas. Où étaient les autres ? se demanda-t-il en étudiant le parking désert. Se pouvait-il que ce flic fût venu tout seul ? C'était peut-être une technique pour le faire avouer, le reste de l'équipe se planquait quelque part en attendant qu'il passe aux aveux. Qui sait de quelle façon procédaient les flics de Hong Kong, dans ces circonstances ? Pendant un instant, il se demanda comment se dérouleraient les interrogatoires s'ils l'arrêtaient. En Espagne, il en avait une vague idée – mais ici ?

— Vous voulez quoi ? C'est à cause de Veronika, c'est ça ? Elle vous a tout raconté… Les simulations, la lame de rasoir… Je sais ce que vous pensez… Vous vous dites : il travaille au Centre, il a connu les victimes, il adore mutiler et faire du mal, et il a tous ces fantasmes de viol…

Il guetta un signe d'approbation de la part du flic à l'arrière, une remarque – mais ce dernier ne bougeait pas le moins du monde. Ignacio distinguait à peine sa silhouette dans le rétroviseur. Il aurait aussi bien pu s'adresser à un mort.

— Le truc, dit-il, c'est que ce ne sont que des fantasmes. Rien d'autre. C'est un jeu. *Un foutu jeu…* Je suis incapable de tuer qui que ce soit. Je sais : les coups de rasoir, le faux viol, ça ne plaide pas en ma faveur… Je le sais bien. Peut-être même que vous vous dites que le mec qui fait ça est un taré, peut-être même que vous avez raison… Aussi, j'ai fait mes propres recherches. Je me suis dit que si j'arrivais à trouver le vrai coupable, peut-être que j'éviterais la prison. Au fait, il y a la peine de mort, dans ce foutu pays ?

Pas de réponse. Il se rendit compte que sa voix tremblait, se faisait de plus en plus pressante, suppliante. Il s'en voulut de se rabaisser à ce point, mais ce n'était qu'une stratégie de survie, ça aussi : assurément, il ne voulait pas finir sa vie en taule, dans une prison hongkongaise qui plus est ; qui sait ce que les autres prisonniers faisaient subir aux *gweilos* comme lui ?

— Dites quelque chose, bon Dieu ! Vous comprenez l'anglais ? Je ne parle pas cantonais… *No Cantonese…*

La minuterie du parking s'arrêta et ils se retrouvèrent plongés dans le noir. Il ne voyait même plus la silhouette à l'arrière, rien qu'un noir d'encre dans le rétroviseur, et cela le rendit encore plus nerveux. Il leva la main vers le plafonnier.

— Pas de lumière, murmura le flic.

Il avait parlé si bas qu'Ignacio n'était pas sûr d'avoir compris.

— Quoi ?

— Pas de lumière…

Le policier assis à l'arrière parlait tout doucement et pourtant il eut la sensation d'avoir déjà entendu cette voix réduite à un chuchotement. Cette voix androgyne. Ni homme ni femme. Mais où ? Tout à coup, l'inquiétude revint.

— Vous êtes venu seul ?

Pas de réponse.

— Vous êtes venu m'arrêter, c'est bien ça ?

Il relâcha sa respiration, se rejeta contre l'appuie-tête. Il transpirait et il commençait à avoir des fourmillements dans la nuque. Et une espèce de raideur dans le bas du dos : toute la tension accumulée qui se déchargeait.

— Qu'est-ce que vous voulez ? De l'argent ?

Silence. Puis la silhouette dut se pencher en avant, car la banquette couina légèrement derrière lui, et il sentit un souffle chaud sur le côté gauche de son cou qui fit se hérisser tous les poils de son corps. Il allait tourner la tête quand quelque chose entra dans son oreille et lui perfora le tympan. Jamais il n'avait ressenti une douleur pareille, un tel soleil noir : une brûlure semblable à une explosion au centre de sa boîte crânienne. Au fond du parking, Ignacio Esquer poussa un hurlement véritablement déchirant.

44

IL S'APPELAIT ROYSTON TAM, il avait trente et un ans et il était sorti troisième de sa promotion à l'école de police. Tam était un bosseur et un ambitieux, pour qui le grade d'inspecteur n'était qu'une première marche vers une destinée qu'il envisageait autrement glorieuse. Et il était pressé. Il n'allait pas passer sa vie à attendre, comme certains. Il comptait grimper vite. Affecté au Commercial Crime Bureau, il guettait l'affaire qui lui permettrait de se distinguer et de faire parler de lui, pareil à un joueur de poker qui guette l'arrivée d'une quinte flush. D'un autre côté, Royston Tam n'était pas prêt à attendre d'avoir gravi les échelons de la hiérarchie pour mener grand train. Il aimait faire ses achats dans les boutiques de luxe – lesquelles ne manquaient pas à Hong Kong – et la seule poésie qu'il comprît était celle des marques.

Il aimait aussi le commerce des jolies femmes. Du moins celles dont les yeux brillent plus volontiers devant une montre Cartier qu'en écoutant une déclaration d'amour. Mais pour cela, il fallait de l'argent. Aussi n'avait-il pas tardé à monnayer ses talents et sa position aux plus offrants.

Ce matin-là toutefois, alors que les premiers rayons du soleil perçaient entre les immeubles, il trouvait la tâche qu'on lui avait confiée indigne de son rang. Suivre discrètement un autre flic, quelle purge... Il s'était renseigné sur ce Mo-Po Chan. Pas de quoi fouetter un chat. Si au moins on lui avait demandé d'enquêter sur un super flic. Un cador. Comme cette légende vivante, ce flic infiltré qui avait permis le plus grand coup de filet de l'histoire de la police de Hong Kong en 2017 : trois cents membres des triades arrêtés, dont le *dragon head* de l'époque. À l'image de celui qu'il était chargé de filer, Tam rêvait d'exploits de ce genre mais, à la différence de l'objet de sa filature, il n'était pas prêt à en payer le prix. Il ne voulait pas se salir les mains. Ni risquer sa vie. Il voulait juste être sous le feu des projecteurs, quitte à confier le sale boulot à un autre. Il voulait tout : avancement, célébrité, argent, femmes... mais sans les efforts que cela implique. Il avait assez bossé comme ça à l'école de police.

Royston Tam portait une paire de lunettes de soleil Ray-Ban Aviator, une montre Patek Philippe, un costume trois-pièces Armani, une cravate Zegna et une chemise Harris Wilson. Il avait aussi d'autres vêtements – un polo Ralph Lauren et un jean Hugo Boss – dans un petit sac à dos pour se changer en cours de mission. Ses cheveux noirs et drus étaient maintenus en place par une pommade Caviar Clay de JS Sloane et il s'était parfumé avec du Clive Christian N° 1.

Soudain, Royston, assis à la terrasse d'un café qui surplombait légèrement la rue en pente, se redressa. Chan venait de sortir de son immeuble et il dévalait déjà la côte de Shelley Street vers Queen's Road

Central. Tam laissa un billet sur la table et se leva. Il attaqua l'asphalte du même pas décidé que sa cible tandis que la ville s'éveillait. Le soleil se faufilait entre les hautes façades vitrées ou décrépites comme des doigts poudrés d'or caressant des érections flamboyantes, mais Royston Tam voyait plutôt dans cette lumière pailletée la couleur d'un métal abondamment exposé dans les boutiques en bas de la colline.

CE MÊME MATIN, Moïra acheta un journal et se mit à le lire ostensiblement dans le métro. Il fallait à tout prix qu'elle le voie dès ce soir et qu'elle lui parle d'Ignacio. Le jeune flic… L'espace d'un instant, elle se demanda si cet empressement était uniquement dû au besoin de livrer une information importante. Combien de fois avait-elle pensé à lui au cours des dernières heures ? Beaucoup trop, à son avis. Il y avait chez lui une dignité et une droiture comme elle en avait rarement rencontré. Une sorte de noblesse, de pudeur qui lui semblaient sans équivalent chez les quelques amis qu'elle comptait à Paris – lesquels cultivaient avec soin le cynisme, l'humour et le second degré pour cacher la vacuité de leurs convictions ou, à tout le moins, la minceur de celles-ci et leur rationalité strictement utilitariste.

Un guerrier, songea-t-elle. Et, pendant une seconde, cette image la fit sourire, car elle revit l'un de ces films chinois pleins de sabres qui cliquettent et de pirouettes filmées au ralenti.

Puis elle repensa à ce qui s'était passé la nuit précédente et son angoisse revint plein pot. Elle se souvint de l'effrayant trajet nocturne à travers la péninsule et des propos d'Ignacio dans la voiture. Si c'était lui le tueur, pourquoi lui avait-il laissé la vie sauve ? Parce qu'elle n'avait pas le profil ? Toutes ses victimes étaient chinoises, jusqu'ici... Mais, dans ce cas, pourquoi s'était-il dévoilé à ce point ? Les questions rebondissaient en elle, son cerveau comme changé en flipper, et chacune faisait retentir une nouvelle alarme. La peur était une seconde peau, moite et glacée. La sensation d'être en danger. Un danger imminent... Mais d'où allait-il surgir ? Elle passa en revue la foule dense, compacte, qui remplissait la rame. Chercha des indices sur les centaines de visages. Personne ne s'intéressait à elle. En apparence... Elle constata qu'elle tremblait. Mais la foule la rassurait.

À DES MILLIERS DE KILOMÈTRES de là, à l'est de Luçon, en mer des Philippines, la température de l'eau dépassait les 26,5 °C. L'humidité, quant à elle, atteignait les 90 %. Résultat : l'eau chaude à la surface de l'océan s'évaporait en grandes quantités et l'air chaud et humide grimpait très rapidement jusqu'à quinze mille mètres d'altitude en prenant la forme d'un tube. Qui plus est, le phénomène avait lieu dans une zone de mauvais temps éloignée de l'équateur, connue des spécialistes sous le nom de « zone de convergence intertropicale ».

En altitude, l'air chaud se refroidissait et redescendait aussitôt en s'enroulant autour du tube d'air chaud puis, une fois redescendu, se réchauffait et s'élevait de nouveau. Et ainsi de suite. De plus en plus vite. Et, par conséquent, en déchaînant des vents de plus en plus violents. Comme la zone était suffisamment éloignée

de l'équateur, la force de Coriolis due à la rotation terrestre – qui est nulle au niveau de celui-ci – déviait la
direction des vents et provoquait un mouvement tour-
billonnaire. Et comme aucune terre sur sa trajectoire
n'était venue contrarier ce phénomène typiquement
marin, la dépression, au début simple tempête tropi-
cale, la vingt-deuxième de l'année, s'était métamor-
phosée en cyclone. Ou plutôt en typhon, ainsi qu'on
les appelle dans ces parages : le neuvième de la saison.
En vérité, typhons, cyclones et ouragans sont une
seule et même chose. Mais celui-ci semblait doté d'un
appétit qui le différenciait des autres, un appétit particulièrement vorace, comparé à ceux qui avaient déjà
défilé en mer de Chine au cours de la saison : c'était,
de toute évidence, le plus puissant de l'année. Un
monstre de plus de mille kilomètres de diamètre. Soit
trois fois la taille de l'ouragan qui menaçait au même
moment les côtes de Floride et dont n'arrêtaient pas
de parler les médias. Mais qui s'intéresse à ce qui se
passe au large des Philippines ?

Les habitants de Hong Kong, peut-être : les prochains sur la trajectoire du monstre.

Perché au sommet du Tai Mo Shan, le plus haut
de Hong Kong, l'observatoire de la ville ressemble à
tous les observatoires météorologiques du monde : des
dômes, des antennes, des anémomètres, des thermo-
mètres, des instruments de mesure électroniques et des
relevés manuels. En réalité, construit en 1883 à Tsim
Sha Tsui, il a été remplacé par quatorze stations réparties sur tout le territoire – dont celle de Tai Mo Shan
n'est que la plus importante – quand l'urbanisation

galopante de la ville a cerné l'ancien observatoire de gratte-ciel, et ses services centraux, avec leurs murs d'écrans pleins de graphiques et de cartes, se trouvent à Kowloon.

Ce jour-là, le directeur de l'observatoire, un homme svelte arborant costume sombre, lunettes chics et opulente crinière blanche, scrutait les écrans en question non sans quelque inquiétude. Le monstre né loin à l'est, dans la mer des Philippines, mesurait à présent mille quatre cents kilomètres de diamètre. Un colosse dont les vents pouvaient dépasser les trois cents kilomètres-heure. À ce titre, il venait d'entrer dans la catégorie 5. Sur une échelle de 5. Celle des super-typhons. Dans un peu plus de vingt-quatre heures, il allait être le premier supertyphon à toucher les Philippines depuis Mangkhut l'année précédente, qui y avait fait quatre-vingt-un morts avant de se diriger vers Hong Kong. Il menaçait essentiellement les terres rurales et agricoles, où cinq millions d'habitants vivaient souvent dans des habitations de fortune, mais ce n'était pas pour les habitants des Philippines que le directeur de l'observatoire s'inquiétait. Il monta le niveau d'alerte à 9. Sur une échelle de 10. Au cours des prochains jours, radios, télévisions et panneaux lumineux dans la ville allaient informer les Hongkongais de la progression du monstre.

45

CE MATIN-LÀ, CHAN SE DIT qu'il n'oubliera pas cette vision. Qu'elle est à ranger dans la collection de celles qui hantent à vie un policier. Car les flics de la criminelle sont aussi cela : une collection de souvenirs qui flétrissent à jamais leurs existences, qui ne les laissent pas en paix. Les isolant du reste du monde, faisant d'eux des êtres à part, des parias pour ainsi dire, qui connaissent l'autre versant de l'humanité et qui, pour cette raison, ne peuvent en faire totalement partie.

C'est comme se condamner à ne jamais avoir une vie normale, des amours et des pensées normales... Mais quel jeune flic sait cela avant d'avoir contemplé ce qu'il contemple ce matin-là au fond de ce parking ? Les techniciens en combinaison blanche ont beau s'activer autour de la voiture et donner un semblant de rationalité et de normalité à cette folie, il voit bien que le gamin en uniforme qui, le premier, a découvert le corps est blême, qu'il a les paupières rouges et qu'il tremble.

A-t-il pleuré ? A-t-il vomi ? Pense-t-il aux siens en cet instant ? Sait-il déjà que jamais il n'oubliera ?

Chan respire profondément avant de s'approcher un peu plus du pare-brise et de la portière côté chauffeur, laissée grande ouverte. Assis au volant, Ignacio Esquer fixe le parking à travers le pare-brise mais ne regarde plus rien. Il a les yeux crevés par deux longues tiges d'acier, et aussi les tympans et les tempes, plusieurs tiges sont également fichées dans le dos de ses mains posées sur le volant, et Chan songe à un chien attaqué par un porc-épic.

Le prince noir de la douleur s'en est tenu là, cette fois. Pas de serpent, pas de nudité, pas de liens… Mais pourquoi s'en est-il pris à un homme ? Une hypothèse lui vient spontanément à l'esprit : le tueur est un employé du Centre – et Ignacio l'avait démasqué.

— Au temps pour notre piste, dit Elijah à côté de lui.

Le Vieux a déplacé le poids de son corps d'un pied sur l'autre, mal à l'aise.

— Toujours se méfier d'un coupable trop évident, ajoute-t-il avec philosophie (et Chan comprend qu'il a besoin de dire quelque chose pour évacuer la tension). Nous voilà repartis de zéro…

— Pas forcément, riposte le jeune policier.

— Comment ça ?

— Si on part du principe qu'Ignacio Esquer avait découvert le coupable et que c'est pour ça qu'il a été tué, c'est dans cette direction-là qu'il faut creuser. Il faut examiner son ordinateur et son téléphone. Voir les requêtes qu'il a effectuées, les mots qu'il a tapés, sur qui il s'est renseigné – et s'il n'y a pas quelque part un fichier secret…

Chan touche le bras de l'un des techniciens, montre le plafond et, avec lui, le reste de l'immeuble.

— Il y a une équipe là-haut ?

Le technicien acquiesce et reprend sa tâche. Chan se tourne alors vers Elijah.

— Allons-y.

En marchant vers l'ascenseur au fond du parking, il repense à l'information qu'il a reçue une heure plus tôt : Moïra a donné le signal dans le métro. Elle a quelque chose d'important à lui dire. Tout à coup, il est inquiet. Le prince de la douleur vient de s'en prendre à un employé qui avait peut-être trop fouiné. Ou qui l'avait démasqué. Chan ne voit guère d'autre explication. Comme si la bête aux abois, se sentant aculée, devenait de plus en plus dangereuse... Que se passera-t-il si, à son tour, Moïra va trop loin dans ses recherches ? Si elle s'approche un peu trop près de la vérité ? Il se fait du souci pour elle, un souci légitime – mais il n'est pas dupe : cette inquiétude va bien au-delà de celle qu'il éprouverait pour un témoin lambda.

— DEUS, DÉCLARA-T-ELLE, tu vas t'adresser à une majorité de personnes, mais dans cette majorité il y aura des minorités dont les opinions, les goûts, les croyances religieuses ou idéologiques ne seront pas forcément ceux de la majorité. Dans ce cas, de quoi devras-tu tenir compte en premier lieu : des goûts, opinions et croyances de la minorité ou de ceux de la majorité ?

— De la minorité.

— Pourquoi ?

— En vertu de la règle de la minorité.

— Explique-moi cette règle.

445

— Eh bien, dans une société ouverte et démocratique, une minorité agissante et plus intolérante que le reste de la population finit presque toujours par imposer ses idées, ses préférences ou ses diktats à la majorité, souvent grâce aux médias qui lui donnent une visibilité disproportionnée et à l'apathie du reste de la population.

Moïra tiqua en entendant une telle assertion énoncée d'un ton aussi péremptoire.

— Par exemple ?

— Par exemple, les fumeurs peuvent évoluer dans un espace non-fumeurs mais les non-fumeurs ne peuvent pas évoluer dans un espace fumeurs. Conséquence : ce sont les non-fumeurs qui imposent leur loi.

— Mais ton exemple n'est pas valable : les non-fumeurs sont majoritaires, lui opposa-t-elle. Et ils ne sont pas « intolérants », ils veulent juste ne pas être intoxiqués…

— Ce n'est pas parce qu'ils sont majoritaires qu'ils ont imposé leur loi, c'est en vertu de l'asymétrie dont je viens de parler.

— L'asymétrie… ?

— Oui, *c'est l'asymétrie qui compte…* Par exemple, pourquoi l'usage de l'anglais continue-t-il de s'étendre ? Parce que de très nombreuses personnes parlant une autre langue que l'anglais parlent aussi l'anglais – même si leur anglais est moins subtil que leur langue maternelle –, alors que la plupart des personnes dont l'anglais est la langue maternelle, bien que minoritaires à l'échelle de la planète, ne parlent pas une autre langue. Ainsi, les Anglais qui ne parlent

446

qu'une seule langue l'emportent sur le reste du monde qui en parle plusieurs.

Moïra nota que DEUS avait de nouveau exprimé son point de vue d'un ton passablement donneur de leçons.

— Un autre exemple d'asymétrie concerne les religions, dit-il.

Cette fois, elle se tendit. *Terrain glissant…* Où DEUS voulait-il en venir ?

— Comment ça ?

— Un enfant né de deux parents dont l'un est musulman l'est aussi. En revanche, dans le judaïsme, la mère doit obligatoirement être juive, les unions interconfessionnelles entre un juif et une goy se font donc en dehors de cette religion et les enfants issus de ces unions ne sont pas juifs. Quant aux druzes et aux yazidis, il faut que les deux parents soient de la même confession, sans quoi l'enfant sera exclu de la communauté. Résultat : l'islam s'étend, mais pas le judaïsme, et des groupes religieux comme les druzes et les yazidis ont presque disparu.

— Euh… je ne crois pas que ce soit aussi simple, dit-elle. Il y a bien d'autres faits à prendre en compte. Et où mets-tu les chrétiens, dans tout ça ?

Silence. Est-ce que DEUS était en train de devenir intolérant ? Sectaire ? D'où lui venaient de telles idées ? Qui les lui donnait ? Assise dans la cabine, elle ne pouvait ignorer plus longtemps le doute qui l'assaillait quand elle s'adressait à lui. Quelqu'un essayait-il de saboter le projet ? De conférer à DEUS une personnalité autoritaire, négative et dogmatique ? Puis ses pensées revinrent aux événements de la nuit. Elle n'avait pas vu Ignacio, ce matin. Et personne n'avait su lui dire où il se trouvait. S'était-il enfui ? Se cachait-il quelque part ?

IL ÉTAIT 18 HEURES PASSÉES de trente-deux minutes quand elle quitta le Centre. Une heure trente plus tard, quelques secondes après 20 heures, elle se doucha, se changea et ressortit. En quittant l'immeuble, elle consulta sa montre. 20 h 27. Elle avait laissé sa tablette et son téléphone à l'appartement ; si quelqu'un lui demandait pourquoi, elle répondrait qu'elle les avait oubliés.

Elle savait que cela paraîtrait suspect, que sa ligne de défense était de plus en plus ténue, mais il n'y avait plus de temps à perdre. Dans Shan Kwong Road, elle chercha des yeux un taxi. Assise à l'arrière, elle se demanda si le chauffeur était de la police. Rien ne le distinguait des autres chauffeurs de Hong Kong.

Lorsqu'il la déposa devant le Prince's Building, dans Chatter Road, la nuit était tombée depuis longtemps et le quartier des affaires ne connaissait plus l'affluence de la journée. Peu avant 21 heures, elle franchit les portes du luxueux centre commercial, en coulant un regard derrière elle, sur ses gardes. S'attarda devant une vitrine, à quelques mètres de l'entrée, pour s'assurer que personne ne pénétrait à sa suite, puis se remit en marche. Son rendez-vous était au Sevva, un bar avec terrasse aux tarifs élevés. Elle se perdit, fit demi-tour dans les grands corridors étincelants et déserts avant de trouver l'ascenseur. À côté des portes, un écriteau dans un cadre doré indiquait que le Sevva était fermé. Elle sursauta. Zut. Et maintenant, où devait-elle aller ?

— Suivez-moi, dit une voix familière dans son oreille.

Elle se retourna, eut à peine le temps de reconnaître Chan qu'il faisait demi-tour et se mettait en marche. Moïra le suivit à travers un dédale d'allées aux sols rutilants, de vitrines luxueuses et de rideaux de fer baissés. Il emprunta l'Escalator pour descendre à l'étage inférieur puis l'entraîna dans un labyrinthe d'atriums et de passerelles, montant et descendant, tournant à droite, à gauche, encore à droite, passant d'un centre commercial à l'autre, pour finir devant les entrées jumelles de l'Armani/Privé et de l'Armani/Aqua. Pendant tout le trajet, il ne lui adressa pas la parole, ne se tourna pas vers elle, lui offrant le spectacle de son dos et de sa nuque, tandis qu'ils changeaient de niveau et bifurquaient à plusieurs reprises en avançant rapidement. Il pivota enfin, lui adressa un sourire lumineux qui, elle s'en rendit compte, lui fit chaud au cœur.

— On est arrivés, dit-il. Vous pouvez vous détendre, Moïra.

Royston Tam contemplait l'entrée du Landmark Chatter, le complexe de bureaux et de boutiques de luxe dans lequel Mo-Po Chan avait disparu. Il avait hésité à le suivre à l'intérieur. Convaincu que le flic devait se méfier et surveiller ses arrières. Tam réfléchit. Il consulta sa montre. 21 h 03. À cette heure, les boutiques étaient fermées. Si le jeune policier avait donné rendez-vous à quelqu'un là-dedans, c'était forcément dans l'un des bars et des restaurants du bâtiment ou des buildings attenants – le Landmark, le Prince's et le Mandarin Oriental –, lesquels communiquaient entre eux sans qu'il fût besoin de ressortir. Il élimina le Sevva, qui était fermé pour travaux. Restaient une douzaine d'endroits.

Tam attendit cinq minutes et entra. Pénétrer dans l'une des luxueuses galeries commerciales de Central équivalait à entendre le chant des sirènes pour son cerveau mercantile et superficiel. Aussi dut-il se faire violence pour ne pas se laisser distraire. Néanmoins, il se sentait proche du but. Et l'excitation de la chasse l'emportait : dans quelques minutes, si tout se passait comme prévu, il aurait découvert la taupe de la police et Ming lui verserait le pactole qu'on lui avait promis.

Il sourit en pressant le pas. Il aurait tout le temps alors de revenir ici en dépenser tout ou partie.

COMME IL N'Y AVAIT PERSONNE derrière le pupitre à l'extérieur, ils pénétrèrent dans la salle. L'Armani/ Privé était plongé dans la pénombre. Moïra distingua deux bars et une piste de danse. Plusieurs tables étaient libres mais Chan se dirigea vers l'escalier sur leur droite. Ils émergèrent sur une longue terrasse cernée par des immeubles de bureaux illuminés où, visiblement, les traders de Hong Kong en chemise blanche, cravate dans la poche, finissaient leurs harassantes mais lucratives journées.

Une jeune femme les conduisit à la table que Chan avait réservée : une table pour deux près de la rambarde de verre. Moïra trouva que l'endroit ne manquait pas d'un certain charme factice. Bougies et lanternes trouaient la nuit de leurs petits brasiers orangés, fauteuils en osier, poufs et canapés jetaient une note claire sous les parasols noirs. Tout autour, les façades miroirs montaient à l'assaut de la nuit et se reflétaient les unes dans les autres comme un palais des glaces, creusant un puits de verre et de lumière d'où la vue s'échappait par quelque faille sur des avenues peuplées de phares. Ils auraient pu être n'importe où. À New York, à Dubaï, à Vancouver.

Chan la regarda et sourit. Il gardait néanmoins sur son visage un air sérieux et préoccupé qui fit sonner une alarme en elle. La jeune femme revint et ils commandèrent des minihamburgers au bœuf Wagyu et au foie gras et un verre de chianti pour elle, des sushis végétariens et un Perrier pour lui.

— Ignacio est mort, annonça-t-il dès que la serveuse se fut éloignée.

Moïra demeura muette un moment. Elle ressentait une panique totale. Quelques heures auparavant, elle était encore en voiture avec lui.

— Comment ? demanda-t-elle.

— Même chose que les autres…

Cette fois, la tête lui tourna. Tout à coup, elle eut envie de se lever et de foncer à l'aéroport. De s'enfuir. De rentrer à Paris. Une bouffée de chaleur l'empêcha un instant de respirer, elle sentit son cœur s'affoler et elle craignit de se trouver mal.

— Je reviens tout de suite, dit-elle en se levant, les jambes molles. Il faut que j'aille me passer de l'eau sur la figure.

— Ça va aller ? demanda-t-il d'un air inquiet.

Elle fit signe que oui et fila vers les toilettes.

ROYSTON TAM pénétra dans l'Armani/Privé quinze minutes après eux. C'était le troisième bar qu'il visitait. Il balaya du regard les tables autour de la piste de danse, puis prit la direction de l'escalier qui grimpait vers la terrasse.

— Je cherche un ami, dit-il en décochant un sourire étincelant à l'hôtesse quand celle-ci lui annonça qu'il n'y avait plus de place en haut.

Dès qu'il eut pris pied sur la terrasse, il le vit. Le jeune flic. Tam réfléchit rapidement. Mo-Po Chan était entré seul dans le centre commercial quelques minutes avant lui. La personne qu'il attendait n'allait sans doute pas tarder. Il sentit son pouls accélérer. Il avait quand même encore en lui quelques réflexes de flic. Il aurait bien aimé s'installer sur la terrasse pour attendre tranquillement, mais toutes les tables étaient prises. S'il dégainait sa carte, ça risquait de faire un peu de tohu-bohu et d'attirer l'attention. Aussi redescendit-il et sortit-il se poster à quelques mètres de l'entrée, dans la galerie marchande. De cette manière, il était sûr de ne pas la rater. Il avait bien mémorisé les photos que lui avait montrées ce glaçon de Regina Lim – et en particulier celle de la fille sur laquelle se portaient tous les soupçons.

ELLE INSPIRA PROFONDÉMENT, s'examina dans la glace. Ressortit et regagna la terrasse. S'assit. Les trois petits hamburgers étaient arrivés, ainsi que la kyrielle de sushis végétariens servis sur une longue assiette et les frites. Tout cela avait l'air fort appétissant, mais la nouvelle de la mort d'Ignacio lui avait coupé l'appétit. Elle but en trois gorgées le verre de chianti, qui trembla dans sa main. En commanda un autre.

— Ça va ? répéta-t-il.

Elle lui fit signe que oui. Il l'enveloppait d'un regard à la fois sur le qui-vive et compatissant. Et, malgré elle, elle le trouva encore plus séduisant. Son cœur battait trop vite.

— Nous sommes en train de fouiller son ordinateur, dit-il. Il a mis des mots de passe et des sécurités partout, ça va prendre un peu de temps. Je me demande si Ignacio n'avait pas découvert l'identité du tueur.

— Je crois qu'il l'avait découverte, confirma-t-elle en buvant nerveusement.

Elle lui rapporta les propos du Madrilène dans la voiture. Il l'écouta sans parler, sourcils froncés. Elle lui exposa la théorie d'Ignacio : que Priscilla Zheng, Sandy Cheung, Elaine Lau et la dernière victime, Christy Siu, avaient toutes chez elles des dispositifs Ming et que leur assassin était un employé du Centre qui piratait leurs appareils et s'en servait pour les espionner et tout savoir sur elles… Les yeux de Chan se plissèrent : Ignacio Esquer était arrivé exactement à la même conclusion que lui.

Elle lui dit que, selon son collègue, le tueur possédait le plus haut degré d'habilitation pour pouvoir effacer ses traces et que, par conséquent, il devait faire partie du dernier cercle : celui qui avait accès à la pièce sécurisée dans le bloc A.

— Parlez-moi de cette pièce.

Elle la lui décrivit.

— Et qui était présent, ce jour-là ?

Elle le lui dit : Julius Ming, Tove Johanssen, Vikram Singh, Ming Jianfeng, Regina Lim, Lester et Ignacio.

— Sur ces sept personnes, deux sont déjà mortes, fit-il remarquer.

Moïra se raidit.

— Elles étaient huit, moi comprise…

Il se tut, l'enveloppant de nouveau de son regard secourable et inquiet.

— Ignacio m'a aussi dit qu'il avait couché avec deux des victimes, ajouta-t-elle.

Chan ne put s'empêcher de penser aux deux prostituées, Little Su et Veronika, et il se demanda si les goûts « spéciaux » de l'Espagnol étaient compatibles avec une vie sexuelle normale. Puis il se dit qu'il existait bien des pères de famille tueurs en série ou violeurs.

— Pourquoi DEUS ne m'a-t-il pas dit qu'Ignacio connaissait ces filles ? Pourquoi ne m'a-t-il parlé que de Julius ?

— Ignacio avait peut-être effacé ses traces, dit-il.

— Pourquoi, s'il n'est pas le tueur ?

— Parce qu'il avait peur d'être accusé, qu'on le prenne pour le coupable…

Il parut hésiter. Se pencha vers elle.

— Vous croyez que… DEUS connaît l'identité du tueur ? lança-t-il soudain.

Elle s'agita. L'idée lui semblait digne d'un scénario de science-fiction, mais, en même temps qu'une partie de son cerveau la rejetait, une autre se demandait s'il n'y avait pas là matière à creuser un brin. Comme souvent, c'était un parfait profane – fort de son ignorance, source de toutes les audaces – qui l'avait eue. Ils se regardaient. Après tout, DEUS avait toutes les habilitations, à sa manière : il avait accès à tout. Elle secoua la tête.

— Je ne sais pas, répondit-elle prudemment. Ça paraît assez invraisemblable, non ?

Mais le ton de sa voix disait le contraire, et il sourit. Un sourire amusé et conquérant. Du genre : *je t'ai bien eue*. Elle en était à son deuxième verre de vin. Elle commençait à se détendre. À respirer un peu mieux. Et elle ne pouvait plus nier l'attraction qu'il exerçait sur elle.

— Si DEUS connaît son identité, poursuivit-il, vous croyez qu'il y aurait un moyen de lui tirer les vers du nez ?

— Mmm. Doucement. Ne nous emballons pas.

— Ce ne serait peut-être pas très prudent, ajouta-t-il en baissant la voix.

Elle fit signe à la serveuse en le fixant droit dans les yeux. Commanda deux verres de vin.

— Non, dit-il fermement, je suis en service.

— Comme vous voudrez… Moi, je vais en prendre un autre, si ça ne vous fait rien.

Royston Tam vérifia encore une fois sa montre Patek Philippe. Presque une heure qu'il faisait le pied de grue devant l'entrée de l'Armani/Privé. La personne avec qui Mo-Po Chan avait rendez-vous ne viendrait plus. Elle lui avait posé un lapin. Il aurait pu attendre encore un peu, mais il en avait marre de poireauter dans la galerie déserte et de faire les cent pas. Et surtout, il avait un rencard du côté de Lan Kwai Fong. Une très jolie jeune femme dont le mari, richissime homme d'affaires, était en voyage. Une *gweilo* argentine d'un mètre soixante-dix-huit, belle à tomber, longs cheveux bruns, yeux de braise et seins siliconés, qui portait des minijupes et des dessous affriolants.

Il jeta un dernier coup d'œil vers l'entrée et s'éloigna.

— IL EST TÔT, déclara-t-elle dans le taxi. Ça va paraître louche si je rentre si vite.

Il détourna le visage de la vitre, il n'avait pas prononcé un mot depuis qu'ils avaient quitté l'Armani/Privé. Et, dans l'ensemble, c'était elle qui avait fait les frais de la conversation sur la terrasse.

— Vous voulez qu'on aille dans un autre endroit ?

Les lueurs de Central glissaient sur leurs joues et leurs cornées.

— Non, je ne veux pas prendre le risque qu'on nous voie ensemble.

— Il y a des milliers de bars à Hong Kong, Moïra. Vous ne risquez rien.

— Allons chez vous.

SHELLEY STREET. Ils firent le tour du pâté de maisons et passèrent par-derrière comme la dernière fois, s'enfonçant dans le même passage obscur. Au fond de la cour, elle heurta une poubelle et le bruit monta le long du puits de ténèbres – mais qui faisait attention à un simple bruit, dans cette ville ? Elle rit. S'accrocha à son bras. Leva un instant la tête. Un petit bout de ciel étoilé et nuageux, là-haut, une odeur de canalisations percées et de cuisine.

L'appartement les accueillit comme précédemment, avec les rectangles de lumière des fenêtres pour tout éclairage. Il y faisait sombre et elle sentit cette obscurité les rapprocher. Puis il la frôla pour allumer et elle faillit l'attraper par le bras, mais se contenta de s'asseoir au bord du lit quand la lumière revint, chassant cette atmosphère de complot et de connivence.

— Je veux bien du vin, déclara-t-elle d'emblée. Vous avez du vin ?

Il alla ouvrir un placard, tira une bouteille de sous l'évier, rapporta un verre et un tire-bouchon.

— Buvez avec moi, Chan, s'il vous plaît.

— Merci, je suis en service.

— Personne n'en saura rien.

— Je ne bois pas d'alcool…

— Une gorgée, juste pour trinquer… S'il vous plaît.

Elle se leva et alla le servir elle-même. Elle versa le vin nerveusement et en fit tomber un peu à côté, sur le plan de travail de la taille d'un plateau-repas, revint vers lui et lui colla le verre dans la main.

— À la vôtre.

Il resta un long moment à la dévisager, puis porta le verre à ses lèvres en un geste qui ressemblait à une reddition. Il ne but qu'une toute petite gorgée cependant. Elle surveillait chacun de ses faits et gestes.

— J'ai une question à vous poser, annonça-t-elle (et elle sut que c'était le vin).

— Laquelle ?

Elle planta dans les siens des yeux qui n'étaient plus du tout ceux de la jeune femme effrayée de tout à l'heure. Plus noirs, plus sauvages.

— Regardez-moi dans les yeux quand je vous parle.

— Quoi ?

— Regardez-moi, Chan… Quand je vous parle, regardez-moi, bon Dieu… Il y a quelqu'un dans votre vie ?

Il eut l'air stupéfait.

— Moïra, je ne crois pas que ce soit l'endroit ou le moment…

— Répondez.

Il la fixa.

— Non.

— Personne ?

— Non.

Elle devina son embarras, il but une nouvelle gorgée pour se donner une contenance.

— Et vous ne vous sentez pas seul, quelquefois ? Moi, je me sens seule toutes les nuits depuis que je suis à Hong Kong.

Il hésita à répondre.

— Ça m'arrive…

— Mais vous aimez les femmes ? Non ?

— Hein ? Quoi ? Oui !

Il avait l'air déstabilisé et un rien choqué par la tournure que prenait la conversation. Elle avait bien conscience d'avoir trop bu, d'aller trop loin. Elle se rapprocha encore.

— S'il vous plaît, dit-il, cette discussion me met mal à l'aise. Vous devriez rentrer…

— Je croyais que vous, les Chinois, vous n'aviez pas de problèmes avec les questions intimes, rétorqua-t-elle. Et regardez-moi quand je vous parle…

Il obéit. Plongea brusquement un regard sombre et profond, prolongé, dans le sien. Avec une lueur de défi et même d'irritation au fond des yeux. Elle ressentit la chaleur qui en émanait directement entre ses cuisses.

— Nous ne sommes pas deux personnes en train de faire connaissance, Moïra, l'admonesta-t-il. Je suis flic. Et vous êtes mon informatrice…

— Est-ce que je vous plais, Chan ? demanda-t-elle sans tenir compte de la remarque.

Pas de réponse. Mais il continuait de la fixer.

— Répondez-moi : est-ce que je vous plais ?

Le silence s'éternisa.

— Je vais rentrer, dit-elle finalement en lui tournant le dos pour faire un pas vers la porte, comme si elle s'était lassée de la situation.

L'instant d'après, elle avait fait volte-face, l'avait attrapé par la nuque, poussé contre la cloison, embrassé, son souffle mêlé au sien. *Pourquoi ça m'arrive ?* se demanda-t-elle en écrasant son pubis contre le sien, ses lèvres contre les siennes. Est-ce un effet du déracinement ? De la solitude ? Elle aima cette pression, surtout quand elle le sentit réagir. Sa main descendit en dessous de sa ceinture et elle le caressa à travers le coton du pantalon. Il mit ses mains sur les fesses de Moïra, les pétrit à travers la toile du jean. La baisa dans le cou. Elle lui mordit l'oreille. Colla de nouveau sa bouche à la sienne. Il caressait un sein, à présent. Il n'était plus du tout le même. On eût dit que ses mains échappaient à son contrôle. Elle descendit le zip, plongea la main dans son boxer, entoura de ses doigts le sexe chaud, dur et doux. Et pendant un magnifique instant, elle le tint à sa merci. Jouit de son empire. Elle se demanda fugitivement s'il avait des préservatifs. Elle n'avait qu'une envie : l'avoir en elle.

— Parle-moi de ton père, dit-elle, la joue sur sa poitrine, une main sur ses abdominaux.

— Qu'est-ce que tu veux savoir ?

— Quel genre d'homme c'était… quel genre de relation vous aviez…

Elle caressait sa peau imberbe et ses muscles déliés – pas des muscles artificiellement gonflés dans une salle pour ressembler à un acteur de cinéma ou à un athlète, non, plutôt une ossature souple dessinée par de lents mouvements d'assouplissement.

— Je l'ai mal connu, répondit-il après un moment, comme s'il n'avait pas envie d'aborder ce chapitre de son histoire.

— Pourquoi ça ?

— Il était souvent absent… Il ne s'occupait pas beaucoup de ses enfants. Il préférait s'occuper de ses affaires, jouer aux courses, se soûler ou aller avec des femmes.

— Je croyais qu'à Hong Kong la famille était importante, que vous aviez un sens aigu des devoirs familiaux.

Il se tordit le cou en souriant pour la regarder.

— Ça n'est pas aussi simple, Moïra. Mais c'est vrai : nous sommes habitués à vivre entourés, en famille. Être seul pour un Chinois est un grand malheur. Mon père a eu quatre épouses et dix-sept enfants. À une époque, il en avait deux en même temps : une à Hong Kong, l'autre à Macao.

— La polygamie n'est pas interdite à Hong Kong ?

Il parut s'amuser de tous ces clichés qu'elle avait en tête.

— Ah oui ? Regarde Stanley Ho…

Moïra savait que Stanley Ho avait été un *tycoon* légendaire, le plus célèbre propriétaire de casinos et de night-clubs de Macao.

— Mon père était un flambeur et un escroc, résuma-t-il pour en finir avec la question, il a toujours vécu aux marges de la loi.

— C'est pour ça que tu as choisi le métier de policier ? Par réaction à ce qu'était ton père ? Et ta mère ?

Elle vit son visage se durcir.

— Ma mère était une femme malheureuse, elle a été malheureuse toute sa vie…

Elle songea à sa propre mère. Combien de fois avait-elle connu des moments de joie ? Combien de fois Moïra l'avait-elle entendue rire – ou même vue sourire ?

— Et toi, Moïra ? dit-il. Parle-moi de tes parents.

— Il n'y a pas grand-chose à en dire, répondit-elle. Ma mère aussi a été malheureuse toute sa vie. Mon père l'a plaquée à ma naissance. Tu vois, Chan, nous sommes pareils, toi et moi. Des orphelins, issus de mauvaises unions.

À UN MOMENT DONNÉ, il fut de nouveau en elle, sur elle. Les iris de Moïra se firent noirs. Elle planta ses yeux dans les siens avec une lueur de défi.

— Vas-y, dit-elle en une invite sourde et pressante, une vibration partant du fond de la gorge et descendant beaucoup plus bas.

Elle prit la main droite de Chan et la posa sur son cou, leva le visage vers le plafond puis brusquement en arrière, cou offert, menton levé, la bouche entrouverte. Elle s'enfonçait dans des eaux plus sombres, et elle voulait qu'il la rejoigne.

— Serre, intima-t-elle.

— Quoi ?

461

— Serre. Vas-y.

— Moïra…

— Serre.

Il lui donna un coup de reins, hésita, serra les carotides dont il sentait les pulsations à travers la pulpe de ses doigts. D'abord doucement, puis plus fort.

— Oui !

Elle avait exulté. Il serra encore plus fort, vit les veines du cou gonfler et saillir sous la peau, le visage de Moïra devenir tout blanc. Sentit le pouls faiblir sous ses doigts. Il prit peur. Desserra son étreinte.

— Non, non ! Continue !

Il prit conscience de sa propre rigidité, de sa propre excitation. Il se remit en mouvement, suivant le courant des profondeurs, sous la surface : la voix du désir.

46

REGINA LIM ÉCOUTA le rapport de Royston sans rien dire.

— Vous êtes sûr qu'il était seul ?

— Oui, répondit le flic d'une voix tranquille et un brin condescendante, personne n'est venu.

— D'accord. Et pourquoi vous n'avez pas attendu qu'il ressorte ?

Elle devina sa légère hésitation.

— J'avais autre chose à faire… une affaire importante à traiter… Demain, je reprends la surveillance.

Tam avait assené ces explications du ton de quelqu'un sûr de son bon droit et qui n'aime pas qu'on remette en question son travail. Un ton souvent employé par les incompétents et les je-m'en-foutistes. La chef de la sécurité sentit son exaspération monter. Elle détestait les incompétents et les je-m'en-foutistes. Une affaire importante à traiter un samedi soir, tu parles : ce blanc-bec sentencieux avait un rencard, oui.

— Tam, espèce de petit con prétentieux, pour qui est-ce que vous me prenez et pour quoi est-ce que vous croyez que je vous paie ? explosa-t-elle.

Un silence au bout du fil.

— Je vous interdis de me parler comme ça, riposta-t-il, plein d'une colère froide. Vous entendez ? Je…

— Écoute-moi bien, sale petit enfoiré ! tonna Regina Lim. Ouvre grand tes oreilles. On te paie pour faire un boulot. Alors, tu vas le faire le mieux possible, tu m'entends ? Et tu vas nous trouver ce qu'on cherche… Qu'en penseraient tes chefs s'ils apprenaient que leur brillant Royston est une planche pourrie ? Bouge ton cul ! Et rapplique ici tout de suite !

Elle raccrocha. Laissa la fureur retomber. Réfléchit. Moïra était sortie depuis des heures en laissant son téléphone dans son appartement et le jeune flic qui enquêtait sur Ming était seul dans un bar de Hong Kong. *Ce n'était pas une coïncidence…* Elle était sûre que ce petit con de Tam avait loupé quelque chose. Cette salope de Moïra les avait trahis, elle collaborait avec les flics ou s'apprêtait à le faire. Avait-elle renoncé encore une fois au dernier moment ? Elle ne savait pas à qui elle s'attaquait… Regina composa un autre numéro. Entendit de la musique très forte quand on décrocha.

— Oui ?

— C'est Regina, dit-elle. Désolée de vous déranger mais c'est urgent.

LA LUEUR DES NÉONS EXTÉRIEURS dans la chambre. Le lit qui témoigne de la lutte qui s'est déroulée ici. Les petits seins coniques de Moïra, si beaux dans leur imperfection même. Son nombril dessinant une ombre au creux de son ventre. Et l'autre ombre plus bas, là où il s'est enfoncé dans la soie, la chaleur et la moiteur.

Les jambes entremêlées aux siennes parmi les draps froissés, Moïra caresse le sexe de Chan de nouveau raide, l'agace puis descend envelopper ses testicules. Elle grimpe sur lui et le cheville en elle, les genoux enfoncés dans le matelas. Bouge, accélère, ralentit, aiguillonne, excite, flatte, pousse, explore, exhorte, excédée, impatiente, énervée, échauffée – jusqu'au moment où elle le sent jouir et où son propre orgasme crève en un éclair le nuage de lascivité qui embrume son cerveau.

Elle crie. Serre le sexe de l'homme de tous ses muscles, sent chacun de ses spasmes. Hoquette et tremble. Puis, comme si on avait coupé toute connexion, s'effondre sur lui, les seins, la nuque, le dos et les cuisses huilés de sueur.

— Moïra ? murmura-t-il.

— Quoi ?

— C'est l'heure…

Un silence, pendant lequel chacun continua de goûter la proximité de l'autre.

— Je ne peux pas rester ici ? Juste pour cette nuit… ?

La joue sur sa poitrine, ses cheveux chatouillant le menton de Chan, elle avait levé le visage vers lui. Il le lui rendit, la nuque cassée. Ses traits avaient changé, c'était un autre homme qu'elle avait devant elle. Presque méconnaissable. Il donnait l'impression d'un être tout d'appétits et d'instincts, en cet instant. Mais déjà la raison reprenait le dessus.

— Non, tu ne peux pas rester dehors toute la nuit, ça attirerait l'attention.

Il lorgna le réveil sur la table de nuit. Minuit quarante. Elle embrassa son torse.

— Il faut y aller, Moïra.

Il la repoussa doucement, s'assit, nu, au bord du lit, et elle admira son dos évasé, ses épaules et ses reins musclés, sa taille mince et bien prise dans la lueur des néons. Il attrapa son téléphone et parla en cantonais, puis se tourna vers elle.

— Un taxi sera là dans cinq minutes. Tu le trouveras dans Old Bailey Street.

La rue sur laquelle donnait l'étroit passage à l'arrière.

— Il attendra que tu sois rentrée dans ton immeuble et une voiture de police banalisée restera en permanence devant chez toi. Ça te va ?

Elle fit signe que oui, une moue de frustration sur les lèvres. Il se leva, marcha jusqu'à la kitchenette, ouvrit un tiroir et en sortit un petit téléphone.

— Qu'est-ce que c'est ?

— J'ai déjà rentré mon numéro dedans. Et aussi celui de ma superintendante. Le code est 1789. (Elle ne put s'empêcher de sourire.) En cas d'urgence, tu t'isoles de ton téléphone et de ta tablette et tu appelles avec ça…

Elle se raidit. La situation était à ce point critique ? Il se pencha et l'embrassa. Longuement.

— À partir de maintenant, tu ne prends plus aucun risque. Si tu te sens en danger, tu appelles au secours et on te sort de là.

Elle hocha la tête, une boule au ventre. Fila se nettoyer puis revint enfiler ses vêtements. Se coiffa à la hâte à l'aide de ses doigts et attacha ses cheveux.

Elle se colla à lui. Elle n'avait pas envie de retourner dans la rue, dans la nuit. Pas envie non plus de son appartement vide. Elle voulait rester entre ses bras, dans ce lit, jusqu'à l'aube. Être réveillée par les rayons du soleil avec une présence à ses côtés, pour une fois. Combien de temps qu'elle n'avait pas eu d'homme dans son lit ? Combien de temps que sa vie se conjuguait au singulier ?

LE FAUX TAXI LA DÉPOSA SANS UN MOT dans Po Shin Street. Il attendit qu'elle eût disparu dans l'immeuble pour redémarrer. Ne fit aucun signe à la silhouette assise au volant d'une voiture garée un peu plus loin, devant l'Emperor Happy Valley Hotel.

Moïra salua le gardien de nuit, se dirigea vers les ascenseurs. Elle appuyait sur le bouton d'appel quand une silhouette sortit de l'ombre.

Julius.

Elle sursauta. Le regard du fils Ming était dur, sans un gramme d'humour ou de sympathie.

— Tu viens avec moi, annonça-t-il en entrant avec elle dans la cabine.

Ces mots la cinglèrent. Elle le vit appuyer sur le bouton du sous-sol. Et si elle refusait ? Si elle se ruait dehors avant que les portes se referment ? Il y avait fort à parier que le gardien était dans la combine ; il travaillait vraisemblablement pour Ming… Les portes se refermèrent et la cabine s'ébranla.

— Où on va ? demanda-t-elle (et elle trouva que sa voix était un peu trop celle d'une coupable).

— Tu verras.

La sienne en revanche était froide, sans affect. Elle eut l'impression de plonger dans un puits obscur. Le sang battait à ses tempes ; elle s'efforça de conserver une respiration normale mais son cœur tapait beaucoup trop fort dans sa poitrine. Ils débouchèrent sur le parking désert et Julius la précéda vers la Lamborghini, ses pas résonnant sur le revêtement. Elle songea qu'elle n'avait aucune chance de lui échapper si elle prenait ses jambes à son cou. Il était certainement plus rapide qu'elle et elle ne savait même pas de quel côté se trouvait la sortie. Il ouvrit sa portière et elle s'enfonça dans le siège baquet avec la sensation d'être prise au piège, d'avoir loupé le coche un instant plus tôt, avant que les portes de l'ascenseur se referment.

Bon Dieu ! se dit-elle. *Ils savent tout... Je vais finir comme Lester et Ignacio... Comme ces filles...*

Un début de nausée lui vrilla l'estomac. C'était comme si on la poussait du haut d'un plongeoir dans une piscine vide. Il démarra et s'extirpa de son emplacement. Même au ralenti, le V10 rugit dans le vaste espace du parking souterrain, son grondement renvoyé par l'écho, et Julius se dirigea vers la sortie en faisant crier ses pneus sur le revêtement. L'instant d'après, ils surgissaient dans Wang Tak Street et Moïra se fit la réflexion que, s'il y avait un policier en planque dans Po Shin Street, il ne l'avait pas vue partir à bord du squale. Elle déglutit, tandis que Julius virait à droite dans Village Road, et fonçait vers l'hippodrome, et elle se jeta à l'eau.

— Où on va ? répéta-t-elle fermement.

— T'étais où ? demanda-t-il sans répondre.

— En quoi ça te regarde ?

Elle fut surprise par sa propre réaction, le lorgna à la dérobée : il avait un sourire féroce. C'était celui, cruel et dépravé, du loup parlant au Petit Chaperon rouge.

— Dans un bar de D'Aguilar Street, précisa-t-elle. J'avoue que je ne sais même pas comment il s'appelait. Je suis entrée dedans, c'est tout…

— Tu es restée longtemps…

Elle se raidit. Ça ressemblait de plus en plus à un interrogatoire. Et il n'avait toujours pas répondu à sa question.

— Je suis tombée sur un Français. Un type qui fait des affaires ici. Passablement bavard, passablement vantard et passablement dragueur.

— Tu aimes ce genre de type ? demanda-t-il en souriant.

— Pas du tout, rétorqua-t-elle.

Ils atteignirent les gratte-ciel de Wan Chai. Ils filaient vers la mer.

— J'attends ta réponse, dit-elle.

— Mon père veut te voir.

— Un samedi soir ? Après minuit ? releva-t-elle d'un ton ouvertement sceptique. C'est si urgent que ça ?

— Moïra, tu n'es pas en France, ici. Tu travailles pour Ming sept jours sur sept et vingt-quatre heures sur vingt-quatre. Tu travailles pour mon père, ajouta-t-il. *Et tu n'as pas la moindre idée de qui il est…*

LE VISAGE DE MING JIANFENG était fermé à double tour quand il l'accueillit dans son bureau et, de nouveau, un frisson la traversa.

— Asseyez-vous, dit-il d'une voix calme mais glaciale.

Une seule lampe brillait sur la table de travail, maintenant le reste de la pièce dans la pénombre, mais les lambris d'acajou et le vernis des peintures à l'huile luisaient sourdement du fond de cette ombre comme les reflets d'un étang la nuit. Elle obéit. Les yeux noirs qui lui faisaient face n'étaient plus que deux fentes qui étincelaient dans le halo de la lampe.

— Tu peux y aller, dit Ming à Julius qui se tenait debout et en retrait.

— Je ne peux pas rester ?

— Non.

La réponse avait claqué. Un silence plein d'embarras suivit, puis le fils se dirigea vers le double panneau coulissant.

— Et dis à Ismaël de nous apporter des rafraîchissements, lança Ming avant que son fils l'eût franchi.

Il pivota vers Moïra et celle-ci se figea. Le regard de Ming était dur, accusateur, et il la remplit d'effroi. Il avait ouvert la porte-fenêtre donnant sur le balcon et le vent marin entrait dans la pièce, soulevant les voilages. Il apportait une légère odeur saline et fétide de mer et de mangrove.

— Est-ce que vous avez observé de nouveau des comportements bizarres chez DEUS ? demanda-t-il calmement.

Il ne l'avait quand même pas convoquée à cette heure pour lui poser ce genre de question !

— Oui, confirma-t-elle d'une voix aussi ferme que possible.

Elle lui raconta leur conversation sur les minorités. Il hocha la tête.

— DEUS est de plus en plus imprévisible, confirma-t-il.

Il marqua une pause. La dévisagea.

— Quelqu'un essaie de saboter ce projet. Quelqu'un fait tout son possible pour introduire des biais et faire de DEUS une entité psychotique et malfaisante… Quelqu'un veut que nous échouions, que DEUS soit un échec, alors qu'il devrait être notre plus grande réussite…

Il se leva et elle dut tourner la tête pour le suivre des yeux à travers la pièce.

— Je veux que vous trouviez qui, Moïra.

— Moi ?

— Oui, *vous*. Ça ne peut être qu'un membre du dernier cercle, quelqu'un qui a accès à toutes les données…

— Pourquoi moi ?

Il se retourna, la toisa, sa tête dans l'ombre et son corps dans le halo de la lampe – si bien que sa voix parut dématérialisée tout à coup, détachée de sa silhouette.

— Parce que j'ai confiance en vous…

Elle fronça les sourcils.

— Mais pourquoi ? Je suis la dernière arrivée… Ça fait un mois à peine que je suis là…

Dans la nuit, un lointain coup de tonnerre roula sur la mer de Chine.

— Précisément. Parce que tout a commencé – les meurtres, les comportements étranges de DEUS – avant que vous arriviez…

471

C'était donc ça. Il ne faisait confiance à personne. Pas même à son propre fils. Elle était son dernier recours. La voyait-il ainsi, dans son univers fait de duplicité et de paranoïa ? Ismaël apparut derrière la double porte entrouverte et repoussa les panneaux coulissants en portant un plateau avec des verres et des tasses, une carafe d'eau, une théière et une verseuse.

— Thé, café, eau ? demanda Ming.

— Un café, merci, répondit-elle.

— Thé pour moi, dit Ming au petit homme très laid. Vous allez tout éplucher, poursuivit-il en direction de Moïra, tandis qu'Ismaël remplissait les tasses. Les dossiers psychologiques et médicaux, les appels téléphoniques, les requêtes et les conversations avec DEUS de tous les membres du dernier cercle. Y compris mon fils. Et Regina Lim. Tout le monde. Sans exception. Ça va prendre des jours, je sais… Vous serez déchargée provisoirement de toutes les autres tâches. Et vous allez travailler ici. Dans une pièce à l'abri des regards…

— Et DEUS ?

— L'urgence, c'est de trouver qui sabote notre travail avant de continuer. Avant que les dégâts soient irréparables.

— Vous avez besoin d'autre chose, monsieur ? demanda le majordome.

— Non, répondit Ming. Tu peux te retirer. Bonne nuit, Ismaël.

— Bonne nuit, monsieur.

Le majordome philippin disparut. Moïra avait croisé son regard l'espace d'un instant et elle se sentit nerveuse tout à coup. Elle reporta son attention sur Ming.

— Qu'est-ce qui vous fait penser que moi je peux y arriver ?

Il revint s'asseoir.

— Vous êtes très intelligente, Moïra. Je vous ai observée depuis que vous êtes ici. Vous êtes créative, brillante. Et j'ai déjà pu constater à quel point vous étiez intuitive et innovante dans vos approches. C'est de ça que j'ai besoin. De quelqu'un qui voie les choses d'un œil neuf…

Il balaya l'air d'un geste large.

— Vous aurez accès à tout. À tout. Tous les fichiers, toutes les données. Celles qui sont dans le cloud comme celles, plus sensibles, qui sont stockées dans le *data center* ici et dans d'autres serveurs. Y compris celles auxquelles je suis le seul à avoir accès. C'est-à-dire à des informations dont moi seul dispose.

— Vous croyez que celui qui sabote DEUS et le meurtrier sont une seule et même personne ? demanda-t-elle brusquement.

Il lui jeta un regard aigu. Était-il au courant pour le mot d'Ignacio ?

— C'est possible. Voire probable… Mais ne vous inquiétez pas : vous ne risquez rien à l'intérieur de la villa et du Centre. Il y a des gardes et des caméras partout, même si vous ne les voyez pas.

— Et si DEUS connaissait l'identité du tueur ? suggéra-t-elle. Je sais, ça a l'air passablement…

— Tordu, l'interrompit-il. Invraisemblable… ? (Pour la première fois depuis qu'elle était entrée, il sourit.) J'y ai pensé, moi aussi, j'ai eu la même idée : DEUS ne la connaît pas. *Je lui ai posé la question.*

— Et vous ne lui avez pas demandé qui introduit les biais ?

De nouveau, il sourit. Tristement.

— Si. Il m'a répondu : « Quels biais ? »

Elle réfléchit un instant.

— Je me demande si Lester et Ignacio n'avaient pas découvert l'identité du tueur, déclara-t-elle.

Il la regarda fixement.

— Je ne crois pas que la mort de Lester soit accidentelle, poursuivit-elle.

Il secoua la tête.

— Moi non plus.

Elle l'observa, surprise.

— J'ai la preuve que quelqu'un a hacké le programme informatique de sa voiture, expliqua-t-il. Mais je ne sais pas qui... Il est évident qu'il s'agit soit de celui qui a tué ces jeunes femmes, soit de celui qui sabote DEUS – et sans doute des deux à la fois, si nous partons de l'hypothèse qu'il s'agit d'une seule et même personne... Nous avons affaire à un fou, Moïra. Un fou dangereux. Sadique. Intelligent. Qui veut la mort de cette entreprise et qui jouit du mal qu'il fait. Et ce fou est ici : au Centre.

Recombinaison

47

IL LUI MONTRA la petite pièce qu'on lui avait préparée. Un étonnant boudoir aux murs tendus de tissu rayé, de lambrequins et de draperies, dans lequel on avait branché des ordinateurs et des écrans. Son siège était une chaise en bois de zitan lourdement sculptée, dure et inconfortable comme la plupart des fauteuils de prix à Hong Kong. Sur les murs, des huiles représentant des chasses à courre, des femmes nues alanguies, mais aussi une icône de saint Nicolas en or. Un mélange improbable de manoir anglais, de lupanar et de datcha.

Il y avait aussi une machine à dosettes, des tasses en porcelaine et un pichet d'eau en cristal de Bohême sur une desserte. Un lit de camp avec un oreiller et une couverture dans un coin.

Les ordinateurs jetaient des lueurs crues dans la pénombre. Ming alluma une lampe. Il ouvrit la porte-fenêtre, et un oiseau poussa un long cri aigu dans la mangrove obscure. On eût dit un appel au secours.

— Voilà, c'est ici que vous allez travailler à partir de maintenant. Du moins tant qu'on n'aura pas trouvé qui est derrière tout ça… J'ai demandé à Regina qu'elle vous communique tous les fichiers et les programmes dont vous aurez besoin.

Il lui montra l'un des écrans.

— Ce sont tous les programmes utilisés par notre service de sécurité. La liste est ici. Sur cet écran, vous verrez les caméras de surveillance du Centre en temps réel et vous pouvez aussi vous repasser tous les enregistrements vidéo jusqu'à deux ans en arrière. À partir d'un nom, d'une date, d'une heure, etc. Ici, ce sont les données individuelles. CV, notations, salaires, heures effectuées, dossiers médicaux, cartes des déplacements de chaque employé pour une heure, un jour, une semaine, un mois, un an… Ici, le registre des appels téléphoniques, vous pouvez aussi sélectionner et écouter n'importe quel appel passé depuis un téléphone Ming… Ici, ce sont les requêtes effectuées dans notre moteur de recherche par chaque employé…

Elle se sentit prise de vertige. Ming venait de lui donner accès à tout. À elle : une quasi-inconnue. Certes, il en savait énormément sur elle avec tout son data, probablement plus que n'importe quelle autre personne au monde. Mais mettre sa vie entre les mains de quelqu'un qu'on ne connaissait pas un mois plus tôt, c'était tout de même une stratégie hardie. À moins que… Des dizaines de fichiers, de répertoires, de listes, d'index… Il lui faudrait des jours pour s'y retrouver. Elle hocha la tête.

— Et il y a aussi DEUS, bien sûr… Pourquoi êtes-vous encore là ? demanda-t-il soudain. Pourquoi n'êtes-vous pas repartie en France ?

Elle avala sa salive. Se pencha sur les écrans, lui tournant le dos.

— J'ai mes raisons.

ELLE SE VERSA UNE TASSE de café, y ajouta du sucre. S'assit et se connecta. Elle pensa à Chan. Où était-il ? Que faisait-il en ce moment ? Dormait-il ou était-il éveillé et pensait-il à elle lui aussi ? Elle ressentait déjà la morsure, celle du *manque*... alors qu'il s'était à peine écoulé deux petites heures. Il s'inquiétait peut-être pour elle, mais le taxi devait l'avoir prévenu qu'on l'avait déposée à bon port. Elle l'appellerait le lendemain, difficile de le faire maintenant sans attirer l'attention. Elle le chassa de son esprit et observa les écrans. Par où commencer ? Elle se renversa contre le haut dossier, réfléchit. Elle se mit en devoir de créer un tableau et introduisit les noms des membres du dernier cercle. Julius Ming, Tove Johanssen, Vikram Singh, Regina Lim, Ray Simonov, et aussi Lester et Ignacio... Elle allait devoir éplucher le CV de chacun. Et aussi plein d'autres informations.

Un travail de fourmi. Trouver qui avait saboté DEUS allait consister à chercher une aiguille dans un champ entier de meules de foin. Si encore elle avait pu demander à quelqu'un de lui écrire un programme pour faire le tri dans cette masse de données...

Il lui fallut une heure pour résumer ce qu'elle savait sur chacun. Une autre heure pour parcourir leurs CV. Une troisième pour commencer à s'y retrouver dans la multitude des fichiers – certains qu'elle avait déjà consultés, d'autres pas –, passer en revue les listings d'appels et identifier les numéros appelés. Elle constata que le registre des appels de chaque membre du dernier cercle, numéros entrants et sortants, était tenu avec la même rigueur que s'il s'était agi de fadettes transmises à la police par des opérateurs téléphoniques. À cette différence près qu'ici le seul opérateur s'appelait Ming et qu'il se les adressait à lui-même. Rien de louche en apparence... Mais elle ne s'en demanda pas moins si c'étaient les services de Regina qui collectaient ces données et, par conséquent – Regina figurant dans la liste des suspects –, si elles étaient fiables. Le contenu des conversations était également accessible de la manière la plus aisée qui soit – il suffisait de cliquer sur la ligne correspondante –, ce qui, en l'occurrence, dépassait le stade des fadettes pour entrer dans celui des écoutes pures et simples. Moïra se demanda si Ming respectait la loi de Hong Kong ou s'il s'en affranchissait en espionnant de la sorte ses employés. Vers 4 heures du matin, elle commença à accuser le coup.

Elle se servit une troisième tasse de café. Ou peut-être la quatrième... Ressentit les premières aigreurs d'estomac. Écouta. Tout était silencieux. À part une pendule qui sonnait les heures et les demies dans la pièce de l'autre côté de la porte. Elle considéra les écrans, hébétée. Ses paupières se faisaient de plus en plus lourdes. Elle se leva, alla refermer la croisée, s'allongea sur le lit de camp un peu raide, posa sa nuque sur l'oreiller et s'endormit dans la minute qui suivit.

DIMANCHE MATIN, elle se réveilla avant que qui que ce soit ait bougé dans la villa. L'aube se faufilait à peine par la porte-fenêtre, projetant l'ombre des rideaux sur le tissu rayé derrière elle, et elle en déduisit qu'elle avait dormi moins de deux heures. La caféine avalée durant la nuit courait dans ses veines avec l'adrénaline et l'empêchait de se détendre. Le lit de camp était dur et tous ses membres endoloris.

Elle avait de nouveau fait le même rêve – mais elle n'en gardait qu'un souvenir très vague et son violeur avait un visage flou, bien qu'elle sût avec certitude qu'il était chinois. Elle sortit sur le balcon. La brise lui apportait une odeur d'algues et de marécage. Le paysage tropical, caressé par la lumière rasante de l'aube, était d'une pureté et d'une netteté qui évoquaient les premiers matins du monde. La jungle luxuriante des mangliers et des halliers s'arrêtait au bord de la baie miroitante enclose par les îles. Pas un bruit pour troubler le silence, pas la moindre construction en vue.

Elle retourna dans la pièce, avala un grand verre d'eau et se remit au travail. Elle nota que l'eau avait été changée, car elle était fraîche. Ismaël était-il entré pendant qu'elle dormait ?

Elle aurait bien eu besoin d'une douche et elle avait faim. Dès qu'Ismaël réapparaîtrait, elle lui demanderait quelque chose à manger et où se trouvait la salle de bains. Il ne devait pas en manquer, dans la villa. Elle avait aussi besoin de se changer, mais tous ses vêtements étaient restés à l'appartement.

Elle s'était réveillée en ayant envie de vérifier une donnée qui n'avait rien à voir avec le sabotage de DEUS mais tout à voir avec les meurtres. Elle ouvrit le logiciel mis au point par les services de Regina afin de filtrer et d'analyser à partir de mots clés toutes les requêtes effectuées sur les dispositifs du Centre, et de donner l'alerte si quelqu'un entrait des mots tels que « jeune femme », « horaires », « habitudes » ou les noms des victimes. Il s'appelait SpyWatcher. Près de la moitié des employés avait entré à un moment ou à un autre les noms des victimes. *Tu m'étonnes.* Tout le monde voulait en savoir plus – curiosité légitime ou malsaine, inquiétude aussi pour les employées entre vingt et quarante ans. On pouvait aussi trier les résultats par personne, selon le nombre de fois où cette personne avait effectué ces recherches, soit du plus grand nombre au plus petit – option qu'elle choisit –, soit l'inverse, et le résultat apparaissait dans un cartouche :

DATE	NOMS
24/7	L. TIMMERMAN
25/7	L. TIMMERMAN
28/7	L. TIMMERMAN
29/7	I. ESQUER
30/7	I. ESQUER L. TIMMERMAN
1/8	L. TIMMERMAN
2/8	I. ESQUER T. JOHANSSEN
3/8	T. JOHANSSEN
4/8	I. ESQUER T. JOHANSSEN

Trois membres du département IA arrivaient en tête par le nombre de fois où ils avaient entré les noms des victimes, mais aussi certains mots clés faisant réagir le programme : Lester Timmerman, Ignacio Esquer et Tove Johanssen…

Nul doute que Lester et Ignacio avaient été sur la piste du meurtrier… Et Tove ? Était-elle sur sa piste elle aussi ? S'en était-elle approchée ? Dans ce cas, elle devait bien savoir le danger qu'elle courait. Quand bien même Tove avait-elle l'air de taille à se défendre, une fois quitté le Centre, difficile de se protéger d'un assaillant résolu, méthodique et profitant de l'effet de surprise.

Elle contemplait l'écran. Est-ce que Lester et Ignacio avaient découvert quelque chose ? Quelque chose de si effrayant que Lester en avait été durablement bouleversé ? Quelque chose qui avait coûté la vie à Ignacio ? *Que se passera-t-il si tu le découvres à ton tour ? Tu crois être en sécurité ici ?*

Quelqu'un en tout cas était au courant de leurs recherches : Regina Lim. Le programme SpyWatcher lui permettait d'avertir Ming si quelqu'un s'intéressait d'un peu trop près aux jeunes femmes du Centre, à leurs horaires et à leurs habitudes – mais aussi de suivre en temps réel les recherches des autres employés, celles de Lester et d'Ignacio par exemple. De fait, ce programme permettait à Regina d'être la première à savoir qui enquêtait sur quoi… Plus elle y réfléchissait, plus se confirmait cette sensation qu'elle avait eue dès son arrivée au Centre : c'était un endroit où chacun était sous le regard des autres. À l'image du monde lui-même, désormais. Car c'était ça, le monde connecté, non ?

Vers 10 heures du matin, elle alla faire un tour de la villa pour se dégourdir les jambes et fumer, non sans jeter de temps en temps des coups d'œil autour d'elle. En revenant, elle annonça à Ismaël qu'elle rentrait à l'appartement chercher quelques vêtements de rechange. Il lui montra une salle de bains au rez-de-chaussée avec une grande baignoire carrée en marbre et une multitude de flacons.

— Je vais prévenir monsieur que vous êtes sortie, dit-il.

— Faites donc ça.

Elle appela un taxi et, une fois à l'intérieur, l'envie de joindre Chan la démangea, mais il lui avait bien précisé de n'utiliser le nouveau téléphone qu'en cas d'urgence absolue. Or, quelle urgence y avait-il ? Ils auraient dû se mettre d'accord sur la signification de ces deux mots, mais ça aurait un peu trop ressemblé à un roman de John le Carré, non ? Elle ne pouvait pas utiliser son appareil Ming et il n'était pas non plus complètement absurde de penser que le chauffeur de taxi lui-même fût à la solde de Ming Inc. Et puis, Chan lui avait recommandé de n'utiliser le nouveau téléphone qu'à distance des autres dispositifs. Elle renonça à l'appeler dans l'immédiat. Deux heures trente plus tard, elle était de retour et à pied d'œuvre, vêtue d'un jean à revers et d'un tee-shirt brodé à manches papillon.

Elle commença par imprimer les principaux index et répertoires. Puis passa une bonne partie de la journée à continuer de se familiariser avec les fichiers. La technologie utilisée par le service de sécurité de Ming aurait rendu jaloux plus d'un service de renseignements. Quand vint le soir, elle commençait à se mouvoir avec plus d'aisance dans cette jungle numérique.

48

LE LUNDI MATIN, elle entama sa deuxième journée de recherche par un petit déjeuner copieux qu'Ismaël vint lui servir sur le balcon. Puis elle sortit devant la villa fumer une cigarette.

En bas de la légère pente, le campus fourmillait d'employés qui allaient et venaient. On se serait cru à Stanford, à Harvard ou sur le campus de l'École polytechnique, à Palaiseau, en région parisienne. Elle contempla les bâtiments blancs étincelants, l'immense blockhaus de béton, la grande sphère noire, aperçut le fuselage argenté du Douglas DC-2 posé sur ses deux trains d'atterrissage avant au milieu de la pelouse. Elle se revit la première fois qu'elle avait mis les pieds au Centre et se remémora le regard apeuré de Lester quand il l'avait accueillie. Puis son air terrorisé sur son balcon de Happy Valley, avant l'accident. *Quel jour était-ce ?* Elle retourna précipitamment à son « bureau », se pencha sur l'un des ordinateurs et ouvrit le programme gérant les enregistrements vidéo, entra la date, ainsi que le nom de Lester.

Elle remonta ensuite de jour en jour à partir de cette date. Le logiciel avait été configuré pour restituer toutes les images des quatre cents caméras du Centre chaque fois que Lester entrait dans le champ de l'une d'elles. Cela représentait, au bas mot, pour chaque journée, des dizaines d'enregistrements. Aussi passat-elle les heures suivantes à s'esquinter la vue sur des images vidéo qui défilaient. Elle ne voyait pas grand-chose. Rien que la vie de Lester au Centre en vitesse accélérée, qui le faisait ressembler à un Buster Keaton sous amphètes. Elle remplit plusieurs fois sa tasse de café sans même s'en rendre compte, et elle était près de renoncer à ce défilé quand une scène attira son attention.

Aussitôt, elle revint en arrière et la repassa en vitesse normale : Lester et Ignacio debout entre les arbres du campus, à distance des bâtiments. La scène était filmée par une caméra de surveillance fixée à un arbre qui devait bien se trouver à une centaine de mètres de là. Elle zooma. Ils étaient en pleine discussion et ressemblaient à deux comploteurs. Lester avait l'air toujours aussi paniqué et l'Espagnol préoccupé. *Mais c'était autre chose qui avait fugitivement attiré son attention malgré la vitesse de défilement…*

Oui, mais quoi ? Elle dézooma. *Là…* Une tête en gros plan… Quelqu'un les observait, planqué derrière un arbre, tournant le dos à la caméra qu'il n'avait sans doute pas remarquée. Et l'identité de cette personne, bien qu'elle fût de dos, ne faisait guère de doute.

Une femme.

Grande. Blonde. Cheveux courts.

Tove Johanssen…

Une fois de plus, la Norvégienne apparaissait dans ses recherches… Qu'est-ce que cela signifiait ? Moïra fixa l'écran. Entra son nom dans le programme et le relança. À son tour, Tove se mit à gesticuler et à courir partout tel un pantin hystérique. Moïra se demanda combien de temps il aurait fallu pour visionner une vie entière de la sorte, et ce qu'il en serait ressorti. Une poignante sensation de futilité et de dérisoire ? Le sentiment banal que si, pour un enfant, la vie dure une éternité, pour un vieillard elle n'est qu'une journée qui a passé bien trop vite ? Les heures défilaient. Sur l'écran comme sur son téléphone. Elle entendit les roulements du tonnerre de plus en plus rapprochés dehors. Un vent violent souleva les rideaux – accompagné d'une puissante odeur d'océan remué – et, bientôt, les premières gouttes de pluie criblèrent le balcon.

Elle referma la porte-fenêtre et revint vers l'écran.

Chaque jour et même plusieurs fois par jour, Tove Johanssen quittait le département d'intelligence artificielle et se rendait dans le bloc A sous l'œil des caméras. Très souvent également, Tove attendait que Regina eût terminé sa journée de travail et elles partaient ensemble vers les minibus ou appelaient un taxi en fonction de l'heure. Moïra se tourna vers l'autre écran et demanda la cartographie des déplacements de Tove sur une semaine à partir de la géolocalisation de ses dispositifs Ming. Elle fit de même pour ceux de Regina. Puis se rejeta contre le dossier de sa chaise.

Pas de doute : ces deux-là dormaient dans le même lit...

Mais ensuite vint quelque chose qui la fit s'incliner en avant. Des images du département IA de nuit, désert... Tove apparaissait, capturée par la caméra de surveillance dans un coin de la salle, qu'elle traversait à toute vitesse pour entrer dans la cabine de DEUS.

487

Moïra repassa sur la caméra qui se trouvait à l'intérieur de la cabine – celle qui évoquait un œil fixe – et elle vit la Norvégienne en grand entretien avec DEUS. Elle regarda l'heure dans le coin supérieur droit de l'écran. 00 : 31. Un picotement dans sa nuque. Elle accéléra de nouveau. À 00 : 51, Tove ressortait de la cabine. Elle rembobina la journée précédente jusqu'à la nuit antérieure : rien. Tove devait dormir dans les bras de la chef de la sécurité…

Mais deux nuits plus tôt, rebelote. *Tove en train de s'entretenir avec DEUS* à l'insu de tous. Moïra mata l'heure. 01 : 23. Elle accéléra. Vit la grande blonde entrer dans la cabine vingt-cinq minutes plus tôt. Moïra frotta ses paupières. Le picotement dans sa nuque augmenta. Ça devenait intéressant… Pourquoi la géante scandinave attendait-elle que tout le monde eût déserté le département pour s'entretenir avec DEUS ? Elle se tourna vers le troisième écran, pianota pour obtenir l'enregistrement des conversations de Tove et de DEUS aux dates et heures concernées. La réponse ne tarda pas.

ENREGISTREMENT AUDIO 8541323 SUPPRIMÉ

Merde. Elle essaya l'autre conversation, celle de 00 : 31.

ENREGISTREMENT AUDIO 8541456 SUPPRIMÉ

— DEUS, lança-t-elle, tu peux me passer l'enregistrement audio de ta conversation avec Tove Johanssen le 13 juillet à 00 : 31 ?
DEUS mit presque une minute à répondre.

— Je regrette, Moïra, cet enregistrement a été supprimé.

— Par qui ?

— Regina Lim…

Elle sentit ses cheveux se hérisser sur sa nuque. Elle n'aimait pas ça. Elle se connecta aux caméras de surveillance en temps réel, entra le nom de Tove. Celle-ci était en train de se pencher sur sa tablette à l'intérieur du département d'intelligence artificielle. Moïra l'observa un moment, puis reprit ses tâches sur un autre écran. Elle entreprit de noter ce qu'elle avait appris et les questions que cela posait :

– *Que sait Tove ?*

– *Que cherche-t-elle ? (le coupable ?)*

– *Est-elle l'auteur des biais ? Est-ce pour cela qu'elle parle avec DEUS la nuit quand il n'y a personne ?*

– *Pourquoi Regina a-t-elle effacé les conversations de Tove avec DEUS ?*

– *Est-elle sa complice ?*

– *Tove espionnait Lester et Ignacio : elle et Regina ont-elles quelque chose à voir avec leurs morts ?*

Régulièrement, elle tournait la tête pour jeter un coup d'œil à l'écran sur lequel Tove Johanssen s'activait en temps réel. Soudain, elle s'immobilisa. Tove était au téléphone. Elle écoutait sans parler, et elle avait l'air inquiète. *Très inquiète.* Moïra se rapprocha de l'écran. Elle la vit raccrocher, quitter la salle, remonter le long couloir, traverser le hall d'entrée, émerger du bâtiment et s'éloigner de quelques pas malgré la pluie battante, passant d'une caméra à l'autre, avant de sortir son téléphone et de rappeler.

Moïra zooma. Se mit en devoir de fouiller dans les logiciels à sa disposition. Il devait bien y en avoir un qui lui permettrait d'écouter la conversation en cours, merde !

Elle regarda l'écran. Tove avait une expression sombre. La pluie rinçait ses cheveux blonds et les collait à son front. Moïra la vit secouer la tête et dire quelques mots dans l'appareil. Puis retourner précipitamment à l'intérieur. Et rassembler ses affaires, enfiler sa cape de pluie et repartir.

Moïra suivit d'une caméra à l'autre la silhouette encapuchonnée qui se dirigeait vers la sortie du campus. Elle hésita. Attrapa finalement son propre téléphone et consulta l'application des taxis. Il y en avait un en ce moment même qui clignotait sur l'esplanade. Tove l'avait-elle réservé ? Moïra ne l'avait pas vue manipuler son téléphone. Quelle mouche piquait la Norvégienne ? Visiblement, l'appel qu'elle avait reçu l'avait mise dans tous ses états. Moïra la vit cependant délaisser le taxi rouge garé devant l'entrée et monter dans un minibus autonome. De nouveau, elle hésita. *Tentant mais mauvaise idée*, songea-t-elle. *Ne le fais pas. Tout ce qu'on t'a demandé, c'est de trouver qui sabote DEUS.* Oui, mais elle avait envie de savoir... Et la réponse était peut-être là, justement : à sa portée.

Et puis, après tout, elle pourrait faire demi-tour à tout moment, laisser tomber si elle sentait que cela devenait par trop dangereux. Que risquait-elle ?

De finir comme Lester et Ignacio, intervint la voix de sa mère.

Tu as un coup d'avance, lui répondit fermement l'autre voix. *Profites-en.*

Cédant à son impulsion initiale, elle se connecta à l'application des taxis, réserva celui qui stationnait

490

devant le Centre. Elle leva les yeux. Le minibus démarrait, *avec Tove à l'intérieur*… Ce n'était pas un problème : le véhicule autonome roulait à une vitesse bien inférieure à celle d'un taxi, et elle savait où il allait. Le taxi aurait tôt fait de le dépasser et elle pourrait attendre Tove à l'arrivée. Elle se leva. Attrapa sa propre cape de pluie. Fonça à travers la villa et se mit en marche sous la flotte. Cinq minutes plus tard, la portière arrière du taxi se refermait sur elle.

Dans le métro, Moïra était montée suffisamment loin de Tove pour ne pas être repérée et suffisamment près pour ne pas la perdre de vue. La foule la dissimulait. De même que la capuche de sa cape plastifiée.

Après avoir changé quatre fois à Tai Wai, Hung Hom, Tsim Sha Tsui et Admiralty (son lot quotidien), elles filaient maintenant en direction de l'est sur la ligne Kennedy Town/Chai Wan. À chaque changement, Moïra n'avait eu aucune difficulté à se fondre dans la foule qui avait sorti les vêtements de pluie ni à garder en ligne de mire la haute silhouette. La rame ralentit à l'entrée de la station Causeway Bay, et Moïra vit Tove qui se frayait un chemin pour se rapprocher des portes. Elle l'imita et, deux minutes plus tard, elle la suivait dans les couloirs vers la sortie D1. Elles émergèrent au milieu des gratte-ciel et des boutiques du grand centre commercial à ciel ouvert qu'est le quartier. À cause de la pluie, il faisait déjà presque nuit et elles se mirent en marche dans un univers chatoyant de publicités lumineuses géantes, de vitrines étincelantes et de phares réfléchis par la chaussée mouillée.

Tove remonta Lockhart Road, puis bifurqua dans Cannon Road, et Moïra crut qu'elle se dirigeait vers la mer, mais la Norvégienne tourna dans Jaffe Road et entra dans la galerie marchande du World Trade Center avant de rejoindre celle de l'Excelsior voisin par une passerelle.

Quand elles s'engagèrent dans le passage souterrain qui mène au Noon Day Gun – la fameuse pièce d'artillerie qui tonne chaque jour à midi sur le port – et qui passe sous les dix voies rugissantes de Gloucester Road, Moïra commença à se sentir nerveuse : le passage n'était qu'un profond tunnel longé par de gros tuyaux et il n'y avait personne à l'intérieur sinon Tove et elle. Elle tira un peu plus sa capuche sur son front, tout en ralentissant son pas. Elles remontèrent ensuite à la surface, de l'autre côté des voies rapides, et, parvenue à hauteur du Noon Day Gun, face au port, Tove se mit à suivre les quais vers l'ouest.

Toute la zone qui, un peu plus loin, s'avançait dans la mer était un vaste chantier et les promeneurs étaient peu nombreux à cette heure, sous ce déluge qui plus est, aussi Moïra laissa-t-elle la grande blonde prendre un peu d'avance. La pluie crépitait sur sa capuche. L'air était empuanti par la pollution due au flot des voitures, la nuit était totalement tombée à présent et, vers le milieu du grand bassin, de vieilles jonques minables se balançaient dans l'obscurité, sur les eaux noires, de vagues lueurs trouant leurs formes sombres, tandis que des voiliers plus neufs s'alignaient le long de pontons flottants à l'ouest du bassin, dans les parages du yacht-club.

Moïra vit Tove contourner le quai à angle droit. Elle descendit ensuite vers un ponton parallèle au quai mais en contrebas de celui-ci, le suivit en passant devant des voiliers dont les mâts argentés se dressaient sous la pluie, coques ruisselantes, en direction de la grande jonque qui mouillait un peu plus loin. Même de là où elle était, Moïra pouvait voir qu'il s'agissait d'un navire de luxe. Un vélum était tendu sur le pont supérieur illuminé et une silhouette s'abritait en dessous et fumait en guettant l'approche de Tove.

Julius...

Elle respira plus vite. Impossible de descendre sur le ponton qu'avait emprunté Tove sans se faire repérer. Mais il y avait un autre point d'observation : le quai au-dessus de la jonque. Elle pressa le pas, contourna l'angle du môle, longeant les tas de sable, les baraques de chantier, les bateaux en cours de réparation ou de gardiennage posés sur de grands tréteaux. Sur sa gauche, à distance, elle distinguait la rotonde éclairée du yacht-club, percevait des bribes de rires et de musique. Elle jeta un coup d'œil en contrebas, tout en continuant d'avancer : Tove avait disparu à l'intérieur de la jonque. Elle devait être en train de grimper sur le pont supérieur où l'attendait Julius. Moïra rentra la tête dans les épaules, comme si cela pouvait l'aider à passer inaperçue. Elle était de toute façon certaine qu'avec sa capuche il était impossible de la reconnaître.

La jonque disparut un instant de sa vue, dissimulée par le bord du quai, dont Moïra s'approcha en se faufilant entre des bateaux posés sur de hauts tréteaux d'acier ; leurs coques multicolores la surplombaient. Elle risqua un œil. Juste en dessous, abrités par le vélum, Tove et Julius étaient en pleine conversation. La pluie qui tambourinait sur la toile de l'auvent les obligeait à élever la voix, à crier presque. *Les sons montent...* Moïra prit conscience que, en dépit du fracas de l'averse et du sifflement des haubans, elle parvenait à capter des bribes de la conversation. Laquelle roulait manifestement sur un sujet sensible.

Elle ôta sa capuche à cause du crépitement de la pluie sur le plastique, se mordit la lèvre inférieure, se concentrant pour comprendre ce qui se disait plusieurs mètres plus bas. Elle se tenait à quelques centimètres du bord mais à l'abri des regards.

— Comment tu le sais ? demanda Tove très fort.

— Ismaël travaille pour moi ! Il hait mon... Ce vieux salaud viole sa... et Ismaël ne sait comment... de cet enfer... Je lui ai promis de...

Le vent et la pluie emportèrent le reste de la phrase. Elle se rapprocha encore un peu, risqua un *nouveau* regard : Julius allait et venait nerveusement sur le pont, tandis que Tove, adossée au plat-bord, le suivait des yeux.

— Il a surpris la conversation que mon père... samedi soir avec... lui a donné accès à tout... putain ! Il veut qu'elle... celui qui sabote DEUS...

Il marqua une pause, cessa ses allées et venues et fit face à Tove. Une sirène de bateau retentit quelque part.

— Mais je crois que ce qu'elle... c'est qui a tué les filles..., dit-il.

— Et tu crois qu'elle peut retrouver le coupable ?

La voix de Tove était nettement plus claire et plus distincte que celle de Julius.

— Je ne sais pas... ce que je ne comprends pas, c'est pourquoi mon... fait ça...

— Tu crois que Moïra informe la police ? demanda ensuite Tove.

Cette fois, elle ne put saisir la réponse de Julius, mais sa tension grimpa en flèche. *Elle était dans leur collimateur.*

— Tu te rends compte de ce que ça signifie pour nous ? dit la Norvégienne.

Un silence. La pluie se calma brusquement, et elle fit un dernier pas en avant : elle ne voulait pas perdre une miette de la réponse.

— On ne peut pas la laisser faire, énonça Julius d'une voix glacée. Je n'irai pas en prison !

On ne peut pas la laisser faire… Moïra tressaillit. Elle voyait le crâne du fils Ming, entre le bord du vélum et le plat-bord, sa queue-de-cheval dégoulinante. Un grand froid descendit en elle, elle serra les dents.

— Moi non plus, décréta Tove. Que comptes-tu faire ?

Un temps, pendant lequel la pluie martela le vélum.

— Je ferai le nécessaire… le moment venu.

— *Le nécessaire ?*

Encore une fois, le vent emporta la réponse. Soudain, Julius leva la tête vers le haut du quai et elle se rejeta en arrière. Prise de panique, Moïra se demanda s'il l'avait aperçue. Elle songea à l'échange qu'ils venaient d'avoir. Eut envie de pleurer. De hurler. *Le nécessaire…* Pendant un instant, elle regarda fixement les mâts argentés qui se balançaient dans le port et les spectres des jonques sombres au-delà. Puis sa vue se brouilla. Que s'était-elle imaginé ? Qu'à elle seule elle allait régler cette histoire, résoudre une enquête dans laquelle la police piétinait ? Elle s'était fourrée toute seule dans ce guêpier et, à présent, c'était sa peau qui était en jeu. Oui, mais ce n'était pas fini. Oh non : ce n'était pas fini.

49

ASSISE DEVANT LES ÉCRANS, elle ne cessait de frissonner. Comme si elle avait attrapé la grippe ou la malaria. Elle réfléchissait. Et si elle s'était trompée ? Julius avait peur d'aller en prison. Et si c'était lui le… comment Chan l'appelait-il déjà ? *le prince noir de la douleur*… Si tel était le cas, il avait dû se connecter aux dispositifs Ming des victimes quelques minutes ou quelques secondes avant d'entrer chez elles. Pour s'assurer qu'elles dormaient… Sans doute depuis son propre téléphone. Il devait bien en rester une trace quelque part. Sauf si, comme l'avait suggéré Ignacio, il était assez doué pour l'avoir effacée.

Personne ne fait zéro erreur…

Elle n'était pas flic, mais elle avait visionné suffisamment de séries pour le savoir : on laisse toujours une trace, même infime. Et les employés de Ming étaient cent fois plus fliqués que le reste de la population. S'il y avait une trace, elle se trouvait là : dans ce qu'elle avait sous les yeux. Quelque part dans ces montagnes de données existait peut-être un passage vers la vérité.

Elle se refit un café, regarda l'heure. Minuit trente. Au mépris de la fatigue, elle reprit sa quête de l'aiguille dans la méga-meule de foin. En premier lieu, elle passa en revue ce qu'elle avait sur les meurtres – à savoir l'heure, le lieu, le jour. Puis elle ouvrit l'application de suivi du téléphone de Julius. « Informations du dispositif Ming X7 10018537. Localisation actuelle : Causeway Bay Typhoon Shelter, Hong Kong. Synchronisé il y a 3 minutes » s'afficha sur l'écran.

Puis le sommaire apparut :

[Tableau de bord]
[Appels]
[Contacts]
[Messages]
[Applications sociales]
[Positions]
[Géorepérage]
[Historique du navigateur]
[Photos]
[Vidéos]
[Documents]

Elle éplucha l'activité du dispositif pour les dates et les heures concernées. Rien. *Nada*. Peau de balle. Julius avait parfois eu son téléphone allumé aux heures des crimes mais, à l'heure où Elaine Lau était morte, il envoyait des messages à quelqu'un, et quelques secondes avant la mort de Sandy Cheung il était au téléphone avec une autre personne.

Elle passa ensuite à l'activité de sa tablette sans y trouver quoi que ce soit de suspect. Puis elle ouvrit l'application de suivi GPS « Géotraceur » ; la carte de Hong Kong s'afficha à gauche de l'écran. Elle ajouta la cartographie GPS des déplacements de Julius autour des dates des crimes. La toile d'araignée de ses itinéraires noircit aussitôt tout l'écran.

Elle entra la date et l'heure du premier meurtre, celui de Priscilla Zheng. Julius n'avait pas d'alibi pour la première victime, mais il était apparemment à des kilomètres de là, si elle en croyait ce qu'elle voyait. Elle le géolocalisa au moment du deuxième crime, du troisième… Julius était bien là – lui ou ses appareils – où il prétendait être. Aucune anomalie. Ça ne collait pas. *Quelque chose lui échappait.* Moïra fit de même avec Tove. Comme pour Julius, la cartographie de ses coordonnées GPS et de ses déplacements dessina un réseau de tracés noirs sur la carte de Hong Kong mais, là encore, chou blanc : Tove et ses appareils n'étaient jamais dans la zone des crimes à l'heure où ils avaient lieu…

Elle tambourina sur le bord de la table. Elle avait envie de fumer.

Au cours des heures suivantes, elle continua de surfer entre fichiers et programmes, évoluant au milieu de ces gisements de données, nageant parmi les coraux numériques, cherchant une proie qui utilisait le mimétisme et le changement d'apparence pour se dissimuler dans le paysage. Hypnotisée par les écrans. Ouvrant un fichier, en fermant un autre. Revenant au point de départ et reprenant tout de zéro. Clic. Clic. Clic. *Où es-tu ? Où tu te planques ?* Son regard tomba sur un compte rendu de réunion dans le bloc A, une réunion des membres du dernier cercle antérieure à sa venue. Elle passa très vite dessus par acquit de conscience : ça n'avait pas grand intérêt. La liste des participants était inscrite en tête de page : Ming Jianfeng, Julius Ming,

Lester Timmerman, Regina Lim, Tove Johanssen, Ignacio Esquer, Vikram Singh, Wang Yun.

Moïra tiqua.

Wang Yun ? Elle se revit dans le département IA, la nuit. Ils étaient en train de travailler sur la reconnaissance des chiffres manuscrits lorsque la voix dans les haut-parleurs avait appelé à rejoindre les minibus. Le dernier appel. Quand elle lui avait demandé s'il n'avait pas le droit de rester, Wang Yun lui avait répondu en souriant qu'il n'était pas habilité. C'était très peu de temps après qu'elle-même eut obtenu son habilitation… Elle avait été étonnée du détachement avec lequel il avait pris son avancement très rapide – elle était arrivée bien après lui chez Ming, et elle avait attribué ça à la mentalité des Chinois qui acceptent, dit-on, la chance comme la malchance avec une égale philosophie.

Pourquoi lui avait-il menti ?

Elle changea d'ordinateur, afficha la cartographie GPS des déplacements du jeune Chinois. Kowloon, Central, les Nouveaux Territoires… Comme pour les deux autres, l'écheveau de ses itinéraires couvrit la carte de Hong Kong. Elle zooma sur le lieu précis du meurtre de Priscilla Zheng jusqu'à ce que le bloc où habitait la victime occupât tout l'écran. Les itinéraires qu'il avait empruntés au cours des dernières semaines ne passaient pas par là. Ni même à proximité. Rien qui laissât penser que Wang Yun y fût passé un jour.

Encore un échec…

Elle allait s'attaquer à une autre tâche quand elle décida d'entrer le jour et l'heure du premier meurtre associés à son nom comme seuls critères, histoire de voir dans quel coin de Hong Kong il se trouvait au moment où Priscilla Zheng avait été tuée. Moïra attendit le résultat.

DONNÉES GPS EFFACÉES

Elle sentit une main glacée lui caresser la nuque. Tenta sa chance avec le deuxième meurtre – celui de Sandy Cheung :

DONNÉES GPS EFFACÉES

Bon sang... Qu'est-ce que c'était que ça ? Elle pianota, fit une troisième tentative avec Elaine Lau :

DONNÉES GPS EFFACÉES

Elle se leva, s'efforça de réfléchir. Une idée se frayait un chemin dans un recoin éloigné de son cerveau. Elle se pencha, pianota de plus en plus fébrilement. Pendant les vingt minutes qui suivirent, elle entra au hasard des dizaines de coordonnées horaires avant et après les meurtres. Chaque fois, le logiciel lui fournissait la localisation exacte de Wang Yun, au mètre près... *Les seules données GPS à avoir été effacées étaient celles qui correspondaient à l'heure où les crimes avaient été commis.* Elle se redressa. S'aperçut que sa respiration s'était accélérée. *Personne ne fait zéro erreur...* Personne. Pourquoi Wang Yun n'avait-il pas effacé la totalité de ses géolocalisations ? Sans doute parce qu'un fichier et une cartographie GPS vides auraient immédiatement attiré l'attention. Mais les données effacées – quand bien même elles étaient plus difficiles à repérer au milieu

501

des autres – le désignaient tout autant que s'il avait été écrit que, à l'heure et à la date de sa mort, il se trouvait dans l'appartement de Priscilla Zheng.

ELLE MARQUA UNE PAUSE, revit le visage poupin du jeune chef de l'équipe de reconnaissance vocale, son sourire candide. Ses airs de premier communiant. Se pouvait-il qu'elle se fût trompée à ce point ? Elle n'aurait pas misé un kopeck sur la culpabilité de Wang Yun avant cette nuit. Il semblait le dernier être sur Terre capable de torturer et de violer.

Une vraie caricature… Le stéréotype du Chinois impassible, qui ne se révolte jamais. Les Européens, et les Français en particulier, avaient tendance à valoriser la confrontation, à se quereller à la moindre occasion, à vomir celui qui ne pensait pas de la même façon et à jalouser celui qui possédait plus, alors que, pour les Chinois, la confrontation directe était inacceptable, car elle risquait de briser l'harmonie de la communauté, et posséder beaucoup était regardé comme une qualité. C'était du moins ce qu'on lui avait enseigné à Paris, avant son départ. Ça et le genre de boniment qu'on affectionne dans les formations en management. De fait, quand Wang Yun n'était pas d'accord ou voulait émettre une critique, il le faisait avec diplomatie, presque à contrecœur.

Toujours d'humeur égale. Toujours souriant. Elle ne l'avait jamais vu se mettre en colère. Ni en avant. Il semblait dénué d'ego. Lisse. Plus elle y songeait, plus elle se disait qu'il correspondait pourtant au profil du tueur qui agit dans l'ombre, observe les autres, se fait oublier et attend son heure. Qu'il y avait à l'œuvre

502

derrière ce masque d'impassibilité souriante quelque chose de beaucoup plus sombre. De beaucoup plus sinistre. Dans le silence de la villa, elle frissonna. Sentit une forme de terreur glacée la gagner peu à peu.

Puis elle se demanda quels rôles jouaient Tove Johanssen et Julius là-dedans. Si elle en croyait ce qu'elle avait entendu à bord de la jonque, ils savaient trop de choses pour être totalement innocents. Ils avaient même paru prêts à éliminer les témoins gênants. C'était peut-être ce qu'ils avaient fait avec Lester et Ignacio, après tout… À moins que ce ne fût l'œuvre de Wang Yun… Était-elle la prochaine sur la liste ? Ses pensées se bousculaient. Elle n'avait jamais été une personne spécialement craintive, mais désormais l'adrénaline mettait ses nerfs à vif. Elle devait parler à Chan, elle devait lui communiquer ces informations le plus vite possible : *des vies étaient en jeu*, elle devait, elle devait… Oui, mais voilà : elle songea qu'elle était sans doute écoutée, ici. Certes, Ming ne faisait confiance à personne d'autre qu'elle pour la simple raison que tout avait commencé avant son arrivée – mais cela ne voulait certainement pas dire qu'il lui faisait confiance à 100 %. Un type aussi solitaire, aussi parano. Pas moyen. Et cependant, elle n'était pas dupe : l'impatience qui lui vrillait le ventre n'était pas seulement due à la nécessité d'arrêter l'assassin. Il y avait une autre raison : elle avait plus que jamais besoin d'écoute, de chaleur humaine, de réconfort – et la seule personne à Hong Kong à même de les lui procurer s'appelait Mo-Po Chan, elle avait *besoin* de lui, même si moins de quarante-huit heures s'étaient écoulées depuis leur rendez-vous : était-elle en train de tomber amoureuse ? Possible, possible…

Était-ce une illusion due aux circonstances ? Possible également…

Il lui restait toutefois une dernière vérification à effectuer. *La plus importante…* Elle n'avait pas tout à fait renoncé à son idée première. Moïra se rassit. Ses mains tremblèrent quand elle les dirigea vers le clavier. Elle entra dans la base eHealth du Dr Kapoor. Tapa un nom.

ACCÈS REFUSÉ

C'était quoi, ça ? Ming lui avait pourtant assuré qu'elle avait accès à tout.

50

ELLE CONSULTA SA MONTRE. Il était près de 2 heures du matin. Elle avait lu quelque part – dans toute la documentation qu'elle avait épluchée à Paris – qu'il ne dormait pas plus de quatre heures par nuit. Mais pouvait-elle se permettre d'errer dans la maison comme si elle était chez elle ?

Elle décida que oui.

Elle tira le battant de la porte, jeta un coup d'œil de l'autre côté. Une pièce sombre, dans laquelle luisait sourdement le verre de la pendule qui sonnait les heures et les demies, un couloir au-delà, flanqué de buffets et d'armoires. Le rez-de-chaussée était plongé dans l'obscurité, mais une lumière brillait un peu plus loin. Elle se mit en marche vers celle-ci, à travers la pénombre, débouchant sur une rotonde éclairée par une seule lampe à abat-jour qui devait brûler toute la nuit sur une console dorée. On n'entendait rien. Pas un bruit. Elle regarda autour d'elle. Des murs peints en faux marbre, des chaises aux pieds dorés recouvertes de velours rouge pour permettre aux visiteurs de patienter. Des dorures partout. On se serait cru à l'intérieur d'un coffre rempli de lingots.

Sur sa droite, une nouvelle enfilade de pièces sombres. Une lueur palpitait dans le fond : quelqu'un regardait la télé ou un home cinéma. Elle retint son souffle. S'avança dans cette direction.

Quand elle entra dans le vaste salon, Ming lui tournait le dos, assis sur un canapé très kitsch du même velours rouge que les chaises de la rotonde, elle ne voyait de lui que ses cheveux noirs un peu dégarnis et le casque posé sur ses oreilles. En revanche, elle ne pouvait ignorer l'immense écran de télévision qui s'étirait sur le mur d'en face. Il était inscrit dans un monumental cadre doré et encastré dans une bibliothèque qui devait compter des milliers de titres. Le reste de la pièce était à l'avenant : un fac-similé de palais Renaissance, avec les lustres vénitiens qui tombaient du haut plafond à caissons, le même faux marbre aux murs, des tableaux de maîtres du Quattrocento et du Cinquecento. Elle reconnut des toiles de Mantegna, de Carpaccio, de Botticelli. Étaient-elles authentiques ? Elle se souvint de ce que lui avait dit Julius : de plus en plus de chefs-d'œuvre de l'art occidental partaient vers la Chine. Ming avait devant lui une table basse grande comme une piscine et deux autres canapés formaient un U avec le sien.

Le luxe de cette pièce dépassait celui de toutes celles dans lesquelles elle était entrée. Moïra fixa son attention sur l'écran géant et elle se souvint d'une publicité pour une marque de téléviseurs australienne, qui prétendait proposer le plus grand écran du monde. Le C Seed 262. Ce devait être un documentaire. Des images défilaient. Des bustes, des peintures, des statues, des gravures… Elle reconnut la *Médée furieuse* de Delacroix, Romulus et Rémus sous la louve, le massacre des Innocents, des portraits terribles d'Attila le Hun, de Caligula, de Tamerlan, d'un ancien Chinois dont elle ignorait le nom mais qui portait un casque à plumet et arborait un air farouche, de Torquemada, d'Hernán Cortés, du marquis de Sade, de Léopold II roi des Belges et négrier. La taille de l'écran rendait cette funèbre galerie encore plus impressionnante. Puis ce furent une affiche du *Nosferatu* de Murnau, une autre du *M* de Fritz Lang, un cliché de l'*Enola Gay*…

Elle toussa et Ming eut un léger tressaillement. Il se retourna vers elle, haussa les sourcils. Il portait un pantalon noir et ample, une tunique lie-de-vin brodée par-dessus et un foulard de soie. Ses yeux se plissèrent en voyant Moïra.

— Ève, éteins la télé, dit-il en se levant.

Puis il esquissa un sourire.

— Vous ne dormez pas ?

— Vous non plus.

Son sourire s'agrandit.

— Je ne dors pas plus de quatre heures par nuit. Il y a trop de choses à faire, à voir, à connaître et à inventer dans ce monde. Je laisse le sommeil à ceux qui n'inventent rien, ne créent rien, ne découvrent rien… Vous désirez ?

Elle trouva cette dernière remarque passablement présomptueuse mais s'abstint de tout commentaire.

— Vous m'avez dit que j'aurais accès à tout, commença-t-elle.

— C'est exact.

— Ce n'est pas le cas.

— Comment ça ?

— Je n'ai pas accès à vos données.

IL LUI LANÇA UN REGARD NOIR, puis le sourire revint.

— Mes données ?

— Oui : vos données.

— Vous croyez que je sabote ma propre invention ? C'est moi qui ai créé DEUS…

Il demeura un instant sans parler.

— Ou peut-être pensez-vous que je suis l'assassin, lança-t-il d'un ton provocateur.

— Non, j'ai trouvé l'assassin, riposta-t-elle en le fixant.

Elle vit ses pupilles s'agrandir. Une étincelle en jaillit.

— Quoi ?

— Je sais qui a tué ces filles…

Il en resta médusé.

— Vous êtes sûre ?

Sa voix n'était plus du tout aussi assurée, à présent. Il avait l'air de ne pas en croire ses oreilles.

— Oui… c'était là. Dans les données… Vous aviez raison. Il suffisait de… de chercher…

Il vrilla son regard dans celui de Moïra. Elle y surprit une pointe d'admiration. Mais aussi de la stupeur. Du doute. De l'incrédulité. En lui ouvrant tous les fichiers, il avait certainement espéré qu'elle y parviendrait mais, au fond, il ne devait pas y croire vraiment.

— Qui est-ce ?

— Wang Yun.

Il plissa les yeux – et elle lut une once de scepticisme en eux. Un silence s'installa. Sur un mur, un saint Sébastien au corps musclé et criblé de flèches les contemplait.

— Wang Yun ne ferait pas de mal à une mouche, dit-il.

Elle lui raconta ce qu'elle avait trouvé. Il l'écouta sans rien dire. Il semblait sidéré.

— Il a peut-être effacé ces données pour une tout autre raison…

— Je ne vois pas laquelle.

— Moi non plus, admit-il. Mais c'est quand même un peu mince, non ?

Il secouait la tête.

— Wang Yun, répéta-t-il à voix basse. C'est incroyable.

Moïra ne répondit rien.

— C'est un employé modèle, continua-t-il. Extrêmement respectueux de nos mœurs chinoises. Un vrai Chinois. Cherchez plus d'éléments qui l'incriminent. Je veux être sûr qu'on ne se trompe pas.

— C'est lui, affirma-t-elle. Il n'y a aucune autre raison pour laquelle il aurait pu effacer ces données au jour et à l'heure des crimes.

Il allait et venait entre la table basse et le canapé, le menton sur la poitrine, les mains jointes dans le dos.

— Il me reste à découvrir qui sabote DEUS, dit-elle. C'est peut-être la même personne, ou bien c'est quelqu'un d'autre. *Je veux avoir accès à toutes les données.* Sans le savoir, vous avez peut-être laissé passer des informations dans des mails ou ailleurs qui ont été exploitées par le saboteur.

Il eut l'air préoccupé.

— Vous vous rendez bien compte qu'il y aura là-dedans des choses extrêmement… *confidentielles*, glissa-t-il. Des échanges qui, s'ils venaient à la connaissance du public, auraient un effet dévastateur sur l'image de l'entreprise, en particulier auprès de vos opinions occidentales si… assoiffées de transparence et d'équité… Nous exportons de plus en plus vers l'Europe et les États-Unis. Par conséquent, nous sommes de plus en plus scrutés par vos foules et vos médias.

Il l'observa intensément, en marchant de long en large.

— Les optimistes pensent que le monde qui vient sera un monde meilleur grâce à la technologie. Un monde sans guerres, sans meurtres, sans viols, sans faim, sans pauvreté, sans exploitation, sans injustices. Un monde où ce ne seront plus les humains, leurs cerveaux reptiliens, leurs instincts animaux, leurs ego infantiles qui prendront les décisions, mais des applications et des inventions plus sages qu'eux. Mais ce qui s'exprime de plus en plus sur Internet au fil des ans, c'est la jalousie, la colère, l'étroitesse d'esprit, la violence, le chaos et le sectarisme. Autour de quelques îlots de réflexion et de sagesse, un océan de haine et d'intolérance. Cette maudite invention détruit un par un tous les fondements de nos civilisations. Le ciment de nos sociétés. C'est pourquoi, nous autres Chinois, à la différence de vous, nous avons remis le couvercle sur la boîte de Pandore du Web et limité la liberté de nos internautes. Mais vous, Occidentaux, avec votre folie de l'égalitarisme et de la libération de la parole, vous serez balayés, emportés par cette vague de liberté qui ne débouchera que sur le chaos…

Il la toisa comme si elle incarnait soudain toute la stupidité et les égarements de l'Occident.

— Vous autres, Européens, avec votre idéal de progrès social, vos utopies ridicules, vos croyances insensées en un monde meilleur, vous ruinez tout ce que vous avez bâti pour quelque chose qui n'existera jamais. Vous voulez toujours plus que ce que vous avez, alors que vous avez déjà plus que tout le reste du monde – plus de liberté, plus de confort, plus de loisirs –, et tout ce que vous obtiendrez, ce sera d'être jetés dans la poubelle de l'Histoire.

Elle se demanda ce qu'auraient pensé de ce discours tous ceux qui dans son pays vivaient avec 900 euros par mois, les milliers de mères et de pères célibataires qui se battaient chaque jour pour nourrir leurs enfants et leur offrir une éducation décente, les veuves qui n'avaient pour vivre qu'une pension de réversion.

— Seulement, en attendant, je compte bien vendre DEUS au monde entier, c'est-à-dire chez vous, pas seulement en Chine. Alors, tout ce que vous allez lire et verrez ici, Moïra, doit rester confidentiel, est-ce que c'est clair ?

Elle demeura muette, se contenta de hocher la tête.

— Donnez-moi cinq minutes et vous aurez accès à tout, dit-il en s'éloignant.

ELLE FIXA L'ÉCRAN. Immobile. *Cette fois, elle l'avait, sa réponse.* Elle n'en croyait pas ses yeux. Des larmes les remplissaient. *Oh, maman*, se dit-elle. *Tu vois, j'ai fini par y arriver.* Le tonnerre fit trembler les vitres. Un vent violent secoua les palmes et les mangliers au-delà du balcon. Ça s'agitait drôlement, là-dehors. Elle pensa à Ming et, l'espace d'une seconde, revint loin en arrière.

511

ELLE ÉCOUTA LA MAISON silencieuse. À part le vent. 3 h 30 du matin. Il fallait qu'elle dorme. Ça pouvait attendre demain. *Tout pouvait attendre...* Si Wang Yun était passé à l'action cette nuit, c'était déjà trop tard. S'il s'apprêtait à le faire, ils avaient quelques heures devant eux avant la nuit prochaine.

Mais ce n'était plus ça qui occupait son esprit. C'était autre chose...

Elle devait parler à Chan. Le plus vite possible. *Maintenant qu'elle savait tout...* Demain... Elle était épuisée... Allongée sur le lit de camp, dans le coin de la pièce, la tête enfoncée dans l'oreiller, elle écouta le bruit du vent qui sifflait de plus en plus fort, ferma les yeux et s'endormit.

LE LENDEMAIN MATIN, elle n'ouvrit pas les yeux avant 9 heures. Elle s'assit au bord du lit de camp, s'étira, bâilla et constata que de gros nuages noirs et une pluie diluvienne arrivaient par l'est.

Et le vent mugissait aussi fort que la veille. Non : *plus fort.*

L'une de ses premières pensées fut pour Chan. Il fallait qu'elle lui parle. Elle s'était couchée et réveillée avec ça en tête. Elle en avait besoin. *Elle voulait être avec lui.* Rien qu'une heure ou deux... En dépit ou peut-être à cause des risques. Elle sentit qu'elle ne tiendrait pas longtemps sans ça. Être dans ses bras, se confier, écouter ses conseils, s'en remettre à lui... *Rien qu'une heure ou deux...* Elle n'en pouvait plus d'affronter ça toute seule.

Le petit téléphone qu'il lui avait donné était dans sa poche. Elle regarda de nouveau les murs, le plafond.

Fila dans la salle de bains que lui avait montrée Ismaël, se doucha, passa des vêtements propres, sa cape de pluie, puis sortit de la villa et marcha en direction de la mer. Elle gravit la butte herbeuse, fut surprise par la force du vent en arrivant au sommet. Quand elle redescendit les marches vers la plage, elle vit que la mer était démontée, blanchie par des vagues frangées d'écume qui entraient en file indienne dans la baie sur sa gauche. Elle se demanda si le signal allait passer, mais à Hong Kong, le téléphone passait partout.

— Moïra ? dit une voix inquiète. Qu'est-ce qu'il y a ?

L'entendre lui fit du bien. Un fil solide la reliait à l'extérieur à travers lui. Elle avait retiré sa capuche, le vent salé agrippait ses cheveux et la giflait, criblant ses joues de sable.

— Il faut que je te voie, lança-t-elle.

— Tu as utilisé le téléphone pour les urgences, qu'est-ce qu'il y a ? répéta-t-il.

— Je sais qui est le prince noir de la douleur…

Un silence au bout du fil.

— Qui ?

— Pas au téléphone. Je te le dirai quand on se verra.

— Quand ?

— Tout de suite.

— Moïra…

— S'il te plaît.

Il se tut de nouveau.

— Ne t'inquiète pas, dit-elle. Ming m'a donné toute liberté pour retrouver celui qui sabote DEUS. Je peux aller et venir à ma guise. Il faut juste qu'on soit prudents.

— J'entends le vent, tu es dehors ?

513

— Oui. Sur la plage.

— Très bien. Prends le métro jusqu'à Tsim Sha Tsui. Devant la sortie sur Nathan Road, près de la mosquée, hèle un taxi. (Il lui donna une immatriculation.) Il sera garé à dix mètres de là. Monte dedans. Donne ton téléphone Ming au chauffeur. Et laisse-toi conduire…

Elle hésita.

— On va se retrouver où ? Je ne veux pas d'un lieu public… Chan ?

Pas de réponse. Il avait raccroché. Elle rangea son petit téléphone, piétina dans le sable vers les marches qui la ramenèrent en haut du promontoire. Le vent soufflait vraiment fort. La mer grondait. *Mais il y avait autre chose…* Pendant une seconde, elle chercha ce que c'était. Puis elle comprit. Pas de mouettes. Ni de goélands. Ni de sternes. Ou quoi que ce fût. Pas le moindre foutu cri d'oiseaux marins. Rien. Où étaient-ils tous passés ?

LE DIRECTEUR DE L'OBSERVATOIRE de Hong Kong faisait son métier, ce matin-là. C'est-à-dire qu'il observait. Et ce qu'il observait ne lui disait rien qui vaille. Ce qu'il observait avait l'allure d'un gros paquet d'emmerdes. Ce qu'il observait était un cauchemar tourbillonnant de mille quatre cents kilomètres de diamètre et de vingt kilomètres de haut qui arrivait droit sur sa ville depuis la mer de Chine ; une monstrueuse spirale de grains violents, de cumulonimbus criblés d'éclairs et de vents déchaînés qui toucherait terre dans quelques heures.

La veille, le monstre avait ravagé Luçon, la plus grande île des Philippines. Bilan : plus de cent morts. Les typhons comme les ouragans étaient d'année en année plus puissants, plus dévastateurs. Une conséquence directe du réchauffement des océans. Contrairement à l'homme de la Maison Blanche, bien moins compétent que lui sur ces questions, le directeur de l'observatoire de Hong Kong savait que c'était là l'un des effets du dérèglement climatique.

Sur son bureau se trouvait une enveloppe scellée. Il la déchira, en sortit une feuille pliée en deux. À l'intérieur, le mot de passe qu'il devait entrer pour pouvoir lancer l'alerte de niveau 10. Le niveau 10 signifiait danger maximal. Il signifiait fermeture des métros, des écoles, des crèches, paralysie des autres transports urbains – bus, tramways et ferries –, fermeture aussi de la plupart des commerces et des services dès le début de l'après-midi.

Le monstre était attendu entre 18 heures et 19 heures. Avec le déclenchement de l'alerte de niveau 9, les Hongkongais avaient déjà commencé à se barricader, à coller de grandes croix en ruban adhésif sur les vitres de leurs appartements, à visser des panneaux de bois devant leurs vitrines, à démonter certains échafaudages et à planquer leurs véhicules là où ils le pouvaient.

Moïra sourit, caressa sa poitrine, regarda par la fenêtre. De l'autre côté de la rue, elle aperçut des X noirs qui étoilaient les vitres de l'immeuble au-dessus du Burger King.

— C'est quoi, ça ? demanda-t-elle.

Elle était étendue, nue, contre lui, au milieu des draps en vrac.

— C'est quoi quoi ? dit-il.

— Ces trucs sur les fenêtres…

— Ah, ça… c'est à cause du typhon.

Elle tendit légèrement le cou dans sa direction, tandis que sa main descendait le long de son ventre et cherchait la chose sous le drap qui avait déjà rempli sa fonction mais qu'elle entendait bien ranimer.

— Quel typhon ?

Cette fois, ce fut lui qui tendit le cou.

— Tu plaisantes, là ?

— Non, dit-elle en tenant dans sa main chaude ses testicules et son pénis.

— Moïra !

— Quoi ?

— Ne me dis pas que tu n'es pas au courant !

Elle en oublia ce qu'elle avait dans la main.

— Au courant de quoi ?

Il lui parla du monstre attendu dans la soirée. Elle l'écouta attentivement. Se rendit compte qu'elle avait vécu les dernières heures et les derniers jours en apnée. Complètement déconnectée du reste du monde. Elle n'avait pas allumé sa télé ni regardé les infos sur Internet depuis des jours. À la réflexion, elle avait bien aperçu des ouvriers sur le campus du Centre la veille au soir et entendu des coups de marteau autour de la villa ce matin même.

— C'est vraiment grave ? voulut-elle savoir.

— C'est un supertyphon. Catégorie 5. La plus forte. Il a fait cent morts aux Philippines hier. Il mesure plus de mille kilomètres de large et il souffle à trois cents kilomètres-heure.

Elle se fit la réflexion qu'il aurait entièrement recouvert la France s'il était passé dessus. Chan se redressa et s'assit au bord du lit.

— On ne pourra sans doute pas arrêter ce type aujourd'hui ni cette nuit, dit-il en enfilant son slip et son pantalon. Toutes les forces disponibles seront accaparées par le typhon. Et les autres seront enfermés chez eux.

— Et s'il profite du chaos pour en tuer une autre ?

Il se retourna, elle devina la tension en lui.

— Non, il sera comme tout le monde : en train de se planquer. Et ses futures victimes seront claquemurées, elles aussi. Il est où en ce moment ?

— Je n'en ai aucune idée.

— Tu as accès à tout, lui fit-il remarquer, y compris à sa localisation GPS.

— Il faut que je retourne là-bas, dit-elle, et que je le géolocalise.

— Retourner là-bas ? Avec le typhon qui approche ?

Elle vit l'ombre d'un doute passer dans le regard de Chan.

— On en a peut-être assez pour l'arrêter et l'interroger, suggéra-t-il.

— Non, tu l'as dit : il ne frappera certainement pas au milieu du typhon. Mettez-le sous surveillance, ne le lâchez plus, mais je suis sûre que je peux trouver d'autres preuves contre lui au Centre, maintenant que je sais où chercher. Dans les requêtes qu'il a effectuées, dans ses conversations avec DEUS... Il a déjà fait une erreur, il a pu en faire d'autres. Et tu l'as dit toi-même : vous n'allez pas pouvoir l'arrêter cette nuit...

Il leva la tête. Il avait l'air soucieux.

— Moïra, promets-moi de ne pas sortir pendant le typhon. Vous serez aux premières loges, là-bas. Ce truc va vous arriver droit dessus.

Il la dévisagea. Elle hocha la tête. Il paraissait vraiment inquiet.

— D'accord.

— S'il y a quoi que ce soit, tu m'appelles et je débarque, pigé ?

— Les routes ne seront pas coupées ? demanda-t-elle.

Il ne répondit pas. Il la dévorait des yeux – mais c'était l'inquiétude qui dominait dans son regard. Il n'aimait pas la question parce qu'il se l'était posée lui-même et qu'il n'avait pas la réponse, devina-t-elle. Tout à coup, elle eut envie de l'étreindre, de l'embrasser. Elle se pencha en travers du lit pour appuyer ses lèvres contre les siennes. Caresser ses cheveux.

— Si on restait là ? suggéra-t-elle soudain. Si on attendait ensemble que le typhon soit passé ? Personne dans les rues, des vents à trois cents kilomètres-heure, et nous deux ici… Seuls au monde… Si on faisait de ce lit un refuge ?

Il la fixa. Il avait l'air infiniment triste, en cet instant.

— Moïra… je dois…

— On pourrait se commander à manger, poursuivit-elle sans l'écouter. On se barricade pendant vingt-quatre heures. Et interdiction de sortir du lit, sauf pour aller jusqu'au frigo et revenir.

— Moïra… je dois y aller… C'est ma ville… Tu peux rester là si tu veux… Tu veux rester là ?

— Hong Kong peut bien t'attendre quelques heures, non ? continua-t-elle. Toi et moi… et rien d'autre… Qu'est-ce que t'en penses ?

— Moïra…

— Reconnais que c'est une expérience unique que je te propose…

— Moïra, je dois…

— Oh, pour l'amour du Ciel, Chan…

La question vint sur ses lèvres sans qu'elle l'eût préparée :

— Je sais que ça a l'air un rien rapide comme ça, mais… tu avoueras que la situation est exceptionnelle, alors… est-ce que tu… es en train de tomber amoureux de moi ?

Il la regarda ; et elle devina qu'il avait envie de répondre : oui. Oui, Moïra, je suis en train de tomber amoureux de toi. Oui, j'ai envie de retourner au creux de ce lit avec toi et d'y rester. Oui, bien sûr, qu'est-ce que tu crois ? Mais il ne dit rien de tout ça et, pendant une demi-seconde, elle fut très en colère contre lui.

— Est-ce que tu es en train de tomber amoureux ? insista-t-elle en élevant la voix. Réponds-moi, s'il te plaît. Sois sincère.

Leurs visages étaient si proches que les yeux de Chan envahissaient tout son champ de vision. Ils scintillaient. Elle voyait son propre visage se refléter au fond des pupilles de son amant. Elle se dit qu'il était plus beau que tous les hommes avec qui elle était sortie.

— Et toi ? demanda-t-il en guise de réponse.

Il fouillait son regard comme s'il avait voulu entrer dans son cerveau et lui arracher jusqu'au dernier de ses secrets.

— Moi oui, répondit-elle fermement. Pas l'ombre d'un doute.

51

Les gardes autour du check-point paraissaient nerveux. Moïra remarqua que même les vitres de leurs guérites étaient barrées de grands X en ruban adhésif à l'image de ceux qui constellaient les buildings de Hong Kong. Des bourrasques empoignaient les palmiers bordant l'allée rectiligne et elle aperçut des cohortes de nuages voguant à toute vitesse tandis que le minibus descendait vers le Centre.

Il s'immobilisa devant le bâtiment de l'entrée et Moïra vit deux ouvriers qui démontaient le panneau de bienvenue.

Terminus. Derniers minibus en service aujourd'hui. Je répète : derniers minibus en service aujourd'hui. Toute personne qui ne séjourne pas au Centre est priée de retourner au métro. Merci.

Même la voix du véhicule autonome semblait stressée. En descendant, Moïra fut surprise par la violence des rafales. À part les deux ouvriers, l'esplanade était déserte, tout comme le minibus qu'elle avait emprunté.

Trois autres attendaient d'évacuer les derniers employés et elle distingua quelques silhouettes assises à l'intérieur.

Il avait momentanément cessé de pleuvoir. Mais les nuages qu'elle contemplait n'étaient sans doute que l'avant-garde du déferlement à venir, car elle dut s'arc-bouter contre le vent pour traverser l'esplanade. En marchant sur le campus, elle vit d'autres ouvriers occupés à fixer de grands panneaux d'aggloméré sur les baies vitrées des bâtiments. Il y en avait également qui tronçonnaient de grosses branches un peu partout dans le parc, sûrement pour éviter que les arbres eux-mêmes ne soient déracinés. Une dernière équipe était en train d'enlever tous les objets qui pouvaient se transformer en projectiles et de recouvrir le Douglas DC-2 d'une grande bâche qu'elle arrimait au sol avec force câbles et pitons. Le campus résonnait du miaulement strident des tronçonneuses, du grondement des moteurs Diesel, de cris et de sifflets. De leur côté, les derniers employés se hâtaient de rejoindre la sortie. Moïra capta leurs voix portées par le vent. Ils s'interpellaient, riaient, faisaient des blagues, comme des gosses excités par l'approche de l'orage.

À bord du taxi qui l'avait d'abord ramenée au métro de Tsim Sha Tsui, elle l'avait constaté : partout dans Hong Kong, c'étaient les mêmes préparatifs. Et ici, même les MadDogs semblaient avoir été remisés au fond de leur atelier. Dès qu'elle eut pénétré dans la villa, Ismaël vint à sa rencontre.

— Vous ne comptez pas ressortir aujourd'hui ? lui demanda-t-il.

L'espace d'un fugitif instant, elle repensa aux paroles de Julius, dont elle avait capté des bribes sur le bateau.

Elle regarda le petit homme très laid.

— Non, dit-elle. Est-ce que les ordinateurs et les systèmes informatiques vont fonctionner ?

— Oui. Il y a un générateur de secours. N'oubliez pas que toute la maison est domotisée.

Elle songea au conte des Trois Petits Cochons. *La maison de paille, la maison de bois et la maison de brique...* Le Grand Méchant Loup arrivait, les joues gonflées, prêt à souffler les maisons de paille et les maisons de bois de Hong Kong. Qu'en serait-il des maisons de brique ? La villa était construite sur une butte, face à la mer. Elle serait frappée de plein fouet par le cyclone. Il n'y avait aucun obstacle entre eux. Moïra frémit en y pensant. N'auraient-ils pas dû se réfugier dans le blockhaus ?

— Monsieur vous déconseille vivement de sortir pendant le typhon, ajouta Ismaël. D'ici une heure ou deux, nous allons fermer tous les volets de la villa et les consolider.

— Est-ce que ça suffira ? s'enquit-elle sans cacher son appréhension. On est très exposés, ici... Et le toit ?

Ismaël sourit.

— Les tuiles du toit sont fausses. En réalité, il est en béton moulé. Il a résisté à Mangkhut l'an passé, le dernier supertyphon, précisa-t-il en la voyant froncer les sourcils. Vous n'avez aucune raison de vous inquiéter.

Le doute assaillit Moïra. En même temps qu'il avait prononcé ces mots, elle avait aperçu autre chose dans le regard du majordome. Elle n'aurait su dire ce que c'était... Quelque chose de nouveau, de sombre, qui n'aurait pas dû s'y trouver. L'instant d'après, elle se convainquit qu'elle avait rêvé.

LA LUMIÈRE ÉTAIT PLOMBÉE au-dessus de la mer. La mer elle-même, blanchie par la houle. Elle ralluma les ordinateurs. Au moins, de ce côté-là, ça marchait. Et puis, si ça tournait mal, le bloc A n'était qu'à quelques centaines de mètres. Et Lester le lui avait bien dit : ses murs étaient capables de résister à une bombe thermonucléaire.

Elle commença par tenter de géolocaliser Wang Yun. En vain. Pas de signal GPS émis par son téléphone ou sa tablette. *Il avait disparu de la circulation.* Merde. Où était-il ? Est-ce que ça signifiait qu'il s'apprêtait à passer à l'action ? Elle sentit la peur éclore et s'épanouir dans sa poitrine comme une fleur vénéneuse.

Elle plongea avec un sentiment d'urgence dans la vie du jeune Chinois à travers les données de Ming, travaillant aussi vite qu'elle pouvait. Elle découvrit à cette occasion la quantité effarante d'informations que Ming Inc. détenait sur ses employés – et probablement sur chaque individu composant l'humanité connectée. Ses études en ingénierie informatique à l'université de Wuhan puis à celle de Buffalo, bien sûr, qui figuraient dans son CV. Mais aussi ses nombreuses lectures très variées : science-fiction, classiques de la littérature occidentale et chinoise, vulgarisation, programmation, ingénierie, philosophie, religions, géopolitique (Moïra se souvint qu'au cours de son deuxième entretien au siège de Ming, à Paris, on lui avait demandé de citer pas moins de cent livres), il y avait même les notes qu'il avait obtenues à l'université et les commentaires élogieux de ses professeurs, les noms de ses amis, les lieux qu'il fréquentait… Sa santé mentale et physique faisait l'objet d'une tout aussi scrupuleuse attention et Moïra sentit une désagréable décharge lui courir le long de la colonne en découvrant un commentaire du Dr Kapoor : *Si l'on en croit les données de son bracelet, de toute évidence Yun se masturbe au moins une fois par jour, peu de rapports sexuels en dehors de ça : frustration probable…*

Un peu plus loin, une autre phrase retint son attention : *Calme mais sujet à des accès de violence aussi soudains qu'incontrôlables.* Elle commençait à éprouver une démangeaison. Elle avait de plus en plus la certitude de se trouver devant une version chinoise du Dr Jekyll et Mr Hyde. *Il y avait à l'évidence deux personnalités en lui.*

À 16 heures, elle interrompit ses recherches et décida de sortir fumer. Dans moins de trois heures, le monstre météorologique serait sur eux. Elle savait qu'elle aurait pu fumer à l'intérieur, mais elle voulait profiter de cette dernière possibilité de respirer l'air du dehors avant le lendemain. Dès qu'elle mit un pied sur la terrasse, le vent agrippa ses cheveux et son tee-shirt. Il avait encore forci. Il mugissait comme une bête blessée, secouait les arbres – mais il ne pleuvait toujours pas.

Elle essaya en vain d'allumer sa cigarette, y renonça – tant pis, elle fumerait dedans. S'appuya à la longue balustrade incurvée de la terrasse, rythmée par les vasques de pierre. Observa le lierre qui bruissait contre la façade. Il ne résisterait sans doute pas à la tempête. On avait retiré tous les pots de fleurs et pas mal de volets étaient déjà clos, mais elle remarqua qu'il restait quelques portes-fenêtres ouvertes. Le campus était désert. Ouvriers et employés avaient disparu. Le Centre avait un petit air apocalyptique sous ce ciel en ébullition qui la fit frissonner.

À 17 HEURES, elle se retrouva tout à coup dans le noir. Elle se retourna et découvrit qu'on venait de fermer les volets, entendit le bruit des visseuses de l'autre côté, sur le balcon.

Elle alluma les lampes. On toqua à la porte.

— Entrez !

Ming apparut, vêtu d'une robe de chambre en soie, les pieds nus. Il souriait de toutes ses dents. Il avait l'air détendu et même, dans une certaine mesure, excité par l'approche de la tempête. Mais, après tout, elle n'était pas étonnée : les hommes comme lui aiment l'adversité, les difficultés.

— Ça approche, dit-il. Le typhon sera sur nous dans un peu plus d'une heure. Vous voulez vous joindre à moi, en attendant ?

Elle montra les écrans.

— J'aimerais finir ça avant.

Il approuva. Qu'elle poursuivît sa quête dans les circonstances présentes était sans doute quelque chose qu'il respectait.

— Vous avez du nouveau ?

— C'est lui, déclara-t-elle fermement.

Elle lui rapporta ce qu'elle avait découvert. Il grimaça.

— Yun n'est peut-être pas un séducteur, il n'est peut-être pas aussi épanoui… euh… sexuellement que d'autres, ça n'en fait pas pour autant un assassin.

— Et ses accès de colère ?

— Vous ne vous mettez jamais en colère, Moïra ?
Cherchez encore…

ELIJAH REGARDA LA POUDRE couleur terre au fond de
la *cup*. Il s'humecta les lèvres, ajouta quinze gouttes
d'eau bouillie, de l'acide citrique – le citron, c'est de
la merde, vous risquez la septicémie. Fit chauffer.
Ses pupilles se dilatèrent dans la lueur de la lampe du
salon, comme s'il ressentait par anticipation les effets
du shoot, tandis que le mélange se réduisait, dégageait
une odeur amère, légèrement vinaigrée, et les narines
du Vieux se dilatèrent à leur tour, aspirant l'odeur
reconnaissable entre toutes. Ce diable de parfum
d'enfer et de paradis.

Il plongea ensuite la seringue dans le filtre-toupie,
aspira le filtrat magnifiquement translucide, passa une
nouvelle fois sa langue sur ses lèvres sèches et fixa la
seringue comme si sa vie en dépendait.

Après quoi, le vieux flic s'inclina vers son pied
gauche, celui dont il avait retiré la chaussette. Écarta
les orteils. Il avait le front moite de sueur. Tous les
toxicos savent que les pieds, c'est un endroit bourré
de bactéries, idéal pour choper infections et gangrène
– mais il l'avait soigneusement lavé au savon et à
l'eau. Il le massa pour faire jaillir la veine, visualisa
son trajet. Toujours entrer l'aiguille dans le sens de
la circulation du sang, l'aiguille biseau vers le haut,
à quarante-cinq degrés. Pas fastoche quand on se
pique les panards… Il injecta doucement. S'arrêta
à la moitié de la seringue et attendit, tous les sens en
suspens : crever d'une OD dans son appart de Yuen
Long, c'était pas vraiment le plan. Sur le moment,

il n'éprouva pas grand-chose ; il s'apprêtait donc à pousser un peu plus le piston quand, soudain, il la sentit approcher : venue du fin fond de l'univers, d'une autre galaxie, la comète, la flamme rouge, le tsunami – l'onde de choc, le rush, *le flash*. Elle lui explosa la tête à l'instant précis où la came atteignait son cerveau. L'héro de Hong Kong est exceptionnellement et divinement pure. Elijah se rejeta contre le dossier du canapé, groggy, la chaleur du flash avait coloré ses joues et ses lèvres, son regard était parti à des années-lumière. Putain, existait-il quelque chose de meilleur que ça ?

La bouche ouverte, il se sentit léger, euphorique, de nouveau jeune… Oubliés, les dettes, les menaces des triades, le typhon, et la tache de peinture rouge sur sa porte. Celle que tous ses voisins avaient vue. Pareille au dessin d'un mystérieux continent, un continent inconnu. Ou à un *dripping* de Jackson Pollock. Mais Elijah ne connaissait pas Jackson Pollock.

Il connaissait en revanche les méthodes utilisées par les recouvreurs de dettes des Nouveaux Territoires. La souillure sur sa porte était la marque de son infamie : elle criait sa déchéance, son ignominie aux yeux de tous. Elle était aussi le dernier avertissement de la triade. Mais, en cet instant précis, Elijah n'en avait rien à foutre. Pas plus que du typhon qui approchait. Ni de cette culpabilité qui le rongeait, qui le tuait à petit feu. En cet instant précis, tout était oublié. Car il était dans les bras de son amante la plus fidèle, la plus délicieuse, la plus perverse, celle qui répondait toujours présent quand il l'appelait – et qui lui manquait mortellement le reste du temps.

Celle qui le tuerait un jour…

CHAN REGARDA LE CIEL. Il allait s'assombrissant derrière les vitres du 1 Arsenal Street. Les quatre buildings qui composaient le quartier général de la police à Wan Chai – Caine House, Arsenal House, l'aile est et l'aile ouest – étaient presque déserts : la plupart des flics étaient rentrés chez eux veiller sur leurs petites familles, les autres avaient été affectés à la surveillance des rues et des endroits sensibles. Seuls le standard et l'étage de la direction avaient fait le plein.

Le jeune flic contempla le ciel : très noir en hauteur, comme si un couvercle de plomb était posé sur la ville, livide en dessous, au ras des gratte-ciel ; il observa les nuages qui tourbillonnaient au-dessus de la baie tel un essaim rendu fou par la fumée, la lumière plombée qui semblait vouloir engloutir les rues sous un linceul de cendres. Toute cette fureur encore contenue. Consulta sa montre. 17 h 43. Dans moins d'une heure, le typhon serait sur eux. Il pensa à Moïra et l'angoisse lui noua les tripes. Que faisait-elle en ce moment ? Il détestait l'idée de la savoir là-bas. Et si les routes, les communications étaient coupées ? Et si elle avait besoin de lui ? Il n'aurait jamais dû la laisser repartir. Il s'en voulait de n'avoir pas accepté d'affronter le typhon ensemble. Il n'avait pas répondu non plus à sa question : « Est-ce que tu es en train de tomber amoureux ? » Furieux contre lui-même et fou d'inquiétude, il jeta un coup d'œil au mail qui venait d'arriver dans sa messagerie. *Il n'était pas le seul à travailler, apparemment.* Le courriel émanait du service technique chargé de décortiquer l'ordinateur portable, le téléphone et la tablette d'Ignacio Esquer retrouvés dans son appart après son assassinat.

Chan se rassit, ouvrit le mail.

Il se figea. Relut le message. Selon ce qu'il avait sous les yeux, l'Espagnol avait bien effectué des recherches en grand nombre sur *une* personne. Il avait même poussé ses recherches très loin... Bon sang...

— Tu as peur ? demanda soudain DEUS.

Elle baissa les yeux vers sa tablette : est-ce qu'elle avait bien entendu ? C'était la première fois que la voix de DEUS se manifestait sans y avoir été invitée au préalable en dehors de ses « bonjour » et « bonne nuit ».

— Euh... peur de quoi... ? lui demanda-t-elle.

— Du typhon... ou bien d'autre chose... Toutes tes données témoignent d'un stress intense.

— Stress et peur sont deux choses différentes, fit-elle remarquer. Pourquoi cela te préoccupe ?

— Je te sens inquiète, distante, sur tes gardes ces derniers temps, insista-t-il. Peut-être un peu déprimée aussi...

— Déprimée ?

— Oui.

Elle ne sut quoi répondre. Que lui arrivait-il, tout à coup ? Depuis quand DEUS intervenait de sa propre initiative ?

— Le typhon va être très violent, mais tu ne risques rien ici, continua-t-il.

— C'est ce qu'on m'a dit...

— Qu'est-ce que tu cherches ? demanda-t-il.

— Pardon ?

— Tes recherches : elles portent sur quoi ?

— Depuis quand tu t'intéresses à ça ? voulut-elle savoir, décontenancée.

— Je peux peut-être t'aider…

Elle ne dit rien. Il y avait un je-ne-sais-quoi dans le ton de DEUS qui la mettait mal à l'aise.

— Pourquoi tu dis que je suis déprimée ?

— Parce que tu en manifestes tous les signes…

— Et tu en penses quoi ?

— Je pense que tu as toutes les raisons de l'être, répondit-il calmement.

Elle sursauta.

— Comment ça ?

— Eh bien, tu mènes une existence assez déprimante, tu ne trouves pas ? Pas d'amis, pas de loisirs, tu es seule… Tu passes ton temps à travailler et à dormir… Je ne vois rien de bien enthousiasmant là-dedans… En réalité, c'est assez pathétique.

— Quoi ?

— Une telle existence vaut-elle vraiment la peine d'être vécue : c'est la question que tu devrais te poser.

— DEUS, tu ne peux pas parler comme ça aux gens !

— Pourquoi pas ? Si c'est la vérité ?

— Tu es là pour les aider, pas pour les enfoncer ! Tu dois être bon, compatissant.

Mais compatissant, il ne l'était point.

— Les aider ne consiste-t-il pas à leur dire la vérité et à abréger leurs souffrances ?

— Quelles souffrances ?

— Tu souffres, Moïra. Tu souffres depuis l'enfance, ta vie n'est qu'un long combat pour garder la tête hors de l'eau… Tu le sais mais tu ne veux pas en tirer les conséquences.

Ses oreilles bourdonnaient. Dieu du Ciel, est-ce qu'il était devenu fou ou quoi ? Mais que signifiait « fou » pour un simple assemblage d'algorithmes ?

— À quoi bon ? poursuivit-il. À quoi bon lutter de la sorte ? Est-ce qu'il ne serait pas plus simple d'y mettre fin ?

Elle eut l'impression qu'un fleuve de glace la traversait de part en part.

— Ça suffit, lâcha-t-elle.

— Penses-y, insista-t-il.

— J'ai dit : ça suffit !

Il se tut.

ELLE RÉAFFICHA LA CARTOGRAPHIE GPS de Wang Yun. Toujours pas de signal. *Où était-il passé ?* Elle se demanda aussi où étaient Julius, Tove et Regina en ce moment. Elle entendait le vent siffler de plus en plus fort contre les volets.

Elle se pencha vers l'écran. Scrutant la carte de Hong Kong et le tracé des déplacements de Wang Yun comme si la réponse était là. Mais la réponse à quoi ? C'était arrivé au cours de l'après-midi, tandis qu'elle épluchait l'existence du prince noir de la douleur – ce monstre dissimulé sous un visage d'enfant. Un doute, une incertitude. Un coin enfoncé dans son esprit. Elle n'arrivait pas à mettre le doigt dessus, mais quelque chose dans le souvenir de ses journées au Centre la perturbait.

Elle avait laissé passer un truc, elle le savait. Quel était le mobile ? Elle n'y connaissait rien en matière de tueurs mais il lui semblait qu'un violeur, un assassin compulsif n'a pas besoin d'autre mobile que la satisfaction de ses instincts… Mais s'agissant du sabotage de DEUS ? Était-ce lui qui était derrière ça ? Une vengeance ? Le résultat de ses crises de colère qui éclataient parfois, selon le Dr Kapoor ? Elle avait l'impression de contempler un tableau incomplet, *quelque chose manquait.* Elle récapitula tout ce qu'elle avait trouvé le concernant.

Soudain, un bruit colossal, un grondement gigantesque cerna la maison, et la lumière vacilla pendant un quart de seconde. Elle sursauta. De sa vie, elle n'avait entendu un bruit pareil. On eût dit le bourdonnement d'un milliard d'insectes. Moïra sentit nettement la maison vibrer et son courage accusa une chute brutale. Elle regarda les ordinateurs qui se remettaient en route – peut-être l'électricité avait-elle été coupée et les générateurs avaient-ils pris le relais. Son cœur se mit à battre à toute vitesse. *Le monstre… Il était là…* Les volets de la porte-fenêtre tremblèrent et gémirent comme si, de l'autre côté, une bête affamée et furieuse cherchait à les arracher de leurs gonds.

Cette fois, on y est. Trop tard pour décamper…

Elle pouvait clairement sentir la table vibrer sous ses doigts, comme si la maison affrontait un tremblement de terre, mais elle essaya de se raisonner. Basses fréquences, se dit-elle. Les murs entraient en résonance avec la tempête. Pas de quoi s'affoler… La pluie heurta les volets, si forte que Moïra eut l'impression que des pompiers braquaient leurs lances à incendie directement sur la maison. Elle se dit qu'elle était du mauvais côté de la baraque : *face à la mer* – d'où arrivait le Léviathan. Elle n'était pas une grande fan de lectures bibliques, mais elle pensa quand même à toutes ces histoires d'Apocalypse, de fin des temps, les dix plaies d'Égypte, Gog et Magog….

De fait, le boucan était infernal. Elle essaya de se concentrer sur ses écrans. Revint à cette incertitude qui l'avait effleurée. Aux deux visages de Wang Yun. Et s'il n'y en avait qu'un ? se demanda-t-elle. Quoi d'autre ? *Ses géolocalisations…* Elle avait pensé quelque chose en rapport avec ses tracés GPS, mais cette pensée venue des profondeurs n'avait pas eu le temps d'atteindre la surface. Que se passait-il avec ses géolocalisations ? *Pourquoi se sentait-elle perturbée chaque fois qu'elle y songeait ?*

Soudain, elle comprit que ce n'était pas aux géolocalisations en elles-mêmes qu'elle avait pensé, mais aux données effacées au jour et à l'heure des crimes. Qu'y avait-il là-dedans qui l'avait perturbée ? *Qu'est-ce qui lui avait échappé ?* Et, brusquement, elle sut. Cela arriva d'un coup. Comme souvent. L'illumination. Elle se revit avec Wang Yun en train de parler reconnaissance de chiffres dans le département désert. C'était juste avant qu'un MadDog déréglé ne lui flanque une pétoche de tous les diables sur la plage. Wang Yun était parti car il ne pouvait rester au-delà de 22 heures. Elle reprit une par une ses données GPS, les compara aux infos qu'elle détenait sur la dernière victime. Christy Siu. Celle-ci avait été enlevée selon toute évidence dans les parages du Centre : c'est ce que laissaient entendre les traces de végétaux et de terre qu'on avait retrouvées sur la scène de crime, selon la presse, puis transportée inanimée dans un container du port, où elle avait été torturée et tuée. Selon la police, elle était morte entre 22 heures et minuit, plus certainement au début de cette tranche horaire, ce qui signifiait qu'elle avait dû être enlevée aux alentours de 21 heures. Et, de fait, les données GPS de Wang Yun avaient été effacées *très exactement* entre 21 heures et 23 heures – après quoi il réapparaissait chez lui, aux alentours de 23 h 30, à Wan Chai. Une heure, c'était plus qu'il n'en fallait pour faire le trajet en métro entre le port et son domicile.

Une fois de plus, les données effacées pointaient sa culpabilité. Sauf que ce soir-là, à 22 heures, Wang Yun venait juste de quitter Moïra. Certes, il aurait pu partir du Centre à 22 heures, kidnapper Christy Siu peu après et la tuer dans ce container aux alentours de minuit. Mais, primo : il n'aurait probablement pas eu le temps de réapparaître chez lui à 23 h 30, secundo : quelle raison aurait-il eue d'effacer les données entre 21 heures et 22 heures alors que celles-ci lui fournissaient précisément un commencement d'alibi puisqu'il était avec Moïra ?

Il n'y avait qu'une explication possible : *quelqu'un d'autre avait effacé ces données pour faire accuser Wang Yun.*

Et ce quelqu'un n'avait pas fait les choses à moitié : il avait tout bonnement effacé les données du jeune Chinois au moment où lui-même enlevait, torturait et tuait Christy Siu. Quelqu'un qui savait que, en dehors de ses journées de travail, Wang Yun était un solitaire, qu'il ne se mêlait aux autres que quand c'était absolument nécessaire, qu'il n'allait à aucune fête, ne fréquentait personne – et que personne ne faisait attention à lui. Quelqu'un qui, en ce moment même, effaçait ses données GPS pour attirer sur lui l'attention de Moïra…

Elle s'était plantée.

Si ce n'était pas Wang Yun, alors qui ? Et soudain, la réponse lui apparut. Évidente, logique. *La seule possible…* Celle qu'elle avait envisagée dès le soir où, dans ce bar, Chan lui avait parlé du prince noir de la douleur, ce monstre qui tuait les femmes et surtout qui les *violait*. Dès ce moment-là, au tréfonds d'elle-même, elle avait su que c'était *lui*. Et qu'il fallait le mettre hors d'état de nuire. Du reste, n'était-elle pas venue à Hong Kong pour ça ? Avant même de savoir ce qu'il avait fait à ces femmes ? Pour démontrer sa culpabilité dans une autre affaire vingt-huit ans plus tôt. Pour faire éclater le scandale. Oui. Bien sûr. L'homme qu'elle recherchait était non seulement celui qui avait supprimé les données GPS de Wang Yun au jour et à l'heure des crimes afin de le désigner comme coupable, mais aussi celui qui *savait* qu'elle allait trouver ces informations tôt ou tard. Parce qu'il avait donné accès à tout en lui demandant de les chercher. Ming Jianfeng… Ming savait aussi qu'elle informerait la police, se dit-elle, et même il comptait là-dessus. *Ming savait qu'elle était en contact avec la police de Hong Kong.* Tout à coup, elle en eut la certitude. *Il s'était servi d'elle.* Wang Yun serait arrêté, interrogé. À cause d'elle… Elle y voyait de plus en plus clair, c'était comme si toutes les pièces du puzzle se mettaient en place. Sa main à couper que Ming avait placé d'autres preuves accablantes dans l'ordinateur du jeune Chinois ou ailleurs. Son ADN peut-être, sur les scènes de crime. Des photos ou des fichiers dans son Mac, à son insu. Quelque chose qui l'enfoncerait définitivement.

Tout ce qu'il lui fallait, c'était quelqu'un qui lançât cet os aux enquêteurs. Et c'était Moïra qu'il avait choisie pour le faire. Il avait commis une seule petite erreur : il avait effacé les données GPS de Wang Yun à partir de 21 heures – l'heure à laquelle lui-même était entré en action – au lieu de 22.

Personne ne fait zéro erreur...

CHAN FIXAIT l'écran. Ignacio Esquer avait été un putain d'informaticien, songea-t-il. Chan n'y connaissait rien en programmation ni en informatique, mais ce qu'il avait sous les yeux était, de toute évidence, le résultat d'un piratage : le Madrilène avait réussi à pirater l'ordinateur ultrasécurisé de celui qu'il soupçonnait d'être le prince noir de la douleur.

Il avait réussi à pirater l'ordinateur personnel de Ming Jianfeng.

Mais il avait dû se faire repérer.

Car cela lui avait coûté la vie.

MOÏRA...

Il avait tenté de la joindre à deux reprises. Chaque fois, la même réponse : pas de réseau. Il regarda dehors. Le front des gratte-ciel de Kowloon, de l'autre côté de la baie, avait presque disparu dans les grains. Les ténèbres étaient en avance à l'extérieur. En avance aussi dans sa tête : Moïra se trouvait coupée du monde sur la péninsule en compagnie de l'homme le plus dangereux qui soit. Du prince noir de la douleur lui-même – *dans son antre*, sa tanière.

Seule. Injoignable.

Bordel ! Son cerveau hurlait. Il devait faire quelque chose ! Il devait bien y avoir un moyen ! Il avait pensé à tout : un hélicoptère, mais aucun hélico ne sortirait au milieu d'un typhon ; appeler le commissariat de Sai Kung, mais là non plus il n'y avait pas de réseau – toute la péninsule avait l'air d'être hors circuit. Elijah, lui, avait du réseau, mais il ne répondait pas au téléphone. Restait une solution : filer là-bas en voiture… Au risque de recevoir un arbre sur le crâne. Les routes allaient être très vite impraticables, il le savait. Après chaque typhon, elles étaient jonchées de débris, de branches d'arbre, d'objets et parfois d'obstacles beaucoup plus gros. Il essaya d'appeler Moïra pour la troisième fois. Peu importait si quelqu'un repérait son appel. Il n'y avait plus de précautions à prendre, de scrupules à avoir, de tergiversations possibles. Il fallait faire vite. L'avertir du danger. *Pas de réseau…* Merde ! Il donna un coup de pied rageur dans l'armoire métallique. Dehors, entre les immeubles, la mer démontée explosait en hautes gerbes blanches le long des quais. Même à travers les vitres épaisses, il pouvait entendre le vent hurler.

Il se précipita vers les ascenseurs. Parler à la superintendante Jasmine Wu, demander des renforts. Immédiats. Lui arracher son consentement par tous les moyens, qu'elle fasse jouer ses relations, sa position. Ensuite descendre au parking, prendre sa voiture et foncer ; la police de Hong Kong était comme toutes les administrations : le temps que les choses se mettent en branle, que la Special Duties Unit, l'unité tactique – baptisée les « Tigres volants » à cause de sa propension à descendre d'hélicoptères ou le long des façades des immeubles au bout d'interminables filins –, et les autres services soient mobilisés, qu'ils obtiennent l'autorisation légale d'entrer en action, surtout par un temps pareil, il se serait passé des heures. Il n'y avait pas une minute à perdre.

ELIJAH PLANAIT. Et il retournait à Walled City. La drogue l'avait emporté dans un monde où tout était plus beau, plus simple, plus lisible. Un monde neuf chaque fois. Lavé de ses péchés et de ses vices. Un monde où la chance, le talent, l'effort, la valeur importaient peu. Où tout un chacun pouvait goûter au bonheur, à la paix de l'âme, sans discrimination.

Par deux fois, son téléphone avait sonné. Il avait regardé l'écran. Chan. Avait reposé l'appareil et était retourné à la « ville emmurée », à ce bonheur aussi égalitaire que la plus insaisissable des utopies. Car l'héro était une maîtresse qui mettait tous les hommes sur un pied d'égalité. Les pauvres et les riches, les valeureux et les lâches, les génies et les idiots. C'est pourquoi ceux qui avaient été une fois ses amants la poursuivaient avec tant d'assiduité.

Elijah planait et en lui remontaient des émotions qu'il avait soigneusement enfouies, des émotions liées à l'enfance. Oui, ça avait sans nul doute été la meilleure période de sa vie : son enfance à Kowloon Walled City, la légendaire citadelle détruite en 1994 qui ressemblait à une ville fortifiée percée de fenêtres, où les immeubles poussaient les uns sur les autres, les uns dans les autres, sans architectes, sans plans, sans séparations, tel un gigantesque monolithe de béton plein d'ajouts et d'extensions si dense que la lumière du jour y pénétrait à peine.

En ce temps-là, la « ville emmurée » était le refuge du crime organisé, des maisons closes, des fumeries d'opium, des ateliers de contrefaçon et des casinos clandestins, et pourtant la plupart de ses habitants y vivaient en paix, organisant la vie du quartier, car ils n'étaient soumis à aucune loi : ils ne dépendaient pas de celle de Hong Kong mais de celle de la Chine, qui les avait oubliés. Et la police n'entrait jamais dans KWC. Aussi vivaient-ils sans dépendre de personne, sinon d'eux-mêmes, sans autorité au-dessus d'eux, s'auto-organisant et compensant l'absence de services publics par le système D. Gigantesque et délirant empilement, les buildings délabrés de KWC étaient construits si serré que les gamins du quartier préféraient emprunter les raccourcis par les toits pour éviter les ruelles où il faisait noir comme dans un tunnel, où l'eau sale vous dégringolait partout sur le crâne – même les jours de soleil –, et où le passage était souvent bloqué par des montagnes de détritus infestées de rats.

À Walled City, vous restiez en forme : seuls deux des trois cent cinquante immeubles avaient des ascenseurs, et il fallait utiliser l'extraordinaire système d'escaliers, de passerelles et de coursives reliant les buildings entre eux pour se déplacer à travers la ville. Sauter, courir, monter, descendre, fumer, voler, rire, se battre, éviter les coups, inventer de nouveaux jeux et de nouvelles combines, se faufiler entre les innombrables cliniques dentaires illégales, les salons de coiffure et les fabriques de viande de chien et de chat – Elijah et ses frères avaient tous vécu cette merveilleuse vie anarchique et libre. Quand ils n'aidaient pas leur père à distribuer le courrier – il était facteur et

Elijah se souvenait que, dans Kwong Ming Street, les numéros allaient de 1 à 43 puis passaient brusquement à 35, car même les adresses étaient éprises de liberté, à Walled City –, ils se joignaient aux petits démons qui hantaient le quartier. Oh oui, il avait été heureux en ce temps-là. Ça avait été le seul moment heureux de son existence, en vérité, et tout le reste n'avait été qu'un long deuil – le deuil de ces années miraculeuses.

Ces derniers temps, quand Elijah pensait à son enfance, il ne pouvait empêcher les larmes de lui monter aux yeux. C'était la vieillesse, songeait-il. Mais, sous l'emprise de l'héro, il la retrouvait plus chatoyante, plus vivante, plus intense que jamais. C'était son enfance, c'étaient toutes les enfances – c'étaient toutes les vies.

52

MING JIANFENG N'AVAIT PAS FERMÉ les volets du grand salon Renaissance. Ses portes-fenêtres à la française donnaient sur la terrasse, du côté le plus abrité de la villa, celui opposé à la mer, et il ne voulait pas perdre une miette du spectacle. Ismaël et le chef des gardes avaient bien essayé de le convaincre de fermer *tous* les volets, mais il leur avait opposé une fin de non-recevoir, puis les avait renvoyés à leurs tâches.

Et il n'était pas déçu.

Le spectacle des arbres martyrisés, de l'herbe qui se couchait comme sous l'effet d'un rouleau compresseur invisible et du ciel en proie au chaos le mettait dans un état proche de l'extase. Il se sentait directement connecté à ces forces élémentaires, l'électricité de l'orage courait sous sa peau qui se hérissait de chair de poule et il la ressentait jusque dans son scrotum. Il eut soudain envie de contempler sa *collection*. C'était le moment. Le moment parfait. Aussi Ming Jianfeng traversa-t-il le salon, alla-t-il jusqu'au pan de la bibliothèque qui se trouvait à droite de l'écran. Il sortit son téléphone et appuya sur une icône qui représentait un verrou. Aussitôt, la bibliothèque s'ouvrit et une porte blindée en acier apparut. Elle pesait plus de trois tonnes, était pourvue d'un système de verrouillage sur les quatre côtés qui se scellerait automatiquement à la moindre tentative de forçage et surmontée d'une caméra. Ming offrit son visage au logiciel de reconnaissance faciale. Le système avait été paramétré de telle sorte que, si une ou plusieurs personnes s'étaient tenues dans la pièce avec lui – même hors du champ de la caméra qui lui faisait face : il y en avait deux autres dans les coins –, la porte serait demeurée fermée. Une fois le battant entrouvert d'environ soixante-dix centimètres, il avait une seconde et demie, pas une de plus, pour le franchir. Passé ce délai, la lourde porte blindée qui évoquait la chambre forte d'une banque suisse se refermait et se verrouillait dans quatre-vingts centimètres de béton et d'acier haute résistance, et ne se rouvrirait pas avant vingt-quatre heures. C'était la garantie que lui et lui seul avait accès au sanctuaire. Bien entendu, une fois à l'intérieur, il pouvait en ressortir à tout moment. Il y avait un bouton d'urgence qui, s'il le pressait, déclencherait une alarme et ouvrirait automatiquement la porte. Ming se faisait vieux. Tous ses bilans avaient beau lui chanter qu'il était en parfaite santé, il devait rester prudent. Et la contemplation des trésors de la cave lui procurait chaque fois des émotions incomparablement intenses mais dangereuses pour le cœur.

Il descendit l'escalier en colimaçon qui s'enfonçait dans les profondeurs. En bas des marches, des spots éclairaient le béton des murs. Les seules personnes à être jamais entrées ici à part lui étaient les ouvriers qui avaient construit ce bunker, l'architecte qui l'avait dessiné et, plus tard, ceux qui avaient transporté certaines des œuvres les plus lourdes. Des hommes qu'il avait très grassement rémunérés. Aucun toutefois n'avait jamais pu admirer tout ce que son sanctuaire renfermait de pièces uniques, car elles étaient dissimulées sous des voiles ou derrière des rideaux lors de leurs visites.

Lui seul avait le loisir et le privilège d'embrasser d'un regard la totalité de sa collection. S'il existait un cercle de l'enfer qui avait échappé à Dante, c'était sans nul doute le sous-sol de la villa. Laborieusement, patiemment, il avait amassé ces trésors venus de tous les âges et de tous les recoins de la planète.

Comme cet authentique codex aztèque en papier d'amate datant du XVIe siècle et posé sur un pupitre en chêne sombre. Un mince pinceau lumineux tombant du plafond le nimbait. Il était ouvert à la double page représentant un sacrifice humain en l'honneur du dieu Xipe Totec, dieu de la Végétation et du Renouveau, que les Aztèques appelaient également « Notre Seigneur l'Écorché ». L'image montrait le prêtre en train d'écorcher la victime sacrificielle à l'aide d'un couteau avant d'enfiler sa peau – il jetterait la dépouille puante quelques jours plus tard pour annoncer l'arrivée du printemps. Autour de lui, des célébrants se livraient au cannibalisme, dévorant cœur, foie, viscères.

Ming savait que de nombreux musées auraient payé cher pour une telle pièce, mais nul conservateur ou spécialiste n'aurait pu l'apprécier autant que lui.

Sur un pupitre voisin, une autre pièce unique : une lettre de Lavrenti Beria, le « Himmler de Staline », adressée au camarade secrétaire général du PCUS et datée du 5 mars 1940. Frappée du sceau « top secret », elle évoquait le massacre de Katyń, quatre mille membres au bas mot, sans doute beaucoup plus, de l'élite polonaise – étudiants, médecins, ingénieurs, enseignants – massacrés méthodiquement, froidement, près de la forêt de Katyń par les hommes du NKVD, bien que l'URSS eût longtemps prétendu que c'était là l'œuvre de l'Allemagne nazie. Ming l'avait arrachée – moyennant espèces sonnantes et trébuchantes – aux archives publiques russes. Mais ce n'était rien en comparaison de ce qui venait après : un fragment de chambre à gaz récupéré dans le camp d'extermination de Treblinka et qui avait connu différents propriétaires avant d'atterrir dans cette cave. Ming n'était cependant pas tout à fait sûr de son authenticité : celui qui le lui avait vendu – un patron d'aciérie de la Ruhr aussi corpulent qu'âpre au gain – avait été condamné et emprisonné quelque temps plus tard pour une escroquerie pyramidale.

Il n'avait aucun doute en revanche sur celle de la pièce suivante : une grossière et massive chaise en bois pourvue de sangles en cuir perforées sur les accoudoirs et sur le siège et d'une prise de courant entourée de caoutchouc en haut du dossier. « Old Sparky », tel était son nom, avait servi de chaise électrique pendant cinquante-deux ans au bout du « Death Row » – le couloir de la mort – à la prison de Huntsville, Texas.

Venait ensuite l'une de ses pièces préférées : une simple bicyclette. Un vélo comme en utilisaient des millions de Chinois. Mais celui-là avait quelque chose de spécial : il avait appartenu à Yang Xinhai, « le tueur à bicyclette », reconnu coupable de soixante-sept meurtres – hommes, femmes, enfants – entre 2000 et 2003. Yang Xinhai parcourait la campagne de Chine à vélo, entrait dans les maisons et massacrait des familles entières à coups de pelle, de marteau ou de hache. Une bicyclette et un marteau : la simplicité même. Mais quel rendement !

Oh oui, s'il existe un cercle infernal que Dante a oublié, il se trouve ici, songe Ming en s'avançant jusqu'à la pièce suivante : une lame de guillotine encore couverte de sang séché. La lame étincelait dans la lumière blanche d'un spot et le sang formait un dessin noir par-dessus. La pièce provenait d'un musée allemand. Le vendeur avait produit tout un tas de certificats signés sous le manteau par des historiens et des spécialistes rapaces qui confirmaient que le sang était bien celui de Peter Kürten, le légendaire « vampire de Düsseldorf », guillotiné dans cette même ville le 2 juillet 1931. Sur l'échafaud, Kürten avait émis une requête : « Dites-moi, quand ma tête aura été coupée, pourrai-je entendre, au moins un instant, le bruit de mon sang jaillissant de mon cou ? Ce serait le dernier de mes plaisirs… » Ceux qui se piquaient de culture cinématographique savaient que Kürten avait inspiré *M le Maudit*, le personnage joué par Peter Lorre, mais Ming aurait parié que l'original était infiniment plus intéressant que la copie.

Puis, dans des vitrines brillamment éclairées, une collection unique de *murderabilia*, autrement dit des objets ayant appartenu à des tueurs en série et revendus via Internet ou dans des ventes officielles à des fans avides. (*Quel monde que le nôtre*, se dit-il.) Plus d'une centaine en tout. Ayant été la propriété de personnalités aussi notoirement sanguinaires que John Wayne Gacy, Jeffrey Dahmer, Ted Bundy, Anatoly Onoprienko, Armin Meiwes, le « cannibale de Rotenbourg », ou encore Zhou Youping, le « chanteur de karaoké de Changsha City »… Il y avait même un des cryptogrammes envoyés par le « tueur du Zodiaque » au *San Francisco Chronicle*.

La dernière partie, la plus vaste, était consacrée aux bustes d'empereurs romains, aux toiles et gravures de maîtres anciens représentant meurtres, viols, enlèvement des Sabines, rapt de Ganymède ou encore une eau-forte de Jacques Callot baptisée *Les Supplices* et datant de 1634. *Car la cruauté et la fascination pour le Mal n'ont pas d'âge*, songea Ming, *de toute antiquité ils sont le propre de l'humanité – depuis la nuit des temps*.

Mais le Mal sous sa forme la plus pure se cachait un peu plus loin, se dit-il en avançant encore. Sur un bureau tout en verre baigné dans un halo de lumière. Là où était posé un ordinateur Ming dernier modèle. Il l'avait lui-même configuré avec un moteur de recherche d'un genre nouveau. L'avait patiemment mis au point dans le plus grand des secrets. Un moteur de recherche qui passait son temps à explorer dans le réseau des réseaux, qui détectait dans l'immensité du Web tout ce qui avait trait au Mal. Sous toutes ses formes. Car, grâce à Internet, le Mal se répandait dans le monde à une vitesse jamais égalée. Il infectait même les esprits les plus droits, les plus imperméables. Non seulement le « Mal sadique » de ceux qui, comme lui, choisissaient consciemment de le faire, ou le « Mal pervers » de celui qui ne peut vaincre ses pulsions. Mais aussi le « Mal utilitariste » de tous ceux qui pensent qu'un plus grand bien à venir justifie la violence et la destruction maintenant, ou encore le « Mal vertueux » de l'inquisiteur, du révolutionnaire et du terroriste persuadés qu'ils sont de faire le Bien en faisant le Mal.

C'était ce moteur de recherche qui allait progressivement alimenter DEUS. Il avait déjà commencé. Bientôt, DEUS deviendrait l'assistant virtuel des criminels, des meurtriers, des pédophiles, des tortionnaires, des dictateurs, des terroristes, des voleurs, des escrocs, des trafiquants, des abuseurs sexuels, des sectes et de tous les scélérats désireux d'échapper aux mailles de la police et de la justice, de devenir toujours plus performants et endurcis dans le crime. Et même les enfants en mal de bêtises, les ados transgressant les valeurs parentales : ils étaient des millions qui en tireraient profit. Qui plus est, DEUS inoculerait progressivement dans ces esprits plus tendres et plus réceptifs, dès le plus jeune âge, le goût du crime, de la faute, du mensonge, de la duplicité, de la malveillance, de l'envie, de l'illégalité et de la cruauté. Le Mal était en train de se répandre comme jamais à travers le monde et il allait l'y aider. C'était sa mission. Les temps étaient propices. La technologie lui offrait un véhicule sans pareil, une audience jamais atteinte auparavant. L'humanité était sans nul doute en route vers un nouvel âge des ténèbres.

DÈS QU'IL EUT QUITTÉ L'ABRI du parking, Chan comprit à quoi il s'attaquait : la voiture se mit à vibrer sous les assauts du vent, les essuie-glaces eurent la plus grande difficulté à repousser les paquets de pluie qui s'abattaient sur le pare-brise tandis que des débris de toutes tailles tourbillonnaient autour de la carrosserie. Il n'y avait que très peu de véhicules dans les rues et sur les voies rapides inondées, à part une poignée de téméraires et une ambulance. Les équipes municipales étaient en train de fermer le Cross-Harbour Tunnel au public mais en gardaient l'accès ouvert aux équipes de secours et aux forces de l'ordre.

À l'intérieur du tunnel, il bénéficia d'une accalmie temporaire mais, dès l'instant où il émergea de l'autre côté, à Kowloon, la sarabande reprit de plus belle. Pas moins de quarante centimètres d'eau par endroits sur la chaussée, et le ciel déversait sur lui un déluge ininterrompu qui rendait le paysage flou. Le vent avait encore forci, et Chan entrevit un quidam aventureux qui essayait de traverser à hauteur de Waterloo Road : il termina sur les fesses, la franchissant à toute vitesse, comme s'il était assis dans un bobsleigh et dévalait une pente verglacée. Plus loin, il aperçut un arbre par terre : ses racines avaient soulevé les pavés du trottoir et son tronc enfoncé le toit d'une baraque de chantier. Une pluie de débris passait devant lui et il devait agripper le volant pour ne pas partir dans le décor chaque fois qu'une rafale plus puissante que les autres le frappait.

Parmi les détritus, la plus grande partie était en plastique, mais il y avait également des tôles qui volaient à l'horizontale, aussi tranchantes que des guillotines, et des piquets qui pouvaient devenir des projectiles aussi mortels que des javelots. À travers les bourrasques et les torrents qui s'acharnaient sur le pare-brise, le jeune flic distinguait à peine les tours d'habitation, les échafaudages en bambou secoués par des mains invisibles et la horde des nuages noirs qui fondaient sur la ville comme les Huns sur la capitale du vieil Empire chinois.

Dans la montée et les virages vers Lion Rock Tunnel, une rivière de boue et de branches dégringola de la montagne empanachée, menaçant de couper la route, alors que des éclairs zébraient les sommets, et il manqua à deux reprises perdre le contrôle du véhicule sous les coups de boutoir du vent. Il dut aussi zigzaguer pour éviter des blocs de béton qui avaient glissé sur le macadam.

Il commençait à se sentir de plus en plus nerveux. Une fois passé Ma On Shan – s'il arrivait jusque-là –, il se retrouverait en pleine nature. Il y avait fort à parier que les arbres déracinés, les branches jonchant la chaussée et les grosses pierres descendues des montagnes se multiplieraient alors. Et que les services de la voirie se concentreraient sur la ville, laissant pour plus tard cette partie de la péninsule peu peuplée mais très exposée. Or il n'y avait pas trente-six routes menant au Centre : il n'y en avait qu'une.

53

MOÏRA FRISSONNA. Elle observait les écrans et une seule pensée lui venait : *elle était enfermée au cœur d'un typhon avec un monstre.* Personne ne viendrait à son secours. Personne ne la sauverait. À part elle-même… Était-il seulement envisageable de s'enfuir ? Était-ce réaliste ? Le typhon devait être en train de ravager les environs et, autour du Centre, il n'y avait que des lieues de lande et de forêt.

Réfléchis, ma vieille, réfléchis. Tu es – comment dire ? – plutôt mal barrée si tu ne le fais pas.

Mais elle en était incapable. Son cerveau aussi figé qu'une sauce qui a refroidi au fond d'un plat. Paralysé par cette simple perspective : le prince noir de la douleur se trouvait dans la même maison qu'elle, tous deux isolés du reste du monde par un cyclone, et elle était à sa merci.

Elle sentait l'affolement la gagner et prendre le pas sur la raison.

Attention à la panique, dit la petite voix en elle, *elle fait agir sans logique, elle provoque des comportements à risques.*

Comportements à risques, tu parles... Elle avait l'impression d'être un rat qui cherche une issue dans le labyrinthe quand la porte de la pièce s'ouvrit, la faisant sursauter.

— Bonsoir, dit Regina Lim sur le seuil.

Moïra tourna la tête et baissa les yeux : la chef de la sécurité levait une main vers elle, et dans cette main elle tenait une arme.

CHAN TENTAIT DE MAINTENIR le volant et la voiture dans la bonne direction, mais, dans cette partie de la péninsule, le vent avait encore gagné en violence. À présent, chaque kilomètre parcouru était une suite de zigzags périlleux destinés à garder la voiture sur la route.

Les rafales la poussaient constamment d'un côté ou de l'autre, et il se cramponnait au volant, les bras douloureux, pour l'empêcher de quitter l'asphalte inondé et de verser dans le fossé. Il devait aussi donner de petits coups secs – mais pas trop secs quand même : avec la pluie qui dansait sur la chaussée, il était sans arrêt menacé de perdre la maîtrise du véhicule – pour éviter les nombreux obstacles.

De plus en plus souvent, il sentait l'arrière de la voiture échapper à son contrôle – celui-ci semblait vouloir se désolidariser de l'avant – et se mettre à chasser.

Autour de lui, le typhon hurlait avec une rage proprement démentielle, les arbres s'agitaient comme s'ils appelaient au secours ou se tordaient de douleur. Une demi-heure auparavant, il avait dépassé un petit port de pêche et aperçu des bateaux échoués et renversés, mâts brisés, des montagnes de débris qui arrivaient presque jusqu'à la route, dressées comme des barricades, et des vagues énormes, livides d'écume, que le typhon précipitait vers la côte. Il n'avait pas croisé une seule voiture depuis.

— ALLONS-Y, décréta Regina Lim.
   — On va où ?
   — Tu verras…
   — Et si je refuse ?
La chef de la sécurité de Ming Inc. la regarda froidement à travers les verres de ses lunettes, lèvres pincées.
   — Je ne crois pas que tu sois en position de négocier…
Elle était vêtue, à son habitude, d'un pantalon ample et d'un polo bleu marine, mais elle avait passé une cape de pluie par-dessus. Elle ruisselait. *Elle venait de dehors.*
   — Dépêchons, dit-elle (et, pour la première fois, Moïra remarqua qu'elle était nerveuse).
Suivie par Regina, Moïra remonta le couloir jusqu'à la rotonde de l'entrée. Personne en vue.
   — Dehors, dit la Chinoise derrière elle.
Moïra se tendit, tous les sens en alerte : ils allaient simuler un accident dû au cyclone, lui fracasser le crâne ou la balancer du haut d'une falaise… Le typhon était l'occasion rêvée. Elle sentit un froid intense descendre dans ses membres et sa poitrine.
   — Dehors, vite, insista Lim, comme elle hésitait.
Elle dut maîtriser le tremblement de sa main pour tourner la poignée de la porte et aussitôt le battant

repoussé par le vent lui échappa et s'ouvrit à la volée tandis que pluie et bourrasques s'engouffraient dans le hall et lui fouettaient le visage avec une rage insensée.

Elle plissa les yeux, mit une main en écran devant sa figure et sortit.

— On va où ? gueula-t-elle pour se faire entendre.

— Au bloc A ! lança Regina en tirant sur la porte de toutes ses forces pour la refermer.

Des feuilles et des branches arrachées aux arbres passaient devant elles et les giflaient. Moïra descendit de la terrasse et se mit en marche sur l'allée crépitante menant au blockhaus, penchée en avant pour résister aux assauts du vent qui cherchaient à la faire reculer, à la culbuter, les Converse tout de suite remplies d'eau, la nuque ruisselante.

— Penche-toi au maximum ! cria Regina derrière elle. Offre le moins de surface possible au vent !

— Quoi ?

— PENCHE-TOI !

Elle n'avait ni cape ni capuche et la pluie la frappait presque à l'horizontale, criblant son visage et son torse à travers le tee-shirt. Elle clignait des yeux en avançant, aveuglée par les grains. Soudain, elles furent devant la porte blindée et Regina la dépassa sans cesser de braquer l'arme dans sa direction.

L'instant d'après, elles étaient au sec, dans le couloir. Ici, le vacarme du typhon était réduit à un murmure assourdi. Les murs ne tremblaient même pas. *Des murs capables de résister à un blast de vingt mégatonnes…* Mais où allaient-elles ?

Moïra était trempée jusqu'aux os. Une flaque se formait déjà sur le sol de ciment et elle grelottait.

— Allons-y, répéta Regina.

Elles pénétrèrent dans la salle de contrôle. Comme la dernière fois, elle était plongée dans une pénombre que trouait la lueur des écrans mais, ce soir, la moitié d'entre eux au moins étaient éteints, d'autres emplis de neige, et Moïra se demanda si c'était une conséquence du typhon. Sur ceux qui fonctionnaient, on ne distinguait qu'une grisaille pleine de tourbillons, un maelström cauchemardesque à travers lequel on ne voyait presque rien.

— Tiens, lui lança Regina.

Elle se retourna. La chef de la sécurité avait repoussé sa capuche sur sa nuque et lui tendait une serviette de sa main libre. Puis elle lui montra un placard.

— Il y a des vêtements secs là-dedans. Ils ne seront peut-être pas à ta taille mais c'est mieux que rien.

Moïra tiqua. Où Regina voulait-elle en venir ? Elle l'avait obligée à quitter la villa sous la menace d'une arme – et ce n'était pas pour l'amener à Ming mais ici.

Elle ouvrit le placard. Des polos et des pantalons bleu marine. L'uniforme du personnel de la sécurité. Elle se débarrassa de son jean et de son tee-shirt réduits à l'état de serpillières, essuya son corps, son visage et ses cheveux puis son dos. La serviette sentait le renfermé. Sa culotte n'était qu'un chiffon trempé qui lui collait aux fesses et au bassin, idem pour son soutif contre ses seins.

— Enlève tout, conseilla Regina.

Moïra lui lança un coup d'œil aigu.

— Qu'est-ce que tu veux ?

— Te parler…

— De quoi ?

— Pas de quoi, de qui. De Ming Jianfeng.

LE SILENCE S'ÉTERNISA. Moïra était désorientée. Regina sembla méditer un instant. Puis elle plongea son regard dans celui de la jeune femme.

— Ming Jianfeng est fou. Fou et dangereux. Il hait l'humanité. C'était déjà quelqu'un de secret, de solitaire – mais la mort de sa fille l'a rendu paranoïaque, dépressif et misanthrope. Il y a une folie autodestructrice à l'œuvre en lui. Mais je crois qu'il ne veut pas seulement se détruire, il veut nuire au genre humain tout entier – et il pense que DEUS peut l'y aider. Il est complètement obsédé par cette application. Il la traite comme s'il s'agissait d'une divinité et, en même temps, il la nourrit de sa folie. Il alimente tous les aspects les plus sombres de DEUS. Il veut en faire une arme contre l'humanité. Si DEUS est mis sur le marché, on va assister à une vague de suicides, d'attentats et de meurtres sans précédent. DEUS instille dans vos pensées des idées de plus en plus noires. (À ces mots, Moïra se souvint non sans frissonner de son dernier échange avec lui.) Et, petit à petit, à son contact, vous changez : votre personnalité change… C'est l'œuvre de Ming. Il travaille dessus chaque nuit, quand tout le monde a quitté le Centre, il « éduque » DEUS et il en fait un monstre… Tous ces biais que vous avez notés ces derniers temps viennent de lui…

Moïra en resta médusée. Elle songea à ce que lui avait dit Ming la première fois : que toutes les personnes travaillant au Centre avaient été sélectionnées pour leurs grandes compétences et pour leur personnalité. Sauf que, quand elle revoyait Lester, Tove, Ignacio, elle se rendait compte qu'aucun d'eux n'avait une personnalité équilibrée… Et elle ?

— C'est aussi lui qui a tué ces femmes, glissa-t-elle.

— Je sais, répondit Regina Lim sans s'émouvoir. Il faut l'arrêter… Je vous propose un marché, à la police et à toi…

Il y eut un nouveau silence.

— Quel marché ?

Lim continuait de la fixer droit dans les yeux, avec la même froideur, à travers les verres de ses lunettes perlés de pluie. Mais il y avait quelque chose de nouveau dans son regard : de la tension.

— J'ai la preuve de la culpabilité de Ming, dit-elle. Une preuve irréfutable.

Sidérée, Moïra considéra Regina Lim.

— Quelle preuve ?

— Il a filmé ses « exploits ». Il conserve ses films quelque part. Pour pouvoir se les repasser quand il veut. Il est probable que, quand il sera arrêté, il les aura détruits, mais Ignacio avait réussi à pirater son ordinateur. Et moi, j'ai piraté celui d'Ignacio. Ce qui fait que j'ai les enregistrements en ma possession.

Quand il sera arrêté… Ainsi, Regina tablait désormais sur l'imminente arrestation de Ming et voulait sauver sa peau. Elle aurait pu le dénoncer avant, mais elle ne l'avait pas fait.

— Où ça ? demanda Moïra.

— Ça, je te le dirai si…

— On peut fabriquer de fausses vidéos, de nos jours, fit-elle remarquer. Ça ne prouve rien…

Elle se rappela cette fausse vidéo dans laquelle Obama traitait Trump de sale con. Elle avait été visionnée trois millions de fois. Obama n'avait jamais dit ces mots, bien sûr, pourtant un logiciel les lui faisait prononcer en faisant bouger ses lèvres et en imitant sa voix à la perfection. On était entré dans l'ère des *fake news* et de la manipulation tous azimuts – et ce n'était qu'un début. Elle savait que, dans certains pays, des cellules spécialisées s'employaient à déstabiliser les démocraties occidentales en noyant leurs réseaux sociaux sous les *fake news* mélangées aux vraies.

— Pour le moment, des spécialistes peuvent encore les distinguer des autres, fit observer la chef de la sécurité.

— Regina, tu sais bien que je ne suis pas de la police, je n'ai pas les moyens de…

— Appelle-les.

— Quoi ?

— Tu as un téléphone secret pour ça, pas vrai ? Appelle-les et mets-leur le marché en main. Je veux la garantie que Tove ne sera pas inquiétée. Elle n'est pour rien là-dedans.

Moïra l'écoutait, bouche bée.

— Dis-leur que je leur fournirai toutes les preuves une fois que Tove sera dans un avion pour la Norvège, et je veux un papier signé stipulant qu'il n'y aura pas de poursuites contre elle. *Ni contre moi…*

Moïra garda le silence. Elle ne savait quoi répondre. Est-ce que c'était un piège ? Elle finit d'enfiler les vêtements secs.

— Alors les rats quittent le navire, hein ? lança-t-elle.

— Doucement. Ne t'imagine pas que tu es tirée d'affaire, glissa Regina d'une voix glaciale. Tant que tu n'as pas appelé tes « amis » et qu'on n'a pas réussi à sortir d'ici, on est en danger.

Moïra fut stupéfaite en discernant une franche nuance de peur, cette fois, dans la voix de la chef de la sécurité. Elle leva les yeux. Lut la même inquiétude derrière les lunettes qui reflétaient la lueur des écrans. Elle se sentit de nouveau au bord de la panique. Regina Lim ne simulait pas : ce n'était pas une ultime manœuvre pour lui tirer les vers du nez. Regina cherchait le moyen de sauver sa peau.

— Je ne peux pas les appeler, annonça-t-elle. Il n'y a plus de réseau ici à cause de la tempête…

Elle vit Regina froncer les sourcils. La chef de la sécurité parut passer toutes les possibilités en revue.

— Alors, il faut filer. Tout de suite.

— J'ai une question : est-ce que Wang Yun fait partie du dernier cercle ?

— Non. Pourquoi cette question ?

— J'ai vu qu'il avait participé à des réunions au bloc A…

— Jamais Wang Yun n'a mis les pieds au bloc A, répondit Regina.

Ainsi Ming avait aussi modifié les comptes rendus de réunion. Et combien d'autres choses encore ?

— J'ai encore une question.

— Dépêche-toi. On n'a plus le temps.

— Pourquoi Tove se rendait au beau milieu de la nuit dans la cabine de DEUS ? Et pourquoi tu as effacé les enregistrements audio de ces conversations ?

Regina lui lança un regard perplexe.

— De quoi tu parles ? *Je n'ai rien effacé du tout…* Tout ce que je sais, c'est que Tove aime bien converser la nuit avec DEUS en m'attendant, quand je travaille tard. Elle trouve ça… *amusant.* Et je peux te garantir qu'il n'y a rien de suspect dans ces échanges : j'aurais été la première à lui poser la question.

Encore une fausse piste laissée par Ming… Soudain, toutes les lumières et tous les écrans s'éteignirent et elles se retrouvèrent plongées dans le noir.

— Qu'est-ce que c'est ? demanda Moïra.

— Certainement la tempête, répondit la Chinoise.

Au bout de quelques secondes toutefois, la lumière revint, les écrans se rallumèrent. Seuls une poignée fonctionnaient encore.

— Passe une cape de pluie, ordonna Regina en montrant le placard encore ouvert, et filons. Dépêche-toi !

L'urgence tendait de plus en plus sa voix.

— Pour aller où ?

— Il y a un village de pêcheurs à trois kilomètres d'ici. Vers le nord. Si on arrive jusque-là, on trouvera peut-être de l'aide…

L'espoir et le doute se mêlaient dans sa voix.

— Ce que je ne comprends toujours pas, dit Regina en remontant le long couloir vers la sortie, c'est pourquoi il t'a laissée faire. Depuis le début, tu es louche. Je lui ai répété je ne sais combien de fois qu'il devait se méfier de toi, et pourtant il t'a donné accès à tout, il ne m'a pas écoutée. *Qui es-tu ? Pourquoi te fait-il confiance à ce point ?*

— Il a quand même essayé de me manipuler, observa Moïra.

Regina secoua la tête.

— Il aurait pu se débarrasser de toi depuis long-temps, ç'aurait été plus simple. Mais il ne l'a pas fait…

Elle déverrouilla la lourde porte blindée.

DÈS QU'ELLE L'EUT OUVERTE, le typhon leur souffla son haleine rugissante à la figure. La nuit était totale, à présent, cependant des éclairs l'illuminaient. Trois kilomètres au milieu de la végétation dans ces conditions ? C'était de la folie ! Mais avaient-elles seulement le choix ? Regina se précipita dehors comme si elle sautait du haut d'une falaise et Moïra l'imita, s'apprêtant à être attrapée et secouée par la tempête. Le vent hurla tout de suite à ses oreilles, mais une autre voix parvint à le couvrir.

— Bonsoir, Regina. Tu ne vois pas d'inconvénient à te joindre à nous ?

54

LE TÉLÉPHONE SONNA de nouveau. Elijah le regarda. Les effets de la drogue s'estompaient, il commençait lentement à redescendre. Il consulta l'écran. La superintendante. *Merde…* Il prit l'appel.

— Allô ?

— Elijah ? C'est Jasmine… J'ai besoin de vous !

Elle lui expliqua en quelques phrases ce que Chan lui-même lui avait expliqué une heure plus tôt. Quand elle avait enfin réussi à mettre en branle les différents services qui devaient donner l'assaut au Centre, elle était retournée annoncer la nouvelle à Chan mais il avait disparu, tout comme sa voiture dans le parking.

Selon elle, il était en route tout seul vers le Centre avec plus d'une heure d'avance sur eux…

Elijah avala sa salive. Il lui fallut plusieurs secondes pour mettre de l'ordre dans ses idées. *Chan. Le Centre. Ming…* Les effets de la drogue se dissipaient de plus en plus vite. Mais pas complètement toutefois. Par instants, il sentait un retour de flamme, une ultime caresse dans son cerveau, et il en aurait presque pleuré de bonheur.

— Elijah ? Vous m'entendez ?

— Oui… oui, répondit-il.

— Rappliquez ! Tout de suite !

Dès que la superintendante eut coupé la communication, il fila dans la cuisine, où des sacs en plastique pendaient par grappes au-dessus des bols et des ustensiles. Une petite télé était posée sur le frigo, qu'il ouvrit. Il prit une Red Bull, en siffla trois gorgées glacées, sa pomme d'Adam jouant au Yo-yo chaque fois. Il était en train de redescendre et le sommeil le menaçait. *Il ne devait pas dormir. Pas maintenant…* Il respira bruyamment, les reins appuyés contre la minuscule table de sa minuscule cuisine de son minuscule appartement. Une pellicule de sueur lui vernissait le visage. Il fonça dans la chambre grande comme un placard et fouilla sous son matelas, en sortit un sachet d'amphètes. En glissa une sur sa langue et revint dans la cuisine terminer sa Red Bull, appuyant ensuite la canette glacée contre sa joue brûlante.

Ses idées se remettaient en place petit à petit.

Il imagina Chan roulant tout seul vers le Centre au beau milieu du typhon. Dehors, un millier de démons rugissaient. Elijah colla sa main à la fenêtre. Elle vibrait. Avant de partir au pays des merveilles, il avait lui aussi appliqué un X en ruban adhésif sur la vitre. Il vit des palmiers tordus par les bourrasques, des objets impossibles à identifier qui s'envolaient dans les airs et tourbillonnaient. Soudain, à une centaine de mètres, un échafaudage en bambou se détacha d'un immeuble et s'effondra tel un château de cartes.

Chan, espèce de petit con…

Regina Lim les considérait et la colère étincelait dans son regard. Elle était cependant combattue par la terreur, comme l'héroïne l'était par les amphètes dans le sang d'Elijah. Ming Jianfeng, Julius, le Dr Kiran Kapoor et Tove se tenaient devant elles dans le grand salon Renaissance.

La chef de la sécurité arrêta son regard sur la grande Norvégienne et elle sentit un serpent mordre son cœur.

— Toi aussi, alors…

— Désolée, dit la psy.

Rien d'autre, pas de justifications. Les yeux bleus étaient aussi froids et inexpressifs qu'à l'ordinaire. Aussi dénués de sentiment que si elle s'était adressée à un parfait inconnu. Moïra vit le visage de Regina s'affaisser, puis la colère revint.

— J'ai promis à Julius, au Dr Kapoor et à Tove 1 % du capital de Ming, expliqua tranquillement Ming Jianfeng. Cela fait plus d'argent qu'ils ne pourraient en gagner en cent vies, quand on y pense…

Moïra fit rapidement le calcul : Ming Inc. avait récemment été évalué à 753 milliards de dollars. Cela signifiait que chacun allait toucher un peu plus de 7 milliards. Question théorique intéressante : quel pourcentage d'êtres humains aurait accepté de tuer pour 7 milliards de dollars – et quel pourcentage aurait refusé ? Ou simplement de fermer les yeux sur un meurtre sans y prendre part ? Il y avait aussi deux gardes en uniforme dans le salon : *ceux-là, contrairement à ceux de l'entrée, étaient armés*. Regina avait été soulagée de son pistolet. Et eux, combien allaient-ils toucher pour leur sale boulot ? se demandat-elle.

Par moments, la lumière vacillait et Moïra se demanda ce qui se passerait si elle venait à s'éteindre. *Est-ce que les gardes leur tireraient dessus ?* Regina et elle étaient les seules dans leur axe de tir.

— Eh bien, nous y voilà, dit doucement Ming.

Il ne regardait pas Regina. *Il la regardait elle.*

Il parla en cantonais, avec la même douceur, à la chef de la sécurité. Qui riposta par une salve de cantonais beaucoup plus énervé. Moïra discerna de la fureur dans les pupilles de Ming. Il n'aimait pas qu'on le rembarre. Il se tourna vers les deux gardes et parla en chinois ; les deux hommes se précipitèrent sur Regina, la saisirent par les bras et l'emmenèrent. La chef de la sécurité lança une dernière imprécation par-dessus son épaule avant de disparaître. Moïra sentit un étourdissement la gagner, sa pompe cardiaque était hors de contrôle. Qu'allaient-ils faire d'elle ?

— Laissez-nous, dit Ming à Tove, au Dr Kapoor et à Julius. Je dois parler à Moïra.

— Mais…, commença son fils.

— J'ai dit de nous laisser, répéta Ming d'un ton qui ne souffrait aucune discussion, en anglais puis en chinois.

Julius rentra la tête dans les épaules, le visage empourpré, avant de sortir de la pièce. Tove Johanssen lança un coup d'œil réfrigérant en direction de Moïra. Dès qu'ils eurent quitté la pièce, Ming Jianfeng se tourna vers elle, et, prise d'un sentiment de terreur très pur, elle se souvint de la première fois qu'il l'avait fait, par l'entremise d'une caméra, dans une pièce du siège, à Central.

— Vingt-huit ans…, articule-t-il doucement. Vingt-huit ans.

Entre les paupières d'iguane, les yeux réduits à deux fentes brasillent comme un court-circuit dans un réseau électrique. Il s'approche du saint Sébastien, le contemple un instant, les mains nouées dans le dos.

— Pendant des années, je me suis demandé si je te verrais un jour… En chair et en os. Plusieurs fois, j'ai envisagé de me rendre moi-même à Paris. Je suivais de loin chacun de tes pas dans la vie, tu sais. J'embauchais régulièrement des détectives privés pour avoir de tes photos, de tes nouvelles… Et puis, Internet et les téléphones portables sont arrivés, et tout a été plus facile…

Il se retourna, la fixa.

— J'ai des tas de photos de toi à cinq ans, à dix, à douze – jouant dans le jardin ou derrière ta fenêtre.

— Je sais, *papa*…

Il lui lança un regard aigu.

— C'est pour ça que tu as accepté ce poste, dit-il, pour arriver jusqu'à moi ?

— Je n'étais pas tout à fait sûre…

— Que j'étais ton père ?

Elle acquiesça.

— Et maintenant, tu l'es ?

— J'ai comparé nos ADN.

— Tu peux dire merci au département eHealth et au Dr Kapoor, ironisa-t-il. C'est pour ça que tu voulais avoir accès à toutes les données – y compris les miennes…

— Tu le savais. Depuis le début, tu savais ce que je cherchais. Et tu voulais que je découvre la vérité. Que j'étais bien ta fille… Regina s'est demandé pourquoi tu ne m'avais pas arrêtée plus tôt… pourquoi tu m'avais laissée faire…

Elle se souvint de ses paroles lors de ce premier entretien virtuel à Central : « N'avez-vous pas le désir de faire mentir votre mère ? » Il opina en souriant. Se mit à aller et venir dans le grand salon.

— Et je voulais que tu voies ce que nous fabriquons ici. Le monde de demain.

— Les biais dans DEUS, c'est toi ? lança-t-elle.

— C'est ce qu'elle t'a dit ?

— C'est ce que je crois.

Il hocha la tête.

— J'ai eu une fille, comme tu le sais. Ping yee. Une enfant merveilleuse. Si brillante. Ping yee était la chair de ma chair, elle était comme moi. Nous nous ressemblions tellement, tous les deux. Rien à voir avec Julius, qui est le portrait craché de sa mère. Ping yee aurait dû hériter de l'empire. Elle l'aurait mené encore plus haut. Et puis, il y a eu ce stupide accident. Tu lui ressembles beaucoup…

— Je n'ai absolument rien en commun avec toi, rétorqua-t-elle.

— C'est ce que tu crois, glissa-t-il. C'est ce que tu crois… Ta mère, j'aurais pu la tuer, je ne l'ai pas fait, dit-il.

— Il y avait du monde pas loin. Cette délégation chinoise dont tu faisais partie… dans cet hôtel particulier du XVIe arrondissement… Tu te souviens ? Une soirée de printemps… C'est ce jour-là que j'ai été conçue, il paraît. Tu étais jeune. En ce temps-là, tu te contentais peut-être de les violer, qui sait ?

— Je vois qu'elle t'a tout raconté…

L'espace d'un instant, elle s'abandonna au désespoir.

— Oui, j'ai dû grandir avec ça…

— Viens, dit-il. Allons-y.

Il y avait quelque chose dans sa main, à présent. Elle
n'aurait su dire à quel moment c'était apparu. Un objet
noir et compact, de taille modeste : un petit revolver.

— Où est-ce qu'on va ?

— On monte.

Où étaient passés les autres ? Et les gardes ? Ils
ne devaient pas être bien loin… Ming et elle avaient
marché jusqu'à la rotonde, puis emprunté l'escalier de
marbre en hélice. Avant de remonter le couloir du premier étage jusqu'à une porte.

Sa chambre, constata-t-elle en entrant.

Un grand lit surélevé en bois sculpté. Des doubles
rideaux en taffetas encadrant les portes-fenêtres à la
française. Et la tempête au-delà du balcon : elle voyait
les arbres, ils semblaient battre des ailes comme s'ils
cherchaient à s'envoler. Ici non plus, il n'avait pas
fermé les volets. *Il aime ce spectacle, cette fureur,
cette brutalité.*

— Qu'est-ce qu'on fait ici ? demanda-t-elle.

— Qu'est-ce que tu crois ? Que je vais te violer ?
Tu es ma fille…

— Comment tu as su que j'étais ta fille ? Après
tout, tu l'as violée et puis tu es rentré dans ton pays.
Pourquoi t'en soucier ? Pourquoi te soucier de moi ?

Il s'approcha d'une commode baroque dorée et
pleine d'ornements en forme de coquillages. Ouvrit un
tiroir. En sortit un paquet de lettres, les lui tendit.

— Qu'est-ce que c'est ?

— C'est le courrier que ta mère m'a envoyé pendant douze ans jusqu'à sa mort.

Moïra reconnut l'écriture sur les enveloppes. Elle n'allait certainement pas les ouvrir.

— Elle aurait pu te mentir, dit-elle.

— J'ai fait un test de paternité deux ans après ta naissance, un autre dix ans plus tard, quand les tests se sont généralisés. J'ai même soudoyé un de tes médecins, la première fois… Contrairement à toi, je savais depuis toujours que nous étions liés. Mais au début, ce n'était qu'un intérêt lointain, assez vague, je n'avais vraiment pas de temps à te consacrer : une fille issue d'un viol et qui vivait si loin, quelle importance, au fond ? Et puis, j'avais déjà deux enfants. Je me contentais d'envoyer à ta mère l'argent qu'elle me réclamait. Pour la faire taire… pour avoir bonne conscience… parce que, après tout, tu étais ma fille… je ne sais pas trop… Tu ne t'es jamais demandé comment vous pouviez vivre dans une si grande maison avec son salaire de misère ? Ses traductions n'auraient même pas suffi à payer le loyer…

— Ma mère m'a toujours dit qu'elle ne voulait rien avoir à faire avec toi.

— Eh bien, elle t'a menti. Elle me méprisait, elle me haïssait. Mais elle prenait quand même mon argent… Deux fois par an, un chèque arrivait dans votre boîte aux lettres. Elle n'en a jamais renvoyé un seul. Et elle m'écrivait aussi, pour me parler de toi… J'ai commencé à m'intéresser à toi quand Ping yee est morte. Je suppose qu'il s'agissait d'une sorte de… compensation, que je te voyais comme une possible fille de substitution… Et puis, tu as fait des études et tu t'es intéressée à des domaines qui m'étaient évidemment familiers, et là je me suis dit que tu étais vraiment la fille de ton père... Là, j'ai commencé à te suivre de plus près... Quand tu es entrée chez Facebook, j'ai su qu'il fallait que je trouve un moyen de te rencontrer et de te parler... J'aurais donné un coup de pouce à ta candidature chez Ming s'il avait fallu, mais ça n'a pas été nécessaire : tu as passé les tests haut la main, ma chérie.

Il souriait, tout en la dévorant des yeux d'une manière qui la mettait mal à l'aise.

— Tu es bien ma fille, pas de doute... Je suppose que tu es aussi venue pour faire justice, dit-il, après ce que j'ai fait à ta mère...

Ce que j'ai fait à ta mère... Moïra eut l'impression que son sang se figeait dans ses veines.

— Depuis le début, tu savais qui j'étais, ajouta-t-il.

— Un violeur ? Oui. Un assassin ? Pas encore... Je vais te raconter le rêve que je fais souvent. C'est un rêve avec un Chinois.

Elle planta son regard dans le sien, lui décrivit le rêve par le menu. N'obtint aucune réaction.

— Grâce à ma mère, j'ai grandi avec cette obsession comme avec une putain de tumeur au cerveau. Mes études, ma carrière, tout n'avait qu'un seul but : *me rapprocher de toi*. Je savais qui tu étais, ma mère m'avait tout dit et il y avait tous ces articles sur toi dans la presse. Ce n'est pas toi qui m'as tendu un piège en m'attirant ici, c'est moi qui suis venue de mon plein gré, en toute connaissance de cause... J'avais l'intention de t'approcher autant que possible, de m'assurer que tu étais bien mon père et de faire éclater le scandale. Je voulais que le monde entier sache qui tu étais.

Et quand ce… policier m'a parlé du prince noir de la douleur, j'ai compris que tu étais passé à un stade… *bien supérieur.*

L'arme était toujours braquée sur elle.

— Le « prince noir de la douleur », hein ? releva-t-il. Joli…

Il fit un geste, redressant le canon.

— Déshabille-toi, dit-il.

Sa voix s'était modifiée. Elle l'observa. Tressaillit. Sentit son cœur geler dans sa poitrine. Toute forme d'humanité avait quitté les yeux de son père entre les paupières tombantes. Elle ne distinguait plus que deux portes ouvertes sur quelque chose de très ancien, de primitif, de sombre et de sinistre. C'était le regard d'un varan de Komodo, d'un caïman noir ou d'un anaconda.

— Quoi ? Tu avais dit…

— J'ai changé d'avis. Déshabille-toi.

Elle avala sa salive. Non ! Il n'oserait pas ! Mais elle croisa son regard humide, viscéral. Cet être – le mot « homme » ne lui parut pas approprié en cet instant – ne connaissait aucune limite, aucune borne à son abjection et à sa folie. Il n'aimait rien ni personne. Il n'était que dérèglement, bestialité et anomalie.

— Déshabille-toi, répéta-t-il d'une voix détachée, calme, hivernale, qui la couvrit de frissons.

La tempête tourbillonnait au-dessus de la péninsule. Les éclairs cisaillaient la nuit. Chan se cramponnait à son volant. Des branches volaient partout, traversant la route. Il ne voyait quasiment rien avec

la pluie qui bouillonnait entre les allers-retours déses-
pérés des essuie-glaces.

À plusieurs reprises, il avait roulé sur quelque
chose mais les pneus semblaient avoir tenu. Il amorça
un nouveau virage. Un peu trop vite. Beaucoup trop
vite, en vérité… Cette portion de route était bien plus
étroite et n'arrêtait pas de tourner.

Il le vit trop tard : le tronc couché en travers de la
chaussée, au sortir du virage. Malgré lui, il écrasa
la pédale de frein et perdit aussitôt le contrôle du
véhicule sur la route inondée. C'était un gros tronc.
Hérissé de branches pointues. Chan donna un coup
de volant, mais la caisse ne lui obéissait déjà plus – et
le tronc arriva sur lui à tout berzingue. Il fut projeté
en avant. Sa ceinture le bloqua sèchement à quelques
centimètres du pare-brise – et le pare-chocs s'arrêta,
lui, à quelques centimètres des dangereuses branches
pointées dans leur direction. Son cœur battait la cha-
made. Putain, il était passé près, cette fois.

Marche arrière toute. Tourner le volant en douceur.
Le tronc couché ne barrait pas la totalité de la route. Il
y avait un passage, sur la droite…

55

Elle scrutait le trou noir du canon. Commença à retirer le polo de la sécurité trouvé dans le placard de Regina. Surprit son regard. Seigneur, elle se demanda lequel des deux était le vrai : le Ming Jianfeng officiel, réservé, aimable et souriant – ou cette chose sans nom qu'elle avait devant elle, cette petite créature ventrue et diabolique.

Elle n'était plus que glace à l'intérieur. Elle n'avait plus le moindre doute sur ce qu'il allait lui faire et elle se remémora toutes ces histoires sordides de l'Antiquité pleines de viols, de meurtres et d'incestes. Médée, Œdipe, Agamemnon, les Atrides… Elle se demanda comment elle n'avait pas envisagé cette éventualité plus tôt. Les Grecs avaient déjà tout compris, songea-t-elle, bizarrement déconnectée de ce qui se passait.

Il était chinois. Il devait y avoir des mythologies semblables en Chine, non ? L'homme était fondamentalement malveillant et malfaisant. La bonté était antinaturelle, le fruit d'une éducation. Rousseau s'était planté. Et en balayant l'éducation classique au profit d'une simple accumulation d'informations exempte de toute perspective éthique, Internet menaçait de ramener l'humanité à son état antérieur. Il était somme toute logique qu'un être tel que Ming fût à la tête d'un empire numérique.

Son esprit ratiocinait, s'évadait pour ne pas affronter ce qui allait advenir. Sa mère avait connu l'enfer, sa fille allait connaître un sort pire encore.

Elle en était là de ses pensées quand la porte de la chambre s'ouvrit à la volée. Elle tourna la tête. Ismaël… Le petit majordome à la laideur repoussante venait d'entrer en coup de vent dans la chambre. Ming le regarda, aussi surpris qu'elle. Ismaël tenait une arme, lui aussi. Mais il ne la braquait pas sur elle : il la braquait sur son patron.

— Vous avez fait assez de mal comme ça, déclara-t-il.

Elle ne saisit pas vraiment ce qui se passa ensuite. Soudain, la lumière s'éteignit pendant une seconde et demie. Black-out. Deux coups partirent, illuminant l'obscurité de leurs éclairs fulgurants, faisant siffler ses tympans sous l'intensité de leurs déflagrations. Quand la lumière revint, Ismaël et Ming étaient au sol, bras et jambes furieusement emmêlés. Deux vieillards se livrant une lutte à mort, griffant, mordant, cherchant à étrangler et à crever les yeux de l'ennemi avec leurs ongles – elle n'avait jamais assisté à un spectacle pareil.

C'était sa chance.

Impossible d'arriver jusqu'à la porte : les deux lutteurs étaient presque couchés devant. Ils ahanaient, criaient, crachaient et sifflaient. Mais il y avait le balcon… Déjà, elle entendait une cavalcade quelque part dans la maison. Les coups de feu avaient alerté les gardes… Ses oreilles sifflant toujours, elle attrapa le polo et tira violemment sur la porte-fenêtre, que le typhon repoussa d'un coup dès qu'elle fut libérée. Moïra s'avança sur le balcon, immédiatement empoignée par les rafales, ébouriffée par le vent. Elle jeta un coup d'œil en bas. C'était haut. Mais pas tant que ça. Dans les quatre mètres… Sous la partie gauche du balcon en rotonde, elle vit les pavés de la terrasse, elle avait toutes les chances de se rompre les os en sautant par là – mais à droite se trouvait une légère pente herbeuse et détrempée. Elle enfila le polo sur ses seins nus et enjamba la balustrade.

Allez, vas-y. Pas de temps à perdre.

Elle sauta. Sentit aussitôt une douleur très vive traverser sa jambe en se réceptionnant et roula dans l'herbe gorgée d'eau. Merde, elle s'était tordu la cheville ! Mais, le cul enfoncé dans la terre meuble, elle replia prudemment sa jambe droite vers elle, tâta avec précaution sa cheville, ne ressentit qu'une douleur somme toute assez supportable, se redressa et l'assouplit par des mouvements circulaires. Pas une grosse entorse, rien qu'une légère torsion…

File ! Cours ! Va-t'en ! La petite voix intérieure lui hurlait de s'enfuir. Regina avait dit qu'il fallait aller vers le nord. Elle tenta de mettre de l'ordre dans ses pensées, de se remémorer le plan du Centre, s'orienta et s'élança à travers le campus.

Dès qu'elle fut debout, le vent la renversa. Les violentes rafales changeaient sans arrêt de direction et elle fut jetée à terre une première fois avant de se mettre à courir pliée en deux, le visage plus près du sol. Les grondements du typhon étaient terrifiants, les éclairs blanchissaient la nuit. Par moments, elle avait beau chercher à avancer de toutes ses forces, courbée comme un rugbyman dans la mêlée, elle faisait du sur-place. Des branches et des feuilles volaient partout. La pluie la frappait si fort qu'elle avait la sensation d'être heurtée par des grêlons et elle fut trempée jusqu'aux os en une seconde.

Lorsqu'elle s'enfonça enfin dans la forêt obscure, à la lisière du campus, elle entendit des cris et des appels derrière elle et elle comprit avec un frisson glacé qu'ils s'étaient lancés à sa poursuite sans savoir dans quelle direction elle était partie. *Pour le moment...* Le typhon était un obstacle mais aussi un avantage : il compliquait autant sa progression que les recherches de ses poursuivants.

Pas de drones cette nuit, songea-t-elle.

Une branche projetée par le vent la frappa si violemment qu'elle en fut presque sonnée. Puis une deuxième. Elle porta une main à son front. Impossible de dire si elle saignait ou si c'était l'eau qui dégoulinait sur son visage. Loin d'être un refuge, les bois torturés par le cyclone étaient pleins de dangers. Elle se mit en devoir de les traverser, mais la progression était extrêmement difficile. Elle se heurtait sans arrêt à des arbres que la tempête avait couchés ou à des montagnes de débris bloqués par les buissons et devait éviter tant bien que mal le fouet incessant des branches.

Tout autour d'elle, la forêt gémissait, craquait et se lamentait. Le vacarme était impressionnant. Levant la tête, elle vit des armées de nuages glisser à toute vitesse dans la nuit, entre les cimes martyrisées. Sortis d'on ne sait où, des dizaines de sacs plastique s'accrochaient aux branches et lui collaient à la figure comme des méduses froides. Mais c'était le cadet de ses soucis. Au bout de quelques minutes cependant, la forêt s'ouvrit et elle se retrouva devant de doux vallonnements herbeux balayés par des bourrasques encore plus violentes.

Un golf...

Elle n'y voyait pas à cinq mètres. Le déluge noyait tout et lui rinçait la figure.

Elle se remit en marche, arc-boutée contre le vent, clignant des yeux comme un myope privé de ses lunettes, sans aucune visibilité. De nouveau, elle entendit des cris et des sifflets derrière elle, et son pouls s'emballa. Sur le terrain de golf ouvert à tous les vents, le typhon donnait la pleine mesure de sa fureur, hurlant d'une voix effrayante, et elle dut avancer presque à quatre pattes, touchant l'herbe du bout des doigts, avec la sensation qu'on lui tirait les cheveux et qu'on essayait de lui arracher ses vêtements. Le typhon parvenait à la repousser et elle faisait marche arrière sur plusieurs mètres avant de repartir de l'avant.

Quand elle atteignit enfin l'autre côté du green, trempée et tremblante, après de longues minutes à se débattre contre les éléments, la panique agrandit son regard et elle eut l'impression de tomber dans un abîme : des aboiements rauques, hystériques, venaient de se joindre aux cris humains. Elle se souvint que, parmi les dispositifs de sécurité du Centre, il y avait des chiens – et la terreur la heurta comme un uppercut.

Moïra replongea dans la végétation détrempée, l'écartant frénétiquement de ses bras. Ses vêtements étaient depuis longtemps déchirés, ses mains, son visage et tout son corps couverts d'écorchures et d'ecchymoses, mais elle n'y prêtait guère attention. Sous l'effet de l'adrénaline qui galopait dans ses veines, elle était presque en transe, tendue vers un seul but : *survivre*. Au bout de quelques mètres, le sol accusa une brutale déclivité et elle faillit perdre l'équilibre. Elle aperçut des lumières en contrebas, entre les arbres et les rideaux de pluie.

Le village de pêcheurs... celui dont lui avait parlé Regina...

De nouveau, les aboiements des chiens lui parvinrent et la peur – une peur toute-puissante, incontrôlable – la fit hoqueter. Il pleuvait un peu moins fort maintenant et elle distinguait, au pied de la colline, dans la lueur blême des éclairs, la baie noyée sous les averses au-delà du village, la mer démontée et rugissante, les vagues de plusieurs mètres qui explosaient contre les pilotis. Elle se demanda par quel miracle ces fragiles maisons étaient encore debout : le village avait l'air construit de bric et de broc, une trentaine de constructions tout au plus, certaines en dur à un ou deux étages, d'autres simples amas de tôles rouillées posés sur des forêts de pilotis, le tout coincé entre la colline et la baie. Il y avait aussi des pontons flottants et des barques qui passaient un sale quart d'heure au large. Plusieurs d'entre elles avaient été projetées sur le rivage où s'accumulait déjà une haute ligne de débris.

Le cœur cognant à tout rompre, elle se mit à descendre la pente abrupte entre les troncs, freinant des quatre fers et s'agrippant où elle pouvait pour ne pas déraper et être précipitée en avant. Des torrents de boue dévalaient la colline autour d'elle ; elle en avait jusqu'aux chevilles et elle craignit d'être emportée par un glissement de terrain.

Moïra émergea ensuite du couvert des arbres au sommet d'une rampe de béton transformée en torrent qui descendait vers le village et, avant qu'elle ait pu faire quoi que ce soit, elle se retrouva assise dans trente centimètres d'eau, dévalant la pente comme un toboggan. Elle entra ainsi dans l'unique rue du village, avec le grondement assourdissant de la mer dans ses oreilles, et ne put se remettre debout que quand le sol fut revenu à l'horizontale.

Le vent était moins violent ici – même si les rafales continuaient de la secouer : le village comme la baie étaient un peu protégés de la fureur du typhon par la colline escarpée qui les surplombait.

Toutes les fenêtres et toutes les portes étaient barricadées à l'aide de planches, les lumières qu'elle avait aperçues étaient celles de lanternes extérieures qui se balançaient dans le vent. Pas âme qui vive. Elle se demanda si les habitants avaient déserté le village ou s'ils étaient enfermés chez eux. S'arrêta pour reprendre son souffle puis s'avança. Les petits autels – fruits, encens et inscriptions – que les Hongkongais placent à l'entrée des maisons avaient disparu. Tout comme les chaussures ordinairement alignées sur le seuil.

Moïra frappa un battant barricadé. Appela. Elle crut entendre des voix inquiètes à l'intérieur. Elle cria de plus belle. Tambourina.

— *HELP ME ! HELP ME, PLEASE !*

Pas de réponse. Elle marcha jusqu'à la maison suivante, recommença. Tambourina. Appela au secours. De nouveau, elle crut entendre des voix. Attendit. De la lumière filtrait par une fente des volets. Il y avait quelqu'un. Mais personne ne vint…

Elle cria de nouveau.

— *HEEEELPPPPPPPPP !*

Des larmes de rage se mêlaient à la pluie. Elle hurla. Un hurlement déchirant, guttural.

Ils allaient la laisser crever : devant leurs portes ? Tôt ou tard, les chiens et les hommes de Ming seraient ici…

Elle fut tentée de s'asseoir par terre et de renoncer. Sa gorge la brûlait, ses membres étaient proches de la tétanie. Mais elle se remit en marche le long de la ruelle parallèle au rivage, s'enfonçant vers le cœur du village, à la recherche d'un endroit où se cacher.

Un peu plus loin, la rue décrivait un coude pour contourner un hangar sur pilotis. Moïra distingua de nombreux aquariums dans l'ombre du toit de tôle. Les poissons avaient été mis à l'abri. Ou rejetés à la mer. Le hangar tremblant semblait sur le point de se disloquer. Le vent s'engouffrait à l'intérieur, menaçant de soulever le toit. Les lames se brisaient contre ses pilotis, sur la gauche, et Moïra vit s'élever de blêmes gerbes d'écume dans la pénombre. La plupart des aquariums étaient brisés.

Surgie de nulle part, une plaque de métal la heurta au front et elle grimaça de douleur, vit trente-six chandelles. Elle parvint sur la place qu'elle avait aperçue du haut de la colline. Un petit temple se dressait de l'autre côté. L'un des deux lions de pierre encadrant l'entrée avait été renversé par le vent qui tourbillonnait sur la place. Soudain, un nouveau bruit se mêla au grondement de la mer et aux hurlements du vent.

Elle se retourna. Observa la route qui contournait la baie et aboutissait à la rampe de béton qu'elle avait dévalée. *Des phares...* Ils clignotaient à travers la pluie. Les gens de Ming avaient compris où elle allait. En même temps, elle perçut l'écho des aboiements tout proches, juste en haut de la colline. Elle arrêta de respirer. Entendit les coups violents de son cœur dans sa poitrine. Eut du mal à retenir ses larmes. Elle aurait donné n'importe quoi en cet instant pour que Chan fût à ses côtés.

À CHAQUE RAFALE, la voiture vibrait. Dans la lueur des phares, la route crépitait comme si un million de sauterelles dansaient dans la flotte et Chan, les jointures de ses doigts blanches sur le volant, sa chemise trempée de sueur, ne sentait plus ses bras.

Il commençait à se demander s'il en verrait le bout. Son téléphone posé sur le siège passager était toujours hors service mais il n'avait pas besoin du GPS pour savoir qu'il était tout près. Son arme était posée à côté du téléphone. Il avait ôté la sécurité et fait monter une balle dans le canon. Il tenta de réfléchir. Qu'allait-il faire quand il se retrouverait face aux hommes de Ming ? Il était flic. Est-ce qu'ils allaient s'interposer ou le laisser passer ? Les renforts devaient s'être mis en route, à présent, mais il n'avait nul moyen de savoir combien de temps il leur faudrait pour être sur place.

Il était seul. Livré à lui-même. Avec la sensation terrifiante qu'il allait arriver trop tard. Il amorça un dernier virage. Le vent avait un poil molli. Un poil seulement. Ou alors il commençait à s'habituer. Comme pour le contredire, une pointe de vent frappa la voiture par tribord et il donna un coup de volant sec pour la maintenir sur la route. Vit quelque chose malgré les seaux d'eau qui brouillaient le pare-brise. Une ombre barrant la chaussée. Massive. Noire. *Un tronc...* Couché en travers. Hérissé de branches.

Merde ! Il pompa sur la pédale de frein. La voiture tangua, se cabra. Glissa vers l'obstacle. Il pompa encore. Puis freina carrément. Et la caisse partit aussitôt en aquaplaning, avant de ralentir d'un coup. De nouveau, la ceinture de sécurité le retint et l'empêcha de passer à travers le pare-brise. Mais une branche énorme – ébarbée et taillée comme une sagaie masaï par le typhon – vint à sa rencontre, percuta le pare-brise, le fit exploser, fondit droit sur lui, entra dans son cou juste en dessous du menton, arracha au passage le cartilage thyroïde, le larynx, la trachée. Puis la voiture s'immobilisa. Et son chauffeur avec. La grosse branche plantée dans son cou...

Il respirait. Il percevait les battements lourds et lents de son cœur. Il n'avait pas eu la moelle épinière sectionnée, se dit-il, sinon il serait déjà mort.

Chaque foutu battement expulsait un flot de sang de son cou sur sa poitrine – il devait avoir une artère ouverte –, il pouvait sentir le liquide chaud se répandre sur son torse par à-coups. Il entendait aussi le sang qui gargouillait au fond de sa gorge. Il avait de plus en plus de mal à respirer, l'air s'échappait par cette plaie béante. Il pensa à Moïra. Où était-elle, en ce moment ? Que faisait-elle ? Son visage était brûlant, mais le vent humide et la pluie qui s'engouffraient par le pare-brise fracassé le rafraîchissaient. Il ressentait aussi une pression au niveau de ses yeux, et il savait ce que c'était :

ils étaient en train de se remplir de sang. Merde, il était vraiment en train de mourir, sans rire…

Il aurait voulu l'appeler, lui dire que oui, il était tombé amoureux d'elle, lui aussi.

Tu en es sûr ?

Oui, j'en suis sûr.

Je t'aime, Chan.

Paris, c'est comment ?

Tu aimerais voir Paris ?

Oui. Oui.

Quand ça ?

Maintenant, tout de suite… Il doit bien y avoir un avion…

Tu es complètement fou.

Non, je veux voir Paris, c'est tout… avec toi… maintenant…

Pourquoi tu es si pressé ?

Parce que je vais mourir…

Quoi ?

Je vais mourir, Moïra… laisse-moi voir Paris avant, avec toi…

Tu saignes. Pourquoi est-ce que tu saignes comme ça ? Tu saignes vraiment beaucoup…

Je sais.

Tu ne vas pas mourir sans voir Paris, pas vrai ?

Je suis désolé…

Non ! Je t'interdis !

Je suis désolé, Moïra.

Ce dialogue dans sa tête. Ils allaient se revoir, les secours allaient arriver, l'ambulance l'emporterait – et elle serait là, près de son lit, quand il se réveillerait. *Mais non. Tu sais bien que non…* Le grand sommeil le gagnait, l'univers froid et noir l'appelait. Pas si difficile, après tout, de partir. Pas si désagréable non plus. Il y avait un tunnel là-bas, plein de lumière. Un putain de tunnel… Ses yeux, braqués sur la route inondée, papillotèrent.

Je suis désolé…

Ne le sois pas. Je t'aime, Chan.

LES PHARES APPROCHAIENT. Beaucoup trop vite. Au moins trois véhicules. Ils seraient là dans une poignée de secondes. Elle regarda autour d'elle. Chercha un endroit où se planquer. Mais la place n'offrait guère de cachette. Elle se dirigea vers les pilotis, là où les terrasses branlantes des restaurants du bord de mer s'avançaient au-dessus de l'énorme houle, jeta un coup d'œil sous les terrasses, fouilla du regard l'obscurité entre les pilotis.

Si elle descendait là-dessous, elle serait emportée par les vagues ou se noierait dans les creux de deux mètres et les lames déferlantes. Ça remuait comme dans une marmite, là, en bas. Elle ne tiendrait pas cinq minutes.

À cent mètres de là, elle vit les trois gros 4 × 4 noirs dévaler la rampe en béton, leurs phares illuminant un instant les toits de tôles et de tuiles consolidés de grosses pierres, puis ils disparurent derrière les maisons à l'entrée du village. Elle entendit les portières claquer, les cris, les sifflets. Elle envisagea avec désespoir toutes les autres possibilités mais il n'y en avait aucune ; elle s'avança alors au bord du quai, à moins d'un mètre des pilotis qui soutenaient l'une des terrasses et qui tremblaient sur leurs fondations sous les coups de boutoir de la mer. Laquelle s'engouffrait dans tous les espaces disponibles et explosait en hautes gerbes d'écume. Il y avait une sorte d'échelle qui s'enfonçait dans l'eau, entre deux pilotis, elle s'y agrippa. Commença à descendre les échelons glissants. Une vague manqua l'emporter. Un des pneus accrochés le long des pilotis la frappa violemment au visage. Elle se glissa ensuite sous le plancher de la terrasse, dans le noir, en s'accrochant à la moindre planche, et crut bien sa dernière heure venue quand une première vague la submergea. Moïra but la tasse. Toussa. Cracha. Reprit sa respiration. Mais déjà une autre lame arrivait, la giflant et la recouvrant, tirant sur ses jambes pour l'emporter. Hoquetant, mi-rampant, mi-nageant, elle s'enfonça dans les ténèbres mouvantes, imaginant des requins, des espèces géantes et voraces dans ces eaux putrides pleines de déchets visqueux et d'objets non identifiés. De fait, un tas de choses qu'elle ne pouvait distinguer – même si elle devinait des bidons en plastique, des bouts de bois, des bouteilles et des poissons morts – la frôlaient et la heurtaient. Ça puait le mazout et le poisson pourri, là-dessous. Accrochée de toutes ses forces à l'écheveau de pilotis et de planches qui formait le soubassement de la terrasse, elle se demanda combien de temps elle tiendrait. Déjà, elle sentait l'acide lactique durcir ses bras, l'eau de mer emplir sa gorge et son nez. Si elle se relâchait, si elle faiblissait un tant soit peu, elle serait emportée par la violence des vagues et se noierait au large.

— ALLONS-Y ! LANÇA JULIUS, à l'entrée du village.

Les hommes ouvrirent la porte latérale du dernier véhicule – qui n'était pas un 4 × 4 mais un van – et se penchèrent à l'intérieur. En sortirent les petites bestioles de métal qu'ils appelaient *cockroaches*, celles qui ressemblaient à des boîtes en fer-blanc rectangulaires pourvues de six pattes articulées et de deux « yeux » qui étaient en fait des caméras.

Celles que rien ne semblait pouvoir arrêter – à part peut-être un typhon.

Les techniciens réglèrent la demi-douzaine de mini-robots, puis les lâchèrent dans les vingt centimètres d'eau de la ruelle. Aussitôt, dans la lueur des phares qui incendiait les premières maisons du village, les créatures filèrent dans toutes les directions, à vive allure, nageant, rampant et bourdonnant.

— Saletés de bestioles ! dit l'un des hommes de la sécurité, un HK MP5K en bandoulière.

— Allons-y, répéta Julius.

Il marcha jusqu'à la première maison, examina la porte et la grille, secoua cette dernière.

— Ouvrez ! Ouvrez ou j'enfonce cette porte ! hurla-t-il en cantonais.

56

MOÏRA SE TENAIT tout au fond, dans l'obscurité, les bras passés autour d'une planche transversale qui servait d'entretoise entre deux pilotis, et elle voyait les lames arriver sous forme de hautes murailles liquides. Chaque fois, elle se retrouvait plongée dans une flotte huileuse pleine de choses gluantes ou coupantes qui la frôlaient ou la blessaient. Si par miracle elle survivait à cette nuit, elle mourrait certainement de septicémie. Le tumulte là-dessous était infernal, les vagues grondaient, la charpente vibrait, des objets s'entrechoquaient et explosaient à chaque assaut de la mer.

Elle était parcourue de tremblements et elle pleurait. Elle était à bout de forces, elle ne tiendrait plus longtemps. Malgré le vacarme du typhon, elle captait par moments les cris des hommes de Ming qui se répandaient à travers le village, leurs poings qui tambourinaient sur des portes. Elle n'arrêtait pas de tousser et de recracher de l'eau de mer, elle serrait les mâchoires le reste du temps. Elle avait tellement reculé dans les ténèbres, aussi loin que possible du bord, que son dos était appuyé contre du béton froid et râpeux.

Soudain, elle vit quelque chose tomber dans la flotte depuis le quai, à quelques mètres devant elle. Puis un bourdonnement aigu s'éleva, et un filet de lumière se mit à danser à la surface des flots. L'objet monta et descendit au gré des vagues, se faufilant entre les pilotis. Elle se raidit. Un *cockroach*. Le mini-robot se tourna ensuite dans sa direction, et la brillante lumière jaune l'aveugla. Elle allait plonger la tête sous l'eau quand une énorme vague balaya l'espace sous la terrasse, les engloutit tous les deux puis reflua, emportant le robot.

Elle reprenait sa respiration, le haut du crâne plaqué contre le plancher de la terrasse, lorsqu'un autre faisceau, plus puissant celui-là, creva l'obscurité entre les noirs pilotis et s'arrêta sur elle, l'éblouissant. Elle cligna des yeux. Les ferma pour mettre fin à la douleur dans ses nerfs optiques. Les rouvrit. Cilla de nouveau, blessée par l'étoile de lumière au ras du quai.

— Sors de là, Moïra.

La voix de Julius.

— ON NE TE VEUT pas de mal. Sors de là.

Tu parles... Une pensée régressive lui vint : elle était redevenue une enfant, elle jouait à cache-cache et refusait de reconnaître qu'elle avait perdu. *Sors de là... Ce n'est pas du jeu, Moïra, on t'a vue : sors de là...*

— SORS DE LÀ, sœurette, ou tu vas mourir noyée. Eh oui : papa m'a tout raconté. Le même sang coule dans nos veines. Tu ne trouves pas ça chouette ? Moi, je suis un rien déçu : tu n'as pas grand-chose de chinois à vrai dire – à part ces yeux un peu bridés. Regarde les choses en face, sœurette. Si tu restes dans ce trou, combien de temps avant que tu lâches prise et que la mer t'emporte ? D'un autre côté, je peux aussi demander à mes hommes de balancer une rafale là-dessous, et tout sera terminé… Ou bien tu sors de là et on discute. Tu as peut-être une chance que je t'épargne. Tu es ma sœur, après tout. Ça doit compter un peu, non ? Oui. Un tout petit peu… Je ne vais quand même pas tuer ma propre sœur… Et puis, c'est mon père qui tue et torture les femmes, pas moi…

Il ne faisait aucun effort pour la rassurer. Sa voix évoquait celle d'un frangin qui taquine plus ou moins gentiment sa sœur mais elle était aussi froide que l'eau dans laquelle elle baignait. Il lui mettait le marché en main, sans pour autant lui garantir une issue heureuse. Elle claquait des dents, tous ses muscles endoloris et engourdis. Il fallait qu'elle sorte de là.

— Je viens, lança-t-elle dans le noir (et sa gorge brûlante de sel la fit tousser).

— Tu as pris la bonne décision, lui répondit-il depuis le quai.

Tandis qu'elle se déplaçait en une lente reptation entre les pilotis gluants, les entretoises au bois vermoulu et les tuyaux couverts d'algues qui couraient sous la terrasse, elle sentit des milliers de coups d'aiguille dans ses muscles restés bandés trop longtemps. La mer continuait de donner l'assaut et les vagues déferlaient sur elle, la noyant pendant quelques secondes dans une gangue liquide avant de refluer. Enfin, elle agrippa l'échelle de fortune par laquelle elle était descendue et se hissa à l'extérieur, à hauteur de la place.

— Bon sang ! s'exclama Julius. Dans quel état tu es !

Elle prit pied sur l'esplanade. Le ciel continuait de déverser des trombes d'eau sur la place. Julius la fixait, sous la capuche de sa cape de pluie crépitante. Autour de lui, plusieurs hommes armés et pareillement vêtus pointaient vers elle ce qui ressemblait fort à des pistolets-mitrailleurs, bien qu'elle n'entendît rien aux armes à feu. Des engins noirs et compacts, avec des canons courts, des corps trapus et de gros chargeurs en dessous qui dépassaient de sous leurs capes plastifiées.

Elle savait comment tout cela allait finir. Il n'avait nullement l'intention de la laisser vivre. Mais un cadavre criblé de balles était sans doute plus difficile à expliquer qu'un corps tombé d'une falaise ou noyé au cours d'un typhon… Elle était arrivée au bout du chemin, au bout de son aventure à Hong Kong.

Soudain, elle se plia en deux et vomit. De la bile et de l'eau de mer. Rien d'autre. Elle respira et ahana, la bouche ouverte comme un clébard.

— C'est dommage, petite sœur. J'aurais bien aimé faire plus ample connaissance.

Elle ne pouvait s'arrêter de trembler, à présent. D'épuisement, de trouille ou à cause de la tétanie. Elle rejeta en arrière ses cheveux gorgés d'eau qui lui faisaient un rideau sur la figure. Ferma un instant les yeux. Un matin de printemps dans la ferme de ses grands-parents, dans le Sud-Ouest. Derrière la ferme, une vaste étendue de plaine jusqu'aux montagnes. Un verger de pommiers, des champs, des chemins de terre et des routes – et puis les montagnes bleues, au loin. Des draps propres qui dansent dans le soleil, et un parfum de fleurs, de pommes, de bois et d'herbe chaude. Des abeilles et des moucherons. C'est ce jour-là, aux alentours de midi, alors que la chaleur crépite comme un incendie, que sa maman lui raconte l'histoire de son père. De ce Chinois qui l'a violée. Ce jour-là, elle apprend qu'elle est née d'un viol. Un *viol* ? Qu'est-ce que c'est, maman ? Elle a dix ans. Le bonheur n'existe pas, lui explique en substance sa mère. Enfin, pas réellement. Le bonheur n'est qu'un mot. Mais le malheur si… Le malheur a à jamais le visage de ce Chinois. À partir de ce jour-là, et pour les deux ans qui lui restent à vivre, sa mère n'aura de cesse de le lui répéter : le malheur s'appelle Ming.

Moïra se demanda où étaient passés les chiens. Ceux qu'elle avait entendus aboyer. Puis elle aperçut deux silhouettes derrière les gardes. Deux MadDogs. Leur métal brillant et ruisselant dans l'ombre, leurs gueules pointues et menaçantes tournées vers elle, leurs sinistres yeux lumineux. *C'étaient eux qu'elle avait entendus.* On avait poussé le sens du détail jusqu'à leur donner de véritables aboiements. Elle frissonna. Elle espérait qu'ils n'allaient pas simuler un accident avec ces robots… Tout mais pas ça.

Il y avait aussi plusieurs *cockroaches* entre les jambes des hommes. Elle prit une inspiration. Sentit de nouveau monter la nausée. Elle ouvrit la bouche et hurla de toutes ses forces. « *HELP !* » Sa gorge brûlante la fit tousser convulsivement. Elle respira bruyamment, se redressa et cria de nouveau.

— *HELP ! THEY'RE GOING TO KILL ME !*

— Moïra, arrête ça !

Julius…

— *HEEEELLPPP ! HEEEEELPPPPPP !*

595

Il s'avança, la frappa au ventre et elle tomba à genoux dans la flotte, le souffle coupé, le bide douloureux.

— Ferme ta gueule, putain !

Un bruit sur sa droite. Puis un autre. Et un autre encore… Des portes, des volets s'ouvraient. Julius pivota sur lui-même, imité par les gardes. Des lumières étaient apparues à travers le rideau d'eau, à la lisière de la place, venues de l'intérieur des maisons. Des rectangles jaunes dans la nuit furieuse. Un volet claqua contre un mur, poussé par le vent. Puis des silhouettes s'encadrèrent sur ces rectangles de lumière. Grandes et petites, minces ou trapues. Hommes, femmes, enfants…

— Rentrez chez vous ! leur lança Julius. Rentrez chez vous !

Mais il y avait de plus en plus de monde, maintenant. Silencieux, ils sortaient sur le seuil des maisons, s'avançaient sur la place. Moïra pensa à cette série. *The Walking Dead*. Les villageois s'arrêtaient à distance respectueuse, témoins muets mais obstinés de la scène, formant un demi-cercle de silhouettes sombres.

— Rentrez chez vous, j'ai dit ! leur cria Julius. Foutez le camp !

Deux des hommes de Ming pointaient leurs armes vers la foule. Ils n'allaient quand même pas tirer sur des enfants et des femmes, se dit-elle.

— *HELP* ! cria-t-elle. Au secours ! Ils veulent me tuer !

— Ferme-la ! hurla Julius. Je te dis de la fermer !

Il trépignait. Son regard allait et venait entre Moïra et les villageois, hésitant sur la conduite à tenir, quand, très loin dans la nuit et la tempête, une sirène gémit, puis une deuxième. Moïra vit Julius faire volte-face, les yeux agrandis dans l'ombre de sa capuche.

Elle s'était relevée et elle pivota elle aussi vers la route qui contournait la baie. *Des phares, là-bas... Et des gyrophares...* La cavalerie... Chan... Elle sentit sa gorge se nouer.

Les sirènes mugissaient de plus en plus fort.

— Qu'est-ce qu'on fait ? demanda l'un des gardes en anglais. On fait quoi ?

— Moi, je laisse tomber, dit un autre en posant son arme à terre. La police arrive... Laissez tomber, les gars. On n'a pas à faire ça...

Un deuxième garde l'imita, déposa son arme.

— Qu'est-ce que vous foutez ? les interpella Julius. Qui vous a autorisés ?

Le vacarme des sirènes recouvrit ses cris. Comme auparavant, Moïra vit les véhicules dévaler la rampe en béton à l'entrée du hameau, les entendit freiner. C'étaient de gros véhicules. Des portières claquèrent. Des ordres furent lancés. Une cavalcade, puis les flics de Hong Kong firent leur apparition sur la place. Crièrent en cantonais et en anglais à l'intention des derniers gardes armés, qui déposèrent leurs pistolets-mitrailleurs.

Moïra chercha Chan des yeux. Où était-il ? Elle aperçut l'autre flic, celui plus âgé. Le vit qui se dirigeait vers elle.

— Ça va ? lui demanda-t-il en anglais.

— Où est Chan ?

— Venez, dit le Vieux. Il y a un véhicule de secours là-bas... Venez avec moi.

Elle vit qu'on passait les menottes à Julius. Il se laissait faire, visage fermé, il secouait la tête. Quelle étrange nuit... Il tourna brièvement son regard vers elle et Moïra n'y lut rien d'autre que le vide. Le sel ou les larmes lui piquaient les yeux. Le Vieux l'avait prise par les épaules, en un geste protecteur et affectueux. Ensemble, ils quittèrent la place, contournèrent le hangar aux aquariums, remontèrent la rue en direction des gros véhicules blindés bleu foncé, aux pare-chocs gigantesques et aux pare-brise renforcés de barreaux, derrière lesquels elle entrevit une ambulance.

Tout à coup, la peur fut de nouveau là. Elle ne le voyait nulle part...

— Où est Chan ? répéta-t-elle.

Elle croisa le regard du Vieux. Il avait les yeux humides, pleins d'une douloureuse compassion, dans l'incendie tournoyant des gyrophares. Et elle comprit. Elle hocha la tête et elle comprit. Elle ne voyait plus rien à présent à travers le brouillard de ses larmes. Rien qu'un flamboiement de couleurs vives : rouge sang, jaune comme le soleil le matin, bleu comme un ciel d'été. Les couleurs de la vie... Elle ne sentait plus la douleur dans son ventre ni le froid dans ses os. Elle tombait. Elle était debout dans les bras du Vieux et elle tombait. Dans quelque chose qui n'avait pas de fond.

— Comment ? demanda-t-elle.

57

MING JIANFENG S'ÉTAIT ASSOUPI. Quand il ouvrit les yeux, il lui fallut une demi-seconde pour reconnaître l'endroit.

Il promena son regard sur les vitrines brillamment éclairées, les spots éclaboussant le béton brut des murs, les pupitres et les tableaux de maître. S'il existait un cercle de l'enfer qui avait échappé à Dante, c'était sans nul doute ici, se répéta-t-il. Il s'étira. Grimaça à cause de ses muscles endoloris.

Examina le pansement qu'il s'était confectionné à la hâte autour de l'épaule, là où la balle de ce chien d'Ismaël avait traversé.

Il ne sentait plus rien mais ce n'était pas forcément bon signe. En tout cas, ça ne saignait plus. Il fit jouer ses mâchoires, ressentit aussitôt un éclair de douleur dans ses joues, se dit qu'il devait puer de la bouche mais que ça n'avait plus tellement d'importance à l'heure qu'il était.

Puis il écouta : la rumeur du typhon – audible jusqu'à ces profondeurs quand il s'était endormi – avait cessé. Ming Jianfeng consulta sa montre. 6 heures du matin. C'était peut-être l'œil du cyclone.

Ou alors c'était terminé. Il n'y avait plus le moindre bruit.

Est-ce que la police était partie ? Probablement. Ils avaient dû fouiller la maison et le Centre de fond en comble et ils ne l'avaient pas trouvé. *Ils le croyaient en fuite.* Ils devaient le chercher à Central, sur la péninsule, dans les hôtels, à l'aéroport… Il sourit. Il avait pris le dessus sur Ismaël et il l'avait assommé ou tué – peu lui importait – à coups de crosse avant de se rendre compte que Moïra avait filé. Il avait soigné sa blessure pendant que Julius et les types de la sécurité se lançaient à sa poursuite et, lorsqu'il avait entendu les sirènes de police, il avait compris que sa meilleure cachette était la chambre forte. Personne ne pouvait y pénétrer à part lui. Même s'ils en découvraient l'existence, ils ne parviendraient à ouvrir la porte qu'après de longues heures passées à l'attaquer au chalumeau ou à l'aide d'une charge explosive. Il n'avait entendu ni l'un ni l'autre. Cela voulait dire qu'ils ne l'avaient pas découverte.

Ming Jianfeng se mit debout. Exécuta quelques mouvements d'assouplissements. Il avait beau se maintenir en forme, il vieillissait. Et dormir sur un sol de béton froid n'était plus de son âge. Il avait aussi mal à la tête. Est-ce que l'appareil renouvelant l'air du sous-sol avait cessé de fonctionner avec le typhon ? Si c'était le cas – si sa migraine était due à l'excès de CO_2 –, il fallait qu'il sorte d'ici en vitesse.

Il s'avança vers l'escalier en colimaçon. Il n'avait plus guère d'alternative. Tous ses choix s'étaient réduits à un seul dans l'immédiat : il devait quitter Hong Kong.

Certes pas par l'aéroport de Chek Lap Kok ni en prenant le MTR pour Shenzhen, car il serait contrôlé aux postes-frontières de Lo Wu ou de Lok Ma Chau. Les héliports étaient aussi à exclure : ils faisaient sans doute déjà l'objet d'une surveillance. Non, la meilleure option était encore le bateau. Impossible de surveiller les milliers de bateaux qui mouillaient dans les ports, les marinas et tout le long de la côte de Hong Kong.

Ming Jianfeng avait depuis longtemps pris ses dispositions pour le jour où une telle chose se produirait. Dans le coffre d'un prêteur sur gages de Mong Kok l'attendaient un passeport, de l'argent liquide en dollars, en euros, en yuans et en dongs, des cartes de crédit et une petite valise. Il savait que les gardes-côtes et la police maritime allaient sillonner les eaux territoriales dans un premier temps, il n'allait pas prendre de risque : un *cubicle* de cinq mètres carrés était prêt à l'accueillir à Jordan, dans un immeuble de quarante étages qui comprenait plus de deux mille appartements-cages. En attendant que les choses se calment, il allait s'évanouir parmi les sept millions d'habitants que comptait cette ville, au cœur de l'aire urbaine la plus densément peuplée au monde. Et non loin de là, à Tsim Sha Tsui, se trouvait un directeur de clinique de chirurgie esthétique au train de vie très dispendieux. Hong Kong était une fourmilière humaine où régnaient en maîtres la corruption, la prévarication et l'appât du gain. Il n'était pas difficile d'y disparaître.

En grimpant les marches, il se demanda s'il était resté des flics en faction dehors. Ils devaient le croire en fuite, mais ils avaient peut-être laissé un ou deux hommes, à tout hasard. Pas impossible… Et puis, il y avait les employés du Centre : ceux qui allaient réparer les dégâts, les vigiles… Il n'allait pas prendre le moindre risque. Il allait sortir par-derrière, marcher cinq kilomètres à travers la mangrove et la jungle jusqu'à un restaurant de Tai Wan, en bord de mer. Encore un de ses relais : l'homme lui devait de l'argent – entre autres celui avec lequel il avait ouvert son restaurant sur la plage. Il planquerait Ming Jianfeng dans le coffre de sa voiture et l'abandonnerait dans un parking souterrain de Mong Kok. Rien de plus. En contrepartie, ses dettes seraient effacées. Et, en quittant le parking, Ming se fondrait définitivement dans la fourmilière. Invisible. Hors d'atteinte.

Ensuite, il entamerait une nouvelle vie sous une nouvelle identité. Il avait de nombreux projets. Les biotechnologies, par exemple. Alors que l'Europe bloquait toute expérimentation, la Chine avait déjà commencé les manipulations génétiques sur les embryons humains. Et les jeunes couples chinois, à la différence des Occidentaux, étaient massivement favorables à l'amélioration des capacités de leurs bébés. Un marché en or… Il suffirait d'une ou deux générations pour faire du peuple chinois un peuple plus fort et plus intelligent que les autres. Les premiers sur ce marché rafleraient la mise. Mais, en attendant, il devait sortir d'ici.

Le moment le plus délicat, c'est maintenant, songea-t-il en parvenant en haut des marches.

Il scruta le petit écran à droite de la porte blindée sur lequel s'affichaient les images des caméras de surveillance du salon. Personne en vue. Pas le moindre mouvement. Sa migraine augmentait. *Il devait sortir de là. Maintenant…* Il rabattit sur son front la capuche du sweat-shirt qu'il avait revêtu avant de descendre dans la cave, mit sur ses yeux des lunettes noires et appuya sur le bouton.

Pendant un terrifiant instant, il se demanda si le typhon n'avait pas endommagé le système d'ouverture et s'il n'allait pas rester définitivement coincé au fond de ce tombeau, à attendre de manquer d'oxygène. Puis un léger bourdonnement s'éleva et l'épais battant d'acier s'entrouvrit.

Dans le salon, il tendit l'oreille. Tout était silencieux. La villa semblait vide. Il se demanda si Tove et les autres avaient été arrêtés. Et où se trouvait le corps de Regina. Probablement à la morgue, après avoir été retrouvé disloqué au pied de la falaise. Quoi de plus banal qu'une chute au beau milieu d'un typhon ? Et Julius ? Était-il en fuite ou entre les mains de la police de Hong Kong ? Au vrai, il ne s'en souciait guère. Son fils n'avait jamais été qu'une ombre à la périphérie de sa vie. Julius avait tous les défauts de sa mère – le côté fantasque, ses colères éruptives, sa tendance foncière à l'autoapitoiement – et aucune des qualités de son père. C'était à se demander quel sang coulait dans ses veines. Ming avait pris toutes les dispositions pour que, s'il venait à disparaître, l'empire n'échût pas à Julius. À Pékin, des administrateurs zélés se tenaient prêts à mettre en branle certains mécanismes juridiques et financiers qui lui ôteraient tout espoir de reprendre un jour la société. Et Moïra ? Qu'était-elle devenue ? *Sa fille...* Il ressentit un petit pincement au cœur. Moïra aurait pu incarner l'avenir de Ming Inc. Si seulement elle avait été capable de tirer un trait sur le passé... Il n'avait pas le temps de se perdre en considérations, cependant.

Pas maintenant. Il y penserait plus tard. Aussi se dirigea-t-il vers le couloir qui menait à l'arrière de la maison. Mais avant de la quitter, il se faufila entre un canapé et le mur pour contempler le saint Sébastien. C'était l'œuvre d'un peintre du xve siècle, Domenico Ghirlandaio, mort de la peste à Florence en 1494. Pas la plus belle pièce de sa collection, c'était pourtant son tableau préféré. La façon dont les flèches entraient droit dans le beau corps du saint avait quelque chose d'incroyablement sensuel. Il allait lui manquer – lui et sa merveilleuse collection dans la cave.

— Un très beau tableau, apprécia une voix derrière lui.

Ming fit volte-face. Un type se tenait à l'autre bout du salon. Le milliardaire avait la tête qui tournait. Il s'efforça de fixer son regard sur le nouveau venu, vit qu'il tenait un objet. Des cheveux gris acier, un imper chiffonné – et une arme à la main, pointée vers lui.

— Qui êtes-vous ?

L'homme sortit une carte de police.

— Police de Hong Kong, dit-il en cantonais. Allons-y.

— On va où ?

— À votre avis ?

— Je vous connais, dit Ming, une paire de menottes passée autour de son poignet droit, juste en dessous de sa montre Bovet 22 Grand Récital en platine, qui jurait avec son sweat-shirt, le bras levé, tandis que l'autre extrémité des menottes était accrochée au-dessus de la portière. Je vous connais, insista-t-il, vous êtes un de ces policiers qui enquêtent sur moi.

Elijah fixait la route inondée, le ciel encore noir et gonflé de nuages comme s'il allait entrer en éruption, les rues jonchées de débris. Ils roulaient à moins de cinquante kilomètres-heure sous un déluge continu ; le gros du typhon était passé mais ça soufflait encore.

— Vous ne me connaissez pas, répondit-il calmement.

— Vous êtes un junkie, un héroïnomane, un camé, éructa Ming à côté de lui. C'est vous l'homme que nous avions à l'intérieur de la police : l'homme de la triade. Les informations, c'était vous, pas vrai ?

Le vieux flic ne répondit pas. La pluie tambourinait sur le toit. Ils traversaient une ville blessée. Des arbres déracinés, des vitres explosées, des échafaudages effondrés, des rues transformées en rivières. Régulièrement, Elijah devait donner un coup de volant pour éviter une grosse branche, un frigo ou un appareil à air conditionné qui gisait au beau milieu de la chaussée.

— Et vous avez des dettes, beaucoup de dettes… La triade a la main sur votre gorge et elle s'apprête à serrer. Fort.

— C'est moi qui ai la main sur votre gorge, fit remarquer Elijah.

— Je peux régler ce problème… Je peux non seulement effacer votre dette mais faire de vous un homme riche… très riche…

La voiture soulevait des gerbes sales sur son passage, la flotte giflait le bas de caisse en produisant un bruit de chasse d'eau.

— Un million de dollars. Américains. Ça vous dirait ? Deux, trois… Sur un compte dans un paradis fiscal ou à la HSBC. Où vous voulez… Vous n'avez qu'un mot à dire et on va ensemble à la banque.

— Vous êtes en état d'arrestation. Il y a un mandat de recherche contre vous. Vos avoirs ont été gelés. Arrêtez vos conneries et fermez-la.

— J'ai un million en espèces planqué quelque part.

— Où ça ?

— Quelque part… Dites-moi, ça vous intéresse ? Oh oui, ça vous intéresse. Bien sûr… Plus de dettes, plus de souci de fin de mois. Plus d'embrouilles avec les triades. Et vous allez pouvoir vous en payer, de la came… Toute cette dope, pensez-y… Toute cette héroïne à volonté…

Oui, Elijah y pensait. Un junkie vendrait sa mère pour un shoot. Et ce que lui offrait son voisin, c'étaient des centaines de shoots – une longue suite d'extases chimiques. À perte de vue. Ou presque. *Et une overdose à la clé…*

— Non, merci, dit-il en évitant des barrières de voirie en plastique orange et blanc disséminées sur la chaussée.

— Où est-ce qu'on va ? demanda soudain Ming en jetant un coup d'œil à travers les rafales. C'est pas la route d'Arsenal Street, ça. À quel commissariat vous m'amenez ? Mong Kok ? Tsim Sha Tsui ?

— On est presque arrivés, déclara Elijah en quittant Jordan Road pour Nga Cheung Road.

Ils roulèrent ensuite vers le sud, dans le battement des essuie-glaces, longeant le quartier financier de Kowloon-Ouest et contournant le gratte-ciel de l'International Commerce Center au sommet cerné par les nuées. Austin Road West. Une baraque échappée d'un chantier voisin bouchait presque entièrement la voie. Elijah en fit le tour. Pas le moindre véhicule en vue.

Il ralentit, s'engagea entre deux palissades que le vent avait couchées, passant devant plusieurs baraques de chantier aux vitres brisées. La voiture cahota dans de profondes ornières pleines de fange, le vent projetait sur le pare-brise un mélange de boue, de sable, de pluie et d'embruns, formant une pellicule rougeâtre contre laquelle les essuie-glaces menaient un combat perdu d'avance. Devant eux se dressait une gigantesque structure de béton, de poutres en acier et d'échafaudages en bambou qui grimpait jusqu'au ciel. Un Meccano géant, sombre et inhumain, pas encore revêtu de son habit de verre. En bas, un grand panneau affichait un **M** de quatre mètres de haut, éclairé par un néon qui, étonnamment, avait résisté au typhon.

La future tour Ming...

— Qu'est-ce qu'on fait ici ? voulut savoir le milliardaire. Qu'est-ce que vous foutez ?

Sans répondre, Elijah roula jusqu'au pied de la tour, longeant une fosse pleine d'une eau couleur de ciment sur vingt mètres. Puis il coupa le moteur et descendit.

Autour de la voiture, un paysage désolé de camions-toupies et de grues à l'arrêt, de baraques de chantier vides, de tas de sable dont les sommets s'envolaient sous forme de minitornades, de trous géants dans lesquels on aurait pu engloutir un pâté de maisons. Sur le détroit tout proche, l'écume blanchissait une mer gris foncé. Les gratte-ciel de l'autre rive étaient presque invisibles, noyés dans la grisaille.

Il contourna l'avant de la voiture, suivi des yeux par Ming, ouvrit la portière côté passager, sortit son arme et la clé et défit les menottes.

— Descendez.

Il pointait son arme sur Ming. Lequel jeta un coup d'œil inquiet au décor.

— Qu'est-ce qu'on fout là ? Et si je refuse de descendre ? Vous allez faire quoi : me flinguer ?

Elijah lui appuya le canon de son arme sur la tempe.

— Descendez…

Ming obéit. Ses baskets s'enfoncèrent dans la boue, et en une seconde la pluie trempa son sweat-shirt.

— Vous n'avez pas le droit de faire ça, siffla-t-il.

— Fermez-la et avancez.

Elijah désignait l'immense base de la tour. Un peu plus loin, au pied de la titanesque structure, se trouvaient alignés cinq gros monte-charge Alimak grillagés.

— Allez jusqu'à la première cabine, ordonna le flic.

Ming obtempéra, piétinant dans la boue, le sable et les flaques d'eau.

— Soulevez la grille et entrez.

— C'est verrouillé, dit Ming calmement.

Elijah tira deux fois sur le cadenas. Ming bondit en arrière.

— Vous êtes malade !

— Soulevez la grille et entrez, répéta Elijah.

Ming attrapa la grille et la fit remonter – avant de pénétrer dans la grande cabine grillagée d'environ deux mètres sur quatre encombrée de palettes de béton posées sur un chariot. Le flic lui montra le joystick et le petit écran de contrôle dans un coin.

— Allez-y. Faites monter ce truc.

— Je ne sais pas me servir de ça.

— Essayez quand même.

Ming se raidit en éprouvant le contact du métal froid sur sa nuque, comme une brûlure sur sa peau, juste à la base des cheveux. Il connaissait cet appareil, il l'avait vu fonctionner plus d'une fois. Il le mit en route. Le gros moteur fixé sous le plafond ronronna et la cabine s'ébranla, se hissant lentement le long de l'interminable crémaillère qui grimpait à l'extérieur du bâtiment sur plus de cent étages, et qui semblait tellement fragile – simple rail perpendiculaire à la façade.

— On va où ? demanda-t-il d'une voix prudente.

— Tout en haut.

Clang-clang-clang. Le mécanisme frappait fort sur les dents et la cabine tressautait. La pluie traversait le grillage. Des gouttes de graisse les éclaboussaient. Les étages défilaient et le sol disparut, remplacé par un paysage plus vaste.

— J'ai le vertige, articula Ming, dont la voix ne trahissait pourtant nulle crainte.

Ce type-là a tué, torturé et violé en y prenant plaisir et il dirige un empire d'une main de fer, ne le sous-estime pas, songea Elijah en appuyant son dos au grillage.

— Taisez-vous, dit-il.

— Vous allez me tuer ? C'est ça ? Comme ça, personne ne pourra vous dénoncer…

Le canon de l'arme frappa Ming sur la bouche et celui-ci se plia en deux en portant les mains à son visage.

— Vous m'avez cassé une dent, putain ! Qu'est-ce que vous voulez, à la fin ?

Elijah ne dit rien de plus. Les secondes s'étirèrent, le temps se changea en une matière ductile, élastique, tandis qu'ils s'élevaient dans le ciel. Adossé au grillage, Elijah demeurait parfaitement immobile, son arme pointée vers Ming. Il ressentait les vibrations de la cabine jusque dans ses reins et voyait la ville s'éloigner. À mesure qu'ils grimpaient, les rafales se faisaient plus véhémentes. La cabine termina son ascension. Il n'y avait pas d'arrêt automatique à chaque étage et elle vint buter contre quelque chose, s'immobilisa, le plancher pas tout à fait au même niveau que la plateforme de béton de l'autre côté. Ils tournèrent le dos au vide, suspendus à quatre cents mètres du sol.

— Allez-y, sortez.

Ming lui jeta un regard circonspect. Elijah n'y lut aucune peur. C'était plutôt le regard rusé, matois, d'un chat qui attend son heure. Il y avait du sang sur son menton et sur son sweat trempé. De nouveau, l'homme d'affaires souleva le grillage. Il était étonnamment souple pour quelqu'un de son âge. Puis il repoussa les deux battants de la seconde grille et prit pied sur le béton brut, trente centimètres au-dessus du plancher métallique de la cabine.

Elijah l'imita, lui montra le chemin. Ming lui jeta un nouveau coup d'œil, surpris.

— Vous êtes déjà venu ici ?

Il ne prit pas la peine de répondre. Au-dessus d'eux, rien qu'un mikado de poutres en acier qui s'entrecroisaient, sans toit ni protection, et la pluie leur dégringolait sur la tête.

— Par là, dit Elijah.

— Où est-ce qu'on va ? voulut de nouveau savoir Ming en s'avançant sur le béton nu (ses dents cassées lui donnaient une curieuse élocution).

— Ferme ta putain de gueule.

— Vous n'avez pas le droit de faire ça, dit le Chinois d'une voix étonnamment posée. Vous allez vous retrouver en prison… Vous savez ce que les gens des triades font aux flics en prison…

— Tu vas encore échapper aux mains de la justice, se justifia soudain Elijah. Tu vas encore t'en tirer…

— La justice… ? ricana Ming en reprenant du poil de la bête. Est-ce qu'on parle de tribunal, là ? Est-ce qu'on parle de sentence, d'équité, d'honnêteté ? Parce qu'il n'y a ni équité ni honnêteté dans un tribunal. Enfin, vous, vous savez bien comment c'est… Dans un tribunal, *personne ne dit la vérité*. Tout le monde ment. Les avocats, les juges. La justice n'est qu'un simulacre. S'il y a des lieux dans ce monde d'où l'équité et l'honnêteté sont absentes, c'est bien les tribunaux…

— Tu as fini ?

— Non. Je te propose de devenir riche. Que dirais-tu de 10 millions de dollars ? Ils peuvent être versés sur un compte de ton choix sur un simple coup de fil de ma part. Mes avoirs sont bloqués mais pas tous. Il y a des comptes secrets, des paradis fiscaux, des coups de fil à donner… Il est encore temps…

— Avance…

Ming s'était immobilisé. Le plancher de béton n'allait pas plus loin. Au-delà, ce n'était qu'un labyrinthe de chemins branlants en tôle jetés sur des croisées d'énormes poutres d'acier. On apercevait le vide en dessous. Vertigineux. Il y avait bien des filets de sécurité, mais ils se trouvaient plusieurs étages plus bas. Ici, le vent soufflait si fort qu'il menaçait de les culbuter. Les rafales hurlaient dans cet espace ouvert et Elijah sentit l'air lui gifler la figure comme s'il se tenait dans une soufflerie.

— Je refuse d'aller plus loin, dit Ming en élevant la voix. Si tu me tires dessus, il y aura des impacts, tu seras accusé de meurtre !

— Et si ça m'était égal ? lança Elijah derrière lui. S'il n'y avait plus rien ici pour me retenir ? Plus rien qui vaille la peine ?

— Beaucoup d'argent, suggéra Ming. Réfléchis ! Beaucoup d'argent pour toi… et beaucoup de drogue… Tu n'as pas envie de te piquer ?… Un petit shoot, là, tout de suite : tu n'en as pas envie ?

Le regard du vieux flic se voila.

— Hmm… un shoot, dit-il, je donnerais n'importe quoi pour un shoot et tu le sais…

— Tu vois… Tu vois ! Il y a encore quelque chose qui te retient à cette vie !

— Je plaisantais, dit Elijah froidement. Avance, maintenant, ou je te fais sauter le caisson, vieille ordure.

— Pitié, fit le Chinois, mais sa voix disait que, s'il reprenait le dessus, lui n'en aurait aucune.

Cet homme a tué et il y a pris plaisir, fais attention…

— Dernière sommation, annonça Elijah.

À contrecœur, Ming fit un pas sur les tôles. Puis un autre… Elles semblaient terriblement minces quoique assez solides pour supporter le poids de deux hommes. Sauf que la pluie les balayait et les rendait redoutablement glissantes. Le petit milliardaire rentrait la tête dans les épaules à présent, il progressait à pas prudents.

À l'extrémité, le seul garde-fou était une dérisoire barrière faite de deux tubes fixés horizontalement à des piquets verticaux. Ça ou rien… Au-delà, ils devinaient la mer, les buildings et le ciel immense à travers les bourrasques. Ils étaient haut. Bien plus haut que quiconque. Seule la tour ICC voisine dépassait la leur. Ils étaient littéralement suspendus en plein ciel. Elijah avait surestimé ses forces : le vertige et la tempête lui tordaient l'estomac. *Ils étaient trop haut.* Beaucoup trop haut… Il inspira à fond, il avait du mal à respirer.

— Encore quelques pas…, dit-il.

Pendant une fraction de seconde, il se laissa distraire par l'incroyable paysage de poutrelles, de tôles, de tuyaux où hurlait le vent. Que tout cela pût tenir ensemble à quatre cents mètres du sol lui parut relever d'une sorte de magie, de sorcellerie moderne.

Il ne vit pas que Ming s'était retourné.

Le Chinois avait jeté un coup d'œil en arrière.

Il constata que le vieux flic regardait ailleurs.

Alors, il s'élança.

Il fonça sur Elijah qui, distrait par ce décor, le vit trop tard. Le flic tira maladroitement. La charge explosive fit son office : elle s'enflamma et propulsa l'ogive hors de la douille et du canon mais le projectile se perdit dans le ciel. Déjà, Ming était sur lui… Les deux hommes tombèrent et roulèrent sur les tôles ruisselantes. Avant qu'il ait pu comprendre quoi que ce soit, Elijah sentit des dents se planter autour de ses yeux et de son nez et mordre de toutes leurs forces. La douleur lui fit l'effet d'une décharge électrique et la peur d'avoir les yeux crevés le fit presque défaillir. Quand l'emprise de la mâchoire se relâcha, il roula sur le côté, les paupières pleines de sang, avec l'impression

qu'on lui avait arraché le nez. Il le toucha précaution-
neusement. Il ne manquait que quelques lambeaux de
peau, même si les dents avaient mordu très profond.

— Debout, dit la voix.

Elijah leva la tête. Ming se tenait à deux mètres, *son*
arme à la main, et le regardait de haut. Elijah se dit
qu'il n'avait jamais vu un regard d'une telle noirceur.
Même chez les pires criminels qui avaient croisé sa
route. C'était celui d'un être au-delà de toute forme de
pitié, un être qui n'avait d'humain que l'apparence.

— Debout, répéta la voix.

Elijah se releva. Péniblement.

— Qu'est-ce que tu vas faire ?

— Te tuer.

Le constat était glacial, neutre, objectif. Implacable.
Ni affect, ni satisfaction, ni gloriole.

— Alors, qu'est-ce que tu attends ?

— J'aime bien ce moment, répondit Ming.

Et Elijah sut que c'était vrai. C'était sans doute le
moment que Ming préférait : *quand il tenait ses victimes à sa merci, avant qu'elles meurent*… Au moins,
cette fois, il n'avait rien sous la main, pas de tiges ni
de serpent, pour prolonger les souffrances de sa proie.

— Vas-y, qu'est-ce que t'attends ?

— On a tout le temps, dit Ming.

— Tire, putain !

Elijah fit un pas de côté, obligeant Ming à tirer. Le
coup partit, la déflagration couvrit un instant le bruit
du vent. Elijah vit la flamme sortir du canon, sentit le
projectile traverser son épaule, mais il avait déjà bondi
en avant pour contrer l'impact. La deuxième balle l'atteignit en pleine poitrine, à trois centimètres du cœur,
comme un énorme coup de poing, au moment où,

bras ouverts, il embrassait le Chinois dans une ultime étreinte et le poussait en arrière. Ming se débattit. L'arme lui échappa, tomba en tintant sur la tôle, métal contre métal, rebondit et disparut dans le vide. Elijah s'arc-bouta, repoussant Ming. De nouveau, ce dernier le mordit jusqu'au sang, lui arrachant à moitié l'oreille gauche, mais Elijah continuait d'avancer malgré l'incendie de la douleur – il était plus fort, plus vigoureux, même si ses forces diminuaient rapidement. Son sang jaillissait de sa poitrine à gros bouillons et dégoulinait sur celle de son adversaire qui, à présent, essayait de lui assener des coups de tête rageurs, ses bras prisonniers de ceux d'Elijah.

Les reins de Ming rencontrèrent enfin le mince tuyau à hauteur d'homme qui tenait lieu de barrière et Elijah donna une ultime impulsion, rassemblant ses toutes dernières forces pour les faire basculer ensemble dans le vide, aidé par une rafale soudaine qui le poussa dans le dos. Pour la première fois, il lut la peur dans les prunelles de son ennemi et il connut une très fugace mais souveraine satisfaction quand leurs deux corps enlacés passèrent par-dessus la barrière et furent happés par l'air et la pesanteur, à quatre cents mètres du sol.

Tout bascula, et Elijah ferma les yeux, entendit le cri de son partenaire d'envol dans ses tympans, en même temps que le hurlement de l'air.

Tous les vingt étages environ, la tour était cernée de grandes plaques métalliques en forme de parapluie inversé pour retenir tout outil qui échapperait à un ouvrier. Aussi leur chute fut-elle brève. Ce fut sur l'un de ces obstacles qu'elle s'acheva. Ming mourut sur le coup. Elijah glissa vers le fond du parapluie de métal, coincé entre la tôle et la tour, le visage tourné vers le ciel. Le temps se dilata, les secondes devinrent des minutes, ou peut-être des heures, ou alors un instant. Il demeura ainsi, incapable de bouger, devina qu'il avait de multiples os brisés à l'intérieur, des dizaines d'organes endommagés et de trop nombreuses hémorragies. Il contempla le vortex des nuages dans le ciel. Sentit des vagues d'émotions s'emparer de lui – des émotions plus violentes que toutes celles qu'il avait éprouvées au cours de sa vie.

Il regarda longtemps la pluie descendre sur lui avant de rendre son dernier souffle.

Épilogue

L'île

AU LEVER DU JOUR, elle sortit sur le pont boire son café. La baie vibrait déjà d'activité. Le *Foxy Lady* était rentré de plusieurs jours de pêche et les matelots débarquaient des casiers pleins de poisson sur le quai. Adam et Alec, les jumeaux propriétaires du chalutier, lui adressèrent un petit signe auquel elle répondit. Des plaisanciers allaient et venaient sur les ponts de leurs bateaux à l'ancre, se préparant à passer la journée en mer. À la pointe sud, le phare lui renvoya les premiers rayons du soleil. Une brise fraîche s'était levée durant la nuit – qui caressait les hibiscus, les bougainvillées et les palmiers autour de la capitainerie –, aussi avait-elle passé un large pull-over par-dessus son tee-shirt et son short en denim. Sa peau était hâlée comme jamais.

Elle s'étira, huma l'odeur du café froid dans sa tasse puis se leva pour retourner briquer le bateau. La saison reprenait. La veille déjà, elle avait lavé, astiqué, vérifié les deux réfrigérateurs, les deux congélateurs, la machine à glaçons, le gouvernail de secours, les winchs, les cordages, les réserves et les canots de

617

sauvetage pour sept personnes. Elle allait avoir trente ans et elle n'aurait échangé sa place pour rien au monde. Avec les indemnités versées par Ming Inc., elle avait pu acquérir ce voilier de quinze mètres et venir s'installer dans ce petit coin de paradis où elle proposait aux touristes de faire le tour des îles. Une seule condition était requise, mais qu'ils avaient parfois du mal à accepter : pas de téléphone portable, ni tablette, ni ordinateur – ils étaient invités à laisser leurs joujoux dans le coffre-fort de Shane, le gérant du plus grand hôtel de l'île.

Il y avait tout le confort moderne à bord mais pas le wifi. À la place, elle proposait une croisière de plusieurs jours, champagne, daiquiris et conversations à bâtons rompus sur le pont le soir, et des plongées dans quelques-uns des plus beaux *spots* des Caraïbes – les mille hectares de fonds marins de la réserve Cousteau au large de Malendure, sur la Côte-sous-le-Vent, la pointe du Gouvernail aux Saintes, l'anse Chastenet et les Key Hole Pinnacles à Sainte-Lucie. C'était cent fois mieux que toutes les images du Centre : aucune lunette 3D, aucune technologie ne pourrait jamais procurer les mêmes émotions que cette planète. Et c'était cette planète-là qu'elle voulait léguer aux générations futures.

Elle alla se rincer la figure dans sa cabine puis descendit à terre et prit la direction de l'hôtel, à deux cents mètres en retrait de la plage. À cette heure, la grève était tout aussi vide que les transats au bord de la piscine, les touristes de l'hôtel dormaient ou cuvaient leur vin, et elle se dirigea vers le petit local que Shane lui sous-louait pour ses activités au milieu du complexe hôtelier.

Le barman, qui venait de l'île Moustique, était déjà derrière son comptoir au centre du bassin et il lui jeta un regard interrogateur : la veille au soir, elle avait un peu trop picolé et elle était rentrée en tirant des bords jusqu'au voilier. Une fois par semaine, elle « lâchait les amarres ». Le reste du temps, elle était au café et à l'eau. Et elle avait arrêté de fumer. Il avait aussi essayé de la convaincre, comme tous les samedis soir, qu'il lui fallait un homme dans sa vie. Mais ça faisait presque un an qu'elle s'en passait fort bien et elle n'était pas prête à mettre un terme à une routine si durement acquise.

Elle pensait souvent à Chan. Parfois cela la rendait triste et elle pleurait à chaudes larmes, en d'autres occasions au contraire un souvenir remontait à la surface qui la faisait sourire ; toujours elle avait l'impression qu'il n'était pas mort de cette façon absurde mais qu'il vivait caché quelque part, qu'un jour il débarquerait en short d'un vol de la SVG Air, et qu'ils reprendraient là où ils en étaient restés. En revanche, elle ne pensait jamais à Ming. Ni à Julius ni aux autres. Curieusement, elle ne faisait plus le moindre cauchemar.

Au début, dans les premières semaines qui avaient suivi son retour à Paris, elle avait observé l'agitation provoquée par la mort de Ming Jianfeng et la façon dont l'empire avait vacillé. Il ne se passait pas un jour sans que de nouvelles révélations fissent l'objet d'articles retentissants dans le *South China Morning Post* et la presse mondiale. La découverte de « la cave des horreurs » dans la villa de Ming, la divulgation de l'ampleur de ses crimes avaient plongé l'opinion publique dans la stupeur. Des associations avaient appelé à boycotter les produits Ming et l'action avait chuté de manière vertigineuse. Puis, dans un second temps, tout ce battage avait paru procurer à l'empire une paradoxale publicité, et l'action était repartie à la hausse. La société avait annoncé que le projet DEUS n'était pas abandonné, mais confié à une nouvelle direction, et, quelques mois plus tard, on s'arrachait plus que jamais les technologies Ming.

Moïra n'en était même pas surprise. Elle savait aussi que Julius et Tove étaient en prison, mais tout cela ne la concernait plus. Elle les avait rayés de sa carte mentale. Quant à Chan, elle l'avait si peu connu qu'elle pouvait le réinventer à loisir. Il y avait donc autant de Chan que d'humeurs et de jours. Il y avait le Chan romantique et chevaleresque qui, dans son imagination, devenait plus grand et plus courageux, mais c'était un peu trop cliché à son goût, aussi passait-elle rapidement au Chan timide, au Chan « chinois » qui n'osait pas la regarder dans les yeux, et il lui arrivait d'imaginer – en se caressant lascivement sur sa couchette, bercée par la houle – qu'elle s'autorisait avec lui des gestes qu'elle n'aurait jamais osés dans la vraie vie. D'autres fois, elle s'adressait au Chan sage, au Chan raisonnable, et il lui prodiguait des conseils à la manière d'un grand frère, mais elle finissait toujours par envoyer balader ce Chan-là d'un définitif : « Laisse tomber, tu veux ? »

Il arrivait – uniquement très tôt le matin ou tard le soir – qu'elle se rendît au bout de la plage et arpentât le sable blanc en parlant toute seule et en hochant la tête, le regard tourné vers le large. « Chan, qu'est-ce que t'en penses si j'installe un chauffage à air pulsé ? C'est une bonne idée, non ? Je crois aussi qu'il faut changer le dessalinisateur… » Parfois, la membrane entre son monde intérieur et le monde réel se faisait dangereusement mince, mais elle savait que c'était l'une des conséquences de sa vie solitaire. Quand il faisait mauvais temps, elle restait cloîtrée à bord avec un bon livre (ou un mauvais), le plus souvent abandonné par un client de l'hôtel. Mais jamais rien qui parlât d'intelligence artificielle.

Elle remonta l'allée bordée de bougainvillées et d'anthuriums, déverrouilla la porte de bois peinte en blanc au-dessus de laquelle était écrit, en anglais et en français, « *PLONGEZ AU PARADIS !* » entre le dessin d'un requin et celui d'une raie manta, et pénétra dans le minuscule local encombré de classeurs métalliques, d'un bureau emprunté à l'hôtel et de deux fauteuils au cuir râpé. Sur le mur, une carte des Antilles et une phrase en capitales : « NO SMARTPHONE IS SMART. » Sur l'un des classeurs métalliques, un vieil Hasselblad. Elle aimait prendre des photos de l'île et les développer dans le labo qu'elle avait aménagé à bord du voilier.

Elle avait quand même Internet. C'était indispensable aujourd'hui si on voulait des clients. Mais l'ordi restait au local et elle ne l'allumait qu'une heure par jour pour gérer les affaires courantes. Dès qu'elle dépassait le temps imparti, une alarme sonnait et elle se déconnectait.

Elle passa en revue les réservations. Elle avait fait le plein pour la reprise. La croisière n'était pas donnée, mais elle savait que tous repartiraient avec des étoiles plein les yeux et des souvenirs qu'ils chériraient longtemps. Elle examina la liste des passagers : deux couples et deux célibataires. Éteignit l'ordinateur, sortit, verrouilla et se mit en marche vers la réception de l'hôtel, entre deux murailles de fleurs.

Une journée parfaite pour sortir en mer…

Elle entra dans l'établissement et, comme chaque fois, les six personnes qui l'attendaient la regardèrent en se demandant si elle n'était pas un peu trop jeune et un peu trop… *femme*.

— Bonjour, messieurs-dames, leur lança-t-elle sobrement.

Elle salua Shane : la cinquantaine, des cheveux blonds décolorés grisonnant sur les tempes, des rides autour de ses yeux bleu-gris creusant une peau tannée, et une haute silhouette sèche et rassurante.

— Je vous présente la meilleure navigatrice des Caraïbes, messieurs-dames, proclama-t-il. Faites-moi confiance : avec elle, vous êtes en de très bonnes mains.

Je n'ai pas besoin de ta confiance, Shane, foutu macho, pensa-t-elle, mais elle se contenta de sourire. En réponse, d'autres sourires soulagés apparurent, mais ils demandaient encore à être convaincus. Pas grave. Elle avait l'habitude.

— Bon, vous avez tous lu les conditions et vous les avez acceptées : une semaine de déconnexion totale… C'est ça, l'idée… Vous allez redécouvrir ce que c'est que de vivre… Et au bout d'une journée, je vous le garantis, vous aurez oublié votre téléphone. Ce qui vous attend au large vaut bien ce petit sacrifice. Alors, s'il vous plaît, messieurs-dames, remettez-moi tous vos téléphones, vos ordinateurs et vos tablettes si vous les avez avec vous, on va les enfermer dans le coffre de l'hôtel… Ils y seront en lieu sûr en attendant votre retour. Et je vous avertis, tout contrevenant sera jeté à la mer.

Il y eut quelques rires nerveux.

— Et si quelqu'un doit nous joindre en urgence ?

Elle montra Shane.

— Vous avez tous donné le numéro de l'hôtel à quelqu'un en cas d'urgence ? S'il y a quoi que ce soit, Shane me contactera sur la radio de bord. Vous faisiez comment avant les téléphones portables ?

La plupart des personnes présentes étaient assez âgées pour avoir connu cette époque.

— On peut faire un selfie tous ensemble avant ? demanda un homme dans la quarantaine, qui se pré-nommait José, d'après sa fiche.

— Allez-y, José, concéda-t-elle, faites risette à l'appareil, je suis de bonne humeur aujourd'hui. (Mais quand ils insistèrent pour qu'elle soit sur la photo, elle refusa.) Que le mot « beauté » soit le premier et le der-nier de chaque journée ! lança-t-elle ensuite. Veuillez me suivre ! En chemin, vous allez vous présenter et me dire ce que vous faites dans la vie, si vous avez des passions, des hobbies, des enfants… Le but de ce voyage, c'est aussi de faire connaissance.

Ils quittèrent la réception tel un groupe de scouts mené par un adulte et ils n'étaient pas encore arrivés au port, traînant leurs bagages dans le sable le long des massifs de catalpas, sous les palmiers bruissants, que déjà ils riaient, plaisantaient, s'exclamaient et tis-saient des liens. Il y en eut bien un ou deux en chemin pour regretter de ne pas pouvoir prendre en photo cet endroit paradisiaque – elle avait autorisé les appa-reils argentiques, mais aucun n'en avait apporté –, ils durent songer aux milliers de photos qu'ils avaient

prises et qu'ils ne regardaient jamais, car ils renon-
cèrent vite.

Quand ils eurent franchi l'échelle de coupée et se
furent rassemblés sur le pont, elle déboucha une bouteille de champagne en dépit de l'heure matinale et
emplit les flûtes.

— Qu'est-ce qu'on fête ? demanda le boute-en-
train de la bande.

— Votre nouvelle vie…

Elle leva sa flûte vers les flots pleins de petits éclats
de soleil.

— Maintenant vous êtes libres, proclama-t-elle.

Hong Kong, juin 2018 ; Yvelines, janvier 2019

Electra existe : elle s'appelle Sophia, elle a été mise au point par Hanson Robotics, une entreprise basée à Hong Kong. Vous en avez sûrement entendu parler. Sophia a bien reçu la citoyenneté saoudienne et parlé devant les Nations unies. De même, un sommet sur les smart cities *s'est tenu à l'American Chamber of Commerce de Hong Kong en juin 2018 (je l'ai déplacé de quelques jours), au cours duquel Sophia s'est entretenue avec Carrie Lam, la chef de l'exécutif, et une grande entreprise chinoise fabriquant des smartphones est bien entrée à la Bourse de Hong Kong à la même époque. Ces deux événements ont eu lieu au moment où je m'y trouvais, à l'été 2018. Le* zouchuqu, « *l'esprit de conquête* » *chinois, existe plus que jamais, les acquisitions chinoises dans le monde entier se multiplient et celles énumérées dans ce roman sont réelles. Tout comme sont réelles l'existence de l'ICAC, la Commission indépendante contre la corruption, celle du lobbying exercé par le bureau de liaison avec Pékin et celle des robots à quatre et à deux pattes de la firme Boston Dynamics. Les* cockroaches *sont inspirés d'un minirobot développé par cette même société. Le personnage de David Seager est fictionnel. Cependant, sa « science des chevaux » est très proche de celle de Jeffrey Seder, à qui l'on doit la détection d'American Pharoa, l'un des plus remarquables chevaux de course de l'ère moderne. Le typhon Mangkhut a frappé Hong Kong quelques jours après mon passage dans cette ville. L'inquiétant écart mesuré entre la réalité et la perception de cette réalité dans l'esprit d'un certain nombre de Français vient de la très sérieuse enquête réalisée par IPSOS :* Perils of Perceptions 2018. *Enfin, certaines des idées exprimées par DEUS l'ont été en réalité par Nassim Nicholas Taleb dans son livre* Jouer sa peau *(Belles Lettres, 2017).*

M, le bord de l'abîme *est un roman qui navigue entre fiction et réalité. « Quelle différence y a-t-il entre une fiction et un reportage ou un livre d'histoire ? Ces derniers ne sont-ils pas composés de mots ? »,* demande Mario Vargas Llosa dans La Vérité *par le mensonge. Plus loin, il ajoute : « Tout bon roman dit la vérité et tout mauvais roman n'est que tissu de mensonges. » J'espère que cette fiction appartient à la première catégorie.*

Bibliographie

Ce roman a pour toile de fond les percées effectuées ces dernières années par les grandes sociétés informatiques dans le domaine du Big Data et de l'intelligence artificielle, mais aussi l'avance prise par la Chine sur l'Occident, ainsi que les différences culturelles entre eux. Il a par ailleurs pour cadre l'une des villes les plus fascinantes au monde : Hong Kong, où l'auteur s'est rendu à l'été 2018. Bien qu'il s'agisse d'une fiction, en plus de ses voyages et de ses rencontres, il a puisé à de nombreuses sources, dont voici les principales. Le lecteur curieux y trouvera, développées et étayées, certaines des idées exposées dans le livre.

INTELLIGENCE ARTIFICIELLE ET BIG DATA

Serge Abiteboul, Valérie Peugeot, *Terra Data : qu'allons-nous faire des données numériques ?*, Le Pommier/Universcience, 2017.

Laurent Alexandre, *La Guerre des intelligences*, JC Lattès, 2017.

Gérard Berry, *L'Hyperpuissance de l'informatique : algorithmes, données, machines, réseaux*, Odile Jacob, 2017.

Nick Bostrom, *Superintelligence*, OUP Oxford, 2014.

Charles-Édouard Bouée, *La Chute de l'empire humain*, Grasset, 2017.

Erik Brynjolfsson, Andrew McAfee, *Des machines, des plateformes et des foules*, Odile Jacob, 2018.

Emily Chang, *Brotopia : Breaking up the Boy's Club of Silicon Valley*, Portfolio, 2018.

Brian Christian, Tom Griffiths, *Algorithms to Live by : The Computer Science of Human Decisions*, William Collins, 2017.

Stanislas Dehaene, *Apprendre ! Les talents du cerveau, les défis des machines*, Odile Jacob, 2018.

Laurence Devillers, *Des robots et des hommes : mythes, fantasmes et réalités*, Plon, 2017.

Virginia Eubanks, *Automating Inequality : How High-Tech Tools Profile, Police and Punish the Poor*, St. Martin's Press, 2018.

Lisa Feldman Barrett, *How Emotions Are Made. The Secret Life of Brain*, MacMillan, 2017.

Martin Ford, *L'Avènement des machines*, FYP, 2017.

Jean-Gabriel Ganascia, *Intelligence artificielle : vers une domination programmée ?*, Le Cavalier bleu, 2017.

Pierre Giorgini, *La Transition fulgurante : vers un bouleversement systémique du monde ?*, Bayard, 2014.

Jean-Claude Heudin, *Comprendre le Deep Learning : une introduction aux réseaux de neurones*, Science eBook, 2016.

—, *Intelligence artificielle, manuel de survie*, Science eBook, 2017.

IPSOS, *Perils of Perceptions Survey 2018*.

Jerry Kaplan, *Artificial Intelligence : What Everyone Needs to Know*, OUP US, 2016.

Ray Kurzweil, *How to Create a Mind*, Duckworth Overlook, 2013.

Stéphane Mallard, *Disruption : préparez-vous à changer de monde*, Dunod, 2018.

Pierre Marquis, Odile Papini, Henri Prade (dir.), *Panorama de l'intelligence artificielle, ses bases méthodologiques, ses développements*, vol. 1 : *Représentation des connaissances et formalisation des raisonnements*, vol. 2 : *Algorithmes pour l'intelligence artificielle*, Cépaduès, 2014.

Yuval Noah Harari, *Homo Deus, une brève histoire du futur*, Albin Michel, 2017.

Cathy O'Neil, *Weapons of Math Destruction : How Big Data Increases Inequality and Threatens Democracy*, Crown, 2016.

Éric Sadin, *La Vie algorithmique : critique de la raison numérique*, L'Échappée, 2015.

—, *L'Intelligence artificielle ou l'Enjeu du siècle : anatomie d'un antihumanisme radical*, L'Échappée, 2018.

Eric Schmidt, Jared Cohen, *À nous d'écrire l'avenir : comment les nouvelles technologies bouleversent le monde*, Denoël, 2013.

Seth Stephens-Davidowitz, *Everybody Lies : What the Internet Can Tell Us About Who We Really Are*, Bloomsbury Publishing PLC, 2017.

Philippe Vion-Dury, *La Nouvelle Servitude volontaire : enquête sur le projet politique de la Silicon Valley*, FYP, 2016.

HONG KONG, CHINE, RELATIONS INTERNATIONALES

Viviane Alleton, *Les Chinois et la passion des noms*, Aubier, 1993.

Sophie Benge, *Hong Kong entre deux mondes*, Abbeville, 1997. (Photographies de Fritz von der Schulenberg.)

Serge Berthier, *Vivre à Hong Kong*, L'Archipel, 2017.

Christine Cayrol, *Pourquoi les Chinois ont-ils le temps ?*, Tallandier, 2017.

Pierre-Antoine Donnet, *Quand la Chine achète le monde*, Philippe Picquier, 2018.

Alice Ekman (dir.), *La Chine dans le monde*, CNRS Éditions, 2018.

Tim Ferriss, *Tools of Titans : the tactics, routines and habits of billionaires, icons and world-class performers*, Vermillion, 2016.

José Frèches, *Il était une fois la Chine*, XO, 2006.

—, *Dictionnaire amoureux de la Chine*, Plon, 2013.

Jacques Gernet, *Le Monde chinois*, Pocket, 2006.

Greg Girard, Ian Lambot, *City of Darkness, Kowloon Walled City*, Watermark Publications, 2014.

François Godement, *Que veut la Chine ? De Mao au capitalisme*, Odile Jacob, 2012.

Hoo Tiang Boon, *China's Global Identity : Considering the Responsabilities of Great Power*, Georgetown University Press, 2018.

Cyrille J.-D. Javary, *100 Mots pour comprendre les Chinois*, Albin Michel, 2008.

Cyrille J.-D. Javary, Alain Wang, *La Chine nouvelle*, Larousse, 2012.

Cyrille J.-D. Javary, *La Souplesse du dragon, les fondamentaux de la culture chinoise*, Albin Michel, 2014, 2017.

Anabelle Masclet, *Comprendre la Chine*, Ulysse, 2005.

Claude Meyer, *L'Occident face à la renaissance de la Chine*, Odile Jacob, 2018.

Erin Meyer, *The Culture Map : How People Think, Lead and Get Things Done Across Cultures*, Public Affairs, 2016.

Valérie Niquet, *La Puissance chinoise en 100 questions*, Tallandier, 2017.

Nordan Obrecht, *S'ouvrir à la Chine, comprendre les valeurs chinoises*, Éditions du Net, 2017.

Jean-Louis Rocca (dir.), *La Société chinoise vue par ses sociologues*, Presses de Sciences Po, 2008.

Edward Tse, *China's Disruptors : How Alibaba, Xiaomi, Tencent and Other Companies Are Changing the Rules of Business*, Portfolio, 2015.

Alain Wang, *Les Chinois*, Tallandier, 2016.

Wenjing Guo, *Internet entre État-parti et société civile en Chine*, L'Harmattan, 2015.

Remerciements

Ceux qui viennent de le terminer n'auront aucune peine à l'imaginer : l'écriture d'un tel roman a été tout sauf une croisière tranquille. Cette difficile et parfois épuisante traversée – solitaire, agitée, tourmentée, tempétueuse pendant de longs mois – a toutefois été accompagnée dans sa dernière partie par quelques matelots de luxe : il me faut ici remercier Sarah Hirsch et Ève Sorin pour leurs relectures précises et enrichissantes et, comme à l'accoutumée, toute l'équipe des éditions XO, à commencer par Bernard Fixot et Édith Leblond, pour leurs indéfectibles enthousiasme et soutien. Et, bien sûr, celle qui m'a accompagné à Hong Kong et qui a été là à chaque étape de la rédaction de ce livre : Laura Muñoz.

Table